D1216233

Pour David Hayman

amicalement

Julia

6.5.77

POLYLOGUE

DU MÊME AUTEUR

aux mêmes éditions

Σημειωτικὴ
RECHERCHES POUR UNE
SÉMANALYSE
coll. Tel Quel, 1969

LA TRAVERSÉE DES SIGNES
ouvrage collectif
coll. Tel Quel, 1975

LA RÉVOLUTION DU LANGAGE POÉTIQUE
l'avant-garde à la fin du XIXᵉ siècle
Lautréamont et Mallarmé
coll. Tel Quel, 1974

chez d'autres éditeurs

LE TEXTE DU ROMAN
approche sémiologique d'une structure
discursive transformationnelle
La Haye, Mouton, 1970

DES CHINOISES
éd. des Femmes, 1974

JULIA KRISTEVA

POLYLOGUE

ÉDITIONS DU SEUIL
27, rue Jacob, Paris VIᵉ

CE LIVRE
EST PUBLIÉ DANS LA COLLECTION
TEL QUEL
DIRIGÉE PAR PHILIPPE SOLLERS

ISBN 2-02-004631-8

© ÉDITIONS DU SEUIL, 1977.

La loi du 11 mars 1957 interdit les copies ou reproductions destinées à une utilisation collective. Toute représentation ou reproduction intégrale ou partielle faite par
quelque procédé que ce soit, sans le consentement de l'auteur ou de ses ayants cause,
est illicite et constitue une contrefaçon sanctionnée par les articles 425 et suivants
du Code pénal.

Avant-propos

Ce livre essaie d'analyser diverses pratiques de symbolisation : de la plus archaïque, la langue, le discours, en passant par la littérature et la peinture, jusqu'à leurs approches par des techniques spécifiées (linguistique, sémiotique, épistémologie, psychanalyse).

La question du sujet — dissous, survivant, renaissant — est ainsi constamment posée, à travers des époques charnières (Moyen Age, Renaissance, XXe siècle) : usure des anciens codes, constitution de nouveaux dispositifs pour l'affirmation d'une nouvelle identité, d'une nouvelle signification. Il s'agit en somme d'indiquer, à chaque fois, comment a pu émerger, du négatif assumé jusqu'à l'évanouissement de sens, une positivité neuve. Problème brûlant d'actualité. Mais qui, de nos jours, paraît n'avoir d'autre solution que celle d'une analyse et d'une histoire des réponses antérieures.

Car, s'il est vrai que les mass media, après le fascisme et le stalinisme, ont illustré la fin de l'individu et du mythe de la communauté, seules des tentatives exceptionnelles, populaires et uniques à la fois, demeurent aujourd'hui comme relève, dans des expériences singulières, des inquiétudes qui, dans le passé, s'énonçaient en langages universels : religion, philosophie, sciences humaines, arts. Mais la possibilité même d'aborder ces soliloques communautaires comme tels implique qu'ils ont perdu leur force de conjuration du négatif.

Polylogue — travail étalé sur des années — analyse donc la constitution de quelques illusions communes : la Langue, le Discours, la Linguistique, la Peinture, la Littérature, pour atteindre, dans leurs failles et leurs dissolutions, ce que la symbolisation qu'elles réalisent a de singulier, dans son universalité prétendue, en son rapport aux pulsions aux prises avec une vie, une société, une histoire unique. Si les sciences du symbolique nous conduisent alors immanquablement à la psychanalyse, celle-ci, en parlant hors d'un transfert concret, apparaît aussi comme une

7

généralisation (la dernière?) et, de toute façon, ouvre sur un abîme qui est probablement l'enjeu des temps modernes : l'articulation de la biologie au sens, donc l'animal comme parlant. Ici, nos analyses se taisent, et les discours dits psychotiques, branchés à vif sur le sens fait corps, entrent en jeu, tandis que la rationalité s'y mesure selon le poids qu'elle peut supporter de mort ou de non-sens.

Polylogue est un pari : s'il est vrai qu'un discours éclairant, totalisant, est faux, il est néanmoins possible d'éviter le déluge des pulsions comme le signifiant filant fasciné de vide, pour que s'éveille, dans des dires singuliers, un sujet unique qui s'y pose, positif, et qui appelle à l'inimitable, à l'irrécupérable de tous.

Pari non pas d'Une Résurrection, mais de relèves multiples, à chaque fois spécifiques, de la mort — cette hystérique obsédante — dans des langages dont la multitude est la seule marque de l'existence d'une vie.

Ce recueil interpelle par conséquent un lieu rare, peut-être difficile, où la subjectivité d'un individu passe dans des enjeux qui, sans être des universaux, ont la généralité d'une logique : le corps confinant à l'intellect, l'intime au neutre.

C'est le surmoi, menacé et menaçant de retour, qui s'y subtilise, en s'énonçant dans des espaces et selon des modes pluriels : poly-logue, multiplication de la rationalité, transposition de l'Un sur des registres variés qui s'approchent de plus en plus de l'innommable : le refoulement « originaire ».

Singularité déterminante, la différence sexuelle, c'est-à-dire ici l'éternel *exil* d'une femme par rapport au sens, favorise peut-être la tension invoquée et offerte, qui serre et confronte les domaines, glissant sur l'inquiétante étrangeté du signifiant immédiat (la langue française est, partant, secondaire) pour viser une parenté avec le geste idéal du calligraphe chinois dont l'énergie, traversant, brasse corps et pensée dans une même trace.

Que le fameux « continent noir » de la féminité, loin d'être la dernière communauté possible, comme on l'imagine, soit prêt, au-delà de son agressivité embrasant tout sens existant, à accueillir, à entendre, à faire renaître des *logiques multiples,* polyvalences de l'Un, qui assurent de nouvelles subtilisations du surmoi, singulièrement pour tous : voilà ce qui émergera, peut-être, au fil des lectures.

L'être parlant qui s'y profile n'est ni le « Sujet » d'une seule structure de sens ni le cri de « pas de sujet » de la pression libidinale défrayant la langue. Mais cette ubiquité furtive, que portent les ondes indécidables de l'information contemporaine, et qui fait renaître l'Un, nombre réel pour ceux qui parlent, infiniment, indéfiniment, tolérant des logiques, des paroles, des existences multiples.

COMMENT PARLER À LA LITTÉRATURE

Politique de la littérature *

I. On le sait depuis Platon, la politique est ce qui prescrit une commune mesure et fait ainsi exister une communauté. Or, la commune mesure de base, c'est le langage. Donc l'animal est politique dans la mesure où il parle.

La politique conservatrice est une préservation de la mesure que représente le souverain (le chef) censé pouvoir se livrer à une auto-régulation. La politique de révision (révisionniste) remplace une commune mesure par une autre, le nouveau code étant appuyé par un nouveau chef (Staline) ou par un anonymat terne (le technocratisme moderne). La politique révolutionnaire, quand elle n'est pas une répétition, devrait être le temps où la politique (la commune mesure, donc le langage) se brise.

Qu'est-ce qui, dans ce qu'on dit, tombe sous l'effet de la mesure?

La linguistique dit : tout. Le structuralisme trouve la systématicité de son objet des phonèmes aux sèmes, en passant par la rhétorique. La grammaire générative considère le langage comme un objet formel, à signes immotivés, s'articulant dans une infinité dénombrable, voire finie, et se fait forte d'y intégrer la sémantique et la pragmatique. La science du langage poursuit sa vision platonicienne d'un objet mesurable, sans dépense. La politique de la linguistique se mesure à l'enfermement structural ou systématique du langage dans la mathesis. Pourtant, les lapsus, les jeux de mots, le « style », témoignent de quelques dérangements de la structure qui, bien sûr, se refait, mais en portant la trace d'une *hétérogénéité*. Le générativiste la refuse : la contrainte de l'hétérogène n'intéresse pas l'ordre logique du langage. Le structuraliste veut la schématiser : il se limite aux figures rhétoriques.

* Congrès « Psychanalyse et Politique », Milan, déc. 1973. Première publication : *Tel Quel*, 58, été 1974.

Au contraire, à partir d'une position dialectique et matérialiste, deux modalités de la signifiance sont à prendre en considération pour faire apparaître ce qui, dans le langage, change de politique. (Rappelons, en passant, le « dualisme » maintes fois affirmé de Freud.)

J'appellerai la première : le *symbolique*. Elle comprend ce qui, dans le langage, est de l'ordre du signe, c'est-à-dire et en même temps de la nomination, de la syntaxe, de la signification et de la dénotation d'un « objet » d'abord, ou d'une « vérité » scientifique ensuite.

J'appellerai la seconde : le *sémiotique*. Elle est chronologiquement antérieure et synchroniquement transversale au signe, à la syntaxe, à la dénotation et à la signification. Faite de frayages et de leurs marques, c'est une articulation provisoire, un rythme non expressif. Platon *(Théétète)* parle d'une *chora,* antérieure à l'Un, maternelle, en l'empruntant au « rythme » de Démocrite et de Leucippe. Eschyle fait dire à Prométhée qu'il est « rythmé » : nous traduisons « enchaîné ». Le sémiotique est une distinctivité, une articulation non expressive : ni substance amorphe ni numérotation signifiante. Si on peut l'imaginer dans le cri, les vocalises ou les gestes de l'enfant, le sémiotique fonctionne en fait dans le discours adulte comme rythme, prosodie, jeu de mots, non-sens du sens, rire. On peut chiffrer le sémiotique : le sonographe nous met en fréquences le moindre cri. Mais on ne peut pas en mesurer le sens — le sémiotique n'a pas d'unités discrètes signifiables, localisables. Une topologie peut en donner l'image, mais non pas la contradiction hétérogène avec le symbolique.

Le procès signifiant, dans sa complexité dialectique matérialiste, comprend la contradiction des deux modes. Dire que le langage est une *pratique,* c'est précisément entendre comment le symbolique, et avec lui le sens, se déplace sous la pression du sémiotique. Nous abordons peut-être ainsi la conception matérialiste de ce que Hegel appelait une « négativité » : *quatrième* « terme » de la dialectique ternaire, qui cause la mathesis mais ne se laisse pas chiffrer par elle; impulsion de la logique due à la division asymétrique de l'Un.

Il n'y a pas de pratique qui ne suppose la limite *symbolique :* la position du sens, le bord signifiant du procès, la *doxa,* la *thèse* de l'« être », du « sujet » et de l'« objet ». Le symbolique (et le langage) est thétique : le langage est la thèse par excellence. Pourtant, loin d'être une origine (conception idéaliste), cette thèse symbolique est une coupure et un déplacement du procès sémiotique. En revanche, et en même temps, s'il n'y a pas de pratique sans *doxa* et sans thèse, celles-ci seraient de simples systèmes répétitifs sans la contradiction hétérogène du sémiotique qui, par le cycle de ses irruptions, déplace infiniment et indéfiniment la thèse, l'être signifiable et signifiant; ce qui veut dire qu'il est le mécanisme du renouvellement. Le sémiotique n'est le facteur révolutionnaire d'une pratique qu'à condition de s'affronter à sa thèse symbolique (au sens, à la structure).

Dans le discours du sujet parlant, c'est le heurt du discours d'un autre qui appelle le sémiotique, hétérogène au sens, à déplacer le sens symbolique que le sujet a pris l'habitude de considérer comme sien. Puisque tout acte linguistique est appelé par (ou est l'appel d') un destinataire, toute énonciation devrait être une pratique, au sens d'un déréglage du sens thétique codé, par un rythme sémiotique suscité par l'autre; toute énonciation linguistique devrait être une contradiction hétérogène entre le thétique communicable et le rythme sémiotique spécifique, avant la constitution éphémère d'une nouvelle structure signifiante; toute énonciation devrait comprendre le temps du symbolique et son vidage : un temps zéro du sens cédant devant le rythme; toute énonciation devrait avoir un aspect incommensurable dans lequel le sujet signifie les éclats de son rythme où il se perd. *Devrait*, mais ne l'est pas. — Parce que la *politique* idéaliste exige de l'échange communautaire un nivellement, une *commune mesure,* mais tait sa brisure : à force de se dépenser, la communauté risque de se rompre (sauf si la religion contrôle la dépense). — Parce que aussi, complice de cet idéalisme, la *science* linguistique nous propose une vision systématique du langage plein de sens, sans vide, sans procès, sans pratique : donc sans sujet en procès.

II. L'exercice du langage comme *pratique* suppose un changement de la conception de la politique. Avant de dire lequel, voyons ce qui se passe là où le langage fonctionne comme un procès dialectique (*pratique* signifiante).

Freud en a trouvé le laboratoire dans la relation de transfert.

La « littérature » en donne une autre modalité, à ne pas confondre avec celle du transfert, mais que Freud a vue chez les précurseurs de sa découverte. La découverte de l'inconscient est précédée et s'accompagne d'un des éclatements les plus spectaculaires du discours occidental, que signent les noms de l' « avant-garde » littéraire : Mallarmé, Lautréamont, Joyce, Kafka, Artaud. Leurs écrits subvertissent le code idéologique (mythèmes familiaux, religieux, étatiques) en même temps que le code de la langue (garantie ultime de l'unité du sujet). Une subversion qui est une *pratique* et non pas une dérive, parce qu'elle *formule* non pas un nouveau langage (au sens de symbolique, thétique), mais un réseau symbolique qui est immédiatement le support d'un rythme sémiotique où se déchiffre d'une part le corps infinitisé (sujet et objet à la fois), d'autre part et en même temps des codes naturels, idéologiques, politiques multiples (cf. *Finnegans Wake*). Je ne vous entretiendrai pas du fonctionnement de cette pratique. Je relèverai seulement quelques-uns de ses impacts sociaux et les limites qui, depuis elle, sont devenues visibles.

1. La pratique du langage dont il est question entre en discussion (ce qui n'est pas forcément une contradiction) avec le monothéisme (christianisme, judaïsme) dominant l'idéologie occidentale. Mallarmé et Joyce, différemment, réfléchissent la fonction paternelle en la combattant non seulement dans l'idéologie, mais dans le fonctionnement de la langue elle-même, par un retour de la rythmicité sémiotique connotée maternelle. Le culte de la mère les met à l'écoute du paganisme et des religions orientales, avant qu'ils ne retrouvent la fonction paternelle désormais comme une nécessité symbolique indispensable à toute pratique, comme thèse de langage, comme limite structurante — interne, à dépenser — de toute pratique. L'État, la famille, le catholicisme sont les structures auxquelles s'attaque « la musique dans les lettres », c'est-à-dire l'avant-garde dans l'*économie* de son discours aussi bien que dans son *contenu*. Ces écrivains sont allés probablement le plus loin dans l'analyse du mono-logisme, de la « commune mesure », de la politique comme réglementation unaire. Mais c'est Freud, à partir du monothéisme, qui en *sait* le plus : qui en formule le *savoir*.

2. Entièrement sourde à cette pratique dialectique du discours et du sujet en elle, la nouvelle conception politique du XXᵉ siècle, le marxisme, place la négativité hégélienne (le temps de la dissolution de la structure) en dehors du sujet parlant : dans les rapports de production. La contradiction est une contradiction de classe mais non pas une contradiction du procès signifiant et donc de chaque sujet parlant dans une classe.

La notion de « conscience de classe » a pu contribuer à effacer un aspect essentiel de la négativité hégélienne : la possibilité de dépense du sujet pensant-parlant. Le marxisme paye son tribut à l'humanisme : il reste chez les marxistes (plus que chez Marx) de Feuerbach ce qui écartait la négativité et le vide dialectique au nom de l' « espèce humaine ». Une des conséquences de cette évacuation du sujet en procès, est le fait que la théorie et la pratique du marxisme butent sur la notion de *droit*. — Elles l'ignorent par l'élimination du sujet et par sa réduction aux contradictions de classe, et engendrent en contrepartie la revendication qui demande le droit bourgeois : ce droit même d'où Hegel a défini les fondements de la conscience jugeante (thétique, symbolique) et qui exige des contraintes au nom d'une individualité « libre » dont la notion est donnée par la psychologie empiriste (« responsabilité », « devoir », « remords », etc). Une politique marxiste pour des sujets en procès, c'est-à-dire dont la pratique est un excès du code et, dans cette mesure, jouissance, n'existe pas. Il est remarquable que le refoulement du sujet et de son droit à la jouissance dans une pratique signifiante se manifeste aussi par une négligence ou une censure vis-à-vis de la « culture » et de l' « art ».

3. D'un autre côté, solidaire avec le précédent, la contestation de l'autorité, de la conscience jugeante, de la structure, cet assaut que la fin du XIXe siècle et le début du XXe siècle ont connu contre le monologisme, a ouvert la voie à l'apologie d'une substance folle, violence, sexisme, ésotérisme. Avant d'apparaître sous le nom de Hitler et dans les camps de concentration, le fascisme a pris l'air et a trouvé des complicités dans les réactions antimonologiques : les avant-gardes philosophiques et littéraires s'y sont mêlées (Heidegger, Pound). *Le fascisme est le retour du refoulé dans le monologisme religieux ou politique.* On ne peut pas empêcher ce retour, comme le veut naïvement le libéralisme bourgeois, ou comme s'efforce de le faire, en se laissant contaminer, le dogmatisme « communiste ». Le problème est de faire parler ce refoulé du monologisme : ce sémiotique pulsionnel, hétérogène au sens et à l'Un, et qui les fait marcher. Le transfert, sans doute, mais, de façon moins familiale et moins privée, une pratique dite artistique éclairée par la découverte freudienne, sont précisément ce qui parle le refoulé du monologisme (du contrat social) et ce qui le dépense en l'investissant dans une nouvelle forme de langue, donc dans une nouvelle socialité. Aussi ces deux pratiques paraissent-elles être

17

la barrière la plus intrinsèque contre le fascisme. S'il y a une fonction éthique de la littérature, c'est bien celle-ci : faire passer dans le langage ce que le monologisme refoule (du rythme au sens).

4. La période actuelle, par rapport à 68, et dans divers systèmes économiques et politiques, semble pouvoir être caractérisée comme une période de *régression* : je la définirai comme une soumission à la *loi* et à l'*identité*. Le *système* prime le sujet : au mieux, nous y ajustons notre pratique, quand nous ne sommes pas contraints à nous arrêter, tout bêtement.

Quelles que soient les contradictions entre les systèmes économiques ou entre les classes, un souci majeur les domine : le *nationalisme*. Du Congrès américain au PCF, en passant par le Moyen-Orient, des *ensembles* se constituent qui priment les *pratiques :* ce sont les identités nationales des groupes humains. L'identité nationale, c'est précisément la commune mesure dans la langue et la tradition culturelle (je ne traite pas de la nécessité économique qui, pour être déterminante en l'occurrence, n'est pas exhaustive). La répétition et, par conséquent, la monotonie et l'ennui accompagnent ce gonflement paranoïde des identités nationales. La loi juridique et la croyance au savoir universitaire (exemple : USA) sont parmi les pivots essentiels de cette identité, de cette clôture, de ce monologisme. Ce qui est exclu, c'est l'étranger — l'autre identité nationale, ou bien (et surtout) celui qui, dans la même, ne parle pas la même langue : l'écrivain analysant. La xénophobie bat son plein.

Même jusque dans les mouvements les plus neufs et apparemment les plus radicaux, comme le mouvement des *femmes,* on cherche son identité : « comment n'être rien qu'une femme », avec la bénédiction du pape si possible, et contre Allende si le train de vie est mis en cause. Quand il n'est pas entré en analyse, le gauchiste trouve son identité dans l' « organisation », ou même s'apprête à accueillir le « maharaji » à Houston.

L'État est loin d'être mort tant que dure le besoin économique et subjectif d'identité.

Mais la loi donne le change : elle tolère des enclaves où des sujets s'imaginent ne pas avoir à tenir compte de la structure — la drogue, la pornographie, l'exode spiritualiste en sont des exemples. Pourtant, dès que ceux-ci essaient de se parler, la structure les prend : les discours des minorités subversives sont le plus souvent des sous-ensembles des discours dominants. Si elles ne parlent pas, c'est le marginalisme (« cause », mais « cause toujours ») ou bien l'alibi de la loi, de l'identité, du nationalisme, de la xénophobie : le marginalisme les excite, c'est leur désir, il les fait tourner en rond.

Ce clivage (la substance folle d'une part, la loi identifiante de l'autre) peut donner lieu à une nouvelle forme de fascisme : à un autoritarisme effrayé par les enclaves de transgression, décidant de les supprimer en les canalisant dans une oppression au service d'une classe ou d'un chef (éventualité pour les pays en voie de développement). Au minimum, ce clivage va donner lieu à un renforcement de l'exécutif qui peut se permettre de laisser la contestation s'étouffer elle-même dans ses marges (USA, Europe occidentale).

Est-ce dire qu'une clôture de l'organisation sociale est devenue visible, clôture caractéristique de tout mode de production, mais que le capitalisme met à nu? — Le pessimisme de Freud trouverait alors sa justification, de même que trouverait sa justification le discours psychanalytique.

Le capitalisme, et déjà depuis la fin du siècle dernier, a rendu patent ce que Freud a formulé ainsi : « La société est fondée sur un crime commis en commun. » Ce crime, inhérent au contrat social et donc au langage, est ce qui, dans ce contrat et dans le langage, est de l'ordre de la « commune mesure ». Ce que le contrat politique et/ou la structure linguistique (la prohibition de l'inceste et le symbolique légiférant) ont tué, c'est le *soma* : le rythme des atomistes, le corps sémiotisant, l'âge d'or des mythes. Ayant reconnu ce meurtre, la psychanalyse, sur la voie de l'angoisse que cette reconnaissance suscite, invite à une anamnèse dans le langage de ce corps que le langage-contrat meurtrier a refoulé. Le projet psychanalytique est donc éminemment social : la psychanalyse fait adhérer le sujet au contrat social et/ou linguistique après les avoir dramatisés. Elle se place du côté du contrat, de la « commune mesure », et, tout en y faisant l'anamnèse du soma sémiotisé, le présente comme manqué.

On peut se demander, en ce lieu, si la psychanalyse n'est pas le discours le plus véridique de cet enclos social qui se constitue du clivage entre le soma d'une part, l'autorité, l'identité, la loi, la « commune mesure », le nationalisme... de l'autre. Si elle n'est pas le discours ultime de la socialité depuis son lieu même, en connaissance de sa cause refoulée.

19

Pourtant, une *autre pratique discursive* se fait entendre, même en Occident, et grâce à Freud, indiquant un autre rapport à la socialité et donc à la politique. Pour elle, le contrat social et le système de la langue ne sont pas une commune mesure, mais une limite à faire jouir (non pas à dissoudre). Ce discours ne parle pas au nom de la socialité, au nom de la nomination, au nom du langage : il les *dépense* avant de les *reformuler*. La politique y est assumée, comme l'est la limite structurante du langage, pour être destructurée par le jeu sémiotique où le sujet unaire se met en procès. Tel est le double registre sur lequel a échoué Maïakovski (échec qui signe l'échec d'une révolution politique); tel est le double registre sur lequel s'obstine Mao. J'évoque ces expériences non pas comme des performances littéraires, mais parce qu'une autre attitude à l'égard de la clôture socio-politique s'y dessine. — Si l'acte politique (communautaire, légiférant) est un impératif du présent, l'acte politique *révolutionnaire* est celui qui accompagne ce présent d'un futur antérieur : de l'appel d'un avenir utopique à partir d'une anamnèse, à travers le langage, de ce que la thèse symbolique, structurante, communautaire, refoule. La conscience de classe prolétarienne ne suffit pas pour assurer ce futur antérieur. Le transfert psychanalytique conduit le sujet à questionner ses identifications, mais ne déplace pas sa clôture socio-historique. Il faut que la conscience de classe révolutionnaire se supprime en tant que conscience de classe (déterminée par la production) en s'énonçant dans un discours analysant la systématicité de la langue (du sens) en même temps que de la socialité. Dissolution de la structure, approche par le langage de la limite du langage, au bord du rythme insensé, là où s'estompe le clivage sujet/objet, nature/culture : investissement de cette analyse dans les contenus politiques mêmes. *Le sujet d'une nouvelle pratique politique ne peut être que le sujet d'une nouvelle pratique discursive :* la structure sociale et linguistique acceptée pour être pulvérisée d'abord et pluralisée pour finir par ce rythme sémiotique où le sujet se perd dans une jouissance sans communauté et sans commune mesure, à laquelle il réclame son droit.

Le discours psychanalytique peut occulter cette autre pratique socio-linguistique qui est un phénomène nouveau en Occident; il nous permet aussi de l'entendre, à condition que nous donnions toute sa portée à l'expérience du sujet dans la langue. Joyce, Kafka, Artaud : un discours, une socialité, une politique qui durent depuis deux mille ans sont en train de se rompre par la formulation d'une jouissance incommensurable. La politique qui ne l'entend pas se voue à l'anachronisme ou aux diverses variantes du totalitarisme. L'entendre, c'est commencer à comprendre qu'une autre socialité est exigée par un sujet en procès qui écarte du même geste la folie et la subordination clivante à la loi.

Comment parler à la littérature *

> ... une passion de l'écriture qui suit pas à pas
> le déchirement de la conscience bourgeoise.
>
> R. Barthes, *le Degré zéro de l'écriture*.

Dans l'asphyxie économique et politique de la société capitaliste, les discours s'usent et s'effondrent avec une rapidité jamais atteinte. Les trouvailles philosophiques, les « enseignements », les formalismes scientifiques ou esthétiques se succèdent, rivalisent, disparaissent, sans destinataires convaincus ni adeptes conséquents. La didactique, la rhétorique, toute dogmatique, dans quelque « domaine » que ce soit, ne s'imposent plus : avec l'Université, elles survivent et peut-être survivront, modifiées. Un seul langage semble de plus en plus contemporain : celui qui serait, à plus de trente ans de distance, l'équivalent de *Finnegans Wake*.

C'est dire que l'expérience de l'avant-garde littéraire est, par sa caractéristique même, vouée non seulement à devenir le laboratoire d'un discours (et d'un sujet) nouveau, effectuant ainsi une « mutation aussi importante, peut-être, que celle qui a marqué, relativement au même problème, le passage du Moyen Age à la Renaissance » (*Critique et Vérité*[1] 48); mais qu'elle refuse les discours figés ou éclectiquement universitaires, s'approprie leur savoir quand elle ne le déclenche pas, et en invente un autre, inédit, mobile et transformateur. Par là même,

---

* Première publication : *Tel Quel*, 47, automne 1971.

1. Les titres entre parenthèses, suivis du numéro de la page, renvoient aux ouvrages de Roland Barthes : *le Degré zéro de l'écriture*, 1953 (coll. « Points », 1972); *Michelet par lui-même*, 1954; *Mythologies*, 1957 (coll. « Points », 1970); *Essais critiques*, 1964; *Critique et Vérité*, 1966; *Système de la mode*, 1967; *S/Z*, 1970; *Sade, Fourier, Loyola*, 1971 — parus aux Éd. du Seuil. *Les Éléments de sémiologie*, précédé de *le Degré zéro de l'écriture*, Gonthier-Médiations, 1965.

elle stimule et révèle des changements idéologiques profonds qui cherchent à l'heure actuelle leur formulation *politique* juste : contre l'épuisement du « libéralisme » bourgeois toujours exploiteur et dominateur, contre la révision et l'intégration précipitées du dogmatisme toujours répressif et suiviste sous son déguisement.

Comment la littérature réalise-t-elle cette subversion positive du vieux monde? Comment s'effectue, à travers elle, cette négativité propre au sujet autant qu'à l'histoire, qui déblaie les idéologies et jusqu'aux langues « naturelles » pour formuler les nouveaux dispositifs de la signifiance? Comment condense-t-elle aussi bien l'explosion du sujet que celle de la société dans une nouvelle distribution des rapports entre symbolique et réel, subjectif et objectif?

L'enquête sur les bouleversements idéologiques actuels passe par une connaissance de la « machine » littéraire. — C'est dans cette perspective que se situe notre *rappel* du travail de Roland Barthes. Précurseur et fondateur des études modernes de la littérature, il l'est précisément pour avoir placé la pratique littéraire au carrefour du sujet et de l'histoire; pour l'avoir étudiée comme symptôme des déchirements idéologiques d'une société; pour avoir cherché, dans les textes, le mécanisme précis d'après lequel s'effectue symboliquement — sémiotiquement — ce déchirement, et en constituer ainsi l'objet concret d'une connaissance dont la variété, la multiplicité et la mobilité le font échapper aux saturations des vieux discours : cette connaissance est en quelque sorte déjà une écriture, un texte.

Nous allons donc rappeler ce qui nous semble être une partie majeure du travail de Roland Barthes visant à spécifier la place clé de la littérature dans le système des discours : la notion d'*écriture,* le langage vu comme *négativité,* la désubstantification des idéalités linguistiques, l'opération d'inscription du réel a-symbolisé dans le tissu de l'écriture, le désir du sujet en écriture, l'impact du corps et la sanction en dernière instance de l'histoire dans l'écrit, le statut de la métalangue dans la connaissance possible de la littérature (le dédoublement entre « science » et « critique »).

Ce sera un rappel « classique », voire « didactique », qui n'a l'ambition que d'*indiquer* et de *renvoyer* aux textes mêmes de Barthes : comment rivaliser avec son talent d'écrivain? N'étant donc ni une analyse scientifique de tel texte concret, ni une appréciation globale, ce rappel essaiera de se choisir un « point de vue » : un déplacement qui le justifie, peut-être. Autrement dit, étant nécessairement un filtrage opéré dans l'ensemble des textes de Barthes, il se fait en regard des textes de l'avant-garde, de ses tendances actuelles qui sont souvent postérieures aux écrits de Barthes et déplacent leur cadre. Le « point de vue » est donc que c'est l'avant-garde qui permet de lire dans le travail de Barthes (qui en fait partie) des éléments contemporains de la mutation discursive-idéologique en cours.

LA DÉCOUVERTE

La notion d'écriture (1953 : *le Degré zéro de l'écriture)* modèle aussi bien la conception de la pratique *littéraire* que celle d'une *connaissance* possible de cette pratique.

« Littérature » devenue *écriture,* « connaissance » ou « science » devenue *explicitation objective du désir d'écriture,* leur relation met en cause aussi bien le « littéraire » que le « scientifique » ratiocinant, pour situer l'enjeu à la place même du sujet dans le langage à travers le corps et l'histoire. L'écriture sera une coupe que l'histoire opère dans le langage déjà travaillé par un sujet. L'objectivation du désir pour l'écriture exige du sujet (de la métalangue) le double mouvement d'adhésion et de distance dans lequel il bride son désir de signifiant par la *sanction* d'un code (linguistique, sémiologique, etc.), elle-même dictée par une éthique (utopique?) : insérer dans la société une pratique qu'elle censure, lui communiquer ce qu'elle ne peut pas entendre, reconstituer ainsi la cohésion et l'harmonie du discours social par nature brisé.

Le nœud est alors tissé dans lequel la littérature sera prise de divers côtés à la *fois :* langage, sujet-producteur, histoire, sujet de la métalangue. Autant d'« entrées » en elle pour les sciences constituées ou en voie de constitution (linguistique, psychanalyse, sociologie, histoire); entrées non seulement *inséparables* l'une de l'autre, mais dont la combinatoire spécifique est la condition même de cette possibilité de connaissance. L'originalité des écrits de Barthes réside sans doute dans cette double nécessité : *1)* que les approches scientifiques soient simultanées et forment un ensemble ordonné qui donnera lieu à la conception barthésienne de la sémiologie; *2)* qu'elles soient commandées par la pré-

sence discrète et lucide du sujet de cette « connaissance possible »
de la littérature, par la *lecture* qu'il fait des textes aujourd'hui,
situé comme il l'est dans l'histoire contemporaine.

L'illusion techniciste

Sans la première de ces nécessités, nous assistons au morcellement du
corps littéraire en « disciplines » se greffant sur la pratique littéraire, la
parasitant (histoire, sociologie, mais aussi, de façon plus moderne et
plus détournée, les divers formalismes, linguistiques ou non, russe ou
new-criticism) : la littérature confirme toutes les hypothèses de toutes
les sciences humaines, donne sa plus-value au linguiste aussi bien qu'à
l'historien, à condition de rester dans les coulisses du savoir, chose
passive, jamais agente; c'est dire que, n'étant pas spécifiée comme *objet
précis,* délimitée dans sa totalité, par une théorie autonome et suturée
qui en chercherait la vérité, la littérature ne donne pas lieu à une
connaissance spécifique, mais à des *applications de* doctrines qui sont
autant d'exercices idéologiques parce que empiriques et fragmentaires.
Sans la deuxième nécessité, nous avons l'illusion techniciste que la
« science littéraire » n'a qu'à reproduire les normes de La Science (si
possible de la linguistique, voire, plus « rigoureusement », de la phonologie, de la sémantique structurale ou de la grammaire générative) pour
s'insérer dans le digne, mais amorphe domaine des « études des communications de masse ».

Il est possible que tous les écrits de Barthes n'obéissent pas (ou pas
de la même façon) à ces nécessités qui se dégagent de l'ensemble de son
travail. Il est plutôt sûr que ses compagnons ou disciples ont tendance à
les négliger. Il n'empêche que le geste s'opère dans l'ensemble des
textes de Barthes : ces écrits qui se donnent souvent comme des
« essais » modèlent la littérature et en font l'objet d'un discours objectif
de type nouveau, lequel échoue chez ceux — plus scientistes ou plus
essayistes — qui, dans le sillage de Barthes, manquent telle ou telle
composante de l'opération. « Essais », terme dans lequel on ne pourra
lire ni une humilité rhétorique ni l'aveu d'un discours théoriquement
faible (comme seraient tentés de le penser les gardiens de la « rigueur »
en sciences humaines), mais une exigence méthodologique des plus
graves : la science de la littérature est un discours toujours infini, une
énonciation toujours ouverte de la *recherche* des lois de la pratique

dite littéraire, et dans laquelle l'*objectif* consiste à *exposer l'opération* même qui produit cette « science », son « objet » et leur rapport, plutôt que d'appliquer empiriquement telle technique sur un objet indifférent.

L'axe de la refonte : le sujet historique

A quelle exigence épistémologique, idéologique ou autre répond cette *refonte* qu'est la découverte de Barthes? Ne serait-il pas plus prudent de se contenter de compartiments pudiquement copulés : littérature *et* linguistique, littérature *et* psychanalyse, littérature *et* sociologie, littérature *et* idéologie, etc.? — La liste est infinie.

Si l'intervention de Barthes, qui cherche dans la pratique littéraire ce qu'elle a de spécifique, d'incomparable, peut sembler obéir aux exigences technocratiques de notre époque (constituer un discours spécialisé pour tout le domaine dit « humain »), et suivre des postulats empirio-criticistes (toute pratique signifiante serait subsumable dans un formalisme exporté d'une science exacte), en fait elle va à l'encontre de ces apparences qu'elle recouvre pour les retourner. Ainsi, aux sujets d'une civilisation aliénés dans leur langage et barrés par leur histoire, le travail de Barthes démontre que la littérature est précisément le lieu où cette aliénation et ce barrage se déjouent de façon à chaque fois spécifique.

Ligne frontière entre un signifiant où se perd le sujet et une histoire qui lui impose ses lois, la littérature apparaît comme un mode spécifique de *connaissance pratique* où se concentre ce que la communication verbale et l'échange social écartent puisqu'ils obéissent aux règles de l'évolution économico-technique. Cette concentration, ce dépôt, est donc par définition un objet inexistant pour les sciences de la communication ou de l'échange social : son lieu est transversal au lieu qu'elles se donnent; il les croise et se place ailleurs. L'étape actuelle de la société capitaliste industrielle ayant circonscrit, sinon dominé, les possibilités globales de communication et de technique, a permis qu'une partie de son activité analytique s'attaque à ce « non-lieu ».

Décadente ou travaillée par son refoulé, notre société peut s'apercevoir que l'art est un indice des règles sous-jacentes qui la gouvernent autant, sinon plus, que l'est la structuration de la parenté pour les sociétés dites primitives. Elle peut ainsi faire de cet « art » un objet de « science » pour constater qu'il ne se réduit pas, comme les mythes des sociétés antiques, simplement à une *technè*-procédure de cogitation (à manufacturer selon tel ou tel procédé linguistique) ou à des *fonctions* sociales (à rattacher à tel besoin économique). Mais qu'au contraire l'« art » révèle une *pratique* spécifique, cristallisée dans un mode de production à instances hautement diversifiées et pluralisées, et qui tisse dans la langue (ou d'autres « matériaux signifiants ») les relations complexes d'un sujet pris entre la « nature » et la « culture », la *tradition* idéologique et scientifique immémoriale désormais disponible et le *présent,* le *désir* et la *loi,* le corps, la langue et la « métalangue ».

Ce qu'on découvre donc, dans ce tissu, c'est la fonction du *sujet* entre les pulsions et la pratique sociale dans un langage aujourd'hui compartimenté en multiples systèmes souvent incommunicables : tour de Babel que la littérature précisément casse, remanie, inscrit dans une nouvelle série de contradictions perpétuelles. Il s'agit de ce *sujet* qui culmine dans l'ère chrétienne-capitaliste au point d'en être le moteur secret, puissant et ignoré, réprimé et novateur : la littérature en condense précisément la naissance et les luttes; la science dont Barthes esquisse les possibilités en cherche les lignes de force à travers cette littérature : cette écriture.

On n'a pas encore suffisamment mesuré l'importance de ce changement de terrain qui consiste à penser le sujet à partir de la pratique littéraire plutôt qu'à partir de la névrose ou de la psychose. Permis en effet par la psychanalyse, le projet qu'esquisse Roland Barthes ouvre sur un autre « sujet » contre lequel la psychanalyse, prospectant les méandres de « je » à l'« autre », a, on le sait, buté. La pratique « littéraire » et généralement « artistique » transforme la dépendance du sujet vis-à-vis du signifiant en une épreuve de sa liberté par rapport au signifiant et au réel. Épreuve dans laquelle il atteint aussi bien ses limites (les lois du signifiant) que les possibilités objectives (linguistiques et historiques) de leur déplacement, en incluant les tensions du « moi » dans les contradictions historiques, en s'arrachant des tensions du « moi » au fur et à mesure qu'il les inclut dans les contradictions historiques, qu'il les accorde à leurs luttes. C'est précisément cette *inclusion,* spécificité essentielle des « arts », par laquelle un « moi » affirmé devient hors-moi, objectivé ou, mieux, ni objectif ni subjectif, mais les deux à la fois et, en conséquence, leur « autre », qui a reçu avec Barthes son nom : écriture. Infra- et ultra-langage, trans-langage, l'écriture est la crête où s'affirme le devenir historique du sujet, c'est-à-dire un sujet a-psychologique, a-subjectif, un sujet historique. L'écriture pose donc un autre sujet, pour la première fois définitivement antipsychologique car ce qui le détermine *en dernière instance* n'est pas la problématique de la *communication* (rapport à l'autre) mais celle de l'excès du « moi » dans une *expérience,* pratique nécessaire. Aussi Roland Barthes peut-il dire que « l'œuvre d'art est ce que l'homme arrache au hasard » (*Essais critiques,* 218) et que, comme le projet structuraliste, l'art « dit le lieu du sens, mais ne le nomme pas » (*ibid.,* 219).

La littérature : maillon manquant des sciences humaines

Puisqu'elle focalise le *procès* du sens dans le langage et l'idéologie, du « moi » à l'histoire, la pratique littéraire reste le maillon manquant à l'édifice socio-communicatif ou subjectif-transcendantal des sciences dites humaines; rien de plus « naturel », car ce « lieu » du sens qu'elle *dit,* mais ne *nomme* pas est le lieu même de la dialectique matérialiste qu'aucune science humaine n'a encore abordé.

L'insertion de cette pratique dans le corps des sciences sociales exige de modifier la conception même de « science » pour que s'y joue une dialectique analogue. C'est dire qu'une part d'aléatoire sera réservée et délimitée à l'intérieur de la procédure visant la connaissance de cette pratique : un aléatoire localisé comme condition de la connaissance objective, un aléatoire qui est à chercher dans le rapport du sujet de la métalangue à l'écriture étudiée, et/ou aux voies de constitution sémantique et idéologique du sujet. Une fois cette zone déterminée, la pratique littéraire peut être considérée comme objet d'une connaissance possible, la possibilité discursive émergeant d'un *réel* impossible *pour* elle quoique localisable *par* elle. C'est la question de la métalangue impossible qui se joue ici, constituant le deuxième volet du travail inaugural de Barthes. S'agissant de la littérature, il sera le premier à en faire la démonstration : ouvrant ainsi la voie aux philosophes ou aux sémioticiens.

Ce dispositif appelle en effet l'introduction de la linguistique, de la psychanalyse, etc., à condition de respecter les contraintes du dispositif lui-même. C'est un horizon nouveau — nouvel objet, nouveau sujet connaissant — que les travaux de Barthes proposent à ces sciences : elles commencent à peine et sporadiquement de l'apercevoir.

LANGAGE ET ÉCRITURE

La découverte d'un objet nouveau par une métalangue construite entre hasard et nécessité semble être de règle aujourd'hui dans toute science. Posés en soi, ces bords s'avèrent fréquemment être l'alibi idéologique d'un kantisme à peine modernisé dont la productivité intra-scientifique se renverse, à peine franchi le seuil des « sciences exactes », en barrage gnoséologique contre la théorie scientifique du *sujet* parlant et connaissant (contre la psychanalyse) et de l'*histoire* (contre le matérialisme historique).

Il apparaît nettement, en même temps, que c'est la dialectique hégélienne (dont la transcendance voile le progrès objectif qu'elle effectue par rapport à Descartes, Kant, les Lumières) qui a, la première, indiqué les lignes magistrales de ce jeu entre la limite et l'infini, la ratio et l'objectivité, sur lesquelles butent les sciences actuelles : elle a réussi ce geste en posant dans ses fondements des *nœuds* sans elle invisibles où s'entrelacent les contraires — le *sujet* et l'*histoire*. C'est bien eux que nous rencontrons aux carrefours de la réflexion barthésienne.

Le savoir dans le texte

La littérature, depuis déjà un siècle, les déplie et les serre avec une insistance expresse à travers le langage et dans l'idéologie de notre société, en détenant par là même un « savoir » qu'elle ne réfléchit pas forcément. Si elle se situe, par là, à côté de la pensée ratiocinante, elle évite surtout la transcendance hégélienne en pratiquant la contradiction dans l'élément matériel de la langue génératrice de l'idée ou du sens à travers le corps biologique et historique d'un sujet concret. Toute unité phonique est alors nombre et infini, pléthore et comme telle signifiante parce que en même temps différentielle de l'infini; toute phrase est syntaxe et non-phrase, unicité normative et multiplicité déréglée; toute séquence est mythe et creuset où il s'engendre et meurt à travers sa propre histoire, celle du sujet et celle, objective, des superstructures. Car toute suite de langage est investie d'un foyer-émetteur qui lie le corps à son histoire biologique et sociale. Un sujet spécifique chiffre le langage normatif de la communication usuelle par des codes extra-linguistique, biologique et sociaux imprévisibles, hasardeux, indémontrables par un nombre fini d'opérations déductives ou « rationnelles », mais agissant avec la nécessité de « lois objectives ». Ce sujet particulier, non pas d'une cogitation ni d'une langue saussurienne, mais d'un *texte*, éclaté et cohérent, légiféré par une nécessité imprévisible, ce « sujet » est précisément l'objet que Barthes cherche dans la littérature nommée *écriture*. On comprend alors que la pratique de l'écriture et son sujet soient des contemporains immédiats, voire des avant-coureurs du bouleversement scientifique moderne : leurs correspondants idéologiques et pratiques; les modules qui assurent la cohérence entre la façon dont le sujet se parle, se « sent », se « vit », et ce que la connaissance objective effectue sans lui ailleurs; les opérateurs qui suturent les déchirures entre une idéologie subjectiviste archaïque d'une part, et le développement des forces productives et des moyens de connaissances d'autre part, précédant et excédant ces déchirures.

Deux filières de la découverte : la dialectique, la sociologie

Imposés à la réflexion moderne depuis Maurice Blanchot à travers Hegel-Mallarmé-Kafka, l'écriture et son sujet obtiennent chez Barthes un statut épistémologique nouveau. Ils abandonnent les labyrinthes spéculatifs de l'esprit absolu et la contemplation de l'essence du langage, pour atteindre avec Fourier, Sade, Balzac, le discours mythique, politique, journalistique, le nouveau roman, *Tel Quel*, et, grâce à une alliance de la sociologie (marxisme, sartrisme), du structuralisme (Lévi-Strauss) et de l'avant-garde littéraire, un éclairage nouveau, d'après une triple thèse implicite :

— la matérialité de l'écriture (pratique objective dans le langage) exige sa *confrontation* avec les sciences du langage (linguistique, logique, sémiotique), mais aussi une *différenciation* par rapport à elles;

— son immersion dans l'histoire entraîne la *prise en considération des conditions sociales et historiques;*

— sa *surdétermination sexuelle* l'oriente vers la psychanalyse et, à travers elle, vers l'ensemble d'un « ordre » corporel, physique, substantiel.

Issue du renversement de la dialectique sur le terrain du langage (du sens), l'écriture en tant qu'objet de connaissance trouve chez

Barthes un empiriste rationaliste pour en faire la science. L'ambiguïté productive des écrits de Barthes réside, nous semble-t-il, ici même. C'est depuis ce lieu qu'il s'opposera radicalement à toute phénoménologie, transcendante ou positiviste; comme il est vrai que c'est ce lieu ambigu qui peut offrir par moment la tentation formaliste « naïve » pour une symbolisation totale du monde réel et symbolique.

La linguistique et les idéalités phénoménologiques

Les systèmes signifiants, dans l'acception de Barthes, *sont et ne sont pas* d'ordre linguistique. La profonde unité de livres comme *le Degré zéro de l'écriture, Éléments de sémiologie* et *le Système de la mode,* apparemment divergents, démontre cette contradiction constamment opérante chez Barthes.

D'abord, et d'une part, les systèmes signifiants sont si fortement linguistiques que Barthes propose de modifier ainsi la célèbre position de Saussure : « La linguistique n'est pas une partie, même privilégiée, de la science générale des signes, c'est la sémiologie qui est une partie de la linguistique » (*Éléments de sémiologie,* 81). La nécessité en est visiblement dictée par un souci de rigueur, de positivité : puisque le langage est le premier des systèmes signifiants et le mieux cerné...

Mais, *en même temps,* les systèmes signifiants sont *translinguistiques :* ils s'articulent en grandes unités qui traversent l'ordre phonétique et syntaxique, voire stylistique, et organisent une *autre* combinatoire à l'aide de ces mêmes catégories linguistiques fonctionnant pourtant à une puissance seconde, dans un autre système agi par un autre sujet.

La boucle est bouclée : le passage par les formalistes russes n'a servi qu'à revenir plus solidement sur les positions translinguistiques voire antilinguistiques du *Degré zéro* (« il y a dans l'écriture une " circonstance " étrangère au langage », 32) et à pouvoir les fonder.

On peut critiquer l' « idéologie » de cette procédure si l'on n'y voit qu'une réduction de la pratique signifiante complexe à un intelligible neutre et universel. Ce serait négliger le fait que le parcours de Barthes est dicté par le désir de spécifier une typologie (communication ≠ écriture) et qu'ainsi il confronte la systématisation sémiologique avec une écriture de critique (nous y reviendrons) qui rompt avec le statut « neutre et universel » de la métalangue.

Les textes sémiologiques de Barthes — et ils le sont tous, si l'on veut garder le terme pour désigner non pas une formalisation, mais une recherche des lois dialectiques de la signifiance — imposent avant tout une désubstantification de l'idéalité signifiante. Leur portée est d'abord négative (« ...pas de sémiologie qui finalement ne s'assume comme une *sémioclastie* », *Mythologies,* 8) et cette négativité opère contre la transparence de la langue et de la fonction symbolique en général. Les idéalités phénoménologiques que la linguistique y trouve sont, pour Barthes, une façade voilant un autre ordre qui reste précisément à établir. Derrière les catégories et structures linguistiques substantifiées, opaques, fonctionne la scène sur laquelle le sujet, défini dans le *topos* de sa communication avec l'autre, commence par *nier* cette communication pour pouvoir formuler un autre dispositif. Négatif du premier dit « naturel », ce nouveau « langage » est par conséquent non plus communicatif, mais, dirons-nous, *transformatif,* voire *mortel* aussi bien pour le « je » que pour l' « autre » : il aboutira, dans des expériences limites, à une antilangue (Joyce) sacrificielle (Bataille) qui indique, par ailleurs et en même temps, un état bouleversé de la structure sociale. Si elle est toujours entendue comme signifiante, cette autre scène n'est que partiellement linguistique, c'est-à-dire qu'elle ne relève qu'en partie des idéalités établies par la science linguistique, puisqu'elle n'est que partiellement communicative. Au contraire, elle accède au procès de formation de ses idéalités linguistiques, en *dépliant* leur substance phénoménale : ce ne sont plus des unités et des structures de rang linguistique qui déterminent l'écriture, puisqu'elle n'est pas *seulement,* ou n'est pas *spécifiquement,* un discours adressé à quelqu'un. Des déplacements et des frayages d'énergie, des décharges et des investissements quantitatifs [1], logiquement antérieurs aux entités linguistiques et à leur sujet, marquent la constitution et les mouvements

---

1. « Les concepts d' " énergie psychique ", de " décharge ", le fait de traiter l'énergie psychique comme une quantité, sont devenus pour moi des habitudes de pensée depuis que j'ai entrepris de considérer les faits de la psychopathologie sous un angle philosophique » (Freud, *le Mot d'esprit et ses rapports avec l'inconscient* (1905), Gallimard, coll. « Idées », 1968, p. 223).
La référence à Freud est récente et jamais détaillée chez Barthes : elle ne concerne pas la conception *économique* du psychisme chez Freud (théories des pulsions, métapsychologie). Mais l'économie *sémantique dialectique* à laquelle obéit la notion d'écriture, et sa relation explicite avec le sujet parlant font, nous semble-t-il, de la démarche de Barthes une pensée qui rejoint ou permet de rejoindre ces positions freudiennes.

du « moi », et se manifestent en formulant l'ordre symbolique-linguistique. L'écriture serait l'enregistrement à travers l'ordre symbolique de cette dialectique de déplacement, frayage, décharge, investissement de pulsions (dont la plus pulsionnelle est la pulsion de mort) qui agit-constitue le signifiant mais aussi l'excède, se surajoute à l'ordre linéaire de La Langue en utilisant les lois les plus fondamentales de la signifiance (déplacement, condensation, répétition, inversion), dispose d'autres constellations supplémentaires, produit un sur-sens. Barthes écrit en 1953 : « ...l'écriture, au contraire, est toujours enracinée dans un au-delà du langage, elle se développe comme un *germe* et *non comme une ligne,* elle manifeste une essence et menace d'un secret, elle est une *contre-communication,* elle intimide. On trouvera donc dans toute écriture l'ambiguïté d'un objet qui est à la fois langage et coercition : il y a dans l'écriture une " circonstance " étrangère au langage, il y a comme le regard d'une intention qui n'est déjà plus celui du langage. Ce regard peut très bien être une passion du langage, comme dans l'écriture littéraire; il peut être aussi la menace d'une pénalité, comme dans les écritures politiques; [...] écritures littéraires, où *l'unité des signes est sans cesse fascinée par des zones d'infra-* ou *d'ultralangage...* » (*le Degré zéro de l'écriture,* 32-33; nous soulignons). Écrites en 1953, ces lignes deviendront une méthode d'analyse qui sera appliquée en 1969 dans *S/Z.*

Mythe, histoire, esthétique

Une désubstantification analogue frappe les idéalités mythiques, reconstruites comme des cristaux de la pratique des sujets dans l'histoire : « Le mythe ne se définit pas par l'objet de son message, mais par la *façon* dont il profère : il y a des limites formelles au mythe, il n'y en a pas de *substantielles* » (*Mythologies,* 193).

Si cette position a une affinité marquée avec la procédure structuraliste dans laquelle Barthes a pu se ranger volontiers, son projet en diffère radicalement : pour être une structure, le mythe n'est intelligible qu'en tant que *production* historique; on en trouvera donc les lois non pas dans la phonologie mais dans l'histoire. Ainsi : « ...on peut concevoir des mythes très anciens, il n'y en a pas d'éternels; car c'est l'histoire humaine qui fait passer le réel à l'état de parole, c'est elle et elle seule qui règle la vie et la mort du langage mythique. Lointaine ou **non,** la mythologie ne peut avoir qu'un *fondement historique,* car le mythe est une parole choisie par l'histoire : il ne saurait surgir de la " nature des choses " » (*Mythologies,* 194). Contrairement, donc, à un structuralisme qui cherche dans le mythe les « structures permanentes de l'esprit humain » et peut-être plus proche d'un Lévi-Strauss récemment réaffirmé [1], Barthes vise à travers le phénomène discursif sa surdétermination sociale et historique. Mais, puisqu'il part d'une autre expérience, sa position diffère du structuralisme : l'histoire chez Barthes est indissociable d'un *dépliement en profondeur du sujet signifiant* à travers lequel précisément elle est lisible : « L'histoire est alors devant l'écrivain comme l'avènement d'une option nécessaire entre plusieurs morales de langage : elle oblige à *signifier* la littérature selon des possibles dont il n'est pas le maître » (*le Degré zéro de l'écriture,* 9).

Cette nécessité obligatoire, mais non maîtrisable, qui commande le *signifier,* une expérience privilégiée la livre; c'est sur elle que la réflexion « structuraliste » débouche en dépliant « en profondeur » la fonction symbolique grâce au sujet et à l'histoire : c'est l'« esthétique ». — « Le structuralisme ne retire pas au monde l'histoire : il cherche à lier à l'histoire non seulement des contenus (cela a été fait mille fois), mais aussi des formes, non seulement le matériel, mais aussi l'intelligible, non seulement l'idéologique, mais aussi l'esthétique » (*Essais critiques,* 219).

Fasciner et objectiver : Blanchot et Sartre

Deux confrontations permettront peut-être d'apercevoir plus nettement la stratégie de cette désubstantification, productrice de l'écriture chez Barthes. Formulation translangage, elle côtoie l'« écrire » « fasciné » de Blanchot en même temps que « l'œuvre comme objectivation de la personne » de Sartre. Entre ces limites apparemment inconciliables, Barthes relève la parenté dialectique, ou plutôt l'élément commun d'une dialectique transformée, pour poser, dans l'espace de

---

1. « ... une mythologie qui peut être causalement liée à l'histoire en chacune de ses parties, mais qui, prise dans son ensemble, résiste à son cours et réajuste constamment sa propre grille pour qu'elle offre la moindre résistance au torrent des événements qui, l'expérience le prouve, est rarement assez fort pour la défoncer et l'emporter dans son flux» (Cl. Lévi-Strauss, « Le temps du mythe », *Annales,* mai-août 1971, p. 540).

leur écart, l'écriture comme *opération* susceptible d'être éclairée par l'entendement.

L'écriture formulée dès *le Degré zéro* et sans cesse analysée sous divers modes participe — comme on le voit littéralement de la citation ci-dessus (cf. *le Degré zéro de l'écriture*, 32-33) — de la « fascination » que Blanchot contemple dans un « écrire » « livré à l'absence du temps » et qui, traversant le négatif et l'affirmatif, se pose dans un dehors de la dialectique, dans « une perte de l'être, quand l'être manque », dans une lumière éblouissante, sans figure et infigurable, un « On » impersonnel dont la mère œdipienne semble bien être le substrat [1]. L'écriture selon Barthes connaît ce retour de la dialectique téléologique, un retour par lequel le mode négatif s'absorbe dans un semblant d'affirmation (le moment de l'inscription) qui n'est qu'un semblant car l'inscrit est toujours déjà brisé dans la pluralité insaisissable et impersonnelle, transsubjective, anonyme, musicale du texte paragrammatisé; tel *S/Z* dont le réseau sémiotique voile et expose à la fois la voix du castrat, la musique et l'art apparaissant comme lumières lâchées par l'incision, par la coupe-représentant de la castration. Pourtant, si cette brisure laisse miroiter l'éblouissement de la position scripturale « où l'espace est le vertige de l'espacement [2] », en suggérant ainsi que, c'est le rayonnement maternel qui agit le sujet de l'écriture, cette lumière n'est déposée qu'à l'horizon de la recherche. Abrité par son éblouissement, le sémioticien mènera son enquête en deçà de l'aveuglement, dans la nuit opaque de la forme qu'il va éclairer. L'écriture pour Barthes sera alors moins l'éblouissement où le sujet s'évanouit dans la mère que l'*opération* logiquement « précédant » cet évanouissement : il en suivra le trajet dans l'épaisseur sémantique de la langue et l'exposera dans la rigueur de ses formalismes.

C'est précisément sur la trace de cette opération sémantique que la fascination apparaît comme une *objectivation*. La nuée subjectale cristallise dans la praxis d'une « personne » à histoire et dans l'histoire,

---

1. « Peut-être la puissance de la figure maternelle emprunte-t-elle son éclat à la puissance même de la fascination, et l'on pourrait dire que, si la Mère exerce son attrait fascinant, c'est qu'auparavant l'enfant vit tout entier sous le regard de la fascination, elle concentre en elle tous les pouvoirs de l'enchantement... [...] La fascination est fondamentalement liée à la présence neutre, impersonnelle, le On indéterminé, l'immense quelqu'un sans figure... Écrire, c'est entrer dans l'affirmation de la solitude où menace la fascination » (M. Blanchot, *l'Espace littéraire*, Gallimard, 1955, p. 24).

2. *Ibid*, p. 22.

et le texte se présente comme l'œuvre d'un sujet (Michelet, Balzac, Loyola, Sade, Fourier), une « œuvre » qui excède la vie, mais dont la vie partage les structures. Le formalisme est ainsi tempéré par l'introduction du sujet objectif dont ce formalisme est la *pratique*. Une double approche sera par conséquent nécessaire au texte : à travers le réseau *linguistique,* mais aussi à travers la *biographie;* le dosage entre les deux étant toujours dominé par l'élément *écrit,* lequel pourtant ne fait que relever le « vécu », l'inscrire, le comprendre.

Pas d'anonymat « absolu » du texte, donc, sauf dans un premier temps de la recherche, et pour autant que l'impersonnel constitue la limite « supérieure » de l'*opération* visée. Mais : objectivation de l'espacement dans un sujet à biographie, corps et histoire qui sont à insérer dans le texte pour en désigner la limite « inférieure ».

Cette conception dialectique de l'écriture comme praxis objective se retrouve souhaitée, sinon réalisée, chez Sartre [1] : Barthes la démontrera d'abord à propos de Michelet... Le langage devient ainsi non seulement une germination du sens infini et vide à travers les unités et les relations linguistiques et sémiologiques, mais en même temps une *pratique,* relation à un hétérogène, à la matérialité [2].

Pourtant, si l'écriture est l'objectivation de la « personne » la dépassant et lui léguant son intelligibilité historique, et si par là même elle sert de base à la conception largement sémiologique de la « praxis » (et non pas à une interprétation praxologique de la sémiosis, comme cela semble être le cas de l'acception existentialiste), la visée de Barthes est radicalement analytique et dissout les entités propres à la pensée

1. « L'œuvre pose des questions à la vie. Mais il faut comprendre en quel sens : l'œuvre comme objectivation de la personne est, en effet, *plus complète, plus totale* que la vie. Elle s'y enracine, certes, elle l'éclaire, mais elle ne trouve son explication totale qu'en elle-même. Seulement, *il est trop tôt encore pour que cette explication nous apparaisse* [nous soulignons]. La vie est éclairée par l'œuvre comme une réalité dont la détermination totale se trouve hors d'elle, à la fois dans les conditions qui la produisent et dans la création artistique qui l'achève et la *complète en l'exprimant.* Ainsi l'œuvre — quand on l'a fouillée — devient hypothèse et méthode de recherche pour éclairer la biographie... Mais il faut savoir aussi que l'œuvre ne révèle *jamais* les secrets de la biographie... » (J.-P. Sartre, *Critique de la raison dialectique,* Gallimard, 1960, p. 90-91).

2. « ...le langage est praxis comme relation pratique d'un homme à un autre et la praxis est toujours langage (qu'elle mente ou qu'elle dise vrai) parce qu'elle ne peut se faire sans se signifier [...] les " relations humaines " sont des structures interindividuelles dont le langage est le lien commun et qui existe *en acte* à tout moment de l'Histoire » (*ibid.,* p. 181).

existentielle héritée de la philosophie spéculative. A leur place, indiquée entre parenthèses, elle installe le *travail* signifiant par lequel ces entités se constituent. La « totalité » (de l'« œuvre » et de la « personne ») aussi bien que l' « expression » et le « vécu » sont sans doute les piliers existentiels les plus endommagés par une telle procédure : il sera désormais naïf, sinon impossible, de tenter des généralisations dans le va-et-vient biographies-œuvres, sans avoir radiographié les agencements que le tissu signifiant offre au regard du sémioticien.

La clarté, la nuit, la couleur

Ainsi cernée entre l'objectivation et la fascination, entre l'engagement et l'a-théisme, l'écriture sera exposée à la clarté de l'enquête scientifique. La modélisation que Barthes proposera et qui se trouve aussi bien dans ses écrits proprement sémiologiques que dans la strate systématisante inhérente à chacun de ses textes, opère pour et dans cette clarté. Déductive, prudente, conséquente, patiente, elle procède par démonstration, analyse et synthèse, elle explique, prouve, élucide. L'opération symbolique est touchée dans ses articulations.

Cette clarté que Barthes introduit dans la praxis de l'écriture au bord de l'impersonnel contourne aussi bien la fuite du sens, sa *nuit*-envers solidaire de l'éblouissement anonyme, que l'*engrenage* historique, la *suite* mouvementée des « formes » accompagnant la suite des bases et des superstructures dans le *temps*. La clarté d'une telle raison sémiologique laisse dans l'ombre aussi bien la perte du sujet dans le non-sens que sa perte dans le hors-sens : ce rationalisme ignore aussi bien la négativité comme *poésie* que l'objectivité comme *mouvement*.

La clarté de l'entendement qui anime ce discours sémiotique et éthique écarte le poète, « celui qui entend un langage sans entente » (Blanchot). Est-ce parce que le travail poétique serait, comme dirait Hegel, en retrait de la substance éthique : un travail où toute définition fixe est absorbée dans l'inconscient et où toute substance (linguistique et subjective) est fluide et incandescente — de l'encre qui se consume; un travail où le sujet n'est pas « vide » sous l'apparence d'un sens multiple, mais un « surplus de sujet » excédant le sujet par le non-sens en contradiction avec lequel une formalité symbolique vient poser aussi bien le (ou les) sens que le sujet [1]? Devant la nuit de cette forme traversant le surplus poétique, devant la forme nocturne non éclairée par un sujet-maître de la langue, la clarté barthésienne se tait : de l'éclosion noire du sujet dans l'impersonnel, dans l' « On » maternel, elle ne garde que l'en-*droit*, non pas l'en-*vers* ni leur lutte, la domination pluralisée, non pas le négatif pluralisant.

De façon analogue, l'histoire comme succession est découpée en expériences. Esquissée, elle est remplacée par les *atomes* du flux, pleins de leurs désirs lisibles dans leur attachement oral (Fourier) ou objectal (Sarrasine); présents dans leur temps, mais un temps qui ne coule pas, qui les apporte ou les emporte mais ne les transporte pas, ne les lie pas, ne les vide que pour mieux les remplir. L'histoire (réelle ou littéraire) sera alors ce que Barthes appellera, dans son *Michelet*, une « histoire cordiale » (*Michelet par lui-même*, 53) : un adoucissement de la rigide législature des systèmes sociaux ou littéraires, un supplément d'intimité que Barthes voit, chez Michelet, prendre la forme de la « vertu incubatrice du Peuple ambisexué » (*ibid.*). Passé au crible de l'entendement, le temps et le mouvement s'incarnent dans des « caractères » ou dans des « énoncés » : une historicité hachée de « types » sans temps — « en elle, plus de durée : une minute y est un siècle » ou plutôt : « ni siècle, ni année, ni mois, ni jour, ni heure... Le temps n'existe plus, le temps avait péri » (*ibid.*, 55).

Pourtant, ce supplément de nuit et de mouvement qui échappe à la clarté de l'entendement *sémiologique*, l'écriture du *critique* le produira dans le tissu linguistique même qui porte la clarté, se mêlant à elle, l'ombrageant et la colorant.

Le langage comme négativité : la mort, l'ironie

Ainsi désubstantivisé et désidéalisé, le langage devient la frontière du subjectif et de l'objectif, mais aussi du symbolique et du réel : il est saisi comme la limite matérielle sur laquelle s'opère la constitution dialectique de l'un et de l'autre : « Le langage fonctionne comme une négativité, la limite initiale du possible » (*le Degré zéro de l'écriture*, 23).

De l'intérieur du « structuralisme », Barthes est probablement le pre-

---

1. « Une telle forme est la nuit à laquelle la substance fut livrée et dans laquelle elle se transforma en sujet » (Hegel, *la Phénoménologie de l'esprit*, Aubier, t. II, p. 226).

mier à considérer le langage comme négativité : cela moins en raison d'une option philosophique (déconstruction, antimétaphysique, etc.) qu'en raison de l'objet même de son enquête. La littérature étant pour lui l'expérience et la preuve de la négativité propre à l'opération linguistique : « Est écrivain celui pour qui le langage fait problème, qui en éprouve la profondeur, non l'instrumentalité ou la beauté » (*Critique et Vérité*, 46). Éprouvant le trajet de cette négativité, l'écriture est contestation, brisure, vol, ironie. La négativité agit, en elle, sur l'unité de La Langue et sur l'agent de cette unité : elle casse, avec le sujet, ses représentations individuelles, contingentes et superficielles et en fait une *nuée* [1], un poudroiement d'éléments fragmentés : « ...il n'y a aujourd'hui aucun lieu du langage extérieur à l'idéologie bourgeoise [...] La seule riposte possible n'est ni l'affrontement ni la destruction, mais seulement le vol : fragmenter le texte ancien de la culture, de la science, de la littérature, et en disséminer les traits selon des formules méconnaissables » (Préface à *Sade, Fourier, Loyola*); l'écriture « excède les lois qu'une société, une idéologie, une philosophie se donnent pour s'accorder à elles-mêmes dans un beau mouvement d'intelligible historique » *(ibid)*.

Pourtant, cette négativité touche le bord d'une positivité en raison même du fait qu'elle opère dans le langage et le sujet. La matérialité signifiante, obéissant à des règles strictes porteuses d'une matérialité corporelle et historique, arrête le mouvement de négativité absolue qui pourrait se soutenir dans le signifié seul et par une théologie négative : dans l'écriture, le négatif est formulé. La signifiance nouvelle accueille la négativité pour remodeler le langage dans une écriture-langue universelle, internationale et transhistorique. Les auteurs que Barthes choisit sont des classificateurs, des inventeurs de codes et de langues, des topologues, des logothètes : ceux qui énumèrent, dénombrent, synthétisent, articulent, formulent, des architectes de langages nouveaux. C'est au moins l'axe que Barthes cherche chez eux, de *Degré zéro*, à travers *S/Z* jusqu'à *Sade, Fourier, Loyola,* en se faufilant à travers la « chair » de leurs écrits pour trouver les nouvelles synthèses de nouvelles langues.

Le critique, lui, frôle et passe à côté de cet éclatement du sens dans le langage sans pôle de transfert autre que linguistique et/ou sui-

---

1. Hegel, *la Phénoménologie de l'esprit, op. cit.,* t. II, p. 256.

référentiel. Mais l'opération formulatrice de l'écriture critique se distingue de celle de l'écrivain : la négativité opérante de l'écriture est saisie, en critique, par *Une Affirmation,* elle est bloquée en dernière instance par *un* sens qui révèle bien que l'écrit (du) critique est entièrement déclenché, soutenu et déterminé par le discours de l'autre : c'est dire qu'il s'agence dans la dialectique de la relation transférentielle. — «...alors qu'on ne sait comment le lecteur *parle* à un livre, le critique, lui, est obligé de produire un certain " ton ", et ce ton, tout compte fait, ne peut être qu'affirmatif » (*Critique et Vérité,* 78); « [le critique] assume ouvertement, à ses risques, l'intention de donner un sens particulier à l'œuvre » (*ibid.,* 56). Ne pouvant pas dissoudre le « soi » dans cette *nuée* tourbillonnante et réglée sur elle-même qui produit les logothètes, le critique reste rivé à son « je » qui accapare les polyvalences, et les *signe :* « Le critique serait celui qui ne peut produire le *Il* du roman, mais qui ne peut non plus rejeter le *Je* dans la pure vie privée, c'est-à-dire renoncer à écrire : c'est un aphasique du *Je,* tandis que le reste de son langage subsiste, intact, marqué cependant par les infinis détours qu'impose à la parole (comme dans le cas de l'aphasique) le blocage constant d'un certain signe » (*ibid.,* 17). Dans un parcours parfaitement *homonymique,* parti de son « je » opaque vers l'écrit d'un autre, il retourne à ce même « je » devenu en cours de route *langage :* le critique « affronte [...] son propre langage »; « ce n'est pas l'objet qu'il faut opposer au sujet, en critique, mais son prédicat » (*ibid.,* 69); « Il faut que le symbole aille chercher le symbole » (*ibid.,* 73).

S'impliquant donc dans l'opération négative qu'est le langage, par l'intermédiaire de l'autre, le critique garde de la négativité scripturale un effet affaibli, mais persistant : la *pulsion de mort* de l'écrivain devient *ironie* chez le critique parce qu'elle est ironie à chaque fois lorsque cristallise, pour tel destinataire, un sens éphémère. Freud démontre précisément cette économie du rire *(le Mot d'esprit) :* décharge à double sens entre le sens et le non-sens. Pour cela, il faut qu'à un moment fugitif un semblant de sens s'esquisse. C'est la tâche du critique, comique entre toutes, de coaguler un îlot de sens sur une mer de négativité. C'est ainsi que, pour Barthes, le critique peut « développer ce qui manque précisément à la science et que l'on pourrait appeler d'un mot : l'ironie ». « L'ironie n'est rien d'autre que la question posée au langage par le langage » (*Critique et Vérité,* 74). Cette ironie par laquelle le critique, sûr de son *je* et sans le quitter, participe à l'opération scripturale, ne se retrouve que comme *un* moment (parmi d'autres) de l'opération : car Rabelais, Swift, Lautréamont, Joyce ne sont ironiques que lorsqu'on les pose (ou lorsqu'ils se posent) en sujets captant un sens toujours déjà ancien, toujours déjà dépassé, aussi drôle qu'éphémère.

L'objectivation du négatif

Puisqu'il est négativité, mouvement excédant son centre subjectif et englobant ce centre élargi qu'est l'objectif, le langage est soumis — dans sa mobilité négative même — aux lois. L'écriture serait l'inscription des lois *autres,* quoique inséparables des règles de la négativité inhérente à la fonction symbolique. Barthes les désigne lorsqu'il parle de *« vérité formelle »,* d' « équation », de « nécessité », voire même de « loi » : «... l'homme est offert, livré par son langage, trahi par une *vérité formelle* qui échappe à ses mensonges intéressés ou généreux » (*le Degré zéro de l'écriture,* 116); « Si l'écriture est vraiment *neutre,* si le langage, au lieu d'être un acte encombrant et indomptable, parvient à l'état d'une *équation pure,* n'ayant pas plus d'épaisseur qu'une *algèbre* en face du creux de l'homme, alors la Littérature est vaincue... » (*ibid.,* 111); «...les caractères sociaux mythiques d'un langage s'abolissent au profit d'un état *neutre* et inerte de la forme» (*ibid.,* 110); « Si l'écriture de Flaubert contient une *loi,* si celle de Mallarmé postule un silence, si d'autres, celle de Proust, de Céline, de Queneau, de Prévert, chacune à sa manière, se fondent sur l'existence d'une nature sociale, si toutes ces écritures *impliquent une opacité de la forme,* supposent une problématique du langage et de la société, établissent la parole comme un *objet qui doit être traité* par un artisan, un magicien ou un sculpteur... » (*ibid.).*

Loi dialectique, loi scripturale : écriture du réel

La pratique de l'écriture sera vue comme le bord qui sépare et unit la subjectivité dont témoigne le style — « partie d'un infralangage qui s'élabore à la limite de la chair et du monde » (*le Degré zéro de l'écriture,* 20) — et l'objectivité que représente l'histoire sociale. L'écriture est considérée donc comme une sorte de totalité « en soi » et « pour soi » : plus définie que l'unité négative du langage individuel, elle le nie; plus précise qu'une objectivité extérieure qui est nulle en soi, elle la précise justement en revenant à travers le langage négatif à l'être parlant singulier. Bref, elle ramène l'une à l'autre, ni individualité subjective ni objectivité extérieure, elle est le principe même du « mouvement spontané » de Hegel et offre l'élément même de la loi : «...la précision de cet élément animateur, qui se confond avec la différence du concept lui-même est la loi [1] ».

Pour être dialectique, la loi qu'inscrit l'écriture selon Barthes n'est pas hégélienne. Rappelons que, chez Hegel, « la loi [comme] image constante du phénomène toujours instable [2] » doit, pour pallier cette différence intérieure à la chose même et pour se mettre à la mesure du phénomène, s'approprier l'infini. Pour cela, dans un premier temps, « l'entendement fait donc l'expérience que c'est la *loi du phénomène* même que des différences viennent à l'être qui ne sont pas des différences ou que *l'Homonymie (Gleichnämige) se repousse soi-même hors de soi-même [3]* ». Dans un second temps et après un passage spécifique, un monde inversé (en-soi du monde sensible) est posé qui reste présent dans le monde sensible : une telle dialectique de l'inversion conduit à l'infinité hégélienne qui se situe, en raison de cette homonymie, au-delà de la représentation [4].

L'écriture instaure une légalité autre. Soutenue non pas par le sujet de l'entendement, mais par un sujet dédoublé voire pluralisé qui

1. Hegel, *Science de la logique*, Aubier, 1949, t. II, p. 424.
2. Hegel, *la Phénoménologie de l'esprit, op. cit.*, t. I, p. 123.
3. *Ibid.*, p. 130.
4. «... il faut présenter et appréhender dans sa pureté ce concept absolu de la différence comme différence intérieure et immanente; comme l'acte de se repousser soi-même hors de soi-même de l'Homonyme en tant qu'Homonyme, et l'être-égal de l'inégal en tant qu'inégal. Ce qu'il faut maintenant penser c'est le pur changement, ou l'*opposition en soi-même*, c'est-à-dire la *contradiction*. En effet, dans la différence qui est une différence intérieure, l'opposé n'est pas seulement l'un des deux — autrement, il serait un étant et non un opposé —, mais il est l'opposé d'un opposé, ou l'Autre est immédiatement présent dans cet opposé. Je place bien sans doute le contraire de ce *côté-ci* et, de ce *côté-là*, l'autre dont il est le contraire; je place donc le contraire d'un côté en soi et pour soi dans l'autre. Mais, justement parce que j'ai ici le *contraire en soi et pour soi*, il est le contraire de soi-même, ou il a en effet l'Autre déjà immédiatement en lui-même. Ainsi, le monde supra-sensible, qui est le monde renversé a en même temps empiété sur l'autre monde et l'a inclus en soi-même; il est pour soi le monde renversé ou inverse, c'est-à-dire qu'il est l'inverse de soi-même; il est lui-même et son opposé en une unité. C'est seulement ainsi qu'il est la différence comme différence *intérieure* ou comme différence en *soi-même*, ou qu'il est comme *infinité* » (*la Phénoménologie de l'esprit, op. cit.*, t. II, p. 135).

occupe non pas un lieu d'énonciation, mais des places permutables, multiples et mobiles, l'écriture rassemble dans un espace *hétéronome* la nomination des phénomènes (leur mise en loi symbolique) et la négation de ces noms (éclatement phonétique, sémantique, syntaxique). Cette négation supplémentaire (seconde, négation de la négation homonymique) sort de l'espace homogène du sens (de la nomination ou, si l'on veut du « symbolique ») et pointe, sans intermédiaire « imaginaire », vers la « base » biologie-société qui en est l'excédent, vers ce qui n'a pas pu être symbolisé (ou, si l'on veut, vers le « réel »).

En d'autres termes, la négativité hétéronomique de l'écriture agit, d'une part, entre la *nomination* (énoncé/énonciation) tenue par le sujet de l'entendement (du sens) et la *polynomie,* c'est-à-dire la pluralisation du sens par des moyens divers (polyglottisme, polysémie, etc.) traversant le non-sens et marquant une suppression du sujet . *Le Degré zéro* désigne ce type d'hétéronomie par le terme d' « écriture »; *S/Z* analyse dans le texte la contradiction entre la nomination et la polynomie, le sujet et sa perte. En même temps et d'autre part, la négativité hétéronomique agit entre la *polynomie* et son *investissement pulsionnel :* la polynomie est l'indice, l'*idéogramme,* des ordres biologiques et sociaux; elle est une sorte de mémoire asymbolique du corps. Pour *le Degré zéro de l'écriture,* c'est le *style* qui représente cette hétéronomie incluse dans l'écriture : en effet, le style y est situé « au niveau d'une biologie ou d'un passé, non d'une Histoire [...] indifférent et transparent à la société, démarche close de la personne [...] partie *infralangage* qui s'élabore à la limite de la chair et du monde » (20, nous soulignons); « son secret est un *souvenir* enfermé dans le *corps* de l'écrivain » (21, nous soulignons); « par son origine biologique, le style se situe hors de l'art, c'est-à-dire du pacte qui lie l'écrivain à la société » (22). Les études sur Fourier et Sade suggéreront les possibilités de cet investissement biologique-corporel, transsymbolique et transhistorique.

Dans ces deux aspects (contradiction entre nomination et polynomie, contradiction entre symbolique et asymbolisé), l'hétéronomie scripturale ne joue pas entre deux « mêmes » qui se repoussent ou se dissolvent à l'intérieur d'une unité. Aussi évite-t-elle la « religion esthétique » hégélienne et post-hégélienne. Jamais productrice *ex nihilo,* sans origine, elle a une production. « Sans origine » veut dire qu'elle est une surimpression ou une suppression du sens « originel », premier, qui est toujours pour Barthes un symbolique neutre, un code non marqué, un langage non écrit, un sens nul. « Elle a une production » veut dire que la surimpression polynomique (suppression du sens premier et, somme toute, nul) repérable dans le langage est un surinvestissement du symbolique « nul » par un substrat biologico-social pulsionnel laissé intact par la première symbolisation (par le langage naturel) et donc, en un sens, la *précédant* pour faire retour dans l'acte scriptural à travers le jeu des « processus primaires », de la « logique du signifiant », éclatant à travers le langage d'un sujet dé-livré, dramatisé. C'est ainsi qu'il apparaîtra que, pour la littérature, « la langue est l'Histoire devenue nature » (*le Degré zéro de l'écriture,* 18); que « la langue est donc en deçà de la littérature. Le style est presque au-delà » (*ibid.,* 19); et qu' « une autre idée de l'écriture est cependant possible : ni décorative ni instrumentale, c'est-à-dire en somme seconde, mais première, antécédente à l'homme, qu'elle traverse, fondatrice de ses actes comme autant d'inscriptions » *(Sade, Fourier, Loyola).*

Il est clair que la nomination et sa négation dans l'écriture agissent sur des séries hétérogènes et scindent la totalité d'Un Sens homonymique (imposée par la première négation-symbolisation) pour re-produire la production du sujet entre le réel et le symbolique *à rebours, après coup.* La condition d'une théorie de l'écriture est par là posée : la sémiologie pourra être ce discours si, en reconnaissant l'hétéronomie du sens, elle partait de la linguistique pour rencontrer la psychanalyse et l'histoire; dès lors, son nom (« sémiologie ») importe peu.

La voie sera donc tracée, par laquelle l'écriture organise dans une législature nouvelle des « phénomènes » « nommés », mais autrement. On dira qu'elle nie le phénomène et la loi hégéliens parce qu'elle lutte contre la nomination « première » qu'est l'instance de la Loi. Un autre nom (pseudonyme) qui est un antinom, pro-nominal, le texte « prend en écharpe » les instances du discours en même temps que les « genres »; il ne fait l'anamnèse de l' « histoire littéraire » qu'à force de procéder à une analyse du lieu de l'énonciation dans l'élément même de la langue. La première étude de Barthes qui enregistre la multiplication du lieu de l'énonciation en écriture, en s'appuyant sur les analyses linguistiques du sujet dans le langage (Benveniste), sera consacrée à *Drame* de Philippe Sollers (« Drame, poème, roman [1] »). C'est le théâtre des pronoms personnels qui découvre la mise en scène du sujet pluralisé sur l'échiquier

1. *Théorie d'ensemble,* Éd. du Seuil, 1968.

de l'écriture : ni « je » lyrique, ni « tu » rituel, ni « il » épique, ou, plus prosaïquement, romanesque, le « sujet pluriel » de l'écriture traverse à la fois les sites de ces trois instances discursives, appelle leurs conflits, subit leurs passages divergents.

Or, puisqu'elle casse le « sujet » en actants multiples, en lieux possibles de prise ou de perte de sens dans le « discours » et l'« histoire », l'écriture n'inscrit pas la loi originelle-paternelle, mais des lois *autres* qui pourraient s'énoncer différemment depuis ces instances pro-nominales, trans-subjectives. Sa légitimité est illégale, para-doxale, hétéronyme. Hétéronome par rapport à la Loi hégélienne, elle lutte avec sa constance et son originalité. Si on peut constater en écriture un mouvement qui semble rappeler la dialectique idéelle condensant le phénomène et l'infini inversé, la logique scripturale l'opère précisément dans un espace morcelé qui transforme la matrice idéaliste. L'écriture donne à lire un « phénomène » asymbolique, innommé parce que « réel », et dont la nouveauté est due à l'infinité qui dérive de l'éclatement de l'instance unifiante symbolique; un *procès* de la nomination s'y substitue, d'un réel impossible à symboliser, mais dont la transformation et l'avenir se laissent inscrire (dans le dispositif pro-nominal, entre autres).

Le retour des représentations

C'est aussi en dérogeant à l'homonymie totalisante que les lois scripturales ne postulent pas un au-delà de la représentation, mais sa traversée et son renouvellement. Dans la mesure où elles s'inscrivent à travers les énonciations émanant des lieux multiples et innommés de la signifiance qu'occupe un sujet dé-livré, et combinent ces énonciations et leurs instances, elles libèrent des représentations nouvelles construites par les sujets de ces énonciations. Ces représentations nouvelles d'un monde « en progrès » traduisent aussi bien la suppression du topos d'*Un Sujet* de l'entendement (une nouvelle symbolique répond à la nouvelle topologie articulée par les pulsions qu'organise le désir) que par une *critique* violente des idéologies, mœurs, règles *sociales* (monde nouveau à travers la négation de ce monde-ci que l'écriture nie selon sa logique immanente).

Pour la métalangue *sémiologique,* cette représentation nouvelle appa-

raît comme un « *double coding* [1] », comme une redistribution du langage
soumis à des règles « en plus », supplémentaires. Elle se présente
comme une négation simplement nominale, donc homonymique, repous-
sant le nom hors de soi dans d'autres noms pluralisés. Mais ce que la
littérature d'avant-garde saisit dans ce repoussement se situe hors de la
nomination même, n'est plus langage ou ne l'est que par métaphore, car
il s'agit de la matière qui, par la voie des pulsions, agit — dans chaque
écrit selon un topos spécifique — une phrase toujours en devenir [2].
Il faut le répéter ici. Si nous pouvons lire aujourd'hui dans les textes
de Barthes des parentés avec les principes dialectiques, des annonces de
l'activité de l'avant-garde, les fondements d'un programme pour une
théorie littéraire moderne, c'est parce que nous les lisons à partir des
textes qui s'écrivent aujourd'hui. La terminologie que nous employons,
les problèmes mêmes que nous poursuivons avec Barthes, sont appelés
par cette avant-garde dont le rythme épique casse la mythologie sociale
et phantasmatique par une synthèse nouvelle de la tradition critique à
impact subversif méconnu (Rabelais, Joyce), de l'expérience formelle
de l'avant-garde de ce siècle et d'une révolte contre la langue et l'ordre
d'une société en déclin.

Face à ce texte, et si l'on accepte la nécessité du projet éthique de
Roland Barthes, la question demeure : comment constituer un corps
signifiant nouveau, hétérogène, pour lequel la littérature, et à plus forte
raison cette nouvelle « littérature » qui nous fait lire de nouveau et autrement, ne peut plus être seulement un « objet »? Nul autre que le travail
de Roland Barthes n'ouvre mieux la voie de la recherche à une réponse
à cette question.

SCIENCE ET CRITIQUE : LA MUSIQUE

A la place d'une métalangue reconnue impuissante, les discours du
« critique » et du « savant » se différencient et se lient pour énoncer
l'hétéronomie légiférante de l'écriture...

1. I. Fonagy, « Double Coding in Speech », *Semiotica*, III, 3, 1971.
2. Cf., sur l'inscription des pulsions à travers le langage dans un texte singulier que
commande une situation précise du sujet par rapport à la castration, Philippe Sollers,
« La matière et sa phrase », *Critique*, juillet 1971.

« Le savant » décrit la négativité dans un système homogène transreprésentatif et transsubjectif, son discours décèle la formalité linguistique du sens éclaté, pluralisé, comme *condition* ou plutôt comme *indice* du fonctionnement hétéronome : « ...discours général dont l'objet est, non pas tel sens, mais la pluralité même des sens de l'œuvre » (*Critique et Vérité*, 56); « ...science des *conditions* du contenu, c'est-à-dire des formes : ce qui l'intéressera, ce seront les variations du sens engendrées, et, si l'on peut dire, *engendrables,* par les œuvres : elle n'interprétera pas les symboles, mais seulement leur polyvalence; en un mot, son objet ne sera plus les sens pleins de l'œuvre, mais au contraire le sens vide qui les supporte tous » (*ibid.,* 57); « On ne classera pas l'ensemble des sens possibles comme un ordre immuable, mais comme les traces d'une immense disposition " opérante " [...] élargie de l'auteur à la société » (*ibid.,* 58).

« Le critique », lui, se charge d'indiquer l'hétéronomie. Comment?
— Par une présence de l'énonciation dans l'énoncé, par l'introduction de l'instance du sujet, en assumant une parole représentative, localisée, contingente, déterminée par son « Je » et donc par celui de son destinataire. Parlant en son *nom* à un *autre,* il introduit le *désir :* « La clarté [...] c'est tout ce désir qui est dans l'écriture » (*Critique et Vérité,* 33); la question à poser au critique : « Faites-moi croire à votre décision de dire » (*ibid.,* 75); « Passer de la lecture à la critique, c'est changer de désir, c'est désirer non plus l'œuvre mais son propre langage » (*ibid.,* 79); « ...des œuvres traversées par la grande écriture mythique où l'humanité essaye ses significations, c'est-à-dire ses désirs » (*ibid.,* 61); « ...il n'y a pas d'autre signifié premier à l'œuvre littéraire qu'un certain désir : écrire est un mode de l'Éros » (*Essais critiques,* 14); « ...même écriture : même volupté de classification, même rage de découper [...] même obsession numérative [...] même pratique de l'image, même couture du système social, érotique, fantasmatique » (Préface à *Sade, Fourier, Loyola*); « ...le chiffre immédiat du désir » (*Loyola*); « ...l'énergie de langage (dont les *Exercices* sont l'un des théâtres exemplaires) est une forme — est la forme même du désir du monde » (*Loyola*); « Ce qu'il y a en effet de remarquable dans cet imaginaire constitué selon une fin de désir (et l'analyse sémiologique le montre assez, on l'espère), c'est que la substance en est essentiellement *intelligible;* ce n'est pas l'objet, c'est le nom qui fait désirer, ce n'est pas le rêve, c'est le sens qui fait vendre » (*Système de la mode,* 10).

Le réseau à déchiffrer semble se scinder en deux : *désir* où s'implique le sujet (corps et histoire), et *ordre symbolique,* raison, intelligibilité. Le savoir critique dénoue et noue leur imbrication.

Le désir, indice de l'hétérogène

Le désir fait apparaître le signifiant comme hétérogène et, inversement, indique l'hétérogénéité à travers le signifiant. Poser que le sujet est lié par son désir au signifiant voudrait dire donc qu'il accède à travers le signifiant à ce que le symbolique n'explicite pas, même s'il le traduit : les pulsions, les contradictions historiques.

On comprend comment le travail de Barthes n'est pas seulement une mise en loi scientifique du texte littéraire. Son savoir de la littérature est précieux justement parce qu'il adjoint à ces « traces d'une immense disposition opérante » que marque la science, l'irruption du désir dans le signifiant comme indice de l'hétérogène « réel ». Peut-être pourrait-on poser que, pour Barthes, « désir » semble signifier la reconnaissance d'un hétérogène par rapport au symbolique : l'espace d'une contradiction matérielle où l'« autre » est un autre *topos* de sujet, une autre *pratique* de sexes; par conséquent, il y aura « désir » entre langage et écriture, mais aussi « désir » entre écriture et savoir-critique, etc. On construit ainsi non pas une hiérarchie de métalangues enchevêtrées, l'une dans l'autre, mais le système mobile de dispositions signifiantes libres, éveillées, en état d'initiative perpétuelle.

Ce désir-révélateur de l'*eteros* (ἕτερος) est non seulement un mode de l'*erôs* (ἔρως) qui trouve ainsi son explication topique. Il est également et en même temps l'annonce de la *réserve* barthésienne qui rapproche le savoir du procès de la vérité. Une réserve dont la connotation morale s'efface si l'on admet que l'irruption, dans la vérité neutre de la science, d'un sujet de l'énonciation n'invalide pas cette vérité, mais rappelle son *opération,* sa genèse objective. De ce type de « modestie » entachant d'écriture les énoncés (légiférant et exempts de tout sujet) de la science font preuve les écrits de tout grand savant dans le domaine des « sciences humaines », de Benveniste à Lévi-Strauss.

Dans une telle méthode, l'unicité de la *ratio* énonçante est en contradiction avec le développement hétéronome de l'écriture. Le « modèle » lui-même, parangon de la démonstration, se trouve pris dans cette contradiction. Exporté de la linguistique, par exemple, approprié,

COMMENT PARLER À LA LITTÉRATURE

donc transformé selon l'objet interrogé (mythe, poème, roman), son intelligibilité n'est pas seulement dans les règles de la mathesis pure ou de telle autre systématicité qu'il est obligé de suivre pour donner la cohérence à la métalangue et un sens à son objet. Le réseau formel que ce modèle *est* ne serait que la face extérieure de ce bloc dont la partie cachée faite de « restes » asymboliques, vient au jour dans la négativité du désir. Sans celui-ci, le modèle ne touche pas l'objectivité extra-homonymique du fonctionnement signifiant que le savoir critique de Barthes se propose d'aborder. Avec lui, il se préserve l'éventualité d'une connaissance possible de ce fonctionnement.

Le désir comme objectif

« Le vraisemblable critique, écrit Barthes, choisit d'ordinaire le code de la lettre » *(la Nouvelle Critique),* « fondant l'*objectivité* de ses descriptions sur leur cohérence » *(Critique et Vérité,* 20).

Que le désir du sujet qui le noue au signifiant obtienne dans ce signifiant une valeur objective, extra-individuelle, nulle-en-soi, autre, sans cesser pour autant (comme il cesse en science) d'être le désir d'un sujet : ce fait ne se produit qu'en littérature. L'écriture est précisément ce « mouvement spontané » qui transforme une formulation de désir de signifiant en loi objective, puisque le sujet de l'écriture, spécifique, comme nul autre, est « en-soi-et-pour-soi », lieu même non pas de la division, mais — en l'emportant — du mouvement. Il est par conséquent le lieu où la distinction subjectif/objectif est invalidée, s'efface, apparaît comme relevant d'une idéologie. Si Freud observe chez le sujet précisément l'échec du désir de signifiant d'obtenir une valeur objective, on peut penser que la pratique littéraire ne se situe pas sur le terrain que la psychanalyse explore.

Le travail de Barthes n'examine pas *comment* se produit ce « devenir-objectif du désir » dans le texte littéraire. Découvrant la littérature comme science *possible,* il ouvre devant d'autres le champ d'une telle recherche proprement scientifique. Son travail à lui indique que la spécificité de la littérature réside précisément dans le passage entre ce *désir* de signifier l'asymbolisé et l'asymbolisable, où se lie le sujet, et l'*objectivité* que sanctionne l'histoire.

Découverte radicale que ne saurait voir nulle histoire de la littérature, ni l'esthétique ni la stylistique, bornées dans leurs fragmentations.

50

Plus encore, dans chacun de ces deux versants (désir/objectivité), Barthes cherche ce qui est maîtrisable, expérimentable en schéma, régularité, code, formalité, nécessité, algèbre : sémiologie. Il ne faut pourtant jamais oublier que ces arêtes du graphe sémiologique barthésien sont étendues sur un fond non axiomatisable que résument les termes de *désir* et d'*histoire*. Balzac, Sade, Loyola peuvent être saisis dans un schéma sémiologique résumant l'objectivité régulière de leur écriture qui traverse le sujet biologique et l'histoire événementielle. Mais, en même temps, chacune de ces règles est suspendue à des éléments corporels, biologiques, vitaux, historiques : l'objet empirique, *immaîtrisable,* aléatoire, hasardeux, émerge par-dessus le schéma; c'est lui qui le soutient, le fait flotter, l'engendre. La trouvaille de Barthes est précisément dans cette alliance de la régularité et de la multiplicité objectale, inclassable; alliance d'unification et de pluralisme; passion pour l'objectivité en même temps que désir subjectif d'objets. Les lois que Barthes nous a appris à déceler dans la pratique littéraire ont toujours cette duplicité, cette dissymétrie, cette dialectique. Il les découvre comme principes essentiels des textes parce qu'elles constituent, nous l'avons rappelé, sa propre démarche.

Lois et règles

C'est bien l'ébauche d'une conception dialectique de la loi qui se profile, nous semble-t-il, dans les analyses de textes que fait Barthes. Les lois qu'il établit pour les systèmes signifiants n'ont pas le sens de *règles* d'une procédure logique formelle, mais de « précision » d'une dialectique, d'un « mouvement », d'une « limite » (les termes sont de Barthes) entre les deux plans (symbolique/réel; sujet/histoire) que l'écriture objective. Les lois sémiologiques de Barthes précisent l'objectivation du subjectif à travers l'histoire dans le tissu signifiant (langage, image, etc.). Aussi comprend-on que la sémiologie de Barthes n'est pas une *formalisation :* ses formulations qui irritent tellement le puriste sont de l'ordre des lois dialectiques.

Une telle attitude théorique permet à Barthes de contourner la psychanalyse sans se tromper sur l'écriture. Sa connaissance de la littérature, sa lecture (nous y reviendrons) tient la place, dans ses écrits, d'une théorie de l'inconscient et de son rôle en écriture. Mais l'« écriture » barthésienne, comme *notion* substituée à la « littérature » et

51

comme *procédure,* n'est pas étrangère à la découverte freudienne : le fait de constater que l'être-en-soi-et-pour-soi de l'autre « objectif », négatif et déterminant du « subjectif », se joue dans le *langage* et obéit à des *lois,* ne constitue-t-il pas un terrain commun pour les lois psychanalytiques et les lois dialectiques ?

Il reste que, chez Barthes, cette position est moins une plate-forme théorique que ce qu'on pourrait appeler une « connaissance pratique » de l'écriture.

La musique

La *lecture* d'un texte est sans doute le temps premier de l'élaboration théorique. Une lecture dans laquelle, les supports conceptuels mis en sourdine, ce sont le désir du sujet lisant, ses pulsions, sa sexualité, son attention aux réseaux phonématiques, au rythme de la phrase, à tel sémantème ramenant en arrière vers une sensation, plaisir, rire, événement ou lecture des plus « empiriques » qui affluent, enveloppants, multiples. L'identité du « je » lisant s'y perd, s'atomise : temps de la jouissance où l'on découvre sous un texte un autre, son autre ; capacité rare, condition de l'écriture barthésienne aux frontières de la « science » et de la « critique » (Barthes est probablement le seul à pouvoir lire ses élèves). — « Le texte est un objet de plaisir » (Préface à *Sade, Fourier, Loyola*); « Il s'agit de faire passer dans notre quotidienneté des fragments d'intelligible (des " formules ") issus du texte admiré » *(ibid.).*

En même temps, *déjà,* une régularité vient ramasser ces atomes : une grille dispose la jouissance : « ... [faire] dépendre le plaisir, le bonheur, la communication, d'un ordre inflexible [...] d'une combinatoire » (Préface à *Fourier, Sade, Loyola*); une harmonie organise les bruits. Ce n'est plus « je » qui lit : le temps impersonnel de la régularité, de la grille, de l'harmonie s'empare de ce « je » dispersé d'avoir lu; alors, *on* lit comme *on* écoute la musique : « La mesure du discours critique, c'est sa *justesse*. De même qu'en musique... » *(Critique et Vérité,* 72). De là, un pas reste à franchir vers le discours explicatif : il faut communiquer cette musique en trouvant un *code* tout en laissant flotter le hasard du dit et du non-dit.

L'inclusion externe

Le but ici est de capter la loi du désir qui fait la musique, qui produit l'écriture; mais aussi de passer par le désir de celui qui lit et d'en trouver le code, de le noter. La métalangue, alors, n'est pas tout : le discours théorique n'est pas celui d'un sujet forclos, mais d'un sujet à la recherche des lois de ses désirs. Sujet charnière entre l'immersion dans le signifiant et la forclusion, ni l'un ni l'autre, d'un statut inconnu. Sa nouveauté se mesure dans le changement de préposition : il ne parle pas *de* la littérature, il parle *à* la littérature comme à son autre qui le suscite. Par ce changement, le discours de Barthes se pose hors du discours clôturé du savant et provoque en lui la frappe du « jargon » comme nécessité objective : « ...le " jargon " est une imagination (il choque d'ailleurs comme elle), l'approche du langage métaphorique dont le discours intellectuel aura un jour besoin » (*Critique et Vérité* 34); « ...le " jargon ", c'est le langage de l'autre; l'autre (et non autrui) c'est ce qui n'est pas soi; d'où le caractère éprouvant de son langage » (*ibid.* 31). Mais où est alors l'objectivité? Quelle « garantie » contre la possibilité du désir de « déformer » la « vérité » de l'« objet » lui-même, du texte littéraire?

L'objectivité *dialectique* de ce discours consiste en ceci que sa « vérité » se construit dans l'*opération* d'une *inclusion externe* à son « objet ». Sa vérité est de produire le *mouvement* de cette *inclusion* (contrairement à la procédure excluante de la science classique) qui pose et dépasse son centre subjectif (forclos en science, hypostasié en idéologie) en s'adressant à un *différent* (l'écriture) reconnu et toujours maintenu comme externe (hétérogène) au discours connaissant, tout en relevant des lois dialectiques formulées par ce discours connaissant lui-même. Ainsi, en inclusion externe à son objet s'articule ce continent nouveau de la connaissance qui aborde les idéologies, les religions, les « arts ».

Par sa fonction, que Barthes appelle « critique », c'est-à-dire en raison même du désir et de l'hétéronomie qu'elle met au jour et en jeu, la connaissance possible de la littérature que Barthes annonce possède un savoir que la science n'atteint pas. Elle implique le sujet connaissant dans une relation analytique au langage, dans une remise en question constante du symbolique et de son sujet, dans une lutte perpétuelle sans quiétude philosophique possible. Un tel discours annonce ce que semble nécessiter un éventuel renouveau idéologique : l'éveil des sujets.

La simultanéité entre cet éveil, la mise en jeu du désir de signifiant pour symboliser un « réel » chu dans le passé du sujet ou en procès pour la société, et enfin l'ouverture de l'enclos homonymique du sujet totalisant et forclos vers le procès de la matérialité agissante corporelle et sociale : cette simultanéité s'effectue dans la littérature, dans la littérature d'avant-garde actuelle. Par là même, cette littérature assume son efficacité dans le temps présent.

Que peut aujourd'hui la littérature? La question éthico-politique n'a jamais cessé d'être là sous les apparences formalistes que la rumeur journalistique et scolaire a collées à l'avant-garde. Que peut la littérature? On n'en sait peut-être rien, mais on n'est pas moins obligé d'esquisser une réponse si l'on ne veut pas abdiquer le temps : celui de l'histoire aussi bien que ce temps en abîme, autre, où s'élaborent les textes. Une réponse : d'où? quand? Le travail de Barthes et le courant qu'il a inauguré, et qui le porte, sont peut-être le symptôme du fait que cette puissance de l'écriture pénètre de nos jours, et selon une nécessité historique, tous les discours qui ne se dérobent pas à leur actualité, c'est-à-dire le « savoir », la « politique » [1] et en général tout acte porteur de sens. La constitution d'une connaissance possible de cette écriture est pour Barthes le symptôme d'une mutation sociale profonde, « aussi importante, peut-être, que celle qui a marqué, relativement au même problème, le passage du Moyen Age à la Renaissance » (*Critique et Vérité*, 48).

---

1. Mao Tse-toung est le seul homme politique, le seul dirigeant communiste depuis Lénine à insister souvent sur la nécessité de travailler le langage et l'écriture pour transformer l'idéologie. Il considère visiblement le travail dans le langage comme élément fondamental de l'impact idéologique et donc de l'idéologie et de la politique. Ses remarques s'expliquent, bien entendu, par les particularités de la langue et de la littérature chinoises, par leur décalage par rapport à l'écriture et par l'inégalité de l'ancien et du nouveau sur ces deux registres. Pourtant, au-delà de ces implications concrètes, les remarques de Mao Tse-toung ont une valeur générale qu'on ne saurait saisir sans une réévaluation théorique du sujet dans la pratique signifiante. Ainsi, par exemple : « Ces camarades se soucient peu de la grammaire et du style, ils préfèrent un genre qui est un mélange de langue écrite classique et de langue parlée... » (*Sur la littérature et l'art*, Éd. en langues étrangères, 1965, p. 145); « Dès qu'on adresse la parole à quelqu'un, on fait de la propagande. Et, à moins d'être muet, on a toujours quelque chose à dire à quelqu'un. Voilà pourquoi nos camarades doivent absolument étudier la langue » (*ibid.*, p. 113).

Le sujet en procès *

Un discours théorique ne saurait prétendre « rendre compte » d'un fonctionnement signifiant étrange que notre culture n'accepte qu'en le reléguant dans l'art, c'est-à-dire dans les bibliothèques ou les colloques. Tout au plus pourrait-il essayer d'intervenir dans les systèmes conceptuels admis et en cours, à partir de l'expérience que le sujet de la théorie pourrait avoir lui-même de cette étrangeté. Il s'agira donc, dans ce qui va suivre, d'une part d'une tentative intra-théorique à conséquences idéologiques (mais en aucun cas d'un « épuisement de l'expérience » d'Artaud), d'autre part d'une invasion de la neutralité théorique positiviste par l'expérience même du sujet de la théorie, par sa capacité de se mettre en procès, de franchir l'enclos de son unité, fût-elle clivée, et de revenir ensuite au lieu fragile de la métalangue pour énoncer la logique de ce procès entrevu, sinon subi.

Dans les limites ainsi précisées, nous présenterons les thèses suivantes :

1. Dans ses avancées les plus audacieuses, la psychanalyse actuelle, lacanienne, propose une théorie du sujet comme unité clivée, surgie et déterminée par le manque (le vide, le néant, le zéro, selon la doctrine de référence) et en quête inassouvie d'un impossible que figure le désir métonymique. Ce sujet que nous appellerons « sujet unaire », soumis à la loi de l'Un qui s'avère être le Nom du Père, ce sujet de la filiation ou sujet-fils est en effet le non-dit ou, si l'on veut, la vérité du sujet de la science, mais aussi du sujet assujetti de l'organisme social (de la famille, du clan, de l'État, du groupe). Que tout sujet, pour autant qu'il est sujet d'une société, suppose cette instance unaire clivée que Freud a posée le premier avec la topique inconscient/conscient, c'est ce que la psychanalyse nous dit, en attirant l'attention vers ce qui constitue le sujet,

* Première publication in *Artaud*, UGE, « 10/18 », 1973.

c'est-à-dire le refoulement originaire. Si ce refoulement originaire institue le sujet en même temps qu'il institue la fonction symbolique, il institue aussi la distinction signifiant/signifié dans laquelle Lacan voit la détermination de « toute censure d'ordre social [1] ». Le sujet unaire est le sujet qui s'institue de cette censure d'ordre social.

Pourtant, pour être constitutive, cette censure et le sujet qu'elle installe ne se comportent pas selon une loi universelle. Nous ne pouvons pas faire encore l'histoire de son apparition à travers l'histoire de l'humanité, le développement des forces productives et les modes de production leur correspondant [2]. Nous pouvons uniquement constater — pour l'instant empiriquement — des pratiques signifiantes qui semblent témoigner d'*une autre économie*. Pour ne prendre que quelques exemples, la Grèce présocratique avec Héraclite, Anaxagore ou Empédocle, la Chine du « mode de production asiatique » et la. société capitaliste depuis la fin du XIXe siècle, surtout, proposent des textes dans lesquels se marque une pratique où le sujet unaire, pour être un pôle indispensable assurant la verbalisation (la mise en langue), est mis en abîme, liquéfié, excédé par ce que nous appelons le *« procès de la signifiance »,* c'est-à-dire des pulsions et opérations sémiotiques pré-verbales (logiquement, sinon chronologiquement, antérieures au phénomène du langage). Dans ce procès, le sujet unaire qu'a découvert la psychanalyse n'est qu'un moment, une phase d'arrêt, disons une *stase,* excédée par le mouvement et menacée par lui. Le procès dont il s'agit n'est pas seulement une « topologisation » ou une dynamique spatiale toujours subsumable sous l'Un. Il tend à rejeter jusqu'à la division même inconscient/conscient, signifiant/signifié, c'est-à-dire jusqu'à la censure même dont s'instaure l'ordre social et le sujet.

Le procès dissout jusqu'au signe linguistique et son système (le mot, la syntaxe), c'est-à-dire jusqu'à la garantie la plus solide et première du sujet unaire : la glossolalie ou les « éructations » d'Artaud rejettent la fonction symbolique et dégagent les pulsions que cette fonction refoule pour se constituer, et dont la disposition sur et à travers le corps du sujet constitue la topographie de son morcellement et de son investissement sans retardement, sans différance, dans la matière bio-

---

1. « Introduction au commentaire de J. Hippolyte sur la " *Verneinung* " de Freud », *Écrits,* Éd. du Seuil, 1966, p. 372.
2. Le livre de Deleuze et Guattari *l'Anti-Œdipe* est la première tentative dans ce sens (Éd. de Minuit, 1972).

logique et sociale asymbolisée, mais toujours déjà organisée. Ce réseau pulsionnel, qu'on pourra lire par exemple à travers les bases pulsionnelles des phonèmes non sémantisés d'un texte d'Artaud, représente (pour la théorie) *le lieu mobile-réceptacle du procès,* qui prend la place du sujet unaire. Un tel lieu, que nous allons appeler une *chora* [1] est la représentation qu'on peut donner au sujet en procès, mais on ne saurait penser qu'elle se constitue d'Une Coupure (la castration); on dira

---

1. Rappelons brièvement que dans l'acception de Platon la *chora* ($\chi\omega\rho\alpha$) désigne un réceptacle mobile de mélange, de contradiction et de mouvement, nécessaire au fonctionnement de la nature avant l'intervention téléologique de Dieu, et correspondant à la mère : la *chora* est une matrice ou une nourrice dans laquelle les éléments sont sans identité et sans raison. La *chora* est le *lieu* d'un *chaos* qui *est* et qui *devient,* préalable à la constitution des premiers corps mesurables. Pour être accessible à un « raisonnement bâtard » ou à la « rêverie », ce lieu n'existe pas moins dans un état qui n'est pas encore un Univers puisque « Dieu en est absent » *(Timée,* 52-53). Ainsi : «... encore un genre d'être, celui de la place indéfiniment; il ne peut subir la destruction, mais il fournit un siège à toutes choses qui ont devenir, lui-même étant saisissable, en dehors de toute sensation, au moyen d'une sorte de raisonnement bâtard; à peine entre-t-il en la créance; c'est lui précisément aussi qui nous fait rêver quand nous l'apercevons... [.,.] Or, précisément, la nourrice du devenir se mouillait, s'embrasait, recevait les formes de la terre et de l'air, et subissait toutes les autres affections qui s'ensuivent... Mais, ainsi agitées, les qualités sans cesse se portaient chacune de leur côté et se séparaient, tout comme dans les vans et instruments à nettoyer le blé... » *(ibid.).*
Notons aussi que la *chora* a une connotation maternelle dans maintes cérémonies religieuses romaines, byzantines, mais aussi chinoises; par extension, le souverain qui assure les lois de la cité tient de la cité fonction· maternelle de fournir la *chora.* (cf. D.-A. Miller, « Royauté et ambiguïté sexuelle », *Annales,* t. III-IV, mai-août 1971, p. 646; M. Granet, *la Civilisation chinoise,* Albin Michel, 1968, p. 205-206).
Si notre acception du terme de *chora* se réfère à celle de Platon qui, en ce lieu, semble suivre les présocratiques, la notion que nous essayons d'en former concerne la disposition d'un procès qui, pour être celui du sujet, traverse la coupure unaire qui l'installe et fait intervenir dans son topos la lutte des pulsions qui le met en mouvement et en danger.
C'est J. Derrida qui a rappelé et interprété récemment cette notion par laquelle, selon lui, « Platon a sans doute voulu réduire au silence, en l' " ontologisant ", le " rythme " démocritéen » (cf. son « Entretien avec J.-L. Houdebine et G. Scarpetta », *Promesses,* nos 30-31; repris *in* J. Derrida, *Positions,* Éd. de Minuit, 1972, p. 100-101).
Dans notre acception du terme il s'agit, comme — nous l'espérons — on le verra, de tracer ce lieu — une certaine disposition — en lui redonnant la voix et les gestes rythmés qui le composent, pour l'extraire ainsi de l'ontologie platonicienne si justement critiquée par J. Derrida.
La voix que nous empruntons consiste à ne pas localiser la *chora* dans quelque corps que ce soit, fût-il celui de sa mère, qui précisément représente, pour l'ontologie sexuelle infantile, « le réceptacle de tout ce qui est désirable, et en particulier du pénis paternel » (M. Klein, *la Psychanalyse des enfants,* PUF, 1959, p. 210). Nous verrons la *chora* se jouer avec et à travers le corps de la mère — de la femme —, mais dans le procès de la signifiance.

plutôt que le procès fonctionne à partir de la *réitération* de la rupture, de la séparation : qu'il est *une multiplicité de re-jets* qui assurent le renouvellement à l'infini de son fonctionnement. Le rejet rejette la discordance signifiant-signifié et jusqu'à l'isolement du sujet comme sujet signifiant, mais aussi toutes les cloisons dans lesquelles ce sujet s'abrite pour se constituer.

« Il faudrait parler maintenant de la décorporalisation de la réalité, de cette espèce de rupture appliquée, on dirait, à se multiplier elle-même entre les choses et les sentiments qu'elles produisent sur notre esprit, la place qu'elles doivent prendre [1]. »

A-subjectif, le procès, mis en marche et en renouvellement par le rejet, est a-familial, a-filial, a-social. Seuls les mouvements de subversion sociale, lors de mutations ou de révolutions, peuvent donner un champ d'action social à ce procès de rejets.

2. Pourtant, la conception marxiste du sujet ne se préoccupe pas de cette multiplicité de rejets qui pulvérise le sujet unaire. Parti de la dialectique hégélienne, le marxisme écarte la *négativité* hégélienne qui résumait la pulvérisation de l'unité subjective et sa médiation vers l'ordre objectif, pour ne garder qu'une négativité déjà réifiée sous l'aspect du « rapport social ». Le sujet n'est pas un procès; il est un atome (à la limite inexistant) en relation avec d'autres à l'intérieur du procès objectif. La négativité interne au sujet, qui le relaie en tant que procès « lui-même » au procès du dehors, est coagulée dans le rapport de « besoin » ou de « désir » entre sujets ponctuels.

Cette conception du sujet dans le marxisme est héritée directement de Feuerbach, que, par ailleurs, Marx réfute en ce qui concerne les rapports sociaux et la pratique humaine. Il faut donc rappeler ici la conception du sujet chez Feuerbach. Voulant se débarrasser de la mystique de la conscience de soi (que développaient les néo-hégéliens de droite), et posant la nature et la société comme bases productrices de l'homme, Feuerbach se débarrasse du même geste de la négativité que Hegel faisait agir à l'intérieur de la conscience unitaire, maintenue, mais menacée. La notion de l' « homme » que définissent ses « désirs » (selon la terminologie de Feuerbach) remplace le *procès* qui fonde la dialectique hégélienne, au nom d'une exigence réaliste de limité, de fini et de réel. Mais, du même coup, ce réalisme feuerbachien dont

---

1. Artaud, « Invocation à la momie », *Œuvres complètes,* Gallimard, t. I, p. 61.

héritera le marxisme s'avère un « athéisme pieux » (au dire même de Marx), et cette piété transparaît le plus clairement dans la réduction de la négativité par le geste suivant d'anthropomorphisation : d'abord, le procès de la négativité propre à la conscience de soi est limité, bloqué et lié en une unité, l' « homme »[1]; ensuite, la négativité est posée comme extérieure à cette unité : comme désir pour les autres, donc comme fondement de la communauté, la possibilité de subversion de cette communauté ayant disparu[2]. Ainsi, le renversement positif-socialiste de Hegel explicite un — et un seul — des moments du procès dialectique hégélien : la phase thétique, positivante, affirmant l'Unité (du sujet social ou de l'État). Ce renversement installe un sujet unaire là où Hegel voyait un procès objectif dont le sujet unaire n'était qu'un moment : « Hegel fait un objet de ce qui est subjectif, alors que je fais un sujet de ce qui est objectif », écrit Feuerbach[3]. Ce sujet unaire, désirant, base de l'organisation sociale, trouve son représentant accompli dans le chef d'État : la réduction de la négativité conduit à l'hypostase de l'oppression[4].

On sait que le matérialisme dialectique de Marx s'éloigne définitivement de la métaphysique naturaliste de Feuerbach en réintroduisant la dialectique : les notions de *lutte, contradiction, pratique.* En 1868, Marx écrit à Engels (à propos de Dühring) : « Ces messieurs d'Allemagne croient que la dialectique de Hegel est une histoire enterrée. A cet égard, Feuerbach en a lourd sur la conscience[5]. » Pourtant, le marxisme héritera de deux moments essentiels de l'opération feuerbachienne :

1. L'anthropomorphisation ou, mieux, l'unification subjectale de la négativité hégélienne, sous la forme de l'unité humaine, de l'homme du désir, de l'homme du manque : ce sera le prolétariat comme voie de réalisation de l'homme total maîtrisé et sans conflit[6]. La complicité du

1. « La conscience de soi c'est l'homme » écrit Feuerbach (*Sämtliche Werke*, Stuttgart, W. Bolin et F. Zold, 2ᵉ éd. 1959, t. II, p. 242).
2. « L'essence de l'homme est contenue dans la communauté, dans l'unité de l'homme avec l'homme » (*ibid.,* p. 4).
3. *Kleine philosophische Schriften,* Leipzig, Meiner, p. 34.
4. « L'homme est la base de l'État. L'État est la totalité réalisée, complète et explicite de l'essence humaine [...] Le chef de l'État représente l'homme universel » (Feuerbach, *Sämtliche Werke, op. cit.,* t. II, p. 223).
5. Cf. D. Mc Lellan, *les Jeunes Hégéliens et K. Marx,* Payot, 1972, p. 161. Nos références à Feuerbach proviennent de cette étude.
6. « L'homme est avant tout une *maîtrise,* une *" solution du conflit ".* D'une part,

philosophe et du prolétaire figure cette conception du sujet dans le marxisme comme sujet unaire, « Janus » fait de métalangue et de besoin : « La philosophie est la tête de cette émancipation [de l'homme] et le prolétariat en est le cœur. La philosophie ne peut être réalisée que par l'abolition du prolétariat et le prolétariat ne peut être aboli *que par la réalisation de la philosophie* [1]. »

2. L'ancrage *direct et exclusif* de l'homme dans l'État ou, plus généralement, dans la machine sociale et les rapports sociaux qui sont des rapports réglés par le besoin et la souffrance entre hommes. Dans la machine des contradictions et des conflits sociaux, de production et de classe, l'homme reste une unité intouchable, en conflit avec d'autres, mais jamais en conflit par rapport à « lui-même » et, dans ce sens, il reste neutre : sujet opprimant ou opprimé, chef ou exploité ou chef d'exploité; mais jamais sujet en procès correspondant au procès objectif qui fut mis au jour par le matérialisme dialectique dans la nature et dans la société [2].

Si tel est, selon Marx, le statut de l'individu en système bourgeois, on dirait, en lisant cette constatation à la lumière des notions récentes, que, dans et par l'État et la religion, le capitalisme exige et consolide le moment paranoïde du sujet : unité qui forclôt l'autre et se met à sa place. Mais, si le prolétariat résout la contradiction entre le sujet-chose et le sujet inaliénable, après l'avoir portée à son comble, et s'il réalise ainsi la philosophie, son statut de sujet suppose l'une ou l'autre de ces deux éventualités : ou il reste l'homme unaire et reconduit ainsi la paranoïa du sujet spéculatif, étatique et religieux; ou bien on entend par « réalisation de la philosophie » son achèvement, c'est-à-dire la réalisation de ses moments de rupture, de scission, de mise en procès de l'unité, et alors le « prolétariat » représente le facteur disséminant l'unité subjective et étatique, leur éclatement vers une hétérogénéité irréductible à l'instance de la maîtrise consciente. Loin d'être des hypothèses

---

dans la société, la réalité objective devient pour l'homme la réalité de sa maîtrise en tant qu'être humain : réalité humaine, cette maîtrise est par conséquent la réalité de son être propre, grâce à laquelle tous les objets deviennent pour lui l'objectivation pour lui-même, les objets qui confirment et réalisent son individualité ses objets, il devient lui-même objet » (K. Marx, *Frühe Schriften*, Stuttgart, 1962, t. I, p. 505).

1. *Ibid.*, p. 600 s.

2. Comme le note J. Hyppolite : « La liberté de la société bourgeoise est exigée, mais alors l'individu est seulement enterré dans l'individuel, il ne peut que se sauver dans l'État et la religion » (*Études sur Hegel et Marx*, PUF, 1955, p. 94).

LE SUJET EN PROCÈS

simples, ces deux éventualités sont en fait deux conceptions antagonistes de la société et a fortiori de la société socialiste, et concernent la différence même entre nature et culture, c'est-à-dire le statut même de l' « animal social ».

Dans un tel contexte, formé depuis le XIXᵉ siècle, c'est à l' « avant-garde artistique » qu'incombe d'exemplifier le renversement matérialiste de ce procès de la négativité qui dissout l'unité subjective. A travers une pratique spécifique qui touche le mécanisme même du langage (chez Mallarmé, Joyce, Artaud) ou les systèmes de reproduction mythiques ou religieux (Lautréamont, Bataille), l' « avant-garde littéraire » présente à la société — ne fût-ce que dans ses coulisses — un sujet en procès, s'attaquant à toutes les stases d'un sujet unaire. Elle s'attaque ainsi aux systèmes idéologiques clos (les religions), mais aussi aux structures de domination sociales (l'État), et accomplit une révolution qui, pour être distincte ou jusqu'à présent ignorée par la révolution socialiste et communiste, n'est pas son moment « utopique » ou « anarchiste », mais désigne son aveuglement quant au procès même qui la porte. Ce procès « schizophrénique » de la pratique d'avant-garde introduit une nouvelle historicité, une « histoire monumentale » traversant les mythes, les rites, les systèmes symboliques de l'humanité, en se déclarant détachée de l'histoire contemporaine (comme Artaud) ou en suivant cette histoire contemporaine pour l'ouvrir vers le procès de la négativité qui en est le moteur (comme Bataille).

3. Quelques remarques s'imposent sur la notion de négativité que nous employons pour formuler notre troisième thèse, à savoir que la *négativité* représente, pour la théorie, la logique du procès tel que le pratique le texte d'Artaud par exemple.

C'est à Hegel que revient la notion de la négativité *(Negativität)* qui semble être le *pattern,* le principe organisationnel du *procès.* Distingué du néant *(Nichts),* aussi bien que la négation *(Negation),* la négativité est le concept qui figure la relation indissoluble d'une mouvance « ineffable » et de sa « détermination singulière » : elle est la médiatisation, le dépassement des « abstractions pures » qui sont l'*Être* et le *Néant,* leur suppression dans le concret où tous les deux ne sont que des moments. Pour être un concept, c'est-à-dire pour appartenir à un système contemplatif (théorique), la *négativité* reformule en procès, donc dissout et lie en une loi mobile les *termes* statiques de l'abstraction pure. Elle refond ainsi, tout en en maintenant le dualisme, non seule-

61

ment les stases de l'*Être* et du *Néant*, mais toutes les catégories du système contemplatif : l'universel et le singulier, l'indéterminé et le déterminé, la qualité et la quantité, la négation et l'affirmation, etc. Elle est l'impulsion logique qui peut se présenter sous les stases de la négation et de la négation de la négation, mais ne s'identifie pas avec elles puisqu'elle est la représentation logique du mouvement les produisant.

Expression logique du procès objectif, la négativité ne peut produire qu'un sujet en procès; en d'autres termes, le sujet qui se constitue selon la loi de cette négativité, donc selon la loi d'une réalité objective, ne peut être qu'un sujet traversé par cette négativité; ouvert sur et par l'objectivité même, mobile, non assujetti, libre. Un sujet immergé dans la négativité cesse d'être un « extérieur » à la négativité objective, une unité transcendante, une monade à réglementation spécifique, mais se place comme le moment « le plus intérieur le plus objectif de la vie et de l'esprit ».

Ferment du matérialisme dialectique, ce principe hégélien a pu chercher sa réalisation matérialiste dans le concept de l'*activité humaine* comme activité révolutionnaire, et des lois sociales et naturelles que cette activité découvre comme des lois objectives. Dans les marges du passage suivant de Hegel : « Or, la négativité considérée constitue le *point de retour* du mouvement du concept. Elle est le point simple de la relation négative à soi, la source la plus intérieure de toute activité, de tout automouvement de la vie et de l'esprit, l'âme dialectique qui a tout le vrai en soi-même et par quoi seulement ce vrai est un vrai; car sur cette subjectivité seule repose l'abroger de l'opposition entre concept et réalité, et l'unité qui est la vérité. Le négatif second, le négatif du négatif à quoi nous sommes parvenus, est cet abroger-là de la contradiction, mais il est tout aussi peu que la contradiction *une forme d'une réflexion extérieure,* étant au contraire le moment *le plus intérieur, le plus objectif* de la vie et de l'esprit, ce par quoi il y a un sujet, une personne, un libre », Lénine note : « Le sel de la dialectique, le critère de la vérité (Unité du concept et de la réalité)[1]. »

La *négativité* inséparable de l'*être* hégélien est ainsi précisément ce qui scinde et creuse sa fermeture dans un entendement abstrait et superstitieux et ce qui indique un dehors que Hegel ne saurait penser

---

1. Lénine, « Cahiers sur la dialectique », *Œuvres complètes,* Éd. Sociales, t. 38, p. 217.

autrement que comme envers solidaire de la croyance, tandis que la postérité phénoménologique le posera comme une théologie négative. Mais la logique ainsi exposée trouvera sa réalisation matérialiste lorsque, la découverte freudienne aidant, on osera penser cette négativité comme le mouvement même de la matière hétérogène, inséparable de sa différenciation à fonction symbolique. Si ce mouvement matériel de scission, de rejet (nous y reviendrons) reste un « négatif » pour l'entendement kantien, il est pensé par la dialectique et à cause de son inséparabilité avec l'être comme une *positivité* fondamentale : « On ferait mieux de parler, au lieu d'*unité*, d'*inséparabilité*, mais ni l'un ni l'autre de ces deux termes n'exprimerait le côté *affirmatif* de l'ensemble du rapport [1]. »

Ainsi, tout en maintenant les oppositions kantiennes, la dialectique hégélienne s'achemine vers leur refonte fondamentale qui, à la place de l'« Être » et du « Néant », instaure une *négativité affirmative*, une *dissolution productrice*. La théologie inhérente à cette refonte se marque pourtant en ce lieu, dans la téléologie qu'elle implique, et qui est une téléologie *du devenir* subordonnant, voire effaçant, le moment de la rupture.

Il faut insister sur le fait que la *négativité* dont il s'agit n'est pas à confondre avec la *négation* intérieure au jugement, avec les « grandeurs négatives » que Kant introduit en philosophie sous la forme de « polarité » et d'« opposition », et que la philosophie moderne s'emploie à déceler en lui substituant les notions de différence et de répétition. Opérant dans la *Vernunft* (Raison) hégélienne, et non pas dans le *Verstand* (Entendement), se mouvant dans une Raison qui n'est pas celle de Kant, mais qui accomplit la synthèse de l'ordre théorique et de l'ordre pratique [2], la négativité hégélienne vise un lieu transversal au *Verstand*, bouleverse sa position *(Stand)* et pointe vers l'espace de sa production. La négativité hégélienne n'est pas une composante de l'Idée kantienne, un élément oppositionnel interne au jugement, c'est-à-dire en somme une opération d'entendement ou une limite constituant les couples oppositionnels, de Kant au structuralisme. Plus encore, une lecture matérialiste de Hegel permet de penser cette négativité comme le moment transsubjectif et transsémiotique de séparation de la matière constitutif des conditions de la symbolicité, sans le confondre avec cette sym-

1. Hegel, *Science de la logique*, Aubier, 1949, t. I., p. 84.
2. Cf. D. Dubarle et A. Droz, *Logique et Dialectique*, Larousse, 1972, p. 36.

bolicité même ou avec la négation qui en fait partie. Le terme de négativité est sans doute impropre pour désigner ce mouvement producteur du sémiotique et continuant à le travailler de l'« intérieur ». Il porte sans doute en lui la trace ineffaçable de la présence du sujet jugeant; mais il a l'avantage de conduire cette trace et cette présence dans un ailleurs où une lutte de *contraires hétérogènes* (nous y reviendrons) les produit. La notion de négativité garde l'empreinte d'un « toit [1] » qui se constitue déjà avec la constitution de la fonction symbolique comme fonction d'un sujet, et dont les textes d'Artaud font éclater le procès de production pulsionnelle : le toit du sujet hétérogène, unité impossible. Se débarrasser de ce « toit » conduit à abandonner la visée matérialiste dans la conception du fonctionnement sémiotique : à la place de la dialectique hétérogène de son procès, on installera alors la présence de l'Idée substantifiée à la Spinoza et qui se structure à travers des flux multiples opaques à eux-mêmes, ou bien la dérive des traces en lesquelles éclate cette Idée, qui rate ainsi le moment pratique-historique. Identifiant le Sens à la Nature ou la Nature au Sens, quand il ne dénie pas l'un comme l'autre, l'idéalisme se garde de penser la *production* de la fonction comme *formation spécifique* des contradictions de la matière à l'intérieur de cette matière même.

Nous disons que la négation articule logiquement une opposition c'est-à-dire une *dichotomie.* La *négativité* pose une *hétéronomie :* elle pose la production du système signifiant linguistique et logique du sujet unaire, depuis les lois objectives d'une matérialité qui le produit par un *saut qualitatif* (hétérogène), comme l'un de ses moments.

Les termes de *dépense* ou de *rejet* sont alors plus adéquats à spécifier ce mouvement des contradictions matérielles qui engendrent la fonction sémiotique : les implications pulsionnelles ou généralement psychanalytiques que ces termes contiennent, les rendent sans doute préférables au terme de négativité. Mais, dans une démarche dialectique en son renversement matérialiste, le concept de *rejet vise* la *pratique du sujet,* ici une pratique signifiante qui suppose une « expérience des limites » du sujet. Le terme de négativité n'a donc, dans l'acception que nous lui donnons, d'autre fonction que d'indiquer ce procès excédant le sujet signifiant pour le lier aux luttes « objectives » dans la nature et la société.

1. Philippe Sollers, « Le toit », *Logiques,* Éd. du Seuil, 1968.

Parmi les logiciens, Frege a été probablement le seul à penser à deux types de négation : l'une, hypothétiquement située dans la pensée impersonnelle, est écartée; l'autre, interne au jugement que possède un sujet ferme et indestructible, est écartée aussi, mais, cette fois, comme inconsistante puisque le jugement d'un sujet indestructible est lui-même indestructible — alors qu'est-ce qu'une négation interne au jugement sinon une affirmation de cette indestructibilité[1]?

A travers ces réflexions se dégage une constatation que la psychanalyse freudienne reprendra et interprétera sans se douter de cette parenté avec Frege : la « véritable négation » (ce que nous appelons la négativité) suppose une « pensée impersonnelle », un évanouissement du sujet unaire; tandis que la négation symbolique, le « non », n'est rien d'autre que la fonction symbolique elle-même posant le sujet unaire. Lacan dit que c'est le Père qui dit : « Non. » Disons que le procès tel que le pratique Artaud, et qui rejette la filiation, dit la négativité : il s'agit du mouvement d'une « pensée » impersonnelle qui est la destruction même de la pensée, la seule destruction possible de la *pensée* (et non les coups de ciseaux dans le papier écrit, comme le proposait Frege) sans que soit perdu le *procès de la signifiance,* puisque le sujet n'y est pas perdu, mais multiplié. La négativité est le rejet que le sujet refoule en disant « Non », et qui revient en s'attaquant à ce « Non » : au Nom du Père, au surmoi et jusqu'au langage lui-même et au refoulement originaire dont il s'impose.

La négation interne au jugement se confond, montre Frege, avec le prédicat de la proposition affirmative auquel, d'ailleurs, elle adhère. Constatation importante qui signale que la négation interne au jugement est la marque supplémentaire et explicite du prédicat et/ou de la fonction syntaxique. Les grammairiens chinois désignent ainsi le verbe comme « ce qui peut être nié ».

Par ailleurs, on a démontré que toute transformation négative, y compris la lexicale, est déjà une transformation syntaxique ou bien peut être imbriquée dans une transformation syntaxique[2]. Au cours de l'apprentissage du langage, on constate que la négation signifiée, c'est-à-dire non simplement le refus kinésique, mais le « non » sémantique,

---

1. « La négation » *Écrits logiques et philosophiques,* Éd. du Seuil, 1971, p. 195 s.
2. Cf., entre autres, J. Dubois, L. Irigaray, P. Macie, « Transformation négative et organisation des classes lexicales », *Cahiers de lexicologie,* vol. 7, 1965.

apparaît vers le quinzième mois [1], ce qui coïncide avec l'apogée du « stade du miroir » et avec l'apprentissage d'un langage holophrastique contenant déjà certaines liaisons syntaxiques, mais généralement préalable à la manifestation de la compétence syntaxique dans des énoncés syntaxiquement formés. C'est dire que, si la fonction symbolique est une fonction syntaxique, et si celle-ci consiste essentiellement à lier un syntagme nominal et un syntagme verbal, la formation du symbole de la négation est préalable à cette fonction ou coïncide avec sa genèse; savoir dire « non » c'est déjà savoir formuler des phrases syntaxiquement orientées (plus ou moins grammaticales). Autrement dit, la négation interne au jugement est une marque de la fonction symbolique et/ou syntaxique, elle est la marque première de la sublimation. Ce type d'observation et d'analyse linguistique confirme la position de Frege selon laquelle la négation est une variante de la prédication interne au jugement.

Il faut donc sortir de l'enclos langagier pour saisir ce qui opère dans un temps génétique et logique préalable à la constitution de la fonction symbolique qui absorbe le négatif dans le prédicat. Il faut sortir de la fonction sémiotique *verbale* vers ce qui la produit, pour saisir le procès du *rejet* qu'animent les pulsions d'un corps pris dans le réseau de la nature et de la société. C'est la *gestualité préverbale* qui marque les *opérations* préalables à la position des termes statiques qui sont les termes-symboles de la langue et de sa syntaxe. Certains psycholinguistes parlent d'« opérations concrètes » qui concernent les rapports pratiques du sujet aux objets, pour les détruire, sériei, organiser, etc., et qui sont des « formes de connaissance consistant à modifier l'objet à connaître de manière à atteindre les transformations comme telles et leurs résultats [2] » : ces opérations concrètes comprennent « les actions sensori-motrices, les actions intériorisées les prolongeant et les opérations proprement dites appartenant à ce domaine [3] », préalable à l'acquisition du langage. C'est à ce niveau d'« opérations concrètes » que Freud aperçoit, dans le *Fort-Da* du nourrisson, la pulsion du rejet, l'*Ausstossung* ou la *Verwerfung,* qui indique une opération biologique de base, celle de la scission, de la séparation, de la division, en même

1. R.A. Spitz, *De la naissance à la parole,* PUF, 1968, p. 246.
2. H. Sinclaire de Zwart, *Acquisition du langage et Développement de la pensée,* Sous-systèmes linguistiques et opérations concrètes, Dunod, 1967, p. 130.
3. *Ibid.*

temps qu'elle opère le rapport du corps (toujours déjà divisant) avec le dehors comme un rapport de rejet. C'est dans cet espace précis, corporel, biologique, mais déjà social (liant aux autres) qu'agit une négativité non symbolisée, non arrêtée dans les termes du jugement, non prédiquée comme négation interne au jugement. Cette négativité — cette dépense — pose un objet comme séparé du corps propre, et, au moment même de cette séparation, le fixe comme absent : comme signe. Le rejet instaure donc l'objet comme objet réel et du même coup signifiable, c'est-à-dire déjà pris comme un objet interne au système signifiant, comme subordonné au sujet qui le pose par le signe. La relation du signe ainsi établie par le rejet dans une dimension qu'on pourra dire verticale (sujet parlant/dehors) se retrouvera projetée à l'intérieur du système signifiant dans la dimension linguistique horizontale (sujet syntaxique — prédicat). Le dehors devenu objet signifiable et la fonction de la prédication apparaissent alors comme des stases de la négativité — du rejet —, solidaires et indissociables. La négativité — le rejet — n'est donc qu'un *fonctionnement* discernable à travers des *positions* qui l'absorbent et le camouflent : le réel, le signe, le prédicat, se présentent comme des moments différentiels — jalons du procès du rejet.

Le rejet n'existe que dans la matérialité transsymbolique de ce procès, dans les pulsions matérielles du corps soumis aux opérations biologiques de division de la matière et à ses relations sociales. Toute verbalisation déjà faite n'enregistre le rejet que comme série de différences, on dira donc qu'elle le fixe et le perd. La négativité ne peut être qu'une notion dialectique propre au procès de la signifiance, à la charnière de l'ordre biologique et de l'ordre social, d'une part, et de la phase thétique-signifiante de celui-ci, d'autre part.

La négation et le prédicat dont elle fait partie sont ainsi les témoins du passage du rejet qui les constitue pour autant qu'il constitue le réel et le signe le désignant. La négation interne au jugement, aussi bien que la prédication, sont des captations, des arrêts de la mobilité spécifique au rejet, ses nœuds. C'est à eux que s'attaquera le rejet lorsqu'il ne se laissera pas stopper par l'identification spéculaire et la fonction symbolique concomitante. Dans certains phénomènes schizoïdes et dans le « langage poétique » du texte moderne, la négation et la structure syntaxique trouvent leur statut transformé ou leur normativité perturbée. Ces phénomènes textuels témoignent d'une économie pulsionnelle spécifique, d'une dépense ou d'une désintrication du « vecteur pulsionnel », et donc d'une modification du rapport entre le sujet et le dehors. La négativité stoppée-absorbée dans la négation du jugement ne transparaît donc qu'à travers des modifications de la fonction de la négation ou dans des modifications syntaxiques et lexicales, propres aux « discours fous » ou à la « poésie ». Ce n'est pas le coup de ciseaux qui casse l'indestructible pensée de Frege, c'est le retour d'un surplus de rejet lisible dans les modifications du phénotexte. Le philosophe s'en doutait, on veut le supposer, puisqu'il excluait la poésie de la « pensée » : sa « pensée » « n'appartient pas à la poésie[1] ».

Le rejet, la négativité, conduisent en dernière instance à un *fading* de la négation : le surplus de négativité détruit la couplaison des opposés et substitue à l'opposition une différenciation infinitésimale du phénotexte. Cette négativité est insistante — on remarque chez Lautréamont, par exemple, la fréquence des procédés morphologiques *(ne... pas)* de la négation qui tendent à lui donner une insistance active, marquée, abrupte — et, en ce sens, elle *affirme la position* du sujet, sa phase thétique, positivante, de sujet maîtrisant la fonction verbale. En psychose, cette affirmation — insistance de la négation — signale la lutte constitutive de la symbolicité entre la *stase* et le *rejet,* une lutte qui peut échouer dans l'extinction de toute capacité symbolique : le négativisme est suivi alors d'une désintrication des enchaînements syntaxiques, contemporaine d'une perte du signe fixiste et du réel qui lui correspond. En revanche, le texte comme « expérience des limites » traduit cette lutte constitutive de la symbolicité ou de la fonction verbale, mais constitue un *nouveau dispositif réel* — ce qu'on appelle, à l'école, l'« univers de l'auteur ». Le rejet marqué dans l'abondance d'énoncés négatifs des *Chants de Maldoror,* ou par les distorsions syntaxiques d'*Un coup de dés,* est le fait d'un sujet en procès qui arrive — pour des raisons biographiques et historiques — à remodeler la *chora* de la signifiance historiquement acceptée, en proposant la représentation d'un autre rapport aux objets naturels, aux appareils sociaux et au corps propre. Un tel sujet traverse le réseau linguistique et se sert de lui pour indiquer — comme le faisaient une anaphore ou un hiéroglyphe — qu'il ne représente pas un réel posé d'avance et détaché à jamais du procès pulsionnel, mais qu'il expérimente ou pratique le procès objectif en s'immergeant en lui et en émergeant de lui à travers

---

1. Frege, « La négation », *op. cit.,* p. 195.

les pulsions. Ce sujet de la dépense n'est donc pas un lieu ponctuel, un sujet de l'énonciation, mais il agit à travers l'organisation (la structure, la finitude) du texte, dans laquelle se figure la *chora* du procès. Cette *chora* est l'*articulation sémiotique non verbale du procès :* une musique, une architecture sont des métaphores qui la désignent mieux que les catégories linguistiques grammaticales qu'elle redistribue. Elle est la logique des « opérations concrètes », de la « motilité » (dont parle Artaud) traversant le corps pratique dans l'espace social (transformation des objets, rapports aux parents et à l'ensemble social).

Le rejet et la pulsion

La théorie freudienne des pulsions permet de penser cette négativité dans le fonctionnement d'un corps qui sera celui d'un sujet. Charges énergétiques, mais déjà sémiotiques (« charnières du psychique et du somatique »), les pulsions extraient le corps de son étendue homogène et en font un espace lié à l'espace extérieur, elles sont les forces qui tracent la *chora* du procès.

Or, il est important de remarquer qu'en pensant l'instauration de la fonction symbolique à travers le symbole de la négation (dans son article « Die Verneinung », 1925), Freud remarque qu'elle s'instaure du *repoussement (Ausstossung,* dit *Verwerfung* dans « L'Homme aux loups »), mais ne dit mot sur les « bases pulsionnelles » de ce geste, sur la pulsion qui agit ce « kinème ». La conséquence de cette omission est que, via le repoussement, la fonction symbolique sera opposée à l'*Einbeziehung —* l'unification, l'incorporation — qui renvoie à l'oralité et au plaisir; la fonction symbolique sera donc dissociée de tout plaisir, opposée à lui et constituée comme le lieu paternel, le lieu du surmoi. La seule façon de réagir contre les conséquences du refoulement imposé sous la contrainte du principe de plaisir, ce sera de renoncer au plaisir par le moyen de la symbolisation, par l'institution du signe à travers l'absence d'objet, repoussé et à jamais perdu.

Ce qui semble exclu d'une telle interprétation, c'est le plaisir sous-jacent à la fonction sémiotique présymbolique du repoussement; un plaisir que le symbolique refoule, mais qui peut revenir en lui et qui, joint au plaisir oral, peut perturber, voire disloquer la fonction symbolique. En tout cas, il peut transformer l'idéation en un « jeu artistique », il peut corrompre le symbolique par le retour de la pulsion en lui, et en faire un dispositif sémiotique, une *chora* mobile. La pulsion dont il s'agit est la pulsion anale : le rejet anal, l'analité dans laquelle Freud voit la composante sadique de l'instinct sexuel et qu'il identifie avec la pulsion de mort. Nous voudrions souligner l'importance de ce rejet anal, de cette analité : préalable à l'instauration du symbolique, il en est la condition et le refoulé. Le procès du sujet, étant le procès de son langage et/ou de la fonction symbolique elle-même, suppose — dans l'économie du corps qui en est le support — une réactivation de cette analité. Les textes d'Artaud désignent explicitement, comme nous le verrons, la pulsion anale agitant le corps du sujet dans sa subversion de la fonction symbolique. Le relatif silence de Freud sur l'analité, de même que devant les fresques de Signorelli, n'est pas seulement le symptôme d'une certaine pudeur devant l'homosexualité, que Freud a eu le mérite de désigner à la base des organismes sociaux; ce silence est solidaire du silence de la psychanalyse sur la fonction littéraire en tant qu'elle est subversion de la fonction symbolique et mise en procès du sujet : la psychanalyse parlera du fantasme en littérature, mais jamais de l'économie du sujet dissolvant le symbolique et le langage à travers l'acte dit esthétique. Si le retour du rejet, pour corrompre le symbolique et avec lui la sublimation, dans les textes modernes, et avec une netteté exemplaire chez Artaud, témoigne de la pulsion de mort — d'une destruction du vivant en même temps que du sujet, comment négliger la jouissance que recèle cette « agressivité », cette « composante sadique »? La jouissance de la destruction (ou, si l'on veut, de la « pulsion de mort ») dont le texte est la manifestation à travers le langage, passe par un désenfouissement de l'analité refoulée-sublimée. C'est dire qu'avant de se disposer en un nouveau réseau sémiotique, avant de former la nouvelle structure que sera l' « œuvre », la pulsion non encore symbolisée, les « restes des premières symbolisations » (Lacan), s'attaquent, à travers l'analité désenfouie et en connaissance de cause de l'homosexualité, à toutes les stases du procès de la signifiance (signe, langage, structure familiale ou sociale identifiante).

Nous sommes amenés ici à rappeler plus en détail l'implication du rejet et de la jouissance dans la fonction symbolique et dans sa mise en procès. La composante sadique de l'instinct sexuel se retrouve en filigrane aussi bien dans la « phase orale » que dans la « phase génitale », mais elle domine la « phase anale » et s'impose comme essentielle dans l'économie libidinale, à tel point que Freud reconnaît « la possibilité d'un " sadisme " primaire orienté vers le moi, avant toute isolation d'objet, donc d'un masochisme primaire [1] ». Ce que nous désignons par *rejet* n'est rien d'autre que le mode logique de cette agressivité permanente et la possibilité de sa *position*, donc de son *renouvellement*. S'il est destructeur, « pulsion de mort », le rejet est le mécanisme même de la relance, de la tension, de la vie; tendant vers un état d'égalisation de la tension, d'inertie et de mort, il *perpétue* la tension et la vie.

Rappelons aussi que ce que la psychanalyse désigne comme une « phase anale » se situe avant le conflit œdipien et avant la séparation du « moi » et du « ça », selon la topique freudienne. C'est une phase qui clôt toute une période fondamentale pour la libido infantile, la période dite du *sadisme* prédominant avant le début de l'Œdipe, un sadisme oral, musculaire, urétral et anal. Sous toutes ces formes dont l'anale est la dernière à être refoulée et, en ce sens, la plus importante, des poussées ou des charges énergétiques produisent une érotisation des sphincters glottique, urétral et anal, aussi bien que du système kinésique.

Les pulsions, traversant les sphincters, suscitent le plaisir au moment même où se détachent du corps des substances lui ayant appartenu et désormais rejetées en dehors. Plaisir aigu coïncidant avec une perte, avec la séparation du corps et l'isolation hors de lui d'objets. C'est l'expérience fondamentale de la séparation, avant la position de l'altérité détachée du corps propre, qui sera l'objet réel : une séparation qui n'est pas un manque, mais une décharge, et qui, pour être privative, provoque du plaisir. Que cette perte en jouissance soit ressentie comme une attaque à la fois contre l'objet expulsé, contre tout objet extérieur (père-mère compris) et contre le corps propre lui-même, le psychanalyste le suppose. Le problème devient alors : comment freiner cette « agressivité »? Ce qui voudrait dire : comment freiner ce plaisir de la séparation qui provoque le rejet et dont l'ambivalence (jouissance du corps *plus* perte des parties du corps) est le nœud ambivalent du plaisir et de la menace qui caractérise la pulsion? La voie « normale », œdipienne, consiste en une identification du corps propre avec l'un des

1. « Au-delà du principe de plaisir », *Essais de psychanalyse*, Payot, 1968, p. 69.

parents lors de la phase œdipienne. Simultanément, l'objet rejeté se sépare définitivement, il n'est pas seulement rejeté, mais supprimé comme objet matériel, il est « l'autre en face », avec lequel une seule relation est possible : le signe, la relation symbolique *in absentia*. Le rejet est ainsi sur la voie du devenir-signe de l'objet lorsque celui-ci sera détaché du corps et isolé comme objet réel; en d'autres termes et simultanément, le rejet est sur la voie de l'imposition du *surmoi*.

Pourtant, les cas de schizophrénie enfantine le prouvent, la violence du rejet et la violence du plaisir anal qu'il produit peuvent être telles que l'identification œdipienne ne puisse pas l'absorber et le symboliser par la mise en place d'un objet réel symbolisé. Le rejet revient, et le plaisir qu'il provoque fixe en lui le corps sans que celui-ci puisse s'en « défendre » par la suppression ou le refoulement. Le rejet et le « sadisme » qui en est le versant psychologique reviennent et perturbent les chaînes symboliques constituées par l'œdipianisation. Les « perturbations » du comportement qui s'ensuivent sont interprétées par Mélanie Klein comme des « défenses » de l'organisme contre le danger de l'agressivité. Mais la psychanalyste reconnaît que « cette défense est d'une nature *violente* et diffère du mécanisme du refoulement » qui instaure le symbolisme [1]. Ces « défenses » sont des résistances, des moments thétiques du procès pulsionnel « violent » qui, loin d'avoir une valeur psychologique de prévention, opèrent une *disposition* de la charge pulsionnelle « sadique », une *articulation* du rejet que ne subsume pas la construction d'un *surmoi* (comme il se produit par l'Œdipe). La déformation des mots, la répétition de mots et de syntagmes, l'hyperkinésie ou la stéréotypie témoignent de l'établissement d'un réseau sémiotique nouveau — une nouvelle *chora* qui défie la symbolisation verbale en même temps que la formation d'un surmoi modelé par la loi paternelle et scellé par l'apprentissage du langage : « ...et la vie c'est ce que je faisais quand je pensais à travailler les résistances de ma motilité », écrit Artaud [2].

L'acquisition du langage et, notamment, de la structure syntaxique qui en constitue la normativité, est en effet parallèle à la phase du miroir. L'acquisition du langage suppose la suppression de l'analité;

1. « L'importance de la formation du symbole dans le développement du moi (1930) », *Essais de psychanalyse*, Payot, 1967, p. 277; nous soulignons.
2. « Notes pour une " Lettre aux Balinais " », *Tel Quel*, 46, été 1971, p. 34.

c'est donc qu'elle est une acquisition d'une capacité de symbolisation par le détachement définitif de l'objet (non plus rejeté, mais définitivement repoussé) et par le refoulement sous le signe de cet objet repoussé. Tout retour du rejet, avec le plaisir érotique des sphincters qu'il entraîne, perturbe cette capacité symbolique et l'acquisition du langage qui l'accomplit. En s'insérant dans la systématique du langage, le rejet retarde son acquisition, ou bien l'empêche chez l'enfant schizoïde. Chez l'adulte, ce retour de l'analité non sublimée, non symbolisée, casse la linéarité de la chaîne signifiante, la « paragrammatise », la « glossolalise ». En ce sens, les interjections, les expectorations d'Artaud, traduisent la lutte, contre le surmoi, d'une analité non sublimée.

Idéologiquement, une telle transformation de la chaîne signifiante attaque, provoque et dévoile le sadisme refoulé (mais ce qu'on appelle couramment le sadisme n'est que le refoulement de l'analité), l'analité sous-jacente des stases sociales : des appareils sociaux.

L'oralisation peut être un intermédiaire entre le sadisme fondamental du rejet et sa sublimation signifiante. C'est comme une oralisation du rejet revenu que l'on peut interpréter la mélodie, l'harmonie, le rythme, les sons « doux » et « agréables », la musicalité poétique, qu'on trouve dans les rythmes de toute phrase d'Artaud.

> « ...un corps
> en train de bouffer l'infini néant [...]
> là où il amygdalise son caca [1] »

Artaud emploie le terme de « rejet » pour désigner à la fois le principe logique du mouvement négatif (de séparation) et la connotation anale, excrémentielle de tout ce qui se présente comme une « création », un « produit », que ce soit le monde lui-même ou la fonction humaine, sur lesquels s'exerce la spéculation transcendantale de ses contemporains :

« La vérité des choses est tout autre que celle dont la Cabbale se prétend la transcendantale explication.

« Le monde a été laissé aux hommes non comme une création, mais comme un *rejet*, une crotte infâme dont zimzoum l'ancien des jours

---

1. « Notes pour une " Lettre aux Balinais " », *op. cit.*, p. 29.

faisant zimzoum s'est retiré, non pour lui faire place, mais pour ne pas risquer d'en être même frôlé [1]. »

Le surmoi et son langage linéaire, que caractérise l'enchaînement des syntagmes en sujet/prédicat, sont combattus par un retour du plaisir oral et glottique : la succion ou l'expulsion. La fusion avec le sein maternel ou son rejet semblent être à la base de cette érotisation de l'appareil vocal et, à travers lui, de l'introduction dans l'ordre du langage d'une surcharge de plaisir qui se marque par une redistribution de l'ordre phonématique, de la structure morphologique et même de la syntaxe (cf. les mots-valises chez Joyce, mais, plus encore, la glossalalie d'Artaud [2]).

L'oralité fusionnante et l'oralité dévorante, refusante, négative, se trouvent ainsi étroitement entremêlées, y compris pendant le stade anal suivant qui permettra l'accentuation de l'agressivité et assurera au corps son détachement et son rapport — toujours déjà négatif — audehors. Ainsi, même si elle est reconnue comme plus archaïque, l'oralité fusionnante, et la pulsion libidinale qu'elle étaye, est *portée* et — dans la genèse du fonctionnement symbolique du sujet — *déterminée* par le rejet [3].

Si, par désintrication, ou pour une autre raison, il se produit une accentuation du *rejet* porteur des pulsions, ou plus précisément de sa charge négative, celle-ci prend comme canal de passage l'appareil musculaire [4] qui décharge vite l'énergie en « poussées de brève durée » : la gestualité picturale ou dansante est à rapporter à ce mécanisme. Mais le rejet peut passer également par l'appareil vocal qui semble

1. *Lettre contre la Cabbale,* adressée à Jacques Prevel le 4 juin 1947, Éd. J. Haumont, 1949; nous soulignons.
2. La cavité orale est l'organe perceptif le plus tôt développé et assurant chez le nourrisson le premier contact avec l'extérieur. Son mouvement de « fouissement » initial, destiné à assurer le contact, voire la fusion biologiquement indispensable avec le corps de la mère, obtient une valeur *négative* dès le sixième mois : à cet âge la rotation de la tête indique le refus avant de présenter un « non » abstrait, sémantique, au quinzième mois. Cf. R.-A. Spitz, *De la naissance à la parole, op. cit.*
3. « A mon avis, dans un état normal d'intrication des deux pulsions, l'agression joue un rôle comparable à celui de l'onde porteuse. De cette façon, l'impulsion de l'agression permet de diriger les deux pulsions vers l'environnement. Mais, si ces deux pulsions ne réussissent pas à s'imbriquer, une désintrication se produit, alors l'agression se retourne contre la personne elle-même et, dans ce cas la libido non plus ne peut être dirigée vers l'extérieur » (R.-A. Spitz, *De la naissance à la parole, op. cit.,* p. 221-222).
4. Cf. Freud, « Le problème économique du masochisme », *Standard Edition,* t. XIX.

être le seul organe interne à n'avoir pas la capacité de retenir l'énergie liée : la cavité buccale et la glotte libèrent la décharge à travers un système fini de phonèmes propres à chaque langue. Il s'ensuit une augmentation des fréquences des phonèmes, leur accumulation ou leur répétition s'écartant du code de la langue pour déterminer le choix spécifique des morphèmes [1] voire la condensation de plusieurs morphèmes « empruntés » en un seul lexème [2]. En ceci, le rejet investissant la cavité buccale éveille en elle et à travers elle la pulsion « libidinale » « unifiante », « positive », qui caractérise, lors des phases plus archaïques, cette même cavité dans son mouvement initial de « fouissement ». Par le nouveau réseau phonématique et rythmique qu'il produit, le rejet devient une source de « plaisir esthétique ». Sans quitter ainsi la ligne du sens, il la découpe et la réorganise, en lui imprimant le parcours de la pulsion à travers le corps propre : de l'anus à la bouche.

Aussi dirons-nous que le rejet est le retour de la négativité dans le champ du sujet constitué par *l'Ausstossung* comme sujet de la négation. Le re-jet reconstitue les objets réels, ou plutôt il est la condition de la création de nouveaux objets : en ce sens, il réinvente le réel et le re-sémiotise. S'il rappelle ainsi un processus destructeur de type schizoïde, il en constitue plus encore la positivation puisqu'il l'affirme en l'introduisant dans la sphère signifiante; celle-ci se trouve ainsi séparée, scindée, multipliée, mise en procès. La sémiotisation du rejet à travers l'ordre symbolique est le lieu d'une contradiction intenable qu'atteignent seulement un nombre restreint de sujets. Si le rejet comporte le moment de l'« excorporation », de l'« expectoration » selon Artaud, ou de l'« excrétion » selon Bataille, cette décharge motrice, ce spasme corporel s'investissent dans un *autre* lui-même déjà séparé : dans le langage. Le rejet réintroduit dans le langage la mécanique même selon laquelle se produit la séparation des choses aux mots, et n'a d'autre moyen pour le faire que déployer, disloquer et réajuster le registre *vocal*. Le *rejet* se réintroduit et se réitère dans un langage déjà mis en place par un rejet écarté.

La simplification propre à la théorie formaliste du symbolisme consiste à ne voir dans le procès de la signifiance qu'un texte, c'est-à-dire une distribution codée ou déviante de marques ou de signifiants,

1. Cf. les effets d'allitération, d'assonances, etc.
2. Cf. les mots-valises.

sans apercevoir *le rejet* pulsionnel, hétérogène, qui les produit et qui met le sémiotique à cheval entre le corporel et le naturel, d'une part, le symbolique et le social, d'autre part, et en chacun d'eux spécifiquement.

Tenir compte de cette hétérogénéité implique qu'on ne considère plus la fonction symbolique comme supra-corporelle, supra-biologique et supra-matérielle, mais comme produite par une dialectique entre deux ordres. Aussi, plutôt que de « symbolisme », parlerons-nous de *sémiotique* comme lieu de cette hétérogénéité du sens. Dans une telle optique, il semble que ce soit bien le rejet — anal, sadique, agressif, mortel — qui *pose* l'« objet » et le « signe », et qui constitue le réel dans lequel se trouve la réalité fantasmatique ou objective.

Alors, deux possibilités paraissent s'offrir au sujet. La première consiste à passer au-delà du rejet dans la réalité en supprimant à jamais le trajet de la séparation, de la scission, du rejet pour ne le vivre que comme un réel réifié où l'on s'« engage » et dans lequel se réifie toute la logique du *méta-* : méta-rejet, méta-langage, méta-physique; un tel sujet se met alors sous la loi du père et assume lui-même cette paranoïa en même temps que l'homosexualité qui la connote et dont la sublimation n'est que trop fragile; c'est Oreste, meurtrier de sa mère au nom des lois de la cité. L'autre consiste à revenir constamment sur le rejet et à atteindre alors, sous l'homosexualité paranoïaque mise à nu par la production signifiante, le rythme schizoïde de la scission et de la mort. Ici, le corps douloureux, agité ou « momifié » d'Artaud témoigne de cet éclatement de l'unité et de son remodelage dans un réseau sémiotique qui suit le passage des pulsions.

Une question indélicate pointe à ce moment de la réflexion. Pour autant qu'elle existe, y a-t-il une place pour une femme dans le domaine social, aussi bien dans sa stagnation que représente la convention bourgeoise familialiste que dans ses mouvances qu'accomplissent les productions signifiantes, artistiques ou politiques, toutes les deux suturées par l'homosexualité des frères militants ou par celle, oralisée, des poètes (comme le démontre avec profusion l'art de la Renaissance et, jusqu'à l'angoisse, une ville comme Florence, par exemple)? Du rejet schizoïde qui se sépare de tout, elle est repoussée. Dans le groupe paranoïde, elle est effacée, objet d'échange parmi les frères de la communauté ou matrone précieuse. Il lui reste, comme l'a vu Hegel, d'être l'éternelle ironie de la phratrie, de prendre le masque d'un frère et, ainsi travestie, éternelle Clorinde, d'entrer dans le jeu des négations; seule façon d'avoir voix au chapitre culturel et social. Loin d'être un détail psychologique, ce fait est un problème social brûlant : les mouvements politiques ou culturels actuels intègrent peu, ou pas du tout, les femmes et, quand ils le font, c'est au prix du masquage et de l'ironie effacée qui semble donner raison à Freud affirmant qu'il n'y a qu'une seule libido, la masculine. Pourtant, il y a, dans le fonctionnement de l' « hystérique », un procès de ruptures multipliées qui s'instaure non pas d'une castration unaire, mais d'une multiplicité de séparations sans fin brisant l'unité de la nappe symbolique et comme branchées sur un rythme translinguistique : multiplicité de séparations que n'intègre pas sans reste l'ironie de la mascarade fraternelle. Un tel fonctionnement spasmique est pourtant à distinguer du rejet. Pulsion mortuaire et génératrice, excorporation de l'excrément et de l'enfant : agressivité et liaison, meurtre et naissance, « vagin loué à l'anus » (disait Lou Andréas Salomé), bouclage du positif et du négatif, effacement de la dichotomie, mais aussi de l'hétéronomie entre rejet et stase, négativité et négation, séparation sans rupture (sans castration) et sans lutte : le spasme de l'hystérique ressemble au rejet, mais ne se confond pas avec lui. La nuit obscure des mythologies, la matière active, mais asymbolique des vieilles croyances, le « diabolique », figurent ce spasme à cause duquel la femme s'imagine se reconnaître dans le rejet schizoïde : la production signifiante, artistique ou politique, devient son point de mire, sa fascination. Une femme peut s'y identifier, se prendre pour l'autre du schizo, son jumeau, son substitut même. Qu'un tel fantasme ne soit pas sans certains fondements objectifs; que le spasme asymbolique s'apparente au rejet — lieu d'une contradiction hétérogène — chez le sujet en procès, Artaud n'est pas sans le reconnaître. Au moment fort de la contradiction que nous concevons comme toujours hétérogène (toute autre contradiction est soit logique, soit différence sans lutte), lorsque pointe la perte de l'unité — cette ancre du procès —, et, lorsque se profile la *chora* asymbolique, sémiotique, qui peut être mobile, mais qui peut aussi s'immobiliser; alors, le sujet en procès se découvre séparé, donc féminin, puisqu'il saisit que l'hystérique traverse elle aussi à sa façon l'expérience de l'asymbolique, même si elle ne la possède pas. Il se découvre bisexuel, hermaphrodite et, de là, nul. Artaud se reconnaît davantage dans ses « filles » et « sœurs » innombrables, réelles ou imaginaires, dont il s'entoure pour les rejeter, mais qu'il supporte peut-être mieux que les sociétés « cabbalistiques » des mâles. Le sujet en procès a besoin de se voir dans une sœur ou une fille pour ne pas devenir fou. Son corps est un livre de chair où se tordent les pulsions et les ruptures multiples, des écorchures répétées, qui caractérisent le fonctionnement d'une femme : « Ma canne sera ce livre outré appelé par d'antiques races aujourd'hui mortes et tisonnées dans mes fibres, comme des filles excoriées [1]. »

Le rejet qui anime le procès du sujet peut s'*identifier* avec ce fonctionnement spasmique asymbolique d'une femme; et une telle identification facilite une certaine *maîtrise* du rejet, une certaine *appréhension* du procès, un certain *arrêt* relatif du mouvement, qui sont la condition du renouvellement du procès, qui l'empêchent de sombrer dans un vide pur, qui lui permettent de se tenir sur le toit de la contradiction hétérogène. Pour le sujet en procès, la femme représente cet être hétérogène qui dédouble l'unité, qui sépare et qu'il est indispensable de maîtriser, en luttant avec elle sans la sublimer en mère-vierge.

« Par la femme. A travers la femme. Par la femme indirectement éclairée et qui réalise sa duplicité. Car c'est par la femme que le roi diviseur a été séparé en lui-même et qu'il a su retrouver en lui-même le moyen de tout séparer de ce qui doit être séparé. »

Plus loin : « Elle — une force — a la rapacité ténébreuse du sexe. C'est par la femme qu'elle est provoquée mais c'est par l'homme qu'elle est dirigée. Le féminin mutilé de l'homme, la tendresse enchaînée des hommes que la femme avait piétinée ont ressuscité ce jour-là une vierge. Mais c'était une vierge sans corps ni sexe, et dont l'esprit seul peut profiter [2]. »

Quant à l'hystérique, son identification au procès du sujet n'est qu'une hypothèse tout éphémère et problématique. Car le procès, tant qu'il n'est pas une chute catatonique, reprend les voies de la paranoïsation, et la femme, après un moment éphémère de leurre, est invitée à une projection identificatrice avec les rôles structuraux déjà décrits que lui accorde la phratrie. Alors, comme il est de coutume, elle se soumettra aux exigences de la communauté, en se masquant, en esquivant, jouant, mentant, mais toujours en porte à faux puisque le symbolique qu'on lui propose n'absorbe pas sa force spasmique. Ou bien, et c'est ce dont

1. « Préambule », O.C., t. I, p. 13.
2. « Les nouvelles révélations de l'Être », O.C., t. V, p. 157-158.

témoignent les mouvements récents des femmes qu'on se gardera bien d'assimiler à l'éternel féminisme des suffragettes, elles chercheront à devenir lucides sur ce spasme que la culture phallique présente comme une castration et – dans un second temps – à trouver les formes de pratiques appropriées à lui. On est pourtant porté à croire que, si l'*unité logique* est paranoïde et homosexuelle, l'exigence féminine, le spasme hystérique, ne trouvera jamais de symbolique *propre,* mais se posera au mieux comme moment *inhérent* au rejet, dans les procès des ruptures, dans les scissions rythmées. Pour autant qu'elle ait une spécificité, une femme la trouve dans l'asocialité, dans la brisure des conventions communautaires, dans une sorte de singularité asymbolique. Mais, en même temps, et comme pour camoufler cette vérité, elle passe sa vie à faire semblant, à jouer à la génitrice, à l'épouse, à la mère idéalisée des artistes ou à la compagne travestie des frères. Lorsque les révolutions se produisent, elle peut s'y reconnaître et s'y retrouver, d'accord avec leur rejet, mais en même temps et sans hiatus, d'accord aussi avec leur recouvrement. Puisque c'est la loi de la cité, jusqu'au capitalisme compris : cette loi qui ne la regarde pas, qui ne la signifie pas, elle fait semblant de la suivre.

Pour en revenir à la pulsion, il semble qu'on puisse la penser aujourd'hui comme une sorte d'écho des processus de séparation inhérents à la biochimie. Le rejet serait-il une transmission de la séparation et de la recombinaison avec inversion (« en double hélice »), propre à la molécule vivante se reproduisant?

Quoi qu'il en soit, le rejet ne saurait être biologique ni génétique que dans *une* de ses déterminations; il est toujours déjà social/antisocial parce qu'il est négativité, signifiance et rapport aux autres.

La rotation de la chora

Le rejet biologique génétique traverse de mobilité le corps organique et lui imprime une gestualité que les besoins et les contraintes sociales vont structurer. Le retour du rejet pulsionnel comme déjà cinétique, à travers le *Fort-Da* freudien, projette le rejet matériel biologique en rejet constitutif d'un espace pratique. Il se produit, d'abord, la séparation de l'objet, la constitution du réel, *l'absence;* mais, ensuite, à travers elle, par rejet réitéré, l'engramme labile des premières mélodies, vocaliques, gestuelles, signifiantes. Cette labilité et cette mobilité des engrammes se montrent dans la mobilité du corps — corps dansant, gesticulant, volume théâtral, mais aussi dans le paragrammatisme qui signale la dislocation « en briques » du tissu langagier :

> « ...tout est dans la motilité dont comme le reste l'humanité n'a pris qu'un spectre. [...]
> *Il n'y a pas de tissu,*
> la conscience ne vient pas de la trame,
> mais du couloir des coups de canon pariétaux [...]
> ...et où tout n'a de valeur
> que par le choc et l'entre-choc
> sans qu'on puisse attribuer à quoi que ce soit une vertu logique ou dialectique caractérisée
> car le motif
> repousse la vue de l'esprit et l'emprise de l'esprit,
> d'où il prend forme, volume, ton, éclat [1]... »

La lutte des pulsions, des « deux motilités », qui rappelle le dualisme dialectique de Freud, est évoquée dans les textes d'Artaud comme dissociation, heurt, choc, « convulsions du bas-fond », « pulsation de l'atmosphère » : « On y sent un broiement d'écluses, une sorte d'horrible choc volcanique où s'est dissociée la lumière du jour. Et de ce heurt, et de ce déchirement de deux principes naissent toutes les images en puissance, dans une poussée plus vive qu'une lame de fond [2]. »

Elle menace l'unité de la conscience, cet agrégat, même si la « bête mentale », « la bête intelligente qui cherche mais qui ne cherche pas à chercher » ne s'en doute pas : « Ils n'imaginent pas que l'agrégat de leur conscience se défasse [3]. »

La violence du rejet tend à détruire l'équilibre fragile où se maintient la contradiction hétérogène — condition du procès de la signifiance — et à retourner à cet état où les différences s'effacent et où domine un corps unifié lourd, opaque, mais dissocié, éclaté en territoires douloureux, des parties plus grandes que le tout. Le texte d'Artaud explore ce risque de morcellement du corps sous l'effet du rejet, et en produit

1. Artaud, « Notes pour une " Lettre aux Balinais " », *op. cit.,* p. 11, 12, 17.
2. « L'automate personnel », O.C., t. I, p. 147.
3. « Nouvelles lettres sur moi-même », O.C., t. I, p. 272.

le discours; c'est dire qu'il se tient à la ligne de flottaison de l'hétérogène et de l'unification verbale. Il désigne ce seuil comme « volonté »
agressive : « rapacité », « bestialité », « brutalité », « force », « tenue »,
« dignité », « contraction », « privation », « cupidité », « détachement »,
« désintéressement », « douleur »[1].

Le retour diviseur de la charge pulsionnelle organise la *chora* comme
une « rotation verticale », scindant le corps en profondeur, le parcourant
en rond, et le bouclant dans des tours répétés. Cette *chora* mobile,
tournoyante, a été décrite aussi par Lautréamont :

« Après avoir amoncelé à ses pieds, sous forme d'ellipses superposées, une grande partie du câble, de manière que Mervyn reste suspendu à moitié hauteur de l'obélisque de bronze, le forçat évadé fait
prendre, de la main droite, à l'adolescent, un mouvement accéléré de
rotation uniforme, dans un plan parallèle à l'axe de la colonne et
ramasse de la main gauche les enroulements serpentins du cordage,
qui gisent à ses pieds. La fronde siffle dans l'espace : le corps de Mervyn
le suit partout, toujours éloigné du centre par la force centrifuge, toujours gardant sa position mobile et équidistante, dans une circonfé-
rence aérienne, indépendante de la matière[2]. »

Mais cette mobilité pulsionnelle atteint, après accumulation, un
moment d'arrêt qui immobilise le corps. Le corps morcelé, dont chaque
partie est ressentie comme le tout, perd son unité structurée et, en
schizophrénie clinique, perd également la structure signifiante susceptible de le réunifier dans le système des signes.

« ...la rotation
            verticale
d'un corps depuis toujours constitué,
et qui dans un état au-delà de la conscience
ne cesse de se durcir et de s'appesantir
par l'opacité de son épaisseur et de sa masse.
Le critérium est le plomb inerte de la contraction plénière d'un pur
état de détachement, de désintéressement, féroces, qui permettent
de ne rien sentir d'aucune idée, sentiment, notion, perception[3]. »

1. « Notes pour une " Lettre aux Balinais " », *op. cit.*
2. *Les Chants de Maldoror, Œuvres complètes,* Éd. Livre de Poche, p. 363.
3. « Notes pour une " Lettre aux Balinais " », *op. cit.*, p. 11.

La violence du rejet rejette les effets de retardement, de différence signifiante, et tend à retrouver une inertie de « plomb », car le corps devenu un réceptacle des opérations sémiotiques n'est pas basé

« ...sur la sensation
ni sur la pensée,
et qu'il y a encore autre chose
et que c'est justement cet autre chose d'inerte et d'insensible qui est le corps [1]. »

Fulgurance de ce rejet corporel :

« Or c'est une foudre de fer
qui sort de mon corps
qui pour faire ce fer a besoin d'être un canon résistant [2]. »

Cette motilité violente, présymbolique et condition du sens, rejetant jusqu'à l'unité du signifiant, qui apparaît à la pratique textuelle, et qu'un discours idéaliste nommera « néant » ou « rien », est sans « unité », sans « être », sans « concept » :

« Il n'y a pas d'histoire,
une possibilité infinie,
parabrahma,
un non-être. [...]
Je suis l'infini.
La tare de l'être est de vouloir toujours me ramener à un être, et de réclamer une notion lorsque vraiment il n'y en a pas. [...]
La vie faite,
non d'une splendeur intellectuelle,
ni de la beauté spirituelle de la simplicité,
ni de la beauté objective et concrète de la simplicité,
ni de la simplicité elle-même,
mais derrière et plus loin
de carnage,
sans raisonnement ni conscience
où il n'y a rien
et qui sera toujours ainsi [3]. »

1. « Notes pour une " Lettre aux Balinais " », *op. cit.*, p. 20.
2. *Ibid.*, p. 25.
3. *Ibid.*, p. 28, 32, 34.

La désagrégation de la conscience est la désagrégation du corps : corps dispersé dans le cosmos, agrandi aux dimensions cosmiques, les englobant, se confondant avec elles en avalant « monde », « automate personnel », « agrégat », il exclut toute identification et tout transfert avec un *autre* humain ou naturel :

« Le corps humain a assez de soleil, de planètes, de fleuves, de volcans, de mers, de marées, sans encore aller chercher ceux de la soidisant extérieure nature et d'autrui [1]. »

Ce corps éclaté, cosmique, lié aux éléments du procès naturel, retourne par séparations réitérées à l'immobilité d'un *Il* plus qu'impersonnel, inhumain et mort :

« Mon état vrai est inerte, très au-delà de la vie et de la captation humaines.
C'est celui de mon corps quand il est seul [2]. »

Ce que le discours appréhende alors, puisque le coup de force du texte est de maintenir le langage au plus près de son éclatement par la pulsion, c'est, d'une part, un corps éclaté dont chaque organe se sépare de l'ensemble et pulse traversé de spasmes douloureux dans une masse continue :

« Mon esprit s'est ouvert par le ventre, et c'est par le bas qu'il entasse une sombre et intraduisible science, pleine de marées souterraines, d'édifices concaves, d'une agitation congelée [3]. »

Le fonctionnement organique, à membres séparés qui envahissent l'automate trans-corporel, « choral », tend donc à s'immobiliser : le rejet conduit à l'arrêt si une langue morcelée ne le subsume pas et si un système de représentation idéologique fluide, critique et combatif ne se soulève pas pour lui donner des stases (des moments de positivation) adéquates à sa pulsation. Il devient corps immobilisé, « agitation congelée », « momie », « mort » lorsque la contradiction hétérogène cède devant la pulsation organique [4].

« Description d'un état physique » présente cette situation de « rupture intérieure » d'un corps vidé de toute réalité et collé à la multiplication des choses mêmes :

1. Lettre à A. Breton, 28 février 1947, *l'Éphémère,* nº 11.
2. Lettre à A. Breton, 2 février 1947, *ibid.*
3. « Nouvelles lettres sur moi-même », O.C., t. I, p. 274.
4. Cf. *Artaud le Momo.*

83

« Il faudrait parler maintenant de la décorporalisation de la réalité, de cette espèce de rupture appliquée, on dirait, à se multiplier elle-même entre les choses et les sentiments qu'elles produisent sur notre esprit, la place qu'elles doivent prendre [1]. »

Le rejet rendu à lui-même, à son hétérogénéité fondamentale, sans voix ni signe, est saisi néanmoins par la parole, la « mal formulée », la « confuse »; il est dit alors une chair sans vie, pulsante, pétrie de mort, raréfiée, ravinée, non compacte, traversée de girations de feu :

« Cette chair qui ne se trouve plus dans la vie,
cette langue qui n'arrive plus à dépasser son écorce,
cette voix qui ne passe plus par les routes du son,
cette mort multipliée de moi-même est dans une sorte de raréfaction
de ma chair...
L'avez-vous vue la momie figée dans l'intersection des phénomènes,
cette ignorante, cette vivante momie qui ignore tout des frontières
de son vide, qui s'épouvante des pulsations de sa mort. »

Pourtant, ce rejet matériel dissociant et momifiant le corps, cette jouissance vers la mort, loin de sombrer dans un mutisme clinique, déclenche un procès de signifiance capable d'en représenter les mouvements les plus précis, non « symboliques », mais toujours « sémiotiques ». Que le moment unifiant, maîtrisant, violemment positif — « paranoïde » si l'on veut en langage clinique, mais ce n'est pas le nôtre — soit la condition de la réalisation du procès signifiant, condition inséparable de celle du rejet : c'est ce sur quoi Artaud insiste fréquemment :

« Je mange,
Je bois,
Je somnole,
Je vis,
comme je l'ai précisé hier soir,
en guerre.
D'ailleurs la discussion est close,
je suis le maître
et vous rentrez tous dans mon corps
comme des morts [2]. »

1. « Correspondance de la momie », O.C., t. I, p. 241-242.
2. « Notes pour une " Lettre aux Balinais " », *op. cit.*, p. 24.

84

« J'ai en moi une puissance de vie qui n'a jamais fait mine de se séparer
  de moi
  et me revient de plus en plus comme à son maître [1]. »

Le temps de destruction, d'annihilation de l'unité subjective, d'angoisse mortelle ou, plus simplement, le « désarroi sentimental » cède
donc devant l'affirmation d'une *unité productrice;* ou plutôt, les deux
moments sont indissolubles dans le procès. Pris en soi, ce second
moment, affirmatif et symbolisant, est ouvertement désigné comme
égodiastole, enflement paranoïde du Moi [2] :

« Les mêmes pensées, les mêmes tendances volontaires pourraient
ne servir après tout qu'à gonfler le moi, à le nourrir plus étroitement,
à augmenter sa densité intérieure et tant pis pour les œuvres et pour
la création, puisque psychiquement le résultat est le même [3]. »

Cette maîtrise et affirmation du rejet est décrite comme le résultat
d'une mobilité complémentaire à celle de la destruction, par une série
de termes positivants où dominent l'« effort », la « domination »,
l'« exaltation » :

> « ...un effort perpétuel
> de domination
> d'exaltation
> d'abolition
> de précision
> d'appétit
> de désir
> informulés
> de transformation [4]. »

1. « Notes pour une " Lettre aux Balinais " », *op. cit.,* p. 19.
2. D. Cooper signale cette instance paranoïaque dans la création poétique lorsqu'il
souligne l'instance poétique dans la paranoïa : « Toutes les métaphores développées
dans la " paranoïa " sont des protestations poétiques contre cette invasion (de la
famille et des autres). La poésie, quelle que soit sa qualité, n'est jamais appréciée par la
Société et, si le poète parle trop fort, il finit en traitement psychiatrique » (*la Mort de
la famille,* Éd. du Seuil, 1972, p. 13). D'autres psychanalystes rapprochent également
la « subversion de mots », l'abandon de « leur dénotation stricte pour y glisser dans un
effet de *Witz* hautement polysémique un *au-delà de sens* particulièrement savoureux »
avec « le flou luxuriant de l'existence paranoïde » (cf. F. Dubor, « Dissociation de l'économie et du sens chez les psychotiques : utilisation du réel dans l'agir », *Revue française
de psychanalyse,* nos 5-6, sept.-déc. 1971, p. 1068, exposé au Colloque sur les psychoses).
3. Lettre à M. Soulié de Morant, le 17 février 1932, O.C., t. I, p. 314.
4. « Notes pour une " Lettre aux Balinais " », *op. cit.,* p. 19.

La dissolution dans le procès est une « désolation souveraine[1] ». La contradiction entre le rejet et la maîtrise engendre précisément le procès de signifiance qui traverse toute formation finie et se donne comme passage, fluidité, effacement des limites dedans-dehors, assimilation des « objets » dans un « moi » sans contour :

« ... de me tenir toujours à la limite insensible des choses[...] être perpétuellement dans l'état où les choses passent, sans jamais les accrocher, ou me les incorporer[2]. »

Le procès de la signifiance est précisément le va-et-vient entre la mobilité et la résistance : le rejet lui-même pesant, écartant sa stase signifiante. C'est leur lutte qui assure la *vie* et le *texte :*

« ...et la vie c'est ce que je faisais quand je pensais à travailler les résistances de ma motilité[3]. »

Le rejet porte principalement sur celui des éléments du milieu naturel et social avec lequel l'individu a tendance à s'identifier sous la contrainte biologique et sociale. Dans la structure familiale, c'est le parent du même sexe qui se présente au rejet.

Dans cette lutte, l'individu cherche la complicité du parent de sexe opposé, ce qui induit des conclusions précipitées sur le rôle fondamental de la transgression de l'interdit de l'inceste dans le fonctionnement symbolique libre (l'art par exemple), alors qu'il semble s'agir plus profondément d'une alliance éphémère avec le parent de sexe opposé, d'un paravent visant à faciliter le rejet du même. A tel point que, si une fixation au parent de sexe opposé se produit, sans que le rejet atteigne le parent du même sexe, aucun renouvellement du procès de rejet n'est possible, et ce blocage non seulement empêche toute production signifiante, mais peut arrêter le procès même de la signifiance. Dans la structure intersubjective dont la famille est le modèle, le rejet se manifeste à travers la relation homosexuelle fondamentale et tend à la briser ou, plutôt, à la renouveler : la lutte contre le symbolisme est l'expression de cette tendance. En d'autres termes, si le rejet corrompt la fonction symbolique, il le fait dans une lutte contre la tendance homosexuelle identifiante et, dans ce sens, il la suppose, s'appuie sur elle, la reconnaît, l'assume, et la reconduit mais la connaît.

---

1. « L'osselet toxique », O.C., t. I, p. 280.
2. « Notes pour une " Lettre aux Balinais " », *op. cit.*, p. 33.
3. *Ibid.*, p. 34.

Pour autant qu'il touche aux rapports sexuels entre les individus — mais la sexualité n'est qu'une strate du procès de la signifiance —, le sujet en procès reconnaît l'homosexualité sous-jacente à ces rapports et fondamentale dans toute relation intersubjective et/ou de transfert. L'identification et l'unification subjective, agissant contre le procès, sont une relation au *même* sous l'image de l'unité identifiante qu'assument dans la société le père, la mère, la famille, l'État : c'est « Dieu fit entrer un pédéraste » chez Lautréamont.

Pour Artaud, l'homosexualité est le profil sexuel de cette unité subjective que répètent les spéculations ésotériques : l'homosexualité est leur non-dit « bêtement bêlé » et refoulé, c'est elle qui se cache non vue sous l'Un :

> « ...le détassement
> le déclassement
> d'un Un.
> Je dis grotesquement
> d'un Un
> du Un
> imperceptible
> inaccessible
> en 3
> pédérastiquement à l'origine
> fils et esprit
> et non famille
> père et mère et bébé petit[1]. »

Déplacer le rejet à travers le champ homosexuel symbolique, c'est le déplacer à travers la sexualité; c'est le situer en dehors des rapports intersubjectifs qui sont des calques des rapports familiaux; c'est faire agir la charge pulsionnelle comme investie dans le processus de transformation de la nature et de la société. Ainsi, les structures défensives de la société, de la famille aux institutions capitalistes, sont là pour capter ce rejet dans des stades identificatoires intersubjectifs sexuels, sublimés ou non : elles fixent la généralité du rejet en une particularité bien précise, celle du rapport homosexuel, canevas intersubjectif de la phase thétique, donc du moment paranoïde défenseur de l'unité du

---

1. *Lettre contre la Cabbale, op. cit.*

sujet contre sa mise en procès. Le freudisme désigne cette mécanique homosexuelle des rapports sociaux, même si Freud échoue à plusieurs reprises devant son évidence restée opaque (les fresques de Signorelli) ou tard perçue (le « cas Dora »). Tout en indiquant par là l'homosexualité comme base de la normativité et de la normalité sociale, la psychanalyse n'indique pas que le sujet en procès traverse cette fixation en *connaissance de cause,* et transporte, sans la sublimer, la charge du rejet dans le mouvement même qui le fait traverser les interdits et les institutions sociales : dans le mouvement d'une *pratique révolutionnaire* (politique, scientifique ou artistique).

Le « trop humain » de la sexualité humaine, cette sexualité à identification parentale, à gratifications narcissiques, ce marais de l'intersubjectivité où s'abritent les sujets unaires contre ce qui peut les mettre en cause est exigé par la loi de la stabilité sociale elle-même; on peut dire, en conséquence — comme le dit Artaud —, qu'elle est solidaire des lois scientifiques et des lois du langage de cette même société. Toucher aux tabous de la grammaire — et peut-être aussi de l'arithmétique — c'est toucher à la recommandation sourde pour une sexualité identificatoire : la révolution du langage est une traversée de la sexualité et de toutes les coagulations sociales (familles, sectes, etc.) qui s'y collent.

« Que l'homme se perde à faire l'amour, disent les initiés de l'arithmétique et de la grammaire, pendant que nous continuerons à tenir les rênes en main d'une puissance qui n'a jamais vécu que des proliférations parasitaires de l'acte appelé orgasme, coït, copulation, fornication, ce qui était donner à l'homme un gros bonbon infect et eucharistique à sucer, afin de garder le pouvoir sur l'homme et même sur cet un peu plus que l'homme qu'on appelle la divinité [1]. »

Le désir sexuel hypostasié, « ce gros bonbon infect et eucharistique », est, dans notre société, une des voies essentielles d'éveil du sujet, de son désenfouissement de l'oppression familiale, étatique et symbolique. Mais fixer le sujet à la sexualité, orienter sa négativité dans la seule région intersubjective où elle agit, est non seulement devenu le nouveau mythe d'une société qui se proclame libérée à coups de lois, mais constitue le lieu où se trouvent pris la religion, l'occultisme, tout obscurantisme se nourrissant précisément des arrêts, des nœuds, des points de chute et d'identification du procès.

1. *Lettre contre la Cabbale, op. cit.*

En ce sens, l'au-delà du principe de plaisir est un au-travers de la sexualité si, et seulement s'il s'agit d'un au-travers de l'homosexualité, elle-même vérité du « rapport » hétérosexuel, et d'un au-travers du symbolique.

D'autant plus que, dans une société où la famille cesse d'être la structure de base de la production et, étant en dissolution elle-même, se laisse traverser par l'ensemble des rapports sociaux qui l'excèdent, le rejet trouve ses stases représentatives soit dans d'autres articulations des rapports sociaux — dans les pratiques sociales (science, politique, etc.) et les groupes sociaux qui sont à leur base, soit même en dehors des structurations sociales — dans des objets et des structures du monde naturel. Les identifications ou les suppressions de l'*autre* qui s'y opèrent pour produire des phases jubilatoires du sujet qui s'identifie aux objets de son désir, n'ont pas la constance et la ténacité qu'avait la structure familiale, pour pouvoir maintenir suffisamment efficacement le leurre identificatoire et, avec lui, la possibilité du fantasme désirable. Dans sa traversée de la nature et de la société, à l'épreuve de la pratique sociale qui destructure et renouvelle, le désir devient un élément fragile qu'excède la violence du rejet, sa négativité séparative.

Dans une telle configuration sociale que le capitalisme réalise, le rejet apparaît dans toute la netteté de sa force, destructrice de toute unité subjective, fantasmatique, désirante. Il agit dans sa féroce négativité que bride non plus un désir, mais la *stase sémiotique interne au procès de la pratique,* le moment posant et positif, ouvrant la voie à une réalisation pratique, à une production. Quelle production? Toute la gamme des pratiques sociales est à penser ici, de l'esthétique à la science et à la politique. Ce qui donne donc le moment affirmatif du rejet et assure son renouvellement, ce n'est pas l'objet produit qui est, en effet, un objet métonymique de désir — support du fantasme —, c'est le *temps de sa production* ou, disons, de productivité, où l'objet n'apparaît que comme *limite* non pas à atteindre, mais permettant l'articulation du rejet en *pratique sociale.*

Le glissement métonymique du désir et du signifiant qui le commande n'est alors qu'un mouvement logique, déjà secondaire, du « devenir Un » du sujet à l'intérieur de la spécularisation que lui permet l'état actuel du développement des forces productives, c'est-à-dire une spécularisation intra-familiale. *Quant à la logique du rejet, elle est à placer non seulement comme plus antérieure à ce glissement métonymique-désirant,*

mais comme la base et peut-être même comme le moteur d'un fonctionnement qui se constitue de jouissance et de transformation de la réalité
signifiante ou directement sociale. Les plaisirs, les désirs, les évite-
ments et les échappatoires qu'un tel fonctionnement se donne, font
partie, en tant que moments de liaison du rejet, du procès même de ce
fonctionnement : ils en assurent l'unité provisoire, ils sont la représentation compensatoire de la violence destructive qui la relance, les corollaires représentatifs de sa phase thétique. Le sujet d'une telle pratique
investit de désir et de représentation la *productivité* plutôt que les
productions de sa pratique même; mais, puisque les productions font
partie de la transformation du réel, il investit de désir la transformation
elle-même. S'identifier au *procès de l'identité* signifiante, subjective,
sociale, s'identifier à une identité impossible, c'est précisément avoir
la pratique du procès, mettre en procès le sujet et ses stases, faire de
sorte que les lois de la signifiance correspondent aux lois objectives,
naturelles et sociales.

Les pratiques qui nous intéressent ici — celles des textes modernes
— réalisent un équilibre subtil, fragile et mobile entre les deux versants
de la contradiction hétérogène. Le passage des « énergies libres » est
assuré face à la fragilité de la marque et des *representamen* qui en sont
générés et qui les lient. Mais ces derniers, sous l'assaut violent du rejet
hétérogène, n'arrivent pas à le clore dans le stéréotype symbolique
d'une structure linguistique ou d'une idéologie établie suivant le dispositif social dominant (famille, État) ou localement construit (rapport
analysant-analysé). Plus encore, au plus près du *representamen* et
sans perdre ses *marquages,* le *rejet* le disloque et, depuis l'hétérogénéité de sa pratique ou de son expérience, y produit des symbolisations
nouvelles. Nous sommes ici devant le mécanisme de l'*innovation*, du
déplacement des cadres du réel qu'est la pratique sociale dans tous ses
domaines, mais surtout, avec la violence la plus immédiate, en politique. Or, lorsque le rejet hétérogène matériel — l'énergie libre ou
primaire — fait irruption dans la structure même du *representamen,*
lorsque, donc, la contradiction entre dans sa phase la plus aiguë où le
rejet pulsionnel réitéré s'attaque à ce qu'il a lui-même produit pour
être différé, retenu et dompté, c'est-à-dire lorsqu'il s'attaque au langage,
la pratique qui est la condition et le résultat de cette contradiction
côtoie aussi bien la perte du *representamen* (et, en conséquence, la
perte de la contradiction) que l'effectuation la plus radicale de cette

contradiction (qui se laisse lire dans le rythme, le paragramme, l'onomatopée, d'une part, dans l'intellection — explication logique de la lutte
entre les deux hétérogènes —, d'autre part).

Nous sommes, avec cette pratique, au lieu de l'hétérogénéité la plus
radicale : d'une part, lutte contre le signifiant; de l'autre, différenciation signifiante la plus subtile. Si la première, avec le rejet maintenu,
nous introduit au cœur de la jouissance et de la mort, l'autre — par
la différence subtile (rythmée, colorée, vocalisée, voire sémantisée par le
rire et le jeu de mots) — nous tient à la surface du plaisir dans une tension subtile. La lutte la plus intense visant la mort, à proximité inséparable avec la liaison différenciée de sa charge dans un tissu symbolique qui est aussi, Freud le souligne dans *Au-delà du principe de plaisir,*
la condition de la vie : telle semble être l'économie de la pratique du
texte. Sa caractéristique principale, qui la distingue des autres pratiques signifiantes, est précisément d'introduire, à travers la liaison et
la différenciation vitale et symbolique, la rupture hétérogène, le rejet :
la jouissance et la mort.

Ainsi, Artaud, tout en appelant l'état toxique, s'en différencie par une
« volonté de sens » : il cherche le langage, s'adresse aux autres. Telle
semble être la fonction de l' « art » comme pratique signifiante : réintroduire, dans la société, et sous les dehors d'une différenciation plaisante
des plus acceptables pour la communauté, le rejet fondamental, la
matière en scission.

Un « langage » sans extériorité

Qu'en est-il du langage dans ce procès de rejet et de stases résis-
tantes?

Artaud refuse l'assimilation de sa pratique à toute abstraction signifiante, spirituelle, mais aussi simplement de langage :

> « Or, je n'opère pas par souffles,
> pas par fluides
> [...]
> mais sur la réalité
> où l'on débouche
> après l'explosion du carton mâché compressé [1]. »

1. « Notes pour une " Lettre aux Balinais " », *op. cit.,* p. 30-31.

Si le tissu de langage est ce « carton mâché compressé », s'il est indispensable, pour opposer de la résistance au rejet, le rejet le fait exploser, et c'est là où l'on commence à voir que le texte est une *pratique* :

« La question n'était pas pour moi de savoir ce qui parviendrait à s'insinuer dans les cadres du langage écrit,

mais dans la trame de mon âme en vie [1]. »

Le mot est subordonné à une fonction : traduire les pulsions du corps et, pour cela, il peut cesser d'être mot, pour se paragrammatiser et même devenir bruit : « *par quels mots je pourrai entrer dans le fil de cette viande torve (je dis* TORVE, *ce qui veut dire louche, mais, en grec il y a tavaturi et tavaturi veut dire bruit, etc.)* [2] ». Le langage cherchera cette proximité avec les pulsions, avec la contradiction hétérogène où se profile la mort, mais, avec elle, la jouissance :

« Ce flux, cette nausée, ces lanières, c'est dans ceci que commence le Feu. Le *feu* des langues, le feu tissé en torsades de langues, dans le miroitement de la terre qui s'ouvre comme un ventre en gésine, aux entrailles de miel et de sucre [...] Je cherche dans mon gosier des noms et comme le cil vibratile des choses. L'odeur du néant, un relent d'absurde, le fumier de la mort entière [3]... »

Langage du rejet, meurtrier pour le sujet et ses destinataires :

« Je suis parti parce que je ne me suis pas rendu compte du fait que le seul langage que je pouvais avoir avec un public était de sortir de mes poches des bombes et de les lui lancer à la face dans un geste d'agression caractérisé.

Et que les coups sont le seul langage dont je me sente capable de parler [4]. »

« Ce ne sont pas des mots, des idées, ou autres foutaises phantasmatiques, ce sont réellement des bombes vraies, des bombes physiques, mais, comme c'est naïf et enfantin de ma part, n'est-ce pas, de dire aussi innocemment, aussi prétentieusement tout cela [5]. »

Au plus violent de cet écart, là où la pulsion envahit et imprime la liaison de la langue, l'humour est intermédiaire : passage du sens au

1. « Préambule », O.C., t. I, p. 9.
2. *Ibid.*
3. « L'enclume des forces », O.C., t. I, p. 141-144.
4. Lettre à A. Breton, 28 février 1947, *op. cit.*, p. 21.
5. *Ibid.*, p. 74.

non-sens : «... le fumier de la mort entière [...] L'humour léger et raréfié [1]... ».

Vu depuis le langage, le rejet est avant tout un passage hors sens, le mirage de non-sens au travers du sens, qui déclenche le rire; s'il vire au meurtre, la faute en est aux circonstances :

« La réalité humoristique des poètes, que les circonstances elles-mêmes ont fait virer au noir, ricane :

Sous ce grotesque soufflé au fromage de toutes parts pourri de rats [2]. »

Le langage et la rhétorique sont à traverser comme des simulacres (« gestes de la pensée »), pour que passe malgré eux le procès où ils cristallisent et qui les excède :

« Et l'art est de ramener cette rhétorique au point de cristallisation nécessaire pour ne faire plus qu'un avec de certaines manières d'être, réelles, du sentiment et de la pensée. — En un mot, le seul écrivain durable est celui qui aura su faire se comporter cette rhétorique comme si elle était déjà la pensée, et non le geste de la pensée [3]. »

Artaud vise ce qui est pour la métaphysique une extériorité du langage, de la marque, c'est-à-dire une opération détournée, signifiée; il cherche une extériorité-susceptible-de-langage, en combat et donc en dialectique avec lui. Cette « extériorité » diffère fondamentalement de l'extériorité propre à la force *(Kraft)* hégélienne, qui se supprimait si elle n'était pas investie dans le concept. Mais, comme il apparaît dans le petit texte « Rimbaud et les Modernes [4] », l' « extériorité » qu'Artaud veut introduire dans le langage est le procès même des choses et, en ce sens, elle est leur intérieur que précisément les modernes ratent, préoccupés comme ils le sont de relations logiques et syntaxiques, de « plis », de « pentes », de « peu de rapports inventés ». Aussi reproche-t-il à Mallarmé, par exemple — et sans doute en sous-estimant le combat dont témoigne le texte mallarméen, mais avec raison par rapport aux interprétations formalistes et ornementales de la démarche mallarméenne —, l'extériorité classificatoire, simplement signifiante de ses écrits : «... par son souci de rendre à chaque mot sa totale contenance de sens, il classa ses mots comme des valeurs existant *en dehors*

1. « L'enclume des forces », O.C., t. I, p. 144.
2. Lettre à A. Breton, 23 avril 1947, *l'Éphémère,* n° 11, p. 50.
3. O.C., t. I, p. 193.
4. O.C., t. I, p. 194-195.

de la pensée qui les conditionne, et opéra ces étranges renversements de syntaxe où chaque syllabe semble s'objectiver et devenir prépondérante [1] ».

Cette hétérogénéité (et non pas extériorité) matérielle qui passe dans la langue pour la décaler vers le procès la produisant et l'excédant, est elle-même soumise à des lois; elle est précise, « logique », mais d'une « logique » *autre* que celle de la raison refoulante. Artaud y insiste :

« Dans le domaine de l'impondérable affectif, l'image amenée par mes nerfs prend la forme de l'intellectualité la plus haute, à qui je me refuse à arracher son caractère d'intellectualité. Et c'est ainsi que j'assiste à la *formation d'un concept* qui porte en lui la fulguration même des choses, qui arrive sur moi avec un bruit de création. Aucune image ne me satisfait que si elle est en même temps *Connaissance,* si elle porte avec elle sa substance en même temps que sa lucidité. Mon esprit fatigué de la raison discursive se veut emporté dans les rouages d'une nouvelle, d'une absolue gravitation. C'est pour moi comme une réorganisation souveraine où seules les *lois* de l'Illogique participent, et où triomphe la découverte d'un nouveau Sens... Mais ce chaos, il ne l'accepte pas tel quel, il l'interprète et comme il l'interprète il le perd. Il est la logique de l'Illogique. Et c'est tout dire. Ma déraison lucide ne redoute pas le chaos [2]. »

Ce passage, qui rappelle de près la réflexion de Hegel sur la force *(Kraft),* sa logification et la perte de sa réalité lors de cette logification [3] n'indique pas seulement un postulat théorique, à savoir que le mouvement de la matière signifiante obéit à des lois qui restent à découvrir, à une régularité objective qui fonctionne sans être pensée, à une pulsation asymbolique dont le corps enregistre les secousses. Il indique la possibilité de l'enjeu impossible du texte : si l'hétérogénéité matérielle était énoncée, dénoncée, elle ne serait plus hétérogène : seuls les « bruits de la création », les cris, la diction ou, ailleurs, la dislocation de la syntaxe, évoqueront, dans les nouvelles lois, la « formation du concept ». Produire, donc, les *« concepts-textes »* de la formation des concepts à partir des luttes de la matière, et cela en laissant transparaître, dans ces concepts mêmes, « l'impulsivité de la matière », pour ne

1. O.C., t. I, p. 195; c'est nous qui soulignons.
2. « Manifeste en langage clair », O.C., t. I, p. 238-239; nous soulignons.
3. Cf. *la Phénoménologie de l'Esprit, op. cit.,* t. I.

jamais donner au sujet l'impression d'arrêt et de calme, c'est-à-dire de concepts enfin trouvés qui sont précisément la véritable folie :

« La vérité de la vie est dans l'impulsivité de la matière. L'esprit de l'homme est malade au milieu des concepts. Ne lui demandez pas de se satisfaire, demandez-lui seulement d'être calme, de croire qu'il a bien trouvé sa place. Mais seul le fou est bien calme [1]. »

Une certaine maîtrise logique, par le retour, dans le langage, de la pulsion, est la voie de renversement de la démence. En ce sens, l'éclatement paragrammatique, syntaxique et/ou pulsionnel du langage est la condition du maintien de l'hétérogène en même temps qu'il est la condition du renversement de la folie :

« Mais il est le plus Grand Conscient.
Mais il est le piédestal d'un souffle qui courbe ton crâne de mauvais dément, car il a au moins gagné cela, d'avoir renversé la Démence [2]. »

En schizophrénie clinique, pour réintroduire l'instance signifiante dans le mouvement dissociatif de la pulsion découpant, pluralisant ou immobilisant le corps, on tend à inclure le sujet dans une relation à l'autre, à créer une relation de transfert qui opère sur le fil de la communication. Jamais totalement possible avec des sujets dits psychotiques, ce transfert est plutôt une « greffe de transfert » (selon l'expression de Gisela Pankow [3]). Celle-ci est destinée à provoquer le *désir* du sujet, en l'incluant dans une participation affective au corps de l'analyste. Transformant la violence du rejet en une demande où se signifie le désir, la « greffe » déplace la motilité du rejet, à partir du corps propre, du langage et du système idéologique qu'il revêt, dans la sphère des relations interpersonnelles où le rejet est non seulement différé, mais retenu et, pour finir, enlisé dans la mécanique du fonctionnement social (travail de modelage, manipulation, rencontre de l'autre, etc). Un tel freinage du rejet par des « greffes de transfert » utilise principalement un fonctionnement non verbal, kinésique ou graphique : on fait faire aux « malades » des moulages, des dessins, etc. De tels exercices saisissent le corps et la signifiance à un niveau préverbal, donc présigne et préreprésentation, là où le rejet se fixe en stases qui ne sont encore que

1. O.C., t. I, p. 240.
2. « L'osselet toxique », O.C., t. I, p. 279.
3. G. Pankow, *l'Homme et sa psychose*, Aubier, 1969, p. 26.

marques, sans qu'une absence les ait transformées en *representamen*. Le rejet n'a donc pas encore dissocié le sujet de l'objet, mais parcourt le corps et le milieu environnant dans un rythme dont la logique est areprésentative : elle lie, articule, dispose, organise, mais ne représente pas dans la présence du sujet coagulé face à l'objet. Une telle logique préverbale structure l'espace d'où se détachera la séparation sujet/objet. Mais, avant que cela n'arrive, le rejet parcourt ce réceptacle totalisant, cette *chora* — « girations de feu », dit Artaud —, la morcelle, la découpe, la réagence, traversant le sujet présent dans un « point d'absence », « noyau mort », avec une « lucidité entière ». La motilité gestuelle, fixée en marques ou espaces modelés, peut alors être le relais qui translate le rejet dans un système de représentation; elle projette le rejet dans le système signifiant verbal ou dans le système de sa représentation picturale. Pourtant, les contraintes de ces systèmes signifiants se trouvent, par cette injection de rejet en elles, modifiées et assouplies. Les règles d'adéquation, de cohérence logique, etc., exigées dans des systèmes signifiants normatifs ou scientifiques sont ici bousculées. Comme si le rejet acceptait un compromis avec les stases représentatives et avec sa logique de l'information et ses destinataires destructeurs, mais uniquement pour s'y déployer avec violence, déplaçant les stases, conservant les marques et les articulations de la *chora* où agit la logique du rejet, telle que la détermine objectivement l'expérience du sujet à l'intérieur de la configuration naturelle et sociale. Ce réceptacle mobile de toutes les déterminations objectives du rejet, de son autodétermination et de sa particularisation selon les contraintes objectives, peut être considéré comme le mode transverbal du procès : c'est ce que nous appelons la signifiance. Il peut être dit aussi la topologique de l'expérience pratique, car c'est dans une pratique de transformation du matériau que ce mode transverbal se réalise, sans différenciation figée entre sujet et objet, dans la dynamique même du rejet.

La « greffe de transfert » tend à transplanter cette topologique dans la sphère de la représentation et d'en assurer d'abord la liaison signifiante subjective, ensuite la soumission intersubjective sociale. Pourtant, le psychiatre doute du succès de sa ruse : « Si le phénomène de la maladie même est modifié par cette intervention thérapeutique, il est difficile de le savoir [1]. »

1. G. Pankow, *l'Homme et sa psychose, op. cit.*, p. 29.

La pratique textuelle étant une lutte avec le langage et donc avec la communication, elle ne prend pas ce relais de « greffe transfert ». Qu'une telle greffe puisse se produire dans la biographie du sujet et lui assurer l'unité — moment indispensable et éphémère du procès — est une question différente de celle de l'effectuation artistique. Réceptacle topologique du rejet, la production artistique trouve sa place identifiante, son « pôle de transfert », non pas dans l' « autre » du transfert, mais dans le *modelage même* du réceptacle, dans le *mouvement* du rejet et de sa *disposition,* que peut figurer, dans les relations intersubjectives, la matrice, la nourrice. L'*autre* sujet est écarté de ce mouvement, et c'est la pluralité éclatée du *même* divisé par le rejet, coïncidant avec la pluralité du monde naturel et social, qui capte la motilité. Captation, donc toujours plurielle, mais qui est aussi interne qu'externe au sujet réversible.

Cette *chora* morcelée et redisposée, la danse, le théâtre gestuel ou la peinture la réalisent le mieux, non les mots. La pratique théâtrale d'Artaud, et peut-être surtout sa peinture de Rodez ou celle qui accompagne le texte de la dernière période, témoignent de cette disposition non verbale, mais « logique » (au sens de « liant ») du rejet.

Ainsi, c'est sur la scène d'un théâtre rénové que se libère le plus complètement la *chora* mobile du langage : le mot devient pulsion jaillie à travers l'énonciation, et le texte n'a pas d'autre justification qu'à donner lieu à cette musique des pulsions :

« Pour cette définition que nous essayons de donner au théâtre, une seule chose nous semble invulnérable, une seule chose nous paraît vraie : le texte. Mais le texte en tant que réalité distincte, existant par elle-même, se suffisant à elle-même, non quant à son esprit que nous sommes aussi peu que possible disposés à respecter, mais simplement quant au déplacement d'air que son énonciation provoque. Un point, c'est tout [1]. »

Voilà ce qui formule avant la lettre les tentatives dans lesquelles nous sommes engagés aujourd'hui de définir le texte non pas quant à son « signifié » ni à son « signifiant » — Artaud dirait son esprit —, mais quant à la disposition du rejet en lui, à l'oralisation du rejet — Artaud dirait : « au déplacement d'air que son énonciation provoque ».

Les représentations sont la *substance* (au sens hjelmslevien) de cette *chora.* Pourtant, si elle bouge, si elle fonctionne, c'est que le rejet revient

---

1. « Théâtre Alfred Jarry », O.C., t. II, p. 18.

pour dissoudre la substance, pour renouveler la représentation, et donc pour l'empêcher de se clore, de s'immobiliser en fantasmes. *Dans la chora mobile du texte, il n'y a pas de fantasmes :* « Ma lucidité est entière, plus aiguisée que jamais, c'est l'objet auquel l'appliquer qui me manque, la substance interne [1]. »

Ce renouvellement se produit sur le mode topologique à travers la logique des marques et des kinèmes, ou, pour ce qui est du langage, à travers des phénomènes isolés eux-mêmes, non lexicalisés, non sémantisés, ou susceptibles d'une sémantisation fluide à travers une multiplicité de langue. C'est ce rejet et sa *chora* mobile que la pratique d'Artaud présente dans sa pureté, en assignant à la représentation et au fantasme leur place subordonnée de gardienne d'une unité à excéder, de dépôt du plaisir à rejeter jusqu'à la jouissance.

Le seul usage du langage devrait être donc celui d'une crête entre la raison-liaison et cet hétérogène qui la produit et qui s'insère dans la pensée en la rompant : la proximité de la mort rend le langage sibyllin, c'est-à-dire réceptif des divisions et des heurts pulsionnels :

« Notre attitude d'absurdité et de mort est celle de la réceptivité la meilleure. A travers les fentes d'une réalité désormais inviable parle un monde volontairement sibyllin.

« Oui, voici maintenant le seul usage auquel puisse servir désormais le langage, un moyen de folie, d'élimination de la pensée, de rupture, le dédale des déraisons et non pas un Dictionnaire où tels cuistres des environs de la Seine canalisent leurs rétrécissements spirituels [2]. »

La même recherche d'une logique de l'hétérogène, extra-langagière, inspire la « Lettre aux recteurs des universités européennes » :

« Assez de jeux de langue, d'artifices de syntaxe, de jongleries de formules, il y a à trouver maintenant la grande Loi du cœur, la Loi qui ne soit pas une loi, une prison, mais un guide pour l'Esprit perdu dans son propre labyrinthe [3]. »

Il y a donc ce qu'Artaud appelle une « volonté de sens [4] » qui lie les ruptures d'un corps en séparation intense, et en constitue, par détour, une formulation elle-même séparée, brisée, « mal formulée », « confuse ». Le langage est un *détour,* un déplacement de la pulsion et de sa topo-

---

1. « Lettre au Dr Allendy », O.C., t. I, p. 298.
2. « A table », O.C., t. I, p. 253.
3. O.C., t. I, p. 257.
4. « L'activité du bureau de recherches surréalistes », O.C., t. I, p. 271.

logie; le langage est un ersatz du rejet, il le perpétue en l'enchaînant, en le liant (Logos) : « ...l'esprit laisse apercevoir ses membres. »

Le procès, pour autant qu'il se maintient, touche l'évanouissement du signifiant dans l'attaque de la pulsion de mort, irrécupérable par aucun signe. Mais, par un détour, il bloque cette perte et, face au manque, formule, parle — le rejet est ici tension de langage : « ...un redressement perpétuel de la langue, et la tension après le manque, la connaissance du détour, l'acceptation du mal-formulé [1]... » Le langage, qui est toujours déjà détour du rejet, devient, sous la pression du rejet renouvelé, lui-même divisé, morcelé, discrédité; il n'est plus du langage et ne peut être entendu que par « les aphasiques, et en général tous les discrédités des mots et du verbe, les parias de la Pensée [2] ». Mais c'est uniquement ainsi qu'il s'arroge la possibilité de présenter la matière dans un discours : « Toute matière commence par un dérangement spirituel [3] » (on peut lire « signifiant » pour « spirituel »). Car, sous ce dérangement signifiant, c'est le rejet qui, à travers l'inconscient où il est censé rester refoulé, revient : « Les trésors de l'inconscient invisibles devenus palpables, conduisant la langue directement, d'un seul jet [4]. »

Le corps devenu *chora* mobile, mutation cosmique et sociale, lieu essentiel des opérations naturelles et sociales, invalide le mentalisme contemplatif qui transparaît lorsque l'écriture se cantonne dans les strates simplement linguistiques et lorsqu'on la pense à partir de celles-ci seulement. Les structures linguistiques sont les arêtes du procès. Elles le captent et l'immobilisent en le subordonnant à des *unités* signifiantes et institutionnelles profondément solidaires. Toute la série d'*unités :* linguistiques, perceptives, conceptuelles, institutionnelles (les appareils idéologiques, politiques, économiques) s'opposent à ce procès, l'enserrent et visent à le sublimer, à l' « envoûter », à le détruire par la « magie ». La « magie » et l' « envoûtement » sont les effets de ces clôtures unitaires du procès, et s'exercent au travers des appareils sociaux, mais aussi et au même titre au travers de la *structure* signifiante elle-même conçue comme signe simple, désincarné, verbe au-delà de l'expérience.

1. O.C., t. I, p. 270.
2. O.C., t. I, p. 271.
3. « A la grande nuit ou le bluff surréaliste », O.C., t. I, p. 287.
4. O.C., t. I, p. 288, note.

« C'est par magie que les abominables institutions qui nous enserrent :
patrie, famille, société, esprit, concepts, perceptions, sensations,
affects, cœur, âme
science
loi, justice, droit, religion, notions, verbe, langage
ne correspondent à plus rien de réel[1]. »

L'attaque d'Artaud contre la Cabbale traduit son refus de toute
stagnation du procès en une « formule » qui prétendrait en posséder
la vérité. Solidaire en cela avec la normativité grammaticale et avec
le formalisme, la Cabbale figure, pour l'écrivain, toute tentative de prise,
de blocage, de fixation du procès. Ésotérisme et formalisme se trouvent
solidaires dans leur geste commun de censurer le *fonctionnement* (de la
signifiance pulsionnelle et pratique) et de lui substituer

« des éléments perdus d'une humanité en pleine formation et qui
a trahi sa forme auguste, non formelle, insondée,
pour une forme grammaticale proche, qu'elle n'a pas voulu s'imposer
la fatigue de compter plus que jusqu'à 1, 2, 3[2] ».

Une telle expérience du corps comme *chora* mobile du procès de
la signifiance ne tolère pas de Maître de la *chora* autre que la phase
thétique-unifiante du sujet lui-même. Elle est en conséquence étrangère
à toute attitude métalinguistique ou métaphysique à l'égard du procès
de la signifiance, et entre en lutte idéologique contre le gardien essentiel
de l'unité : la religion. « Schizophrénie est synonyme d'athéisme », dit
un patient[3].
La violente réaction d'Artaud contre le surréalisme s'éclaire ainsi :
c'est une réaction contre le mentalisme et la religiosité que celui-ci
draine. Dans une lettre à A. Breton du 28 février 1947, Artaud écrit :
« ...*ce parallélisme de l'activité surréaliste avec l'occultisme et la
magie — Je ne crois à aucune notion, science ou connaissance et surtout
pas à une science cachée*[4] ». Contre l'initiation surréaliste, Artaud
proclame l'irremplaçable expérience et, à insister sur son caractère
personnel, il exige non pas un enfermement subjectif de l'individu en

1. Lettre à A. Breton, 23 avril 1947, *op. cit.*, p. 50.
2. *Lettre contre la Cabbale*, *op. cit.*
3. G. Pankow, *l'Homme et sa psychose*, *op. cit.*, p. 220.
4. *Op. cit.*, p. 5.

elle, mais l'accès, à travers elle, à un réel « authentique et universel », non uniforme et antihumaniste (si l'humanisme est la fraternité des mêmes sujets identiques).

« Toute expérience est résolument personnelle,
    et l'expérience d'un autre ne peut servir hors lui à qui que ce soit sous peine de créer ces foudroiements sordides d'alter ego qui composent toutes les sociétés vivantes et où tous les hommes sont frères en effet parce que assez lâches, assez peu fiers pour se vouloir chacun sortis d'autre chose que d'un même et identique con, d'une similaire conasse,
    — de la même, irremplaçable et désespérante connerie [1]... »

Que cette expérience soit une « révolution » complémentaire à la révolution sociale, Artaud y insiste, contre la mondanité des expositions surréalistes ou leurs doctrines occultistes :
« Et il y (a) sur ce point une révolution toujours à faire à condition que l'homme ne se pense pas révolutionnaire seulement sur le plan social, mais qu'il croie qu'il doive encore et surtout l'être sur le plan physique, physiologique, anatomique, fonctionnel, circulatoire, respiratoire, dynamique, atomique et électronique [2]. »
Confirmant cette constatation, le nom de Lénine se mêle à ceux de Nerval, de Nietzsche, Villon, Lautréamont et Edgar Poe, à tous ceux qui ont été victimes de « l'effarante dissimulation psychologique de tous les tartuffes de l'infamie bourgeoise [3] ».

Le procès du sujet et la représentation du processus historique

A parcourir les lignes de force dans cette *chora* mobile et hétérogène, mais sémiotisable, où se déploie le procès de la signifiance rejetant les stases, le transsujet s'expose à devenir le mécanisme même de ce fonctionnement, le « mode » de sa répétition, sans substance signifiante propre, sans intériorité et sans extériorité : sans sujet et sans objet, rien que le mouvement du rejet. Être la logique de la *chora* mobile et hétérogène, c'est ne pas être en tant que sujet unaire, au milieu

1. Lettre à A. Breton, 28 février 1947, *op. cit.*, p. 9.
2. *Ibid.*, p. 8.
3. *Ibid.*, p. 9.

même d'un fonctionnement lucide. La non-séparation du procès de la signifiance et du procès matériel empêche l'isolation d'un objet absent comme objet signifié; elle empêche aussi la position du sujet lui-même et finit par perdre jusqu'à la proximité du procès matériel initialement recherchée. *Le rejet absolu de la phase thétique, subjective et représentative, est la limite même de l'expérience avant-gardiste;* elle ouvre sur la folie ou sur une logique exclusivement expérimentale au sens d'une expérience intérieure — mystique. Examinons de plus près cette limitation de la pratique textuelle à une *chora* du rejet hétérogène.

« Ma lucidité est entière, plus aiguisée que jamais, c'est *l'objet* auquel l'appliquer qui me manque, la substance interne [...] Je voudrais dépasser ce point d'absence, d'inanité [...] *Je sens mon noyau mort* [...] Comprenez-vous, ce creux, cet intense et durable néant. Cette végétation. Comme affreusement je végète. Je ne puis m'avancer ni reculer. Je suis fixé, localisé autour d'un point toujours le même et que tous mes livres traduisent [1]. »

Pas d'ob-jet, donc pas d'arrêt du re-jet, la phase thétique-positionnelle ne produit pas de représentation à travers l'absence, c'est-à-dire à travers la séparation d'avec la *chora,* pour fixer l'objet. Le re-jet, dans le renouvellement excessif de sa scission, défraie la présence et annihile la pause : manque d'objet aussi bien que de sujet, manque d'« en-face » aussi bien que de « subordination », motilité de la *chora* seule. Si un objet apparaît, s'il se représente, ce n'est rien d'autre que le mouvement du rejet lui-même. Le « référent » d'un tel texte n'est que le mouvement du rejet seul.

L'arrêt du système représentatif au mécanisme même de la contradiction hétérogène qui le produit, et l'incapacité de situer cette contradiction comme « *néant déterminé »,* c'est-à-dire comme ayant un contenu à chaque fois nouveau selon le nouvel objet (naturel, idéal) que la contradiction traverse et/ou fait surgir : voilà ce qui caractérise aussi les textes d'Artaud.

Tout en exhibant ainsi le refoulé du savoir philosophique et de la métaphysique elle-même : le secret de leur sacré, un tel texte se condamne à être l'en-face complémentaire de la spéculation philosophique, dans la mesure où il restreint son champ pratique à l'expé-

---

1. « Lettre au Dr Allendy », O.C., t. I, p. 299; nous soulignons.

rience de la contradiction hétérogène. Celle-ci, dont la fonction est, nous l'avons vu, de conclure et d'ouvrir le procès de la signifiance, au lieu de lancer le procès de la signifiance dans un parcours à travers la nature et la société, et d'en produire de vastes traversées du type romanesque ou épique, se recueille ici dans la structure discursive la plus ramassée de la contradiction qu'est le lyrique et/ou dans l'évocation expérimentale de sa propre éclosion comme éclosion du sujet dans l'immobilité de la mort. Une « inertie sans pensée », dirait Hegel, est imposée, qui ne renvoie en somme qu'aux préoccupations du « moi » seul et qui diminue les chances que le rejet s'était offertes, en travaillant le langage, de donner cours à la violence de ces combats, de ne pas sombrer sous leurs coups mais de les transporter dans le heurt des contradictions socio-historiques. La voie de la folie reste ainsi ouverte. Que cette situation traduise un blocage idéologique, une impossibilité d'objectivation sociale et historique du procès signifiant : nous y reviendrons ailleurs. Mais elle signale, en outre, le point fondamental qu'atteint la pratique textuelle lorsqu'elle accède au procès — translinguistique, pulsionnel, rejetant — et au risque qu'elle court en s'y fixant.

Ce « point toujours le même que [ses] livres traduisent » (Artaud) consiste à tenir la clôture signifiante toujours ouverte vers le rejet matériel, à empêcher la sublimation totale du rejet et son refoulement, en le réintroduisant jusqu'au tissu signifiant et à ses différences chromatiques, musicales, paragrammatiques; à déployer ainsi la gamme du plaisir pour y faire percer l'hétérogène : la contradiction productrice.

Si telle est la fonction sociale — asociale —, de l'art, peut-elle se limiter à ouvrir la contradiction à travers un tissu signifiant *représentant* l'expérience individuelle seule?

Lorsque l'histoire sociale elle-même se brise et se reformule, la contradiction hétérogène dont le texte est le terrain privilégié peut-elle s'en absenter? Il ne s'agit pas ici d'un problème secondaire : l'essentiel, ce serait de maintenir la contradiction hétérogène, sans qu'importe dans quel tissu liant, dans quel signifié idéologique elle va apparaître. Telle est en effet la position du formalisme, mais aussi d'un ésotérisme auquel succombent les textes de la fin du XIXᵉ siècle aussi bien que des pratiques aussi radicales que celles d'Artaud, lorsqu'elles abdiquent la politique.

A ce point, il est nécessaire de rappeler et de réintroduire la manière unitaire, relationnelle et sociale que le marxisme a héritée de Feuerbach pour penser le sujet. Reprendre, donc, le sujet qui se dit « moi » et qui lutte dans une communauté sociale, à partir de sa position sociale. Saisir ce discours et la contradiction historico-sociale qu'il représente, et renouveler en chacune de ses représentations la contradiction hétérogène que la « conscience de classe » avait suspendue et dont les « poètes » se sont faits les explorateurs. Ce n'est pas une « jonction » des deux versants, devant constituer une quelconque totalité idéale : il est question de leur éclairage mutuel qui restitue au sujet sa motilité interne/externe, donc la jouissance, à travers le risque de son combat social, qui lui rend sa liberté dans les contraintes logiques implacables de sa lutte politique. La question du deuxième temps de la contradiction hétérogène, à savoir le *sens* comme *représentation* et *idéologie,* dans lequel la contradiction hétérogène fera irruption, est d'une importance capitale. Il y va de la survie de la fonction sociale de l' « art », mais, au-delà de cette préoccupation culturelle, il y va du maintien, dans la société moderne, de pratiques signifiantes susceptibles d'une large audience ouvrant la clôture du *representamen* et du sujet unaire et, de là, ouvrant la clôture des idéologies. Dans la société capitaliste où la lutte des classes secoue toutes les institutions, où tout sujet et tout discours sont déterminés en dernière instance par leur position dans la production et la politique, tenir la contradiction hétérogène séparée des idéologies courantes actuelles et la faire surgir dans une représentation du procès de la signifiance seule, c'est rendre cette contradiction inaudible ou complice de l'idéologie bourgeoise dominante. En effet, celle-ci peut accepter parfaitement le subjectivisme expérimental, mais peu ou pas du tout la critique de ses propres bases à travers cette expérience. Joindre la contradiction hétérogène dont le texte possède le mécanisme à la critique révolutionnaire de l'ordre social établi : c'est précisément l'intolérable pour l'idéologie dominante et pour ses divers mécanismes de libéralisme-oppression-défense; c'est aussi le plus difficile à faire. En d'autres termes, le moment de la liaison sémantique et idéologique du rejet pulsionnel devrait être une liaison dans et à travers un discours révolutionnaire, sortant le sujet de la chambre enfermée de son expérience pour le plonger dans les transformations révolutionnaires des rapports sociaux et auprès de leurs protagonistes. Si la contradiction hétérogène devait, pour se réaliser comme telle, accepter des arrêts, des stases symboliques, ceux-ci devraient être pris à la pratique et au discours révolutionnaire qui ébranlent la société contemporaine. C'est dans cette narration représentative, elle-même témoignant du processus historique en cours à travers les luttes des classes révolutionnaires, que le procès signifiant (dont la contradiction hétérogène réalise le moment de lutte aiguë) devrait s'inscrire selon une logique historique. Si la narration est une des formes de liaison-sublimation-refoulement de la charge pulsionnelle sous la contrainte des structures communautaires, cette narration — pour autant que le texte s'en joue — devrait probablement exposer un projet révolutionnaire. Car c'est lui qui peut être la contre-charge défensive, contrecarrant le rejet hétérogène sans l'arrêter, mais, au contraire, assurant la durée de la lutte à l'intérieur de chacun des versants (pulsionnel-signifiant), parce qu'il assure l'impact historique de l'inséparabilité des deux. Ainsi articulée, la contradiction hétérogène pénètre ou côtoie le discours critique qui représente une pratique sociale révolutionnaire, et lui restitue son moteur : le rejet, la contradiction hétérogène, la jouissance dans le procès, que, sans cela, la pratique sociale elle-même a tendance à refouler sous des visions unitaires et technocratiques du sujet et de son idéologie. Le retour toujours renouvelé, qui n'a rien d'une répétition mécanique, du « matériel » dans le « logique » assure à la négativité une permanence jamais raturée sous des stases d'un désir subjectif ou d'un groupe bloquant. L'hétérogénéité est alors non pas sublimée, mais ouverte dans le symbolique qu'elle met en procès et où elle rencontre le processus historique tel qu'il se produit objectivement dans la société.

D'ailleurs, si certains textes d'Artaud refusent tout mélange entre l'expérience du texte et la pratique politique, d'autres (et souvent) en soulignent la complémentarité nécessaire. Ainsi, contre la révolution communiste dans laquelle il ne voit qu'une simple transmission de pouvoir de la bourgeoisie au prolétariat, une perpétuation du « machinisme comme un moyen de faciliter la condition des ouvriers » et, en conséquence, une « révolution de châtrés » — accusations que confirme la schizophrénisation machinique des sociétés « socialistes » comme des sociétés capitalistes, mais qui est à insérer dans une analyse critique de ces phénomènes sociaux et probablement, avant tout, de la place du sujet dans le marxisme et l'organisation étatique qui le suit —, Artaud propose ce qu'il appelle une « régression » : la seule « régression dans le temps », une sorte d'anamnèse analytique qu'on ne saurait obtenir autrement que par des secousses sémiotiques, par la violence du rejet investi dans le dispositif verbal, scénique, pictural, de sorte que celui-ci ressemble à une « rafle de police », à une « séance de dentiste ou de chirurgien [1] », à une explosion, « des bombes à mettre quelque part, mais à la base de la plupart des habitudes de la pensée présente, européenne ou non [2] ».

Cette régression qui emprunte la voie du sujet pour se faire jour en le faisant éclater, pour être anarchique, sert la positivité sociale : la négativité sadique de l'avant-garde rejoint les « fureurs collectives » dans des époques de grandes révolutions sociales et artistiques, — et cette jonction divisée est la condition de la grande réalisation artistique.

« L'art a pour devoir social de donner issue aux angoisses de son époque. L'artiste qui n'a pas abrité au fond de son cœur le cœur de son époque, l'artiste qui ignore qu'il est un *bouc émissaire,* que son devoir est d'aimanter, d'attirer, de faire tomber sur ses épaules les colères errantes de l'époque pour la décharger de son mal-être psychologique, celui-là n'est pas un artiste...

« Or, tous les artistes ne sont pas en mesure de parvenir à cette sorte d'identification magique de leurs propres sentiments avec les fureurs collectives de l'homme.

« Et toutes les époques ne sont pas en mesure d'apprécier l'importance de l'artiste et de cette fonction de sauvegarde qu'il exerce au profit du bien collectif [3]. »

Une question, entre autres, persiste : s'il y a des moments où la sauvegarde est la seule possible, il y en a peut-être d'autres où il ne suffit pas de sauvegarder. L'artiste pourra-t-il, et comment, se faire entendre par les sujets transformant le procès de l'histoire?

1. O.C., t. II, p. 14.
2. « Manifeste pour un théâtre avorté », O.C., t. II, p. 25.
3. O.C., t. VIII, p. 287.

L'expérience et la pratique *

> Tantôt l'un s'accroît pour être seul de plusieurs
> qu'il était, tantôt il se sépare pour être plusieurs
> d'un qu'il fut.
>
> Empédocle.
>
> L'expérience, son autorité, sa méthode, ne se
> distinguent pas de la contestation.
>
> Bataille.

On le voit aujourd'hui, au moment où notre culture n'est plus le seul centre du monde : depuis la Révolution bourgeoise, l'aventure essentielle de la littérature a été de reprendre, dissoudre, déplacer l'idéologie chrétienne et l'art dont elle est inséparable. Généralement, cette tentative consiste à accentuer de la *négation* que le christianisme contient, mais sublime dans l'*unité* du sujet et de l'instance théologique suprême; elle consiste à accentuer l'éclatement, la dissolution, la mort, à travers une problématique funèbre, macabre, « décadente » (dira-t-on à la fin du XXIe siècle en mettant dans ce terme l'orgueil des sapeurs), ou bien à travers la dissolution du tissu du langage même — dernière garantie de l'unité. Tout ce travail reste pourtant l'envers solidaire de l'instance monothéiste (humaniste, substantialiste ou directement transcendantale), en deçà d'elle tant que l'unité contre laquelle il s'acharne est subitement et par un geste de refoulement écartée, non vue, laissée de côté. Le procès de la négativité se déroule, mais il ne veut pas savoir qu'un *moment thétique*, une *stase*, un arrêt éphémère est la condition de son renouvellement. Comme si ce moment affirmatif effrayait le procès de la négativité et comme si, plutôt que de s'attaquer à lui, cette négativité préférait le laisser en suspens, intact, ailleurs, à d'autres.

* Première publication in *Bataille*, UGE, « 10/18 », 1973.

Le moment thétique du procès

On comprend comment une littérature bâtie sur ce principe se retranche dans un enclos tombal, de dissolution et de mort; les seuls moments thétiques qu'elle peut représenter ne sont que des substances détachées, isolées du *procès,* des morcellements, des *fétiches,* puisque le seul arrêt que se donne cette course à la dislocation est le désir capté par un objet qui est soit un morceau corporel, soit un morceau de langue. La fétichisation du corps morcelé ou des composantes verbales, voire du « texte », est ainsi l'envers solidaire d'un négativisme qui s'attaque à l'unité du sujet, mais qui ne sort pas d'elle dans le procès naturel et social.

Ce négativisme reste intra-subjectif et intra-unitaire, envers solidaire de la mono-logie (et du mono-théisme) qu'il s'imagine combattre, tant qu'il ne peut pas poser — pour le dépenser — le *moment affirmatif* du procès de la signifiance à tous les niveaux du système sémiotique, c'est-à-dire dans l'*économie du sujet* et dans le *contenu* du message (dans son sens historique, idéologique).

Or, rater ce moment affirmatif revient à rater la possibilité d'un *sens,* c'est-à-dire en somme d'une logique, d'une connaissance, et par là d'une pratique, pour autant que le sens, la logique et la pratique supposent le *moment* d'arrêt. En conséquence, les textes qui obéissent à ce mouvement ne sont plus de l'art au sens d'une pratique qui assure la mise en relation ou la « communication » (dit Bataille) des sujets qui, placés devant la présence d'un sens (idéologique) et de son évanouissement, se retrouvent être universels en même temps que nuls, dans une « probabilité » (dit Bataille) de relation réciproque qui forme la cohérence labile et fragile d'un groupe social libre.

En contournant la phase thétique du sujet et l'affirmation d'un sens, d'un savoir, d'une idéologie à dissoudre, les textes négativistes et fétichistes se condamnent donc à abandonner la fonction de l'art de créer une « probabilité communautaire ». S'ils s'arrogent ainsi l'avantage d'en dévoiler une logique non dite et de démystifier les rouages de l'art chrétien-bourgeois devenu désormais stagnant, figé, répétitif, de tels textes modernistes abdiquent le rapport aux autres, au groupe, à la communauté sociale. Subjectifs, forcément élitistes, le négativisme et le fétichisme s'adressent au *moi* fermé, mais s'ils lui dictent des lois objectives qu'il a refoulées, ils ne le font pas traverser le seuil du rapport au groupe. Or, c'est sur ce seuil précisément que la métaphysique se reconstitue, que l'unité combattue se réinstalle et que les sujets, quelque lucides qu'ils soient devenus de leur mécanisme interne (grâce à la psychanalyse et à l'avant-garde négativiste-fétichiste), redeviennent opaques, serviteurs des lois oppressives, de la reproduction technique, de la saturation positiviste et même du conformisme social.

Dans l'aventure de l'avant-garde littéraire, Georges Bataille est peut-être le seul, avec Joyce, à ne pas abdiquer pudiquement ou dédaigneusement ce moment thétique du procès de la signifiance qui fait du sujet un sujet du savoir et un sujet social. Le travail de Bataille nous semble porter sur ce moment précis : c'est depuis l'achèvement du christianisme, depuis son affirmativité posant le sujet et le savoir, et ouvrant ainsi la société de même que la philosophie moderne, que Bataille affirme une pratique nouvelle. Sa démarche se situe donc à partir de la clôture de l'idéalisme chrétien et non pas de son ignorance ou de son évitement. S'il trouve l'explication magistrale de cet idéalisme chez Hegel, il s'attaque à lui depuis Hegel en prenant un chemin à rebours. Hegel supprime la négativité sous l'unité du concept et du savoir absolu : Bataille retrouve la négativité dans le moment refoulé du savoir absolu qu'est l'expérience immédiate.

Il réhabilite l'activité sensible humaine du *moi* mais pour en dénoncer l'illusion. Il insiste sur l'unité de l'esprit humain [1], mais pour y retrouver le sacrifice et le « moi-pour-la-mort ». Il proclame l'amour et la fusion, mais comme morts.

On peut résumer ainsi le mouvement de cette négativité qui dit « oui », ou de ce « oui » ouvert vers la négativité : « Je » qui parle, parle dans la logique et donc ne peut qu'affirmer. Rappelons la démonstration de Frege selon laquelle il n'y a pas de jugement négatif [2]. Mais cette affirmation discursive s'étale fragile sur un flux de négativité qui l'excède et qui est extra-discursif, courant de la nature et de la société (des autres), où le « moi » n'est que vertige, « foyer », « danse », où le savoir n'*est* pas, mais où se déchaîne l'hétérogène. Le problème est de *dire,* donc d'*affirmer,* cette matérialité prédiscursive; d'amener l'éveil et la lucidité

---

1. *L'Érotisme,* UGE, « 10/18 », p. 10.
2. Cf. « La négation », *Écrits logiques et philosophiques,* Éd. du Seuil, 1971.

du sujet parlant jusqu'au mouvement précédant le discours et le sujet; de faire passer à une communauté *problématique* cette hétérogénéité comme seul lien possible où la communauté puisse se constituer; de faire subir au sujet le flux « vide de contenu intellectuel » qui l'excède, mais l'exige.

L'affirmation nécessite une « convergence », une « coordination », une « cohésion », un « ensemble cohérent » : « Je me place en un tel point de vue que j'aperçois ces possibilités opposées se coordonnant. Je ne tente pas de les réduire les unes aux autres, mais je m'efforce de saisir, au-delà de chaque possibilité négatrice de l'autre, une ultime possibilité de convergence [1] »; « J'ai tout sacrifié à la recherche d'un point de vue d'où ressort l'unité de l'esprit humain [2] »; « Je n'ai voulu que rechercher dans la diversité des faits décrits la cohésion [3] ».

Or, le sujet unaire cohérent est mis en jeu par une hétérogénéité violente : la force matérielle qui casse sa cohérence : « Un caractère de danse et de légèreté décomposante situait cette flamme " hors de moi ". Et, comme dans une danse tout se mêle, il n'était rien qui ne vînt là se consommer. J'étais précipité dans le foyer; il ne restait de moi que ce foyer. Tout entier, le foyer lui-même était jet hors-de-moi [4]. »

Connaître ce « jet hors-de-moi », affirmer cette « flamme », est impossible au « savoir absolu » qui se constitue justement de l'assomption de l'hétérogénéité dans un sujet opaque-atomique. La tristesse de Hegel vient de l'oubli de cette hétérogénéité, de son ensevelissement dans le savoir absolu et dans l'activité (le travail), dans « l'équilibre et l'accord », c'est-à-dire dans la reconstitution de Dieu : « Hegel, au moment où le système se ferma, crut deux ans devenir fou : peut-être eut-il peur d'avoir accepté le mal — que le système justifie et rend nécessaire [...] peut-être même ces tristesses diverses se composaient en lui dans l'horreur plus profonde d'être Dieu [5]. »

Ce n'est donc pas au savoir absolu qu'on peut faire recours pour témoigner de l'hétérogénéité excédant le sujet discursif. Toute systématicité, tout savoir, sont incapables de saisir le mouvement de cet excès, de témoigner de son arbitraire. Le savoir absolu lui-même, sans être

1. *L'Érotisme, op. cit.,* p. 49.
2. *Ibid.,* p. 10.
3. *Ibid.*
4. *L'Expérience intérieure,* Gallimard.
5. « Hegel », *l'Expérience intérieure, op. cit.,* p. 140.

une *technè* systématisante, mais dans la mesure où il se bloque à l'unité du système (et donc du sujet) et tend à justifier donc à inclure l'hétérogène dans cette unité, est une *limite* à franchir. Il fait partie de la mystique que Bataille, précisément, traverse pour passer outre. La mystique, la dialectique idéaliste et l'enchaînement scientiste subissent, chez Bataille, une critique analogue parce qu'il les voit solidaires (par le refoulement ou la justification de l'« arbitraire » et de la « vie ») de la violence de l'hétérogénéité biologique et sociale, de l'animalité et de l'agression sociale de l'homme : « La pensée qui ne limite pas cet arbitraire à ce qu'il est, est mystique [1] »; « Il y a une mystique qui s'oppose parfois à cette approbation de la vie jusque dans la mort [...] Mais l'opposition n'est pas nécessaire [2]. »

Si l'on n'essaie pas de saisir cette réalité hétérogène mais de la subir, il reste qu'il faut la subir à travers le discours. C'est un « réel discursif » qui déploiera l'hétérogénéité et affirmera sa négativité. Mais le discours n'est pas à confondre avec cette hétérogénéité. Et c'est seulement lorsque d'autres « opérations » passent à travers le « réel discursif » que celui-ci cesse d'être un réel discursif seulement et témoigne de la réalité hétérogène : Bataille insiste sur le fait que les opérations de l'hétérogénéité ne sont pas des opérations discursives même si elles passent à travers le langage; il s'agit d'une expérience « non discursive [3] », mais qui suppose le discours et s'en sert.

Le langage n'est qu'un support de déchirures; il sert pour que s'y inscrivent des blancs, des coupes dans le sens : « Sentiment introduit par une phrase. J'ai oublié la phrase : elle s'accompagna d'un changement perceptible, comme un déclic coupant les liens [4]. »

La faiblesse du christianisme est, selon Bataille et en ce lieu, de n'avoir pas pu dégager les opérations non discursives du discours lui-même, d'avoir confondu l'*expérience* avec le *discours,* et de l'avoir donc réduite aux possibilités du discours qu'elle excède largement, même si cette confusion a permis l'assouplissement, sans comparaison avec d'autres cultures, du registre discursif. « La projection du point, dans le christianisme, est tentée avant que l'esprit ne dispose de ses moments intérieurs, avant qu'il ne soit libéré du discours. C'est seulement la pro-

---

1. *L'Expérience intérieure, op. cit.,* p. 252.
2. *L'Érotisme, op. cit.,* p. 28.
3. *L'Expérience intérieure, op. cit.,* p. 152.
4. « Orestie », *Œuvres Complètes,* Gallimard, t. III, p. 204.

COMMENT PARLER À LA LITTÉRATURE

jection ébauchée, qu'on tente, à partir d'elle, d'atteindre l'expérience non discursive [1]. »

Bataille écarte donc successivement la mystique, le savoir absolu, le réel discursif. Pour proposer quoi, à proximité maximale de l'hétérogène?

— Le *rire,* évanouissement du sens et seule possibilité de communication. Rire du savoir, de la peur, du moi, donc de toute stase assumée et traversée.

— L'*érotisme :* « l'affirmation de la vie jusque dans la mort. » C'est-à-dire l'affirmation de la continuité, de la fusion, de l'union à travers la séparation et la discontinuité. La communauté et la reproduction en sont les points de départ puisqu'elles sont les moments essentiels du sujet, des attaches indispensables à son procès : « le sens fondamental de la reproduction n'en est pas moins la clé de l'érotisme [2] ». Bataille assume donc la procréation que la société préconise pour perpétuer sa continuité, pour introduire dans cette serrure de sécurité sociale ce qu'elle refoule mais qui la constitue : la séparation, la mort. Que la mort soit invisible en dehors de la reproduction et de la filiation, que ce soit leur lutte qui est la vérité de la relation sociale : voilà ce que Bataille fait apparaître à travers la monotonie mécanique de la reproduction sociale. La reproduction est non seulement nécessaire socialement, elle est l'élément indispensable de l'érotisme, elle est l'enchaînement qui résiste à la violence de la mort, le principe logique assurant « le passage de la discontinuité à la continuité », sans quoi il n'y a pas de contradiction. Ce qui est visé ainsi n'est pas l'abolition de la filiation, de l'*Un* ou de la maîtrise; c'est leur reconnaissance comme moments indispensables d'une mise en jeu qui les dépasse, pour trouver à travers eux une adéquation du sujet avec le *mouvement* (le « flux, la « flamme ») de la nature et de la société. En maintenant et en représentant ainsi la phase thétique excédée par le procès, celle-ci est non seulement subie comme un interdit effrayant, mais devient le lieu d'articulation du désir : « L'interdit, observé autrement que dans l'effroi, n'a plus la contrepartie du désir qui en est le sens profond [3]. » La phase thétique-affirmative maintenue et ouverte dans l'hétérogénéité qui la dissout n'est plus loi, commandement, unité; elle s'appelle désir. Bataille précise que, dans ce que

1. *L'Expérience intérieure, op. cit.,* p. 152.
2. *L'Érotisme, op. cit.,* p. 17.
3. *Ibid.,* p. 42.

nous pouvons appeler d'autres « systèmes sémiotiques », et notamment en Orient, le sujet peut atteindre l'hétérogénéité extra-discursive sans avoir recours au désir. (En ce sens, Artaud est peut-être plus « oriental » que Bataille.) Mais, dans l'Occident chrétien qui a hypostasié le sujet unaire et qui a refoulé son hétérogénéité en imposant comme figures dominantes et enviées celles du sage stoïcien et du maître d'État, remettre au jour le désir signifie attaquer les réserves du pouvoir social. Le pouvoir, dans notre société, se constitue du refoulement du désir qui en est la « contrepartie ». Remettre au jour le désir n'est pas une fin en soi, mais, dans l'optique de Bataille, sert à creuser les assises de ce pouvoir, de cet interdit, des saturations qui bloquent et empêchent la traversée du discours et du savoir; cette remise au jour du désir vise à atteindre une mobilité de l'expérience où se perd l'*ipséité*. Une lecture de Hegel et de Bataille démontre comment, pour le philosophe, le désir surgit sur la voie de la constitution de l'unité, tandis que, pour Bataille, il est, à rebours, la voie de sa consumation, de son anéantissement.

Le désir hégélien

Chez Hegel, le désir *(Begierde)* est un moment de la constitution de la notion de *conscience de soi :* il est donc une particularisation et une concrétisation de la négativité, une représentation de son mouvement à la fois le plus différencié et le plus supprimé, il est une dialectique *achevée.* La conscience de soi commence à s'articuler lorsqu'elle perd l'objet — l'autre — par rapport auquel elle se pose et qui est la « substance simple et indépendante », fondement de la certitude sensible. Elle le nie pour revenir à soi et ne le perd que comme substance simple pour réaliser sa propre unité avec elle-même. Le désir est la négation de l'objet dans son altérité ou comme « vie indépendante », et son introduction dans le sujet connaissant; il est l'assomption de l'altérité, la suppression de la différence (celle de la certitude et de la conscience); il est la résolution des différences, l'« universelle résolution », la « fluidité des différences ». Si ce mouvement constitue la vie, la conscience de soi suit le même trajet par rapport à la vie comme « mouvement des figures distinctes » ou « processus », et n'a de sens que par rapport à la fluidité vitale [1].

1. « Le Moi simple est ce genre ou l'univers simple, pour lequel *les différences sont néant,* mais il l'est seulement quand il est l'essence négative des moments indépendants qui se sont formés. Ainsi, la conscience de soi est certaine de soi-même seule-

Notons la marque paranoïaque dans ce parcours du désir : la conscience de soi se constitue par la suppression de l'autre, ou de l'Autre, et le désir est cette suppression même; depuis toujours sur la voie du désir, la « conscience de soi » devient son autre sans s'abandonner pour autant. Le mouvement de scission se perpétue, et il est l'essence même de la conscience de soi, correspondant au désir. Mais, une fois de plus, cette scission est subordonnée à l'unité de soi dans la présence de l'esprit. Le désir est l'agent de cette unité, disons qu'il est l'agent de l'unification à travers la négativisation de l'objet. Il est la déviation de la négativité vers le devenir-Un, l'indispensable moment unifiant le poudroiement schizoïde dans une identité, fût-elle infiniment divisible et fluide. Hegel énonce ici une vérité du sujet que Lacan va expliciter : le sujet n'est que paranoïde sous l'impulsion du désir qui sublime et unifie la rupture schizoïde en une quête d'objets; la paranoïa est ainsi non seulement la condition de tout sujet — on ne devient sujet qu'en acceptant, fût-ce provisoirement, l'unité paranoïde qui supprime l'autre — mais elle habite à proximité immédiate du morcellement qu'on peut dire schizoïde, en camoufle le secret tout en y puisant l'énergie. Si la « fluidité des différences » constitue l'*unité* de la conscience de soi, elle la menace aussi, car, à l'endroit de cette fluidité seule, il n'y a plus de place pour aucune *unité,* aucun désir, aucun assujettissement *(Unterverfung)* à la vie; au contraire, ce qui détermine cette division, c'est la mort, l'inorganique, la rupture et la distinction sans fluidité unifiante.

Sur ce plan comme dans l'ensemble de son trajet, la dialectique hégélienne commence par dissoudre l'unité *immédiate* donnée à la certitude sensible; mais, après avoir noté les moments de sa division, de son doublement et de sa médiation par rapport à l'autre, le trajet revient au même, le remplit de l'autre et le consolide. La théologie est prise en écharpe par la philosophie, mais pour se reconstituer à nouveau en connaissance de cause. Le « Moi » est divisé et doublé pour se réunifier dans l'unité de la « Conscience de soi ». L'ambiguïté de la dialectique idéaliste est là; elle pose la division, le mouvement et le procès, mais les

---

ment par la suppression de cet autre qui se présente à elle comme vie indépendante; elle est *désir, certaine de la nullité de cet autre,* elle pose *pour moi* cette nullité comme vérité propre, *anéantit l'objet indépendant* et se donne par là la certitude de soi-même, comme *vraie* certitude, certitude qui est alors venue à l'être pour elle sous une forme objective » (Hegel, *la Phénoménologie de l'Esprit,* traduit par J. Hyppolite, Aubier, t. I, p. 152; nous soulignons).

écarte du même geste au nom d'une vérité supérieure, métaphysique et répressive qui sera la « conscience de soi » et son corrélat sur le plan juridique — l'État. C'est d'ailleurs sous sa forme étatique au sens d'unitaire et d'unifiante, de centralisée et de maîtrisée que Hegel va saluer la Révolution Française et sa Constitution, la métaphore du soleil représentant l'accomplissement du sujet raisonnant, de l'Un, dans l'État bourgeois [1].

Comme si, ayant entrevu le morcellement du Moi et sa liaison négative aux éléments de la continuité matérielle et sociale, la dialectique idéaliste s'arrogeait une des visions les plus lucides de la perte de l'unité subjective, métaphysique et politique. Mais, soucieuse de rétablir cette unité, rivée à elle et procédant en vue d'elle et à partir d'elle, elle conclut le mouvement de la négativité dans cette unité même. Le *désir* est la notion qui tombe comme représentation la plus fidèle de ce télescopage de la négativité dans l'unité.

Bataille reprend cette conscience unifiée et la reconduit à rebours, à travers le désir et sans « moyen terme », au moment de l'expérience immédiate qu'il a oubliée. Mais il est sûr qu'on ne saurait saisir cette « expérience immédiate » écartée par Hegel sans avoir traversé le leurre de l'unité du savoir auquel elle mène logiquement. La traversée de l'interdit par le désir est, chez Bataille, un retour à l'expérience immédiate, après qu'elle a connu son mouvement dans l'« Idée » et dans le « Savoir absolu ». L'érotisme et le désir sont la réintroduction du sujet, accompli et achevé par le « Savoir absolu », dans l'immédiateté de l'hétérogène, sans intermédiaire, sans médiation, et qui, à cette condition seulement, fait éclater le leurre de l'unité. C'est à un « moi » achevé que l'hétérogène apparaît comme désir et érotisme au moment où le désir épuise le « moi ».

« S'il est possible à d'autres, à des Orientaux dont l'imagination n'est pas brûlante aux noms de Thérèse, d'Héloïse, d'Yseult de s'abandonner *sans autre désir* à l'infinité vide, nous ne pouvons concevoir l'extrême

---

1. « Depuis que le soleil se trouve au firmament et que les planètes tournent autour de lui, on n'avait pas vu l'homme se placer la tête en bas, c'est-à-dire se fonder sur l'idée et construire d'après elle la réalité. Anaxagore avait dit le premier que le " sens " gouverne le monde, mais c'est seulement maintenant qu'il est parvenu à reconnaître que la pensée doit régir la réalité spirituelle. C'était donc là un superbe lever de soleil. Tous les êtres pensants ont célébré cette époque. Une émotion sublime a régné en ce temps-là, l'enthousiasme de l'esprit a fait frissonner le monde comme si, à ce moment-là seulement, on était arrivé à la véritable synthèse du divin avec le monde » (Hegel, *Leçons sur la philosophie de l'histoire*, Vrin, 1937, p. 215).

115

défaillance autrement que dans l'amour. A ce prix seulement, me semble-t-il, j'accède à l'extrême du possible, et sinon quelque chose encore manque à la trajectoire dans laquelle je ne puis que tout brûler — jusqu'à l'épuisement de la forme humaine [1]. »

Dans cette trajectoire où tout est brûlé, c'est surtout l'affirmation initiale d'un sujet, *ipse,* qui se perd dans l'inconnu. *Ipse* qui connaît et reste pour cela séparé de tout, s'anéantit par le désir. L'érotisme impliquant la fusion ne conserve pas l'*ipse :* la fusion est plutôt sa refonte, à travers le désir et l'autre, à travers aussi la continuité qu'implique la filiation : « dans la fusion ne subsiste ni *ipse* ni le tout, c'est l'anéantissement de tout ce qui n'est pas l' " inconnu " dernier, l'abîme où l'on sombre [2]. »

Ainsi, le *rire,* le *désir* et l'*érotisme* traversent l'ipséité et atteignent une communication immédiate : l'érotisme est « le refus de la volonté de repli sur soi [3] ». Une telle communication n'est possible qu'à condition de supprimer toute la patience différante du concept logique conduisant à un « je » servile. Le « je » affirmé pour disparaître à travers l'érotisme et le désir est le seul « je souverain » : la souveraineté qui est essentiellement possibilité de communication non discursive passe par l'affirmation du « je » paranoïde qui est le « je » du désir. La souveraineté est un retour à l'hétérogène en traversant, par le désir qui rétablit la continuité, la stase du « je » connaissant.

Il faut bien insister sur ce moment chez Bataille : le désir et l'hétérogénéité à laquelle il conduit ne sont pas un en-deçà du savoir et de son sujet unaire, mais leur traversée; l'organicité charnelle, l'orgie érotique, l'obscénité n'existent que comme contradictions, comme luttes, de la matérialité violente externe au sujet avec l'instance affirmée de ce sujet même. « Rien n'est tragique pour l'animal qui ne tombe pas dans le piège du moi [4] »; « Seule la pensée violente coïncide avec l'évanouissement de la pensée [5] ». L'épreuve de l'hétérogénéité serait même mieux appelée « méditation » si ce mot n'était pas « d'apparence pieuse [6] ». Bataille propose de l'appeler aussi « opération comique » parce que le

---

1. *L'Expérience intérieure, op. cit.,* p. 154; nous soulignons.
2. *Ibid.,* p. 148.
3. *L'Érotisme, op. cit.,* p. 29.
4. *L'Expérience intérieure, op. cit.,* p. 95.
5. *Ibid.,* p. 250.
6. *Ibid.,* p. 237.

comique est précisément ce qui maintient une apparence de sens éphémère dans le non-sens.

Le procès ainsi atteint par cette positivité de la raison maintenue est le procès de la nature même. Pourtant, l'expérience ne consiste pas à se confondre avec la nature par le délire ou la poésie. En les frôlant tous les deux, elle échappe aussi bien au délire qu'à la poésie, par la *méditation*. L'expérience se joue dans la nature mais, par le refus qui est méditation, elle va plus loin que la nature :

« Le délire poétique a sa place *dans* la nature. Il la justifie, accepte de l'embellir. Le refus appartient à la conscience claire, mesurant ce qui arrive.

« La claire distinction de tous les possibles, le don d'aller au bout le plus lointain, relèvent de l'attention calme. Le jeu sans retour de moi-même, l'aller à l'au-delà de tout donné, exigent non seulement ce rire infini, mais cette méditation lente (insensée, mais par excès) [...]

« Le relâchement retire du jeu — et de même l'excès d'attention [...]

« Je m'approche de la poésie, mais pour lui manquer [1]. »

Le thème, la fiction

Le *thème* est ce qui, dans les systèmes discursifs, représente le mieux ce moment thétique dans lequel coagule momentanément le procès; le *thème* est en ceci solidaire du *rire*, du *désir* et de l'*érotisme*. Nous arrivons ici au choix littéraire de Bataille : la transposition de l'« opération souveraine » dans du langage exige une *littérature*, non pas une philosophie ni un savoir; plus précisément, elle exige une *littérature de thèmes* qui est immanquablement tragique et comique à la fois. Aussi la poésie sera-t-elle écartée de l'opération souveraine; même si elle « exprime dans l'ordre des mots les grands gaspillages d'énergie », elle rate la violence puisque, abandonnant le *thème*, elle abandonne le moment affirmatif-thétique par rapport auquel se mesure la contradiction des énergies non liées : « Si l'on supprime le thème, si l'on admet dans le même temps le peu d'intérêt du *rythme*, une hécatombe des mots sans dieu ni raison d'être est pour l'homme un moyen majeur d'affirmer, par une *effusion dénuée de sens*, une souveraineté sur laquelle, apparemment, *rien ne mord.*

1. « Être Oreste », O.C., t. III, p. 219.

« Le moment où la poésie renonce au *thème* et au sens est, du point de vue de la méditation, la rupture qui s'oppose aux balbutiements humiliés de l'ascèse. Mais, devenant un jeu sans règle, et dans l'impossibilité, faute de thème, de déterminer des effets violents, l'exercice de la poésie *moderne* se subordonne, à son tour, à la *possibilité* [1]. » La poésie sans thème et de même, le rire, le sacrifice, l'érotisme restent des « souverains mineurs », des « enfants dans la maison ».

Cette littérature de thèmes souverains ne peut pas être non plus un roman se prenant au sérieux, car celui-ci, même chez Proust, est une tentative de maîtrise : « un effort de lier le temps, de le connaître [2] ».

Le sujet souverain ne peut être que quelqu'un qui *représente* des expériences de ruptures : *ses thèmes* évoquent une hétérogénéité radicale. Sa pratique : écrire les thèmes de l'érotisme, du sacrifice, de la rupture sociale et subjective. Cet enchaînement de thèmes ressemblera au roman érotique ou à l'essai philosophique : peu importe; ce qui importe, c'est que la violence de la pensée soit introduite là où la pensée se perd.

L'Impossible, l'Abbé C., Histoire de l'Œil, le Petit, Ma mère, Anus solaire, Madame Edwarda, affirment les thèmes de l'érotisme pour les dissoudre, à travers un déchirement des « personnages » et du sens logique.

Le thème érotique est une contradiction sémantique : la situation érotique est une réunion des opposés : « Sur le plan où les choses se jouent, chaque élément se change en son contraire incessamment. Dieu se charge soudain d'" horrible grandeur ". Ou la poésie glisse à l'embellissement. A chaque effort que je fais pour le saisir, l'objet de mon attente se change en son contraire [3]. » Si le même mouvement logique était maintenu en poésie, il mènerait à la négation de la poésie.

Les écrits théoriques comme *l'Expérience intérieure, l'Érotisme, le Coupable, la Part maudite* et les études anthropologiques ou politiques, enchaînent et dissolvent les thèmes des systèmes idéologiques, religieux ou scientifiques.

Ces deux versants de la production écrite de Bataille procèdent par affirmation de positions théoriques, de conception et de représentation. Mais ils négativisent et relativisent ces affirmations. Affirmative, la

1. *L'Expérience intérieure, op. cit.,* p. 239.
2. *Ibid.,* p. 175.
3. « Être Oreste », O.C., t. III, p. 219.

pensée bataillienne se dénonce parce qu'elle dénonce la pensée à travers sa forme même : « Dans la manière de pensée que j'introduis, ce qui compte n'est jamais l'affirmation [1]. »

Mais, en même temps, ces affirmations sont indispensables et indestructibles comme la pensée chez Frege : « J'éprouvais comme un remords l'impossibilité de jamais annuler mes affirmations [2] »; « seul dans la nuit, je demeurais à lire, accablé par ce sentiment d'impuissance [3]. » L'impuissance est la mesure de la difficulté que provoque la traversée de l'affirmation : du thétique.

On comprend ici qu'il ne s'agit pas, chez Bataille, de *pensée,* d'*écriture* ou de *discours,* au sens formaliste de tous ces termes. Il s'agit de l'*expérience* qui est toujours une contradiction entre la *présence* du sujet et sa *perte,* entre la pensée et sa dépense, entre la liaison (Logos) et sa séparation. Si elle demande un sujet et du discours comme phase thétique de son accomplissement, elle les ouvre vers des *opérations* que le sujet et le discours n'épuisent pas, mais pour lesquels le sujet et le discours sont des conditions préalables. On dira que les livres de Bataille ne sont pas du langage, mais de l'érotisme, de la jouissance, du sacrifice, de la dépense; et qu'en même temps l'érotisme, la jouissance, le sacrifice n'existent pas sans l'instance unaire du sujet et du langage. Voilà ce qui sans doute dérange les habitudes du « code amoureux » de notre société qui a clivé le savoir de la jouissance et qui les perd lorsque, sporadiquement, ils arrivent à se contaminer. C'est dans ce clivage et par lui que s'instaure le pouvoir comme force oppressive : le sujet qui sait (qui « sait » les mathématiques, l'économie, les finances) exerce un pouvoir qui se confond avec le pouvoir étatique et, de plus en plus, tend à s'y substituer; quant à la jouissance, on lui préserve les chambres noires, les alcôves ou les coulisses de la religion. L'opération que tente Bataille efface ce *clivage* et en fait une *contradiction :* pour que la jouissance soit celle d'un sujet, il faut qu'elle contienne l'instance du savoir où s'accomplit le sujet; et, solidairement, pour que le savoir ne soit pas un exercice de pouvoir, mais l'opération d'un sujet, il faut qu'il découvre dans sa logique la jouissance qui le constitue. Le terme d'*érotisme* résume ces deux mouvements. Mais qui, dans la société capitaliste où les sujets sont réduits à des rapports de production, peut

1. *L'Expérience intérieure,* p. 249.
2. « Orestie », O.C., t. III, p. 205.
3. *Ibid.*

119

effectuer cette érotisation du savoir et cette connaissance de l'érotisme? Pas le savant, pas le maître, pas l'artiste décoratif : ils sont tous captés par l'action ou par son inanité, mais manquent la contradiction. Le sujet qui, aujourd'hui, est en position objective d'effectuer cette « opération souveraine » doit être quelqu'un qui possède le savoir (philosophie et science), qui peut en exposer les thèmes et les confronter à une opération non discursive. Ce geste implique une possibilité d'érotisation du savoir et du discours, de leur ouverture vers l'hétérogénéité; possibilité de maintenir la contradiction : on désigne cette possibilité sous le nom de fiction.

L'*écrivain* de cette *fiction* est alors ce sujet illocalisable, ponctuel parce que sujet de la raison, mais incessamment divisé en multiples fissures par l'irruption d'une charge pulsionnelle non symbolisée, découpant et réarticulant les structures logiques.

Cette fissuration de l'instance logique toujours maintenue peut aller jusqu'à la dislocation linguistique, comme chez Artaud. La subversion linguistique peut se joindre à la subversion idéologique comme l'a fait Joyce. Bataille ne touche pas toujours la substance verbale : c'est peut-être une limitation de son expérience qui a pourtant l'avantage d'en faciliter la communicabilité. Mais il est profondément solidaire avec Joyce dans la subversion fictionnelle des « grandes unités sémiotiques », de l'idéologie et du savoir. Comme chez Joyce et son *« wake »* négatif *(Finnegans Wake),* il est l'éveil constant : « Je me sens l'éveil même, au contraire, étant sur le plan de l'exigence de la pensée dans l'état de la bête traquée [1]. » Et, comme Joyce, il introduit cet éveil dans ce qui en est répressivement séparé : la sexualité devenue ainsi jouissance. C'est que l'écrivain n'est pas seulement le seul sujet dans notre culture pour lequel le langage est une contradiction hétérogène que la censure sociale n'a pas refoulée; il est aussi le seul sujet pour lequel les « signifiés », les « contenus idéatoires », les « thèmes » sont aussi des contradictions hétérogènes et c'est pour cette raison qu'ils sont des « fictions », c'est-à-dire qu'ils portent une vérité que la censure symbolique et/ou sociale n'a pas pu refouler.

Nous sommes ici à un moment capital du fonctionnement du « sujet souverain ». Il est celui pour lequel le récit, c'est-à-dire la représentation d'une série d'événements, n'est pas une « histoire objective » (au sens où l'entend le savant qui a séparé le savoir de la jouissance),

---

1. *L'Expérience intérieure, op. cit.,* p. 253.

mais une narration, une *fiction*. Qu'est-ce que cela veut dire?
La psychanalyse se constitue, on le sait, de l'écoute de récits puisqu'elle y trouve la forme la plus archaïque d'élaboration discursive de l'expérience du sujet. On soutient aujourd'hui que c'est au moment de l'Œdipe que s'élabore le premier récit comme tentative d'élaboration et de reconstruction de l'expérience passée de l'individu, comme tentative de maîtrise de cette expérience toujours passée pour le présent du dire. C'est dire que la structure narrative reprend les éléments antérieurs et les organise en les médiatisant par le langage, bien sûr, mais, structuralement, par le *désir* pour le parent-pôle de transfert dans la famille. Le récit est donc la structure sémiotique qui correspond à l'unification du sujet dans sa relation œdipienne par le désir et la castration qui s'y articule. Cette structure surdéterminée par la triangulation familiale, reprend et translate dans des systèmes sémiotiques supérieurs les énergies libres restées en dehors des premières symbolisations, de même que des représentations inconscientes.

La fiction, quant à elle, empruntant le trajet du récit d'un analysant, réitère la constitution du sujet dans l'Œdipe comme sujet désirant et castré. Contrairement aux récits « objectifs », « historiques » ou simplement romanesques qui peuvent être aveugles à leur cause et ne faire que la répéter sans le savoir, l'« opération souveraine » consiste à « méditer » (au sens, évoqué plus haut que Bataille donne à ce terme) sur la cause œdipienne de la fiction et donc du sujet désirant-récitant. Elle consiste, comme le fait Bataille, *à représenter par des thèmes* — et donc pas seulement à introduire « poétiquement » par la déchirure et les modifications de la structure linguistique — ce que l'œdipianisation du sujet a refoulé; elle consiste donc à représenter les « énergies libres », circulant à travers le corps du sujet lui-même ou vers les corps morcelés des partenaires sociaux (parents ou autres). En ce sens, l'opération souveraine traverse l'Œdipe en *représentant* l'Œdipe et ce qui l'excède. Mais, si l'Œdipe est la constitution du sujet unaire comme sujet connaissant, l'opération souveraine traverse l'Œdipe par un Œdipe surmonté par Oreste. Dans ces écrits de fiction, par le maintien du thème, de la lucidité et de la « méditation » comme moyens de *représenter* les énergies libres préœdipiennes, Bataille confronte Oreste à Œdipe et les met en abîme réciproquement.

La traversée de l'Œdipe n'est pas sa levée, mais sa connaissance. Le *thème* fictionnel, par sa *structure* même (et sans l'expliciter forcément), représente l'*économie* de cette connaissance de la transgression; le thème est un signifié (représentation unifiée) qui n'est pas *un*, mais qui contient une *multiplicité sémantique* en même temps qu'il est étayé par une *multiplicité de pulsions* dont il est le foyer. Dans ce sens, tout thème fictionnel et toute fiction partagent l'économie d'une traversée de l'Œdipe. Mais Bataille conduit cette opération à sa souveraineté dans la mesure où il la dévoile par le *contenu* du thème; ce que ce thème fictionnel représente n'est pas indifférent; il médite des « états limites » de dépense, d'érotisme à perte, de sacrifice; des états qui passent par le désir pour la mère, mais, loin de s'y fixer et encore moins de la sublimer, la salissent, y découvrent un corps de femme qui, ainsi seulement, n'est plus celui de la génitrice rassurante et identificatrice.

La jouissance

Le récit est donc une structure dont le désir est l'économie. C'est ce qui le distingue de la poésie dont, pour Bataille, l'économie est celle d'un « décri » : le langage poétique serait une irruption violente de la négativité dans le discours, qui dénonce toute unité et détruit le sujet en détruisant la logique; il sombre dans la « nuit ». Cette négativité sans stase est un rejet, une destruction qui s'est détournée de tout objet, dans le vide, sans désir : « La mise en question de toute chose naissait de l'exaspération d'un désir, qui ne pouvait porter sur le vide[1]. »

L'expérience poétique d'Artaud est proche du rejet se confondant avec la « nature » et sa « nuit » : la schizophrénie. Au contraire, accroché au versant paranoïde, le désir conduit le sujet à travers la nuit de sa perte, pour qu'il en porte témoignage sous la forme de la fiction. Dans le désir qui fonde le romanesque, la négativité est captée dans des thèmes (personnages, situation, morceaux idéologiques), elle est retirée de la nature dont elle émerge et redonnée à l'homme actif. En revanche, « la mise en question sans désir est formelle, indifférente. Ce n'est pas d'elle qu'on pourrait dire : " C'est la même chose pour l'homme "[2] ». Le désir est figuratif; il *représente* les rapports humains.

1. O.C., t. II, p. 222.
2. *Ibid.*

Mais, pour l'expérience intérieure, il n'est pas une fin en soi. S'il est un moyen de dépasser la nuit poétique, il est nécessaire que la figuration désirante soit dépassée à son tour. L'expérience intérieure n'est là que pour faire de la négativité autre chose que du désir : une jouissance. La jouissance est la traversée de la représentation et du désir qui émerge de la nuit pulsionnelle, grâce à la *logique maintenue* : « Ébloui de mille figures où se composent l'ennui, l'impatience, l'amour. Maintenant mon désir n'a qu'un objet : l'au-delà de ces mille figures et la nuit [1]. » Retournant à la nuit à rebours de la figuration désirante, la jouissance abandonne le désir : « Mais, dans la nuit, le désir ment et, de cette manière, elle cesse d'en apparaître l'objet [2]. » Les romans de Bataille ne sont une mise en scène du désir que pour en dégager un éclat de rire : le non-sens, la perte, la jouissance. *Si le récit suit la logique du désir, le récit pulvérisé par un érotisme médité expose la jouissance.*

Le sujet souverain est celui qui se connaît comme sujet dans la mesure où il connaît la limite de l'Œdipe; il ne la dépasse pas sans la poser comme une *limite* et non pas comme fin en soi : c'est ce que démontrent les romans de Bataille qui sont inséparables de ses positions théoriques et qui leur donnent leurs valeurs réelles. On comprend alors qu'un tel sujet souverain, sujet de la fiction érotique ou de l'érotisation du savoir, n'est souverain que dans la mesure où il n'a aucun pouvoir (au sens d'exercice de force). Comme le thème fictionnel dont l'unité est toujours plurielle et évanouissante, ou comme la contradiction porteuse d'érotisme qui confronte la présence du sujet à sa perte dans l'hétérogène, le sujet souverain refuse toute position, toute fixation. Ce trans-Œdipe plutôt qu'anti-Œdipe n'assume une position que pour se révolter : « La souveraineté est révolte, ce n'est pas l'exercice du pouvoir. L'authentique souveraineté refuse [3]... » Il ne provoque pas, comme l'Oreste grec, l'instauration de nouvelles lois; mais il refuse les anciennes, les met en abîme, démontre la fiction qui les fonde et qu'elles répriment. S'il est un Oreste, il n'oublie pas qu'il a été un Œdipe et, en conséquence, refuse la nouvelle loi par une nouvelle fiction.

Pour Bataille, être Oreste, c'est être le résultat d'un jeu, mais celui-ci est impossible sans l'instance de la loi qu'est le moi. « Je suis le résultat

---

1. O.C., t. II, p. 222.
2. *Ibid.*
3. *L'Expérience intérieure, op. cit.,* p. 240.

d'un jeu, ce qui, si je n'étais pas, ne serait pas, qui pouvait ne pas être [1]. »

Cette expérience a été désignée par Bataille comme « intérieure ». Mais puisqu'elle est le lieu de contestation du pouvoir, un lieu où se constitue un sujet qui n'est pas le sujet du pouvoir (comme l'a toujours pensé et vécu la société et, plus encore, la société occidentale), mais un sujet dissident, cette expérience a des impacts qui dépassent largement l' « intérieur ».

Théoriquement, le sujet souverain de l'expérience intérieure fonde la possibilité d'un sujet nouveau qui, sans renoncer au sujet du savoir dont Hegel et Marx ont marqué l'accomplissement en achevant sa négativité dans le Concept ou dans la Révolution, lui rend sa négativité hétérogène et, du même coup, lui rend sa jouissance.

Historiquement, le fait qu'un tel sujet ait pu être pensé marque la fin d'une époque historique qui s'accomplit avec le capitalisme. Ébranlé par les conflits sociaux, les révolutions, les revendications d'irrationalité (de la drogue à la folie, qui sont en train de se faire reconnaître et accepter), le capitalisme s'achemine vers une société *autre* qui sera le fait d'un sujet *nouveau*. L' « expérience intérieure » du « sujet souverain » est un des symptômes de cette révolution du sujet. Aussi faut-il la penser comme un complément indispensable à la pratique sociale des hommes, dont elle est déjà en train de modifier et le sens et les visées.

Dans cette optique, nous examinerons maintenant le rapport de l'*expérience* (jouissance et/ou méditation), telle que l'entend Bataille en transformant Hegel, et donc en rapport avec lui, et de la *pratique,* telle que l'entend le matérialisme dialectique en renversant Hegel.

L'immédiateté « dans le dos » ou dans l'œil éclaté

Dans l'*Érotisme,* Bataille écrit : « Dans l'esprit de Hegel ce qui est immédiat est mauvais, et Hegel à coup sûr aurait rapporté ce que j'appellerai expérience à l'immédiat. » Ainsi donc, si le terme d'expérience est un concept hégélien, l'acception qu'il a chez Bataille se distingue de l'acception hégélienne par l'accentuation de l'*immédiateté.*

---

1. « Être Oreste », O.C., t. III, p. 217.

« Ce mouvement *dialectique,* écrit Hegel, que la conscience exerce en elle-même, en son savoir aussi bien qu'en son objet, *dans la mesure où le nouvel objet vrai en jaillit pour elle,* est proprement ce qu'on nomme expérience *(Erfahrung)* [1]. » Il distingue le moment de l'apparition immédiate de l'objet pour la conscience, qui n'est que pure saisie, du moment de la véritable expérience où un nouvel objet se constitue de ce premier, et ceci par le retournement de la conscience sur elle-même, par « notre propre intervention » : « Les choses se présentent donc ainsi : quand ce qui paraissait d'abord à la conscience comme objet s'abaisse dans cette conscience à un savoir de celui-ci, et quand l'*en-soi* devient un *être-pour-soi de la conscience* de l'en-soi, c'est là alors le nouvel objet, par le moyen duquel surgit encore une nouvelle figure de la conscience; et cette figure a une essence différente de l'essence de la figure précédente [2]. »

Un premier mouvement mystérieux, celui de « *la certitude immédiate* » où apparaît l'objet, est distingué de la véritable réalisation de la conscience dans l'*expérience* qui constitue le deuxième moment où la certitude immédiate sera introduite dans la présence de la conscience par le *retournement* de celle-ci et « pour ainsi dire derrière son dos », écrit Hegel [3]. De ce premier mouvement d'apparition d'objet, nous ne saurons rien sauf qu'il est d'essence négative, mais qu'à l'isoler en sa négativité, sans le lier à sa suite, on réduirait l'expérience au néant.

Ainsi, il semble qu'un moment archaïque de l'expérience soit suggéré comme supposant l'annihilation de la conscience, de sa présence et de son unité métaphysique. Mais, ne reconnaissant pas d'instance matérielle objective et logiquement structurée indépendamment des lois de la conscience, la dialectique idéaliste ne peut préciser les rapports, dont la conflictualité engendre la « certitude sensible » *avant* que celle-ci ne devienne objet de la connaissance. L'expérience est donc toujours celle d'un *savoir* qui, tout en n'étant pas celui de la science au sens technique du terme, mais de la science théologique d'un savoir absolu, s'appuie sur le même sujet pensant : celui de la conscience présente à elle-même et gardant, de l'hétérogénéité qui la travaille, seulement l'impression du vide, du néant, du manque « pour ainsi dire derrière son dos ».

1. *La Phénoménologie de l'Esprit, op. cit.,* t. I, « Introduction » p. 76.
2. *Ibid.*
3. *Ibid.,* p. 77.

Bataille, au contraire, scrute ce premier moment d'apparition immédiate et place l'essentiel de l'expérience en lui. Mais, loin de le laisser comme un néant indéterminé, comme une négation simple de la conscience et de la présence du sujet [1], il en désigne les déterminations concrètes et matérielles. Par une interprétation qu'on qualifierait aisément de psychanalytique, Bataille précise dans ses écrits théoriques que ce moment d'immédiateté dont parle Hegel est le moment de la *spécularisation;* c'est l'œil qui voit un objet désiré; le premier objet appréhendé l'est en tant que « spectacle [2] » : « Je disais plus haut de la position du point qu'à partir d'elle l'esprit est un œil. L'expérience est dès lors un cadre optique en ce qu'on y distingue un objet perçu d'un sujet qui perçoit, comme un spectacle est différent d'un miroir. L'appareil de la vision (l'appareil physique) occupe d'ailleurs dans ce cas la plus grande place. C'est un spectateur, ce sont des yeux qui recherchent le point, ou du moins, dans cette opération, l'existence spectatrice se condense dans les yeux. Ce caractère ne cesse pas si la nuit tombe. Ce qui se trouve alors dans l'obscurité profonde est un *âpre désir de voir* quand, devant ce désir, tout se dérobe [3]. »

Si l'expérience intérieure consiste à introduire le savoir dans l'immédiateté, c'est pour que le savoir traverse la vision, le spectacle, la représentation. L'expérience intérieure rejoint à rebours la spécularisation comme moment initial de la constitution du sujet. Loin de se fixer dans le savoir, le « moi » dans l'expérience intérieure démontre que ce que Hegel visait par le « savoir absolu » (identité de l'idée pratique et de l'idée théorique) est un savoir impossible. Pourquoi? Parce que demandant une traversée du « voir », il ne peut sa-voir aucun objet fixe, mais n'aperçoit à la place de l'objet qu'une « catastrophe », une contradiction, une lutte non localisable et non identifiable.

« Cet objet, chaos de lumière et d'ombre, est *catastrophe.* Je l'aperçois comme objet, ma pensée cependant le forme à son image en même temps qu'il est son reflet. L'apercevant, ma pensée sombre elle-même dans l'anéantissement comme dans une chute où l'on jette un cri. Quelque chose d'immense, d'exorbitant, me libère en tout sens avec un

---

1. Attitude que Hegel dénonce comme un « scepticisme qui finit par l'abstraction du néant ou avec le vide » (*la Phénoménologie de l'esprit, op. cit.,* t. I, p. 70).
2. *L'Expérience intérieure, op. cit.,* p. 158.
3. « Première digression sur l'extase devant un objet : le point », *l'Expérience intérieure, op. cit.,* p. 158-159; nous soulignons.

bruit de catastrophe; cela surgit d'un vide irréel, infini, en même temps s'y perd, dans un choc d'un éclat aveuglant. Dans un fracas de trains télescopés, une glace se brisant en donnant la mort est l'expression de cette venue impérative, toute-puissante et déjà anéantie [1]. »

Il faut retourner en deçà de la spécularisation et la reprendre dans un « voir » immédiat, catastrophique. Ne pas reléguer l'immédiat « dans le dos » du spectacle, mais le traverser en une représentation maintenue comme éclatement de toute identification, de toute identité, de toute spécularisation, donc comme une ruine de la représentation elle-même : « Il fallut que l'objet contemplé fasse de moi ce miroir altéré d'éclat que j'étais devenu pour que la nuit s'offre enfin à ma soif [2]. »

La *fiction souveraine* est précisément la représentation des opérations concrètes (sexuelles, mortelles, sociales) qui excèdent la spécularisation et son sujet — le sujet du sa-voir. Elle est une condition nécessaire pour que la connaissance soit maintenue et traversée et pour que se représente, dans le thème médité, le procès de la signifiance saisie par la représentation et par la connaissance : l' « inconnu ». La fiction souveraine représente un spectacle dont l'économie contredit la représentation et le spectacle : la fiction souveraine est la représentation d'un non-savoir inconnu. Le sujet y est, mais sans se connaître idéellement, il s'y voit, s'y représente : « je deviens *ipse* » « à moi-même inconnu ». C'est seulement comme *ipse,* donc maintenu comme sujet, affirmé et présent dans le langage, qu'il se franchit comme individualité, narcissisme, captation spéculaire, et qu'il peut entrer dans une communication. Elle, l'autre, est la condition de la reconnaissance de l'inconnu : « En elle, je communique avec l'inconnu. »

Ce qui importe dans ce geste de Bataille, ce n'est pas d'avoir désigné l'essence spéculaire de l'Idée et du sujet présent à lui-même dans l'expérience. Heidegger l'a fait, quelques années plus tard, dans son commentaire sur la notion d'expérience chez Hegel (1942-1943) [3]. Le geste de Bataille ne se borne pas à expliciter le non-dit de Hegel quant à la présence de l'*être,* comme le fait la phénoménologie; ni même (ce qui est déjà un dépassement de l'attitude phénoménologique) de saisir le système hégélien à partir de sa complétude dans l' « idée abso-

1. « La mort est en un sens une imposture », *l'Expérience intérieure, op. cit.,* p. 96.
2. *L'Expérience intérieure, op. cit.,* p. 159.
3. « Hegel et son concept de l'expérience », cf. *Chemins qui ne mènent nulle part,* Gallimard, 1962.

lue » et de creuser « la plus haute contradiction » que celle-ci contient. Bataille n'accomplit pas non plus le geste du formalisme (propre à la poésie, à la théorie littéraire, voire même à la psychanalyse) qui consiste à remplacer la *représentation* par le *langage* et à dissoudre la représentation en mettant en jeu le langage. Que ce qui apparaît comme une image soit du langage, Bataille le sait lorsqu'il parle de « réel discursif », mais il ne s'arrête pas à cette complicité (image-langage); il cherche ce qui produit et, en ce sens, précède ou excède les deux complices (image-langage) : il cherche, dans l'économie des opérations concrètes translinguistiques de la signifiance, le passage des pulsions mettant à mort le sujet à travers le désir pour les autres défendus. Alors, le récit mettra en thèmes ces opérations dangereuses pour la représentation et pour le langage.

Le geste de Bataille explicite la détermination réelle de l'essence spéculaire propre au sujet présent-connaissant. Cette détermination réside : *1)* dans la constitution de la fonction symbolique et plus particulièrement du langage et de la narration; *2)* dans les investissements pulsionnels de la continuité naturelle et sociale à travers laquelle opère l'individu et que la spécularisation commence à censurer. Pour Bataille, la vérité du sujet ne consiste pas à dire qu'il est présent, encore moins de dire qu'il est toujours disséminé. La vérité du sujet consiste dans la fiction (au sens d'une représentation doublement contradictoire, comme nous l'avons suggéré plus haut). Il se servira donc du langage pour montrer des opérations concrètes où sont transgressés les interdits sexuels constitutifs du refoulement et/ou du savoir. Si le sujet est spéculaire, c'est parce qu'il *parle* et parce qu'il *observe des interdits sexuels.* C'est donc par la *pluralisation* de la parole et par la *transgression* des interdits, mais toujours dans la parole et en maintenant ces interdits que l'être parlant peut abandonner son lieu de Maître spéculaire et en toucher l'engendrement « inconnu ». L'érotisme dans le discours et *a fortiori* dans le discours du savoir ou dans le discours philosophique : voilà la condition d'une attitude matérialiste et dialectique à l'égard du sujet. Attitude *matérialiste* parce qu'elle en donne les conditions matérielles corporelles, sociales et langagières que la présence du sujet ignore. Attitude *dialectique* parce qu'elle préserve au sujet la position de « souveraineté contestataire », qui ne se fixe ni dans une maîtrise ni dans une absence, mais qui refuse, nie, transforme le dispositif du réel et, par là, la réalité.

Ainsi, nous l'avons dit, c'est dans la *fiction,* et non pas dans le *savoir* et son *concept,* que l'expérience trouve son adéquation. Hegel prévoyait un moment de dépassement de la position, de la présence et de la limite par le mouvement de la conscience elle-même, laissée à ses propres impulsions; pourtant, si un au-delà est alors atteint par cette « expérience impulsive », il est toujours interne à la conscience, de sorte que la pensée trouble l'absence de pensée et dérange l'inertie. Mais, pour Hegel, cette voie est fixée nécessairement comme une série de progression et ne peut aboutir qu'à *l'adéquation du concept à l'objet, de l'objet au concept.* Au contraire, l'expérience intérieure de Bataille, qui rappelle en ceci celle de Sade, casse la finalité de cette progression non pas pour l'arrêter, mais pour démonter le mécanisme de cette « expérience impulsive » : pour démonter la pulsion-désir et le récit qui les parle.

Tout récit est une histoire de l'œil, le récit de l'expérience est l'histoire de son éclatement.

Sur la conception dialectique et matérialiste de la pratique

Mais qu'en est-il de *l'expérience* en son rapport à la *pratique?* Subordonnée à « l'impulsion du Bien » l' « Idée pratique » *(Praktischen Idee)* se trouve dans la *Science de la logique* hégélienne comme une idée théorique précisée, recevant « son individualité ou son contenu du " dehors " [1] ». Cette impulsion du Bien la différencie essentiellement de l'expérience bataillienne dont Bataille dit : « J'imagine mauvais de lui donner des fins supérieures [2]. » Pourtant, l'Idée pratique n'est pas sans rapport avec l'expérience bataillienne. Comme l'expérience bataillienne, l'Idée pratique est un retour à l'extériorité depuis la connaissance, mais, contrairement à elle, ce retour ne se connaît pas comme tel, l'Idée pratique hégélienne manque encore de « sujet actif ». Or, c'est précisément un sujet actif à mettre en procès que réclame l'expérience bataillienne.

Le marxisme hérite de Hegel une ambiguïté à l'égard du « sujet actif » dans le concept de *pratique.* Le marxisme classique ne met

1. *Science de la logique,* Aubier, 1949, t. II, p. 498.
2. *L'Expérience intérieure, op. cit.,* p. 245.

pas en relief le « sujet actif » de la pratique et glisse vers une conception de la pratique comme pratique sans sujet. C'est seulement le « maoïsme » qui dépasse cette conception limitée de la pratique en y accentuant l'« expérience personnelle ».

La dialectique matérialiste accentue l'« activité sensible humaine » en l'opposant à l'« intuition » idéaliste qui serait une saisie immédiate de l'objet. Ce geste de Marx dans les *Thèses sur Feuerbach* extrait la notion d'« appréhension immédiate » de l'objet de son cloisonnement subjectif dans une conscience fermée en elle-même, et l'investit dans une négativité qui, pourtant, n'est pas celle du « sujet actif » dont parle Hegel et que réclame Bataille. En se débarrassant ainsi du subjectivisme de Feuerbach, Marx introduit une objectivation de l'appréhension immédiate de la réalité, mais cette objectivation ne concerne pas le sujet lui-même, elle se fait dans les rapports de production, dans une extériorité au sujet; pour finir, et même si nécessairement, dans la pratique, l'instance subjective s'objective et se négativise, il n'y a personne pour penser cette objectivation. Le sujet d'une telle pratique ne se connaît pas comme un sujet actif; il reste en conséquence sourdement solidaire de l'homme feuerbachien.

De manière analogue, Lénine n'accentuera que l'extériorité de la pratique par rapport à la logique, pour poser que c'est la pratique qui fonde le « syllogisme de l'agir » hégélien et non le contraire : « La pratique au-dessus de la connaissance (théorique) car elle est la dignité non seulement de l'universel, mais aussi du réel immédiat [1]. »

La théorie marxiste réhabilite ainsi l'expérience immédiate, mais ne s'aperçoit pas de la téléologie de l'action pratique indiquée par le Bien et ne développe pas l'économie de « la plus haute contradiction [2] » qui s'installera avec l'introduction du Concept dans l'Idée pratique. Elle ne relève pas ce que Hegel appelle le « concept pratique », qui, selon lui, culmine dans une subjectivité « impénétrable », « atomique », non exclusivement individuelle, « généralité et connaissance » de sa propre altérité qu'est l'objectivité : « concept pratique, objectif, *déterminant en-soi-et-pour-soi*, et qui, en tant que *personne, est une subjectivité impénétrable, atomique,* mais qui, en même temps, loin d'être une individualité exclusive de toutes les autres est, pour soi, généralité

---

1. *Cahiers dialectiques, Œuvres complètes,* Éd. Sociales, t. 38, p. 203.
2. Hegel, *Science de la logique, op. cit.,* t. II, p. 549.

et connaissance et a pour objet, dans son autre, sa propre objectivité [1] ».

Le marxisme n'a pas développé sur une base matérialiste le « concept pratique » de Hegel. Lénine souligne la détermination externe de la pratique, *mais contourne son impact pour le sujet,* un impact que supposait le « concept » hégélien, même s'il bloquait le sujet à l'instance du savoir seul.

Mao Tse-toung reprend ces commentaires de Lénine à partir de Hegel dans son essai *« De la pratique »* et accentue l'expérience personnelle et immédiate comme caractéristiques matérialistes essentielles de la pratique. S'il pose l'*activité de production* comme déterminante de toute activité pratique, il ajoute au registre des pratiques : la *lutte des classes,* la *vie politique,* l'*activité scientifique et esthétique.* Le moment pratique est représenté selon la logique hégélienne « renversée ». Il s'agit d' « appréhension » des « liaisons externes » et « approximatives », d'une « extériorité ». Seule la *répétition des phénomènes* dans la continuité objective de la pratique sociale produit le saut qualitatif qui est le surgissement du concept instaurant des liaisons internes. Mao insiste sur deux aspects de la pratique; elle est *personnelle* et elle exige une *« expérience immédiate ».* Pour connaître directement tel phénomène ou tel ensemble de phénomènes, il faut participer *personnellement* à la lutte pratique qui vise à transformer la réalité, à transformer ce phénomène ou cet ensemble de phénomènes, car c'est le seul moyen d'entrer en contact avec ceux-ci en tant qu'apparences; c'est aussi le seul moyen de découvrir l'essence de ce phénomène, de cet ensemble de phénomènes et de les comprendre... : « Toutes les connaissances authentiques sont issues de l'expérience immédiate [2] »; « Celui qui nie la sensation, qui nie l'expérience directe, qui nie la participation personnelle à la pratique destinée à transformer la réalité n'est pas un matérialiste [3] ».

Cette accentuation de « l'expérience directe » et « personnelle », peut-être la plus insistante dans la théorie marxiste, tend à mettre en évidence une subjectivité consciente et devenue, en raison de ce fait, le lieu de la « plus haute contradiction ». On pourrait la comparer à la subjectivité que Hegel posa dans le *« concept pratique »*; impénétrable, atomique, non individuelle, effectuant une connaissance générale. Le

1. Hegel, *Science de la logique, op. cit.,* t. II, p. 549.
2. *Quatre Essais philosophiques,* Éd. en langues étrangères, 1967, p. 9.
3. *Ibid.* p. 10.

« maoïsme » appelle et produit une telle subjectivité, qui devient le moteur de la pratique de transformation sociale et de la révolution. Un des apports essentiels de Mao à la théorie et à la pratique du matérialisme dialectique consiste dans la redécouverte, en son cadre, d'une telle subjectivité.

On ne saurait pourtant oublier que le « concept pratique » qui achève l'édifice hégélien et se transmet renversé dans le matérialisme dialectique, contient des moments le précédant dans la spirale de son élaboration. L' « expérience immédiate » de la réalité que la pratique enferme et transmet à la connaissance intègre le temps de l'*Erfahrung,* le temps de l'appréhension signifiante de l'objet hétérogène, en le reléguant « dans son dos ». Mais essayons de penser un sujet qui ne suit pas cette prescription hégélienne le menant droit à l'unité du savoir absolu : qu'adviendra-t-il si un sujet parcourant et dissolvant cette totalité qui culmine dans le « concept pratique » ne se résignait pas à cacher « dans son dos » l'expérience immédiate, mais mettait en relief l'éclatement du sujet et de l'objet qui l'accompagne et qui est la condition problématique de tout le parcours postérieur de l'Idée? Un tel sujet — et nous avons dit que c'est le sujet de la fiction — ne se confondra plus avec le sujet « impénétrable et atomique » du « concept pratique », mais constituera la condition de son renouvellement.

Mao distingue nettement les deux moments de la dialectique idéaliste que le matérialisme mécaniste et les dogmatisations du marxisme tendaient à écraser. Le triple mouvement qu'il pose : pratique-vérité-pratique [1] implique qu'entre les trois phases il y ait une différence du statut des « objets appréhendés » et des « consciences » qui les appréhendent. Le surgissement de l'*objet vrai* dans la pratique est donc à distinguer de sa *connaissance scientifique* qui en donnera la vérité scientifique, pour mener à une autre *épreuve pratique.* Le moment de la pratique est ainsi indissolublement lié à celui de la connaissance scientifique vraie, mais distingué d'elle. Qu'en est-il de ce moment? La science peut décrire comment le PCC, pendant les années trente, a eu une pratique spécifique consistant en telles démarches concrètes et réelles, et telles analyses concrètes de la situation économique et politique, qui lui a permis de saisir le nouvel objet, la paysannerie, comme

1. A rapporter à la distinction en trois temps de Bataille, pour ce qui concerne l'expérience intérieure : opération-autorité-expiation de l'autorité.

force de frappe de la révolution, pour en produire ensuite la théorie, comme l'a fait Mao dans son étude sur la lutte des classes en Chine.

Mais une question épistémologique complémentaire subsiste : y a-t-il un statut particulier du *sujet lors de la pratique* et en quoi diffère-t-il du statut du *sujet théorisant?* La théorie marxiste, qui n'est pas une théorie du sujet, ne donne pas de réponse à cette question. Elle se contente de discerner les déterminations objectives économiques et le déroulement logique de la pratique, d'en évoquer donc les conditions et la structure, non la dynamique inter-subjective et intra-subjective. Nous avons déjà souligné l'abandon par le matérialisme dialectique de la négativité traversant le sujet et les justifications historiques de cet abandon [1].

Pourtant, la pratique, quelle qu'elle soit, dissout la compacité et la présence à soi du sujet. La pratique met le sujet en relation, donc en négation, avec des objets et d'autres sujets du milieu social, avec lesquels il entre en contradiction antagoniste ou non. Pour être ainsi située dans une extériorité par rapport au sujet, la contradiction interne aux rapports sociaux excentre le sujet lui-même, et l'articule comme un lieu de passage, un non-lieu où luttent des tendances opposées : des besoins, des désirs, des pulsions, dont les stases (les moments thétiques, les représentations) sont aussi bien liées à la relation affective (parentale, amoureuse) qu'aux conflits de classes. Excentrant le sujet, le rejet affronte la pulvérisation subjectale aux structures du monde naturel et des rapports sociaux, se heurte à elles, les repousse. Ainsi, le rejet suppose la phase d'annihilation d'une ancienne objectivité. Pourtant, et en même temps, une composante liante, symbolique, idéologique et donc positivante intervient (« nous intervenons », écrit Hegel) pour constituer dans du langage le nouvel objet que le « sujet » rejetant produit à travers le procès objectif du rejet. La pratique contient, comme moment fondamental, la contradiction hétérogène qui est une lutte d'un sujet mis en procès par un dehors naturel ou social non encore symbolisé avec d'anciennes stases, c'est-à-dire avec des systèmes de représentation qui diffèrent et retardent la violence du rejet.

Dans cette confrontation du rejet pulsionnel aux structures et processus historiques et sociaux, se réalise non seulement la transformation de ces structures mêmes, mais aussi la refonte de la structuration sub-

---

1. Cf. « Le sujet en procès », p. 58.

jective-symbolique, la reconstitution de l'unité subjective connaissante avec le nouvel objet qu'elle a découvert dans le processus social.

La fiction de la pratique

Par sa visée explicite et par l'exigence de sa logique, par la course à la mort — jouissance implicite — qui ne se profile jamais très loin derrière les contradictions qu'affronte le sujet dans la lutte, la pratique révolutionnaire souligne ce moment de mise en procès du sujet : il faut qu'il se supprime comme unité subjective, pour commencer, et comme vivant, pour finir, si la loi objective de la lutte le veut.

Mais pour ce faire, et comme paradoxalement, le sujet de la pratique sociale hypostasie *le moment thétique du rejet,* le moment « paranoïaque ». Un « moi » dilaté, enflé, tenace, armé d'assurance idéologique et théorique, combat, dans la représentation, les stases anciennes qui résistent au rejet. Ayant rejoint le cours des processus historiques dans l'action, le procès de la signifiance se donne comme agent dans la représentation d'un « Moi », celui du révolutionnarisme, qui n'a pas besoin de savoir et encore moins de creuser le mécanisme de la négativité qui le pulvérise ou le réunit. Objectivement, ce « moi impénétrable et atomique » est le module par lequel la négativité envahit la scène sociale.

En refoulant l' « activité sensible » ou l' « expérience immédiate » en tant qu'elle pulvérise ce « Moi », le « concept pratique », selon Hegel, ou la « pratique », selon le matérialisme dialectique, portée par un tel « Moi », se condamne à une répétition mécanique de l'action sans modification du dispositif réel, matériel et signifiant, objectif et subjectif. Fixant un réel opaque dans une subjectivité atomique et nulle, une telle « pratique » bloque le procès même de la pratique visant à « transformer le *procès subjectif et objectif*[1] ». Pourtant, en réhabilitant certains aspects de l'expérience humaine sensible, et notamment sa détermination externe matérielle, le matérialisme dialectique se met sur la voie de ce qu'on peut appeler l'*analyse pratique* du sujet « impénétrable » et « atomique » porteur du concept pratique. Que ce sujet impénétrable soit la condition logique et historique de l'action, que sa phase

---

1. Mao Tse-toung, *Quatre Essais philosophiques, op. cit.,* p. 23.

thétique soit complice de la téléologie éthique, le matérialisme dialectique le sait, s'en sert et, engagé dans le mouvement de la révolution sociale, ne l'analyse pas discursivement, ne le critique pas, ne le met pas en jeu. Les goulags en témoignent, illustrant ainsi une logique, non des hasards.

Dès lors, c'est à des fonctionnements signifiants « souverains », verbaux ou autres, qu'il incombe de faire passer *dans le discours* l'analyse pratique dissolvant le sujet impénétrable et atomique. Dans la période historique actuelle, cette analyse pratique, qui s'effectue comme composante non dite effective dans la pratique sociale régie par la contradiction des rapports entre sujets atomiques, a donc nécessairement besoin de trouver du *langage,* et de se réaliser en lui comme *fiction,* pour que le « moi » atomique, assuré de la justesse de son combat, soit pénétré par la négativité agissante du procès jusqu'à l'enclos paranoïde lui-même et sans que sa logique rassurante soit épargnée. Faute d'une telle réalisation verbale fictionnelle, la pratique — y compris la pratique révolutionnaire — exporte et cantonne la négativité en dehors des unités moïques, verbales, organisationnelles, étatiques, etc. Et, en les consolidant, installe l'oppression symbolique aussi bien que réelle. Bataille, qui s'est penché sur les causes et la logique du fascisme, a vu pertinemment dans la fiction — qui représente et médite les expériences limites, et met en cause l'unité spéculaire et narcissique depuis le langage jusqu'à l'idéologie — le moyen discret, mais, combien profond et dérangeant, de lutte contre toute unité oppressive et contre son envers, le nihilisme exubérant ou macabre.

L'opération de Bataille explore précisément le moment constitutif de la pratique qui consiste à poser et à pulvériser l'unité du sujet parlant dans un procès posant-déplaçant des *thèses.* C'est ce moment qu'il désigne sous le nom d'*expérience* et qui est, à sa façon, un renversement de l'*Erfahrung* hégélienne. La fiction-expérience expose le moment fort propre à toute pratique et, ce faisant, elle parle — Bataille dirait « communique » — à tous les sujets qui, dans des domaines différents, traversent ce moment problématique de la pratique, même s'ils en reviennent pour le laisser « dans leur dos ».

Nous disons, pour conclure : tant que la pratique sociale n'absorbe pas, mais écarte l'expérience, la fiction est le seul moyen pour la reprendre et pour mettre ainsi en analyse la téléologie de la pratique; la fiction de l'expérience constitue la condition de renouvellement de la pratique puisque, coupant la chaîne sociale, l'expérience est le hors-lieu de sa dépense.

Le rôle de la fiction comme expérience, au sens de Bataille, est donc de lever, dans quelque société que ce soit, le refoulement pesant sur ce moment de lutte entre le procès et la thèse, moment qui menace particulièrement et dissout la liaison subjective et sociale, mais assurant par là même son renouvellement. Elle répond ainsi à une attente ensevelie dans la représentation communautaire de la pratique, attente qui se fait sentir le plus fortement à des moments historiques où le décalage s'agrandit et s'approfondit entre la pratique sociale elle-même et la représentation qu'en donne l'idéologie.

Le père, l'amour, l'exil *

> *Quegli ch'usurpa in terra il luogo mio,*
> *Il luogo mio, il luogo mio, che vaca*
> *nella presenza del Figlionol di Dio.*
> *Fatto ha del cimitero mio cloaca.*
>
> Dante, *Paradiso,* cité par
> Freud, *Un souvenir d'enfance*
> *de Léonard de Vinci.*
>
> Ce qu'on appelle l'amour, c'est l'exil.
>
> Beckett, *Premier Amour.*

Il m'a fallu, étrangement, l'univers vénitien — aux antipodes de celui de Beckett — pour avoir l'impression de saisir, dans la parenthèse que dessinent *Premier Amour* et *Pas moi,* la puissance et les limites de cette écriture qui nous atteint moins comme un « effet esthétique » que comme ce qu'on avait l'habitude de situer aux environs du « sacré ». Et dont le nom manque aujourd'hui — l' « innommable » jeu du sens et de la jouissance?

Cette parenthèse qui, je crois, cerne bien les romans et les pièces connus de cet auteur, me rend donc, en miniature, le destin maintenant carnavalisé d'une chrétienté jadis florissante. Tout y est : la mort du père, l'arrivée du bambin et, à l'autre bout, le thème oral dépouillé de ses fastes : la bouche d'une femme seule face à Dieu, face à rien. La *pietà* de Beckett traverse les WC en demeurant sublime; la maman a beau être prostituée, la paternité réelle y est d'autant moins reconnue que l'enfant n'appartient qu'à sa mère *(Premier Amour);* et le balbutiement de la septuagénaire *(Pas moi),* antonyme d'un cantique ou du monologue de Molly, ne reste pas moins auréolé, dans son non-sens, par ces rayons paternels qui l'érigent ironiquement, mais obstinément,

---

* Première publication : « Beckett », *l'Herne,* 1976.

vers la troisième personne — Dieu —, et la comblent d'une joie étrange face au néant. Relevés, démystifiés et, pour cela même, plus tenaces que jamais — les piliers de notre imaginaire sont là. Du moins, certains... Ainsi :

— Un homme fait l'épreuve de l'amour à la mort de son père. La « chose » dont on lui avait parlé à la maison, à l'école, au bordel et à l'église, lui apparaît enfin réellement, sous les traits du cadavre paternel qui lui fait entrevoir la « possibilité d'une esthétique de l'humain » (la seule!) et découvrir la « grande sagesse désincarnée » (l'unique!). *Mort* et *père* unis et néanmoins dédoublés, séparés. *D'une part,* la Mort, c'est-à-dire l'idéal qui donne sens, mais où le verbe se tait; *de l'autre* le cadavre paternel, donc une communication possible, mais dérisoire, le déchet, la pourriture, l'excrément, qui mobilisent plaisir et loisir. Une trouvaille verbale scelle cette jonction des opposés : « vase de nuit », terme qui évoque, pour ce fils qu'est l'écrivain, à la fois Racine, Baudelaire et Dante, et qui résume l'obscénité sublimée où il est consubstantiel au père, mais seulement dans sa *pourriture* (dans son cadavre), ne quittant jamais le deuil noir de l'inaccessible fonction paternelle qui se réfugie, elle, du côté de la *Mort,* pour donner ainsi, mais de loin, et menacée d'éclipse, un sens à l'existence des cadavres vivants.

Pris en tenailles entre le *père* — *corps* cadavérique excitant (jusqu'à la défécation), et la *Mort* — *axe* vide et exaltant (jusqu'à la transcendance) —, un homme aura de la peine à trouver un autre objet d'amour. Et ne saura s'y risquer que face à une femme indifférenciée, tenace et silencieuse, prostituée sûrement, à la voix fausse, de toute façon, dont le nom, également indifférencié comme le sein archaïque (Loulou? ou Lulu? ou Lolo?) et réduit au minimum (une syllabe : Anne) n'aura que le droit de s'inscrire sur les bouses de vache et de se confondre, ainsi, avec les « selles de l'Histoire ». Ce sera alors le seul amour, le possible, le vrai : ni satyrique, ni platonique, ni intellectuel. Mais un *amour-exil.*

— Un exil. C'est-à-dire une tentative de séparation de ce territoire auguste et placide où la Mort sublime du père, donc le *Sens,* se confond avec le « moi » du fils (mais une fille peut très bien s'y laisser prendre), momifié, pétrifié, exténué, « plus mort que vif ». Exil qui fait perdre à un tel moi filial, sensé et toujours déjà mort, sa quiétude au seuil du minéral givré, là où il n'a de chance que de devenir n'importe qui, et

138

encore sans le moyen de s'estomper. Fuir donc cette permanence du sens : vivre ailleurs, mais avec la mort paternelle.

Exil : sur-vie d'amour. Vie toujours à côté, à une distance infranchissable, en deuil d'un amour. Vie fragile, incertaine, où, sans perdre le capital paternel économisé en poche, on découvre le prix de la chaleur (d'une serre, d'une chambre, d'une bouse) et l'ennui des humains qui la donnent, mais la gâchent. Vie séparée du pays paternel où pourtant s'est figée, à jamais, la quiétude inébranlable, ennuyée mais solide, du moi obsédé.

Aimer, c'est-à-dire survivre au sens paternel, exige ainsi qu'on parte loin pour trouver la futile mais excitante, présence d'un objet-déchet : homme ou femme, chute du père, tenant lieu de sa protection, et pourtant toujours dérisoire ersatz de la sagesse désincarnée qu'aucun objet (forcément d'amour) ne saura jamais totaliser. Contre le *tout* momifiant de la Mort paternelle — l'exil vers la *partie* qu'est l'objet chu ou l'objet *d'*amour (*de* génitif, ou partitif). Dérisoire objet d'amour — transposition de l'amour pour l'Autre. Et pourtant, sans cet exil, pas de dégagement possible de l'étreinte de la Mort paternelle. Cet aimer, et écrire qui lui revient, relèvent de la Mort du Père — de la troisième personne (comme le dit *Pas moi*).

— Pour dire cela autrement, l'homme courant, l'obsessionnel, ne voit jamais son père mort. Le cadavre qu'il a sous les yeux est cet objet-déchet, objet déchu et ainsi enfin possible — si longuement attendu depuis les premiers cris, depuis les premières fèces, depuis les premiers mots, et si fermement condamné, écarté par la puissance paternelle. Objet cadavérique qui lui permet enfin d'avoir un rapport « réel » avec le monde : rapport à l'image de cet objet même, déchéance misérable, miséricorde déçue, réalisme désabusé, ironie maussade, action déprimée. Dans cette ouverture, il pourra chercher femme. Mais l'Autre, le père troisième personne, n'est pas ce mort-là. Il est la Mort, il l'a toujours été : il est le sens du récit du fils qui ne s'est jamais narré pour quelque chose d'autre que pour et par ce vide tendu, idéal et inaccessible à quelque vivant que ce soit, de la Mort paternelle. Tant qu'un fils est à la recherche d'un sens dans une histoire ou un récit, même si ce sens lui échappe, pourvu que la quête persiste, il narre au nom de la Mort pour les cadavres du père que vous (lecteurs) êtes.

— Or, comment ne pas voir que, si c'est la Mort qui donne sens à la sublime histoire de ce premier amour, c'est qu'elle vient cacher l'inceste barré, prendre toute la place où il y aurait lieu d'imaginer une femme tue : l'épouse (du père), la mère (du fils)? C'est parce qu'il devine cette absence que l'exilé analysant son exil ne sera pas forcément un éternel célibataire — ni moine ni amateur narcissique de ses pairs —, mais un père en fuite.

— En effet, avec Beckett, le mythe de l'écrivain célibataire quitte la terreur fascinée de Proust ou de Kafka pour se rapprocher davantage de l'humour froid de Marcel Duchamp. Cet amoureux exilé avec ses calculs (« Alors je pensais à Anne, beaucoup, beaucoup, vingt minutes et jusqu'à une demi-heure par jour. J'arrive à ces chiffres en additionnant d'autres chiffres plus petits ») et son « faitout de nuit » qui lui tient compagnie au lit mieux que la mariée, évoque bien l'horlogerie auto-érotique et les « moules mâliques » du célibataire du « Grand Verre ». De même, Lulu-Anne a tous les attributs de la *Mariée mise à nu par ses célibataires, même* : moitié robot moitié à quatre dimensions, une sorte d' « automobilisme » qui actionne tout seul son « moteur à combustion interne » et se relance par des « mises à nu ». Et même si, au lieu d'être vierge, Lulu s'avère une femme à clientèle trop bruyante, le « circuit de refroidissement » qui agence son mécanisme amoureux avec celui de l'exilé campe les deux protagonistes du coït, à tout jamais et comme chez Duchamp, dans une communication glaciale. Que, loin d'être esquivé, l'acte sexuel soit assumé mais en tant qu'impossible rapport dont les protagonistes sont condamnés à l'exil perpétuel qui les enferme dans l'auto-érotisme : voilà ce que Beckett, à la Duchamp, vient dire après et contre les célibataires militants du début du siècle. Mais, contre Joyce aussi, dont il écarte ascétiquement la joyeuse et folle plongée incestueuse que résume la jouissance de Molly ou le *baby-talk* du père dans *Finnegans Wake*.

L'assomption du moi par le père mort fait de l'écrivain — cet exilé — un père malgré lui, un père à son corps défendant, un faux père qui n'en veut pas, mais qui n'y croit pas moins : tendu dans l'élégance d'un deuil permanent. Il lui reste alors à savourer ses douleurs et, plus qu'elles, le vide qui le tient debout, à égale distance de la Mort et du déchet, du sublime et du plaisir, équilibre du rien, mais à condition qu'il soit écrit : « les instants, où, sans être drogué, ni saoul, ni en extase, on ne sent rien ». Côtoyant une femme par laquelle il survit en exil de la Mort du père, il ne se laissera pas déranger par son aventure à elle, mais, fort de cette assomption de la mort, il l'écartera vite pour s'adonner à ses propres

« descentes lentes vers les longues submersions » qui le font précisément tracer un sens nouveau : écrire un récit. Posture de fils de son père qui le préserve à jamais de toute tentative incestueuse, c'est-à-dire « poétique »...

Symétriquement, du côté de sa femme, la « mariée » célibataire, c'est l'accouchement qui assure l'autonomie auto-érotique de son univers et qui réalise l'impossible coexistence des deux entités, mâle et femelle, incommunicables. Que la contrepartie du père mort pour l'obsessionnel soit l'enfant tenant lieu du père pour une femme, le *Premier Amour* le suggère, mais c'est une autre histoire. Car, plus immédiatement et plus directement, ce qu'il lui faudrait, à lui, l'exilé, de la part d'une femme, c'est un simple accompagnement dans le vide de la Mort, de la 3e personne : frôlement doux de la compagne muette, renoncement au corps, déchet, sublimation et — pour rester fidèles jusqu'au point final au père mort — un suicide à deux...

— Le jeune exilé a vieilli : il est devenu, dans sa fidélité à son amour paternel, une vieille dame *(Pas moi)*. Pourtant aucune ambiguïté ne suggère la moindre perversion : corps raide, point de plaisir, excepté, dans les champs, la douce illumination solitaire d'une tête traversée de rayons, d'une bouche happant le même vide et n'arrêtant pas d'interroger. La Mort du père qui a ouvert le fils à l'amour persiste, en fin de piste, dans ces rayons et ce vide, mais, ici, elle ne donne même pas lieu à un récit pseudo-fictif. La présence du père qui faisait narrer le fils du *Premier Amour* est devenue, pour la vieille femme de *Pas moi,* un procédé d'énonciation : l'interrogation; le cadavre et le déchet ont été remplacés par un fait de syntaxe : *l'ellipse.*

L'interrogation : acte juridique par excellence, car *je* qui demande, par le fait même de demander (hormis le sens de la demande) postule l'existence de l'autre : ici, puisque « pas moi », pas *tu* non plus, mais *Il hors communication.*

L'ellipse de l'objet — aveu syntaxique d'un objet impossible, évanouissement non seulement du destinataire *(tu),* mais de tout propos de discours. Déjà dans *Premier Amour,* l'objet se dérobait, fuyait la phrase, restant sans doute dans le territoire innommable du père : « Je me rappelle seulement qu'il y était question de citronniers, ou d'orangers, je ne sais plus lesquels, et pour moi, c'est un succès d'avoir retenu qu'il y était question de citronniers, ou d'orangers, car des autres chansons que j'ai entendues dans ma·vie, et j'en ai entendu, car il est matériellement impossible on dirait de vivre, même comme je vivais moi, sans entendre chanter à moins d'être sourd, je n'ai rien retenu du tout, pas un mot, pas une note, ou si peu de mots, si peu de notes, que, que quoi, que rien cette phrase a assez duré. » Pourtant, ce qui est ici encore un surplus de sens, une fuite par surabondance d'enchâssements, devient, souvent, dans *Pas moi,* un effacement du complément du verbe, et toujours un effacement du complément du discours. A manque d'objet (grammatical ou discursif) — sujet impossible : pas moi. Et pourtant, il existe, elle parle, bouche désoralisée, frustrée, maintenue néanmoins dans sa quête dérisoire : « ne sachant ce que c'est... ce que c'est qu'elle — ... quoi?... qui?... non... *Elle!...* » « ... *Bouche* se remet de son véhément refus de lâcher la troisième personne. »

Ici, c'est dit : l'acte d'écrire, sans moi ni toi, sera précisément cette obstination à ne pas lâcher la troisième personne : le hors-discours, le tiers, le « il existe », l'anonyme, l'innommable « Dieu », l'« Autre » — l'axe de la plume, la Mort du père, hors collocation, hors subjectivisme, hors psychologisme. Bouche déçue, saisie d'envie de se vider comme dans une cuvette : et pourtant personne en vue, pas de « toi » — ni père, ni mère, ni homme, ni enfant; seule avec le flot de mots à sens perdu, suspendu, voyelles sans plaisir, « de travers », « du chromo »; bouche inutile, mourante, voix mourante, mais tenue, tenace, obstinée, soutenue par le même premier amour, cherchant, attendant, poursuivant, qui? quoi?... Conditions de l'écriture.

Pourtant, au-delà de cette identification amoureuse entre l'*exilé* écrivant et la *folle* sexagénaire à la poursuite d'une ombre paternelle qui la tient au corps et au langage, éclate l'écart entre l'*écrit* et la *psychose.* Lui, écrivant, a fui le père pour que, adhérent à son sens, le surmoi introjecté puisse perpétuer sa trace dans une ascèse symbolique renonçant à la jouissance sexuelle. Elle, ravagée par l'amour (paternel) qu'elle incorpore dans son impossible au point de lui sacrifier son « moi », remplace un vagin interdit, en deuil permanent, par une bouche où filtre, folle, mais certaine, une jouissance — dégoût oral, tactile, visible, audible, mais innommable, sans lien, sans syntaxe, qui la place pour toujours à l'écart des humains socialisés et en deçà ou au-delà de leurs « œuvres ». Lui, écrivant en ascèse. Elle, jouissant dans le non-sens à travers le refoulement. Deux limites, pour les deux sexes, de l'amour paternel. Couple fascinant et impossible que soutient aussi, pour l'un et pour l'autre, la censure du corps maternel.

La tragique ironie de Beckett obtient ainsi sa résonance maximale lorsque l'amour tenace du fils pour la Mort s'énonce par la bouche d'une femme. Subjectivité impossible (« si je n'ai pas d'objet d'amour je ne suis pas »), mais aussi féminité impossible, génitalité impossible de l'un et de l'autre sexe, pas d'échappée de la mort ni pour l'un ni pour l'autre. *Pas moi* : navrant constat de perte d'identité mais aussi jubilation discrète, résignée, douce décharge produite par la moindre corruption du sens dans un monde immanquablement saturé par lui. En contrepartie de la débordante Molly et de l'éveil négatif de Finnegan : une jouissance par déception du sens qui persiste pourtant inévitablement à travers et au-delà de cette inéluctable troisième personne.

A l'aube (fantasmatique?) de la religion, les fils de la horde primitive commémoraient leur participation à la Mort du père (dans le réel : meurtre désavoué) en mangeant le repas totémique. Avaler l'animal totem, ce tenant-lieu du père, les conciliait avec son corps comme s'il était un sein maternel : ambiguïté ou travestissement sexuel qui les déculpabilisait d'exercer, à sa place, le pouvoir dont ils l'avaient déchu. Ils incorporaient dans la réalité ce qu'ils introjectaient symboliquement.

Avec Beckett, nous sommes à l'autre bout du processus. Les détritus, le vase de nuit et les lieux d'aisance ont remplacé le repas totémique. Oralité déçue ou manquée, les fils n'espèrent plus s'approprier — ni incorporer ni introjecter — le pouvoir et/ou la Mort du père. Ils resteront à jamais séparés de lui, mais, toujours sous son emprise, en éprouveront la fascination et la terreur qui continuent à donner un sens, fût-il éparpillé, à leur existence absurde de déchets. La seule communauté alors possible est le rituel du pourri, de la déchéance, du cadavre-univers de Molly, de Watt et de toute la galerie qui ne continuent pas moins ce qu'il y a de plus « beckettien » : l'interrogation, l'attente. Va-t-il venir, bien sûr que non, mais demandons quand même Godot, ce Père, Dieu, aussi omniprésent qu'incroyable.

Jamais, peut-être, regard plus acéré n'a été porté sur la mort paternelle en ce qu'elle détermine le fils, notre civilisation monothéiste, et peut-être même toute donation de sens : dire, écrire, faire. Fouilles, carnaval, au bord d'un basculement vers autre chose qui reste, pourtant, chez Beckett, impossible. Radiographie du mythe le plus fondamental du monde chrétien : l'amour pour la Mort du père (pour le sens hors communication, pour l'incommunicable) et l'univers comme déchet (communication absurde).

Ainsi atteint son point culminant, et le seuil de son renversement, *une des composantes* du christianisme : son substrat judaïque, sa branche protestante, qui, lucides et rigoureux, ont appuyé le sens de la parole sur la Mort du père inaccessible.

Il reste qu'il y en a une autre.

Que cette Mort soit un Meurtre, c'est ce que le christianisme semble être sur la voie d'avouer, dit Freud. Mais, plus encore, pareil aveu ne pointe ni ne devient supportable qu'à condition de compenser ce *sens* communautaire, ainsi identifié avec le meurtre, par une *jouissance*. Païenne ou tardive, la chrétienté célèbre la fécondité maternelle et contrebalance par l'inceste fils-mère ce morbide et meurtrier amour filial de la raison paternelle. Il suffit de jeter un coup d'œil sur l'art du xve siècle et, encore mieux, de les voir toutes les deux — *pietà* du Christ mourant et jubilation sereine de la Mère — chez Giovanni Bellini, par exemple, pour comprendre que la fascination et la durée du christianisme méridional et oriental est impensable sans cette conjonction.

Il est vrai que ces Madones à la chair lumineuse qui serrent leurs bébés mâles dans des caresses souvent ambiguës, demeurent énigmatiques parce qu'une distance incommensurable — lisible surtout dans les regards détournés au bord de l'évanouissement, du dégoût, ou du néant? — les sépare de leurs fils. Comme pour dire que l'amour, ce n'est même pas le bébé — encore objet d'exil —, mais peut-être, encore et toujours, un ailleurs, le même incrédule et têtu « Dieu est amour » qui débouche déjà sur *rien,* dans *Pas moi.* Leur bébé est sans doute là, mais sa présence n'est qu'*une partie* de la jouissance, la partie destinée aux autres. Le reste, immense, ni le récit ni l'image ne le diront : sinon, peut-être, par ces regards voilés, retenus, obliques et toujours aveugles, ou par ces têtes absentes, détournées du monde dans une attente déçue et mélancolique. Illuminées par l'absence, le néant, et néanmoins persistantes, obstinées — comme *Pas moi.*

Pourtant, il y a un *reste :* il ne se loge pas dans le regard apaisé par ce néant qui sous-tend « Dieu est amour », ni même dans le corps planté avec sérénité de la mère — corps détourné discret, intermédiaire, lieu de passage entre une tête éclatée absente et un enfant à donner. Ce reste, précisément, qui constitue l'énigme de la maternité chrétienne, double d'une pose en effet *innommable* la morbidité obsessionnelle propre au christianisme comme à toute religion, mais déjà éclipsée en lui par le Dieu dans les yeux des Madones ainsi que dans la bouche de *Pas moi.* Or, cette fois l'innommable dont il s'agit, contrairement à celui de *Pas moi,* n'est pas *moins,* mais *plus* que le Verbe, que le Sens. Par la mémoire retrouvée du fils incestueux — artiste —, cette jouissance-là s'imagine identique à la maternelle; elle éclate dans la profusion des couleurs, dans le flux des lumières et même, plus brutalement, dans les bébés-anges et les seins ailés sculptés sur les colonnes de Saint-Marc à Venise.

Il y a eu là, à l'éveil de la Renaissance, une tentative de sauver la Religion du Père en lui insufflant, plus qu'auparavant, ce qu'elle refoule : la joyeuse sérénité de l'inceste avec la mère. Le classicisme de Bellini et, d'une autre façon, la prodigalité du baroque, en sont la preuve. Loin d'être une réhabilitation féministe, on peut les lire comme l'aveu perspicace du refoulé féminin, maternel, toujours nécessairement retenu sous le même voile de terreur sacrée devant la Mort du père, devenu pourtant désormais néant dans les yeux de ces premières femmes de l'Occident qui nous regardent depuis un tableau.

Trop tard. La Renaissance allait ressusciter, par-delà la mère ainsi utilisée et de nouveau écartée, l'Homme et sa perversion. Léonard et Michel-Ange remplacent Giovanni Bellini. L'humanisme avec son explosion sexuelle, son homosexualité, surtout, et sa course bourgeoise aux objets (produits, monnaies), écarte de l'analyse immédiate (mais pas du préconscient) le culte de la natalité et ses conséquences réelles et symboliques. Tant mieux. Car, à travers la dérision de la féminité pourra enfin se dessiner, ne serait-ce que très exceptionnellement, une issue véritablement analytique. Il faut attendre la fin du XIXe siècle et Joyce, plus que Freud, pour que cette doublure maternelle, incestueuse, se dise risquée et affolante à même le corps, à même le sexe et que, dans un langage qui « musique dans les lettres », elle reprenne dans le discours les rythmes, les intonations, les écholalies de la symbiose mère-enfant, intense, préœdipienne, antérieure au père — à la troisième personne... Une femme, à partir de son enfant, pourrait-elle dire, alors, un autre amour — objet exilé de la Mort paternelle, calque de la troisième personne, soit; mais aussi éclatement de l'objet à travers le vu et le dit dans le rythme : jouissance polymorphique, polyphonique, sereine, éternelle et inaltérable, qui n'a rien à voir avec la mort et son objet exilé d'amour. Sortant du labyrinthe obsessionnel, *Bouche* dans

Pas moi n'est-elle pas un mirage de cette sérénité possible, soustraite à la mort, qu'incarne une mère? J'y vois les yeux détournés, désabusés des Madones rayonnantes.

Mais il y manque les couleurs des tableaux.

Est-ce parce que, après Joyce et autrement que lui, ce n'est pas cette archéologie-là du christianisme que l'ensemble écrit de Beckett semble viser? Aux Latins et dans leur langue la plus raisonnée, le français, langue néanmoins pour lui étrangère, langue d'exil, langue d'amour, Beckett ne fait pas subir l'éclatement de la nativité dont ils ont célébré la jouissance incestueuse : cela l'aurait amené à faire de la *poésie.* Choisissant, au contraire, le *récit,* déçu, mais obstiné, monologue ou dialogue, il se donne les limites et les moyens — la structure — pour explorer la piété désacralisée de la Mort du père. Et nous fait don de la calme décharge qu'elle permet.

Un texte qui force les catholiques, les Latins, à assumer, sinon à découvrir, ce qu'ils ont emprunté au dehors (au judaïsme) ou ce qu'ils ont rejeté (le protestantisme), trouve nécessairement des admirateurs ou des complices parmi les « autres », les « différents », les étranges, les étrangers, les exilés. En revanche, ceux dont la conscience s'est fermée à la dette vis-à-vis de la troisième personne, écouteront *Pas moi* saisis d'effroi et d'incompréhension devant cette mort insensée et radieuse face à Dieu qui se dérobe. Leçon de morale, donc, de rigueur et de gravité ironique, que celle de Beckett.

Pourtant, dans un clin d'œil et malgré *Pas moi,* la communauté que Beckett interpelle ainsi reconnaîtra vite que l'écrit de Beckett a laissé quelque chose intouché : la sérénité jubilatoire de la mère inabordée, fuie. Alors, au-delà des décombres de ce sacré désacralisé que Beckett nous invite à subir, ne serait-ce qu'en observateurs lucides et désabusés, l'*autre* ne persiste-t-il pas, inentamé, séducteur à plein? Ce véritable garant du dernier mythe du monde moderne qu'est le mythe de la féminité — non plus troisième personne, mais, au-delà et en deçà, moins et plus qu'un sens : les rythmes, les tons, les couleurs, la joie dans et à travers le Verbe?

Puissance et limite de la fiction beckettienne, au moins dans l'univers clos du christianisme.

En attendant qu'un autre ne vienne pour emporter dans un éclat de chant, de couleur et de rire ce dernier refuge du sacré qui se dissimule encore, inabordable, dans les intouchables Madones de Bellini. Pour nous les restituer autres, laïques, corporelles, plein la langue, plein l'imagination. Comme Beckett a restitué, au-delà de sa dérision et pour une humanité en quête de communauté solitaire, la rigueur dérisoire de la Mort paternelle — appui désabusé et à peine tenable, mais permanent, du Sens pour tout être parlant.

D'une identité l'autre *

Je vais essayer, dans les limites du rituel d'une heure de ce séminaire, de poser (sinon de démontrer) que toute théorie du langage est tributaire d'une conception du sujet qu'elle pose explicitement, qu'elle implique ou qu'elle s'applique à dénier; loin d'être une « perversion épistémologique », un certain sujet est là dès qu'il y a la conscience d'une signification. Je serai amenée, en conséquence, à esquisser un parcours épistémologique : je prendrai trois moments dans l'histoire récente des théories linguistiques et j'indiquerai la place variable qu'elles ont pu nécessiter pour le sujet parlant-support dans leur objet langage. Cette descente, somme toute technique et pour mémoire, dans l'épistémologie de la science linguistique, nous conduira à aborder et, je l'espère, à élucider un problème dont l'enjeu idéologique est considérable, mais dont la banalité est souvent passée sous silence. Le sens, fût-il identifié dans l'unité ou la multiplicité du sujet, de la structure ou de la théorie, est nécessairement garant d'une transcendance sinon d'une théologie; c'est précisément la raison pour laquelle tout savoir (de l'humain), qu'il soit le savoir d'un sujet individuel ou d'une structure de sens, a la religion pour limite interne, quand ce n'est pas pour horizon aveugle, et ne peut, au mieux, qu'« expliquer et valider le sentiment religieux » (comme le constate Lévi-Strauss à propos du structuralisme [1]).

J'aborderai, dans un second temps, une pratique signifiante particulière que j'appelle avec les formalistes russes, un « langage poétique » pour démontrer que ce type de langage, par la particularité de ses opérations signifiantes, est une mise en procès, quand il n'est pas une

---

* Première publication : *Tel Quel,* 62, été 1975.
1. *L'Homme nu,* Plon, 1971, p. 615.

149

destruction, de l'identité du sens et du sujet parlant et, par là même, de la transcendance ou, par dérivation, du « sentiment religieux ». De ce fait, il correspond aux crises des structures et des institutions sociales : au temps de leur mutation, évolution, révolution ou affolement. Car, si, par cette pratique signifiante et son sujet en procès qu'est le langage poétique, la mutation du langage et des institutions trouve son code, la pratique et le sujet dont il s'agit se tiennent sur une corde raide : le langage poétique, le seul langage qui consume la transcendance et la théologie pour se soutenir, le langage poétique qui, par son économie même, est l'ennemi de la religion en connaissance de cause, est bordé par la psychose (pour ce qui est de son sujet) et par le totalitarisme ou le fascisme (pour ce qui est des institutions qu'il implique ou qu'il appelle). J'aurais pu parler de Maïakovski ou d'Artaud : je parlerai de Louis-Ferdinand Céline.

Je vais essayer enfin de tirer quelques conclusions sur la possibilité d'une *théorie* au sens d'un *discours analytique* sur les systèmes signifiants, qui resterait attentif à ces crises du sens, du sujet et de la structure. Ceci pour deux raisons : d'une part, ces crises, loin d'être des accidents, sont inhérentes à la fonction signifiante et, par conséquent, au fait social; d'autre part, mis au premier plan de l'actualité politique du XXᵉ siècle, les phénomènes dont je traite à travers le langage poétique, mais qui peuvent prendre d'autres formes en Occident aussi bien que dans d'autres civilisations, ne sauraient rester hors des sciences dites humaines sans jeter la suspicion sur leur éthique. Je plaiderai donc, pour finir, en faveur d'une théorie analytique des systèmes et des pratiques signifiantes qui chercheraient dans le phénomène signifiant la *crise* ou le *procès* du sens et du sujet plutôt que la cohérence ou l'identité d'*une* ou d'une *multiplicité* de structures.

Sans remonter au sage stoïcien garant à la fois de la triade du signe et de la proposition conditionnelle inductive, reprenons la complicité entre la conception du langage et celle du sujet là où Ernest Renan l'a laissée. Tout le monde sait le scandale qu'il a produit dans les esprits du XIXᵉ siècle lorsqu'il a fait d'un discours théologique (qu'étaient les Évangiles) non pas un *mythe,* mais l'*histoire* d'un homme et d'un peuple. Ce renversement du discours *théologique* en discours *historique* était rendu possible grâce à un outil dont Renan n'a pas cessé de louer la toute-puissance, pour lui scientifique : la *philologie*. Telle que la pratiquent Renan ou Burnouf pour l'Avestique, par exemple, elle incarne le *comparatisme* de Bopp ou de Schleicher. Quelle que soit la différence entre les comparatistes à la recherche des *lois* propres aux *familles* de langues, et les philologues déchiffreurs du *sens* d'*une* langue, une même conception les unit, du langage comme *identité organique.* Peu importe que cette identité organique s'articule grâce à une loi qui traverse les langues nationales et temporelles pour en faire une famille comme le pensent les comparatistes (cf. les lois phonétiques de Grimm); ou que cette identité organique s'articule grâce à *un sens,* un et un seul, inscrit dans un texte encore indéchiffré ou dont le déchiffrement est contestable, comme le pensent les philologues — dans les deux cas cette *identité organique* de la loi ou du sens implique que la langue est tenue par un *homo loquens* dans l'histoire. Comme l'écrit Renan, dans *Averroès et l'Averroïsme,* « pour le philologue, un texte n'a qu'un sens », même si c'est d' « une sorte de nécessité du contresens » que provient « le développement philosophique et religieux de l'humanité [1] ». Plus proche de l'objectivité de la « conscience de soi » hégélienne chez les comparatistes, incarnée dans une singularité qui, pour être concrète, individuelle ou nationale, n'est pas sans dette à l'égard de Hegel, chez les philologues, la langue est toujours *un* système, une « structure » même, toujours *un sens,* et, à cause de cela même, elle implique nécessairement un sujet (collectif ou individuel) pour témoigner de son histoire. S'il est difficile de suivre Renan lorsqu'il affirme que le « rationalisme est fondé par la philologie », car il est évident qu'ils s'impliquent réciproquement, il est non moins évident que la raison philologique se soutient de l'identité d'un sujet historique : d'un sujet en devenir. Pourquoi? Parce que, loin de disséquer la logique interne du signe, de la prédication (c'est-à-dire de la grammaire de phrase) ou du syllogisme (c'est-à-dire de la logique), comme le faisait la grammaire générale de Port-Royal, la raison comparatiste et philologique que Renan exemplifie, considère l'unité signifiante (signe, phrase, syllogisme) comme une donnée inanalysable en soi. Cette unité signifiante reste implicite à la description qu'ils vont entreprendre des lois ou des textes : descriptions linéaires, unidimensionnelles (sans analyse de l'épaisseur du signe, de la problématique logique du sens, etc.), mais qui, une fois effectuées dans leur technicité, restituent une identité de structure (chez les

---

1. *Œuvres,* t. III, p. 322.

comparatistes) ou de sens (chez les philologues) qui révèle le présupposé initial de la démarche proprement linguistique sous le trait d'une idéologie du peuple ou de l'individu exceptionnel assumant la structure ou le sens. Et ce sujet-support des lois comparatistes ou de l'analyse philologique, parce qu'il est inanalysable en soi (comme le signe, la phrase ou le syllogisme, il n'a pas d'épaisseur — d'économie), il ne se prête au changement, c'est-à-dire au passage d'une loi à une autre, d'une structure à une autre ou d'un sens à un autre, que par le postulat du devenir : de l'histoire. Dans l'analyse d'une fonction signifiante (c'est-à-dire du langage et de tout phénomène « humain », social), ce qui est censuré au niveau de la complexité sémantique resurgit sous la forme du devenir : l'aplatissement de l'épaisseur qui constitue le signe, la phrase et le syllogisme (et par conséquent le sujet parlant), est rattrapé par la raison historique; la réduction de l'économie signifiante complexe du sujet parlant (pourtant entrevue par Port-Royal) introduit immanquablement un « je » opaque qui fait de l'histoire. Ainsi, fondatrice de l'histoire, la raison philologique devient une impasse pour les sciences du langage, même si l'on trouve, chez Renan encore, et à travers maintes contradictions, une appréciation de la grammaire générale, un appel à la constitution d'une linguistique pour une langue isolée (à la Pânini), et même des propositions étonnamment modernes qui préconisent l'étude d'une crise plutôt que d'un état normal, et, pour ce qui est des études sémitiques, « ce délire rédigé en style barbare et indéchiffrable » que sont les textes gnostiques des chrétiens, de saint Jean [1].

La raison linguistique qui, par Saussure, prit la relève de la raison philologique, fait sa révolution précisément en intervenant sur l'unité constitutive de la langue : la langue n'est pas un système, elle est un système de signes, ce qui ouvre, en verticale, le fameux jeu entre signifiant et signifié qui, d'une part, permettra à la linguistique de prétendre à la formalisation (logique, mathématique), mais, d'autre part, empêchera à tout jamais qu'on réduise une langue ou un texte à une loi ou à un sens. La linguistique structurale et le structuralisme consécutif semblent explorer cet espace épistémologique, en faisant l'économie du sujet parlant. Mais, à y regarder de près, on s'aperçoit que le sujet dont ils se passent légitimement n'est que le sujet (individuel ou collectif) de

---

1. *L'Avenir de la science*, O.C., t. III, p. 875.

la raison philologico-historique dont j'ai parlé plus haut, et dans lequel a échoué la conscience de soi hégélienne lorsqu'elle s'est concrétisée, incarnée, en philologie et histoire : ce sujet dont se passent la linguistique et les sciences humaines corollaires est l' « identité personnelle, pauvre trésor [1] ». Il reste que, dans le décalage ouvert entre le signifiant et le signifié qui permet aussi bien la structure que son jeu, un sujet de l'énonciation se dessine, que la linguistique structurale laissera en blanc. C'est d'ailleurs pour avoir maintenu vacante sa place qu'elle n'a pas pu devenir une linguistique de la parole ou du discours : il lui a manqué une grammaire, car, pour passer du signe à la phrase, il fallait avouer, ne plus tenir vacant, le lieu du sujet. La grammaire générative, on le sait, fera cette reconstitution, en sortant de l'oubli la grammaire générale et le sujet cartésien, pour justifier par lui les fonctions récursives génératives des arbres syntaxiques. Mais, en fait, la grammaire générative est un aveu de l'oubli de la linguistique structurale, plutôt qu'un redémarrage à neuf : structurale ou générative, la linguistique, depuis Saussure, obéit aux mêmes présupposés qui, implicites dans le courant structuraliste, explicites dans le générativiste, se trouvent totalisés dans la philosophie de Husserl.

Je renvoie la linguistique moderne, et les modes de pensée qu'elle patronne dans les sciences dites humaines, à ce père fondateur venu d'un autre domaine, non pas pour des raisons conjoncturales, quoique celles-ci ne manquent pas. Ainsi, Husserl a été invité et discuté par le Cercle de Prague; ainsi, Jakobson y reconnaît explicitement un des maîtres à penser des linguistes post-saussuriens; ainsi, plusieurs épistémologues américains de la grammaire générative reconnaissent dans la phénoménologie husserlienne plutôt que chez Descartes le fondement de la démarche générativiste. Mais on peut voir en Husserl le fondement de la raison linguistique (structurale ou générative) dans la mesure où, après la réduction de la conscience de soi hégélienne dans l'identité philologique ou historique, Husserl a magistralement compris et posé que tout acte signifiant, pour autant qu'il reste acte à éclaircir par une connaissance, se soutient non plus du « moi pauvre trésor », mais de l' *« ego transcendental »*.

S'il est vrai que la scission du signe saussurien (signifiant/signifié), non vue par Husserl, introduit aussi la possibilité méconnue jus-

---

1. Cl. Lévi-Strauss, *l'Homme nu, op. cit.,* p. 614.

qu'alors d'envisager la langue comme un jeu ouvert, à jamais sans suture, cette possibilité n'a pas été exploitée par le linguiste ailleurs que dans les très problématiques *Anagrammes*. Ceux-ci, d'ailleurs, n'auront pas de suite linguistique, mais des contemporains ou des successeurs philosophiques (la parole de Heidegger) et psychanalytiques (le signifiant de Lacan) qui précisément nous permettent aujourd'hui à la fois d'apprécier et de circonscrire l'apport de la linguistique phénoménologique à horizon husserlien. Car la linguistique structurale post-saussurienne, elle, enserre toujours le signifiant, fût-il immotivé, dans les figures d'une signification originellement destinée à la communication sans faille, figures parallèles au signifié explicite ou décalées de lui, mais toujours assujetties à la présence inaltérable du sens et, par là même, tributaires de la raison phénoménologique.

On ne saurait donc reprendre la complicité entre conception du langage et conception du sujet là où l'a laissée Ernest Renan sans rappeler comment Husserl l'a déplacée en l'élevant au-delà de l'empirisme et du psychologisme incarniste. Arrêtons-nous quelques instants sur l'acte signifiant et l'ego transcendental husserlien, mais sans oublier que la raison linguistique (structurale ou générativiste) est à Husserl ce que la raison philologique était à Hegel : la réduction, peut-être, mais aussi la réalisation concrète, c'est-à-dire l'échec mis en évidence.

Dès les *Recherches logiques* (1901), Husserl situe le signe (dont on pouvait naïvement croire qu'il se passait de sujet) dans l'acte de l'expression de sens qu'est le jugement sur quelque chose : « le complexe phonique articulé (et cela vaut aussi pour le caractère réellement écrit) — [donc : le signifiant] — ne devient mot parlé, discours communicatif en général, que par le fait que celui qui parle le produit dans l'intention de s'exprimer *(sich äussern)* par là " sur quelque chose " [1] ». Dès lors, la feuille mince du signe (signifiant/signifié) s'ouvre en une architecture complexe où le vécu intentionnel, saisissant les multiplicités matérielles (hylétiques), les dote successivement de sens noétique, d'abord, et de noématique, pour finir, pour que se forme enfin, pour la conscience jugeante, un *objet* ainsi enfin signifié comme réel. Fait important : cet *objet* réel signifié depuis les data hylétiques, à travers noèses et noèmes, s'il *est,* n'est que transcendental, en ce sens qu'il est construit dans son identité par la conscience jugeante d'un ego transcendental.

---

1. *Recherches logiques*, PUF, 1959, t. II, p. 39.

Le signifié est transcendant parce qu'il est donné au moyen de certains enchaînements au sein de l'expérience qui se réduit toujours au jugement : car, si le phénoménologue distingue la perception de la donation de sens, la perception est déjà *cogitatio* et le *cogitatum* est transcendant à la perception[1]. A telle enseigne que le monde peut être anéanti, les « *res* » signifiées demeurent parce qu'elles sont transcendantes : elles « se réfèrent entièrement à une conscience[2] » pour autant qu'elles sont des *res* signifiées. Et c'est l'opération *prédicative* (syntaxique) qui constitue cette conscience jugeante, posant, du même coup, l'*être* signifié (et donc l'objet du sens et de la signification) et la *conscience opérante* elle-même. L'ego support de l'acte prédicatif n'est donc pas ce qu'on penserait à tort de l'ego-cogito à savoir qu'il est l'ego d'une conscience conçue logiquement et comme « parcelle du monde »; l'ego transcendental est celui de la conscience opérante constituante, ce qui veut donc dire qu'il se construit dans l'opération prédicative, qui sera dite *thétique* parce qu'elle pose en même temps la thèse (la position) de l'être *et* de l'ego. Ainsi, à chose signifiée transcendentale, ego transcendental, donnés l'une et l'autre par l'opération thétique qu'est la prédication ou le jugement.

L' « égologie transcendentale[3] » reformule ainsi la question du sujet de l'acte signifiant : *1)* c'est la conscience opérante, par la prédication, qui constitue à la fois l'être, l'objet réel signifié (transcendant) et l'ego en tant que transcendental, et la problématique du signe en fait partie; *2)* même si l'intentionalité et, avec elle, la conscience jugeante est déjà donnée dans les data matérielles et dans les perceptions, puisqu'elle leur « ressemble » — ce qui nous permet de dire que l'ego transcendental est toujours déjà d'une certaine façon donné — *en fait*, l'ego ne se constitue que par la conscience opérante avec la prédication : le sujet n'est que le sujet de la prédication, du jugement — de la phrase; *3)* « croyance » et « jugement » sont étroitement solidaires quoique non identiques : « les synthèses de croyance trouvent leur " expression " sous des formes énonciatives[4] ».

Ni individu historique ni conscience conçue logiquement, le sujet est

---

1. *Idées directrices pour une phénoménologie*, Gallimard, 1950, p. 76, 92.
2. *Ibid.*, p. 92.
3. Cf. *Philosophie première*, t. I, *Histoire critique des idées*, PUF, 1970, p. 74.
4. *Idées directrices...*, *op. cit.*, p. 410.

désormais la conscience thétique opérante posant corrélativement l'être et l'ego transcendentaux. Husserl élucide ainsi que tout acte linguistique, pour autant qu'il constitue un signifié communicable dans une phrase (et il n'y a pas de signe ou de structure signifiante qui ne soient déjà d'une phrase), est soutenu par l'ego transcendental.

Il n'est peut-être pas indifférent que la rigueur du judaïsme et la persécution dont il a été l'objet en ce temps sous-tendent cette élucidation, d'une fermeté sans précédent, de l'ego transcendental par Husserl, et fondent les sciences humaines.

Deux conclusions, pour notre propos, de ce bref rappel.

1. On ne saurait traiter avec quelque sérieux les problèmes de la signification en linguistique ou en sémiologie sans inclure dans cette réflexion *le sujet ainsi formulé comme conscience opérante.* En linguistique moderne, l'introduction de la logique en grammaire générative, mais, de façon beaucoup plus lucide, la linguistique attentive au *sujet de l'énonciation,* qui se construit en France après Benveniste (et qui inclut dans cette conscience opérante du sujet de l'énonciation non seulement les modalités logiques, mais aussi les rapports entre interlocuteurs), réalisent cette conception phénoménologique du sujet parlant.

2. S'il est vrai, par conséquent, que la question de la signification et donc de la linguistique moderne est dominée par Husserl, les tentatives de critique ou de « déconstruction » de la phénoménologie s'attaquent conjointement à Husserl, au sens, au sujet (toujours transcendental) de l'énonciation et aux démarches linguistiques. Ces critiques délimitent la métaphysique inhérente aux sciences de la signification et donc aux sciences humaines, ce qui est une tâche épistémologique d'importance. Mais elles révèlent leurs propres défaillances non pas tellement en ceci que, comme certains le croient, elles empêcheraient un travail de connaissance, théorique ou scientifique; mais en ce qu'en discréditant le signifié et, avec lui, l'ego transcendental, les « déconstructions » en question se dérobent à ce qui constitue une des fonctions du langage, même si ce n'est pas la seule : d'exprimer du sens dans une

phrase communicable entre interlocuteurs. C'est dans cette fonction que réside le fait, en effet transcendental, de la cohérence ou, si l'on veut, de l'identité sociale. Reconnaissons donc d'abord, avec Husserl, ce caractère thétique de l'acte signifiant, instaurateur de la chose transcendante, de l'ego transcendental de la communication et, partant, de la sociabilité, avant de déborder la problématique husserlienne pour chercher ce qui produit cette conscience opérante, ce qui la travaille et l'excède (ce qui sera notre propos face au langage poétique). Sans cette reconnaissance qui est aussi celle de l'épistémé qui sous-tend le structuralisme, une réflexion sur la signifiance, en se dérobant à son caractère thétique, se dérobera toujours à ce qu'elle a de contraignant, de légiférant et de socialisant et, croyant dissoudre la métaphysique du signifié ou de l'ego transcendental, se logera dans une théologie négative déniant leur limite.

Notons enfin que, même lorsque, à partir d'un horizon cette fois descriptif sinon scientifique, le chercheur sur le terrain croit découvrir des données qui échapperaient à l'*unité* de l'ego transcendental, parce que chaque identité serait comme feuilletée en une multiplicité de qualités ou d'appartenances, le discours du savoir qui nous livre cette identité multipliée reste prisonnier de la raison phénoménologique pour laquelle les multiplicités, pour autant qu'elles sont signifiantes, sont des données de la conscience, des prédicats à l'intérieur d'une même unité eidétique : celle de l'objet signifié pour et par un ego transcendental. Dans une démarche interprétative pour laquelle il n'y a pas de domaine hétérogène au sens, toutes les diversités matérielles se ramènent à une chose réelle (transcendentale) en tant qu'attributs multiples. Même des interprétations apparemment psychanalytiques (rapports aux parents, etc.), du moment où elles sont données par le savoir structurant comme des particularités de la chose réelle transcendentale, sont des fausses multiplicités : privées d'un hétérogène au sens, ces multiplicités ne peuvent que produire une identité plurielle, mais identité quand même parce que eidétique, transcendentale. Husserl borde ainsi non seulement la linguistique moderne soucieuse d'un sujet de l'énonciation, mais toute science de l'humain compris comme phénomène signifié dont il s'agit de restaurer l'objectité, fût-elle multipliée.

Le langage poétique, dans la mesure où il opère avec du sens et le communique, partage aussi les particularités des opérations signifiantes élucidées par Husserl (corrélation entre objet signifié et ego transcendental, conscience opérante qui se constitue par la prédication — par la syntaxe — comme thétique : thèse de l'être, thèse de l'objet, thèse de l'ego). Pourtant, le sens et la signification n'épuisent pas la fonction poétique. Aussi dirons-nous que l'opération prédicative thétique et ses corrélats (l'objet signifié et l'ego transcendental), tout en étant valables pour l'économie signifiante du langage poétique, n'en sont qu'une *limite :* constitutive, certes, mais non englobante. De sorte qu'on peut en effet étudier le langage poétique dans son sens et sa signification (en décelant, selon la méthode, les structures ou les opérations), mais cette étude équivaudrait à le réduire, en fin de compte, à l'horizon phénoménologique, et donc à ne pas voir ce qui, dans la fonction poétique, déroge au signifié et à l'ego transcendental et ce qui fait de ce qu'on appelle la « littérature » autre chose qu'une connaissance : le lieu même où se détruit et se renouvelle le code social, donnant ainsi, comme l'écrit Artaud, « issue aux angoisses de son époque » en « aimantant, attirant, faisant tomber sur ses épaules les colères errantes de l'époque pour la décharger de son mal-être psychologique [1] ».

Il faudrait, par conséquent, commencer par poser qu'il y a dans le langage poétique, mais partant, et quoique de manière moins marquée, dans tout langage, un *hétérogène* au sens et à la signification. Cet *hétérogène* qu'on décèle génétiquement dans les premières écholalies des enfants en tant que rythmes et intonations antérieurs aux premiers phonèmes, morphèmes, lexèmes et phrases; cet hétérogène qu'on retrouve réactivé en tant que rythmes, intonations, glossolalies dans le discours psychotique, servant comme support ultime du sujet parlant, menacé par l'effondrement de la fonction signifiante; cet hétérogène à la signification opère à travers elle, malgré elle et en plus d'elle, pour produire dans le langage poétique les effets dits musicaux, mais aussi de non-sens qui détruisent non seulement les croyances et les significations reçues, mais, dans les expériences radicales, la syntaxe elle-même, garante de la conscience thétique (de l'objet signifié et de l'ego) — par exemple le discours carnavalesque, Artaud, certains textes de Mallarmé, certaines recherches dadaïstes ou surréalistes. Le terme d'*hétérogène* s'impose parce que tout en étant articulée, précise, organisée, et tout en obéissant à des contraintes et à des règles (comme celle, surtout, de la

---

1. « L'anarchie sociale de l'art », *Œuvres complètes*, Gallimard, t. VIII, p. 287.

répétition qui articule les unités d'un rythme ou d'une intonation), la modalité de la signifiance dont il s'agit n'est pas celle du sens ou de la signification : pas de signe, pas de prédication, pas d'objet signifié et donc pas de conscience opérante d'un ego transcendental. On pourra appeler cette modalité de la signifiance *sémiotique* en entendant, dans l'étymologie du grec *sèmeion* (σημεῖον), la marque distinctive, la trace, l'indice, le signe précurseur, la preuve, le gravé, l'empreinte — en somme une *distinctivité* susceptible d'articulation incertaine et indéterminée parce qu'elle ne renvoie pas encore (chez les enfants) ou ne renvoie plus (dans le discours psychotique) à un objet signifié pour une conscience thétique (en deçà ou au travers de l'objet et de la conscience). Le *Timée* de Platon parle d'une *chora* (χώρα), réceptacle (*hypodocheion,* ὑποδοχεῖον), innommable, invraisemblable, bâtard, antérieur à la nomination, à l'Un, au père, et, par conséquent, connoté maternel à tel point que « pas même le rang de syllabe » ne lui convient. Il est possible de décrire, plus précisément que ne l'a fait l'intuition philosophique, les particularités de cette modalité de la signifiance que je viens d'appeler sémiotique — terme qui désigne assez clairement qu'il s'agit d'une modalité, certes, hétérogène au sens, mais toujours en vue de lui ou en rapport de négation ou de surplus à son égard. Un travail entrepris actuellement sur l'apprentissage du langage par les enfants, dans les stades préphonologiques, antéprédicatifs si l'on veut, ou antérieurs au « stade du miroir », comme un autre travail concomitant sur les particularités du discours psychotique, visent notamment à décrire avec le maximum de précision — qu'offrent, entre autres, la phono-acoustique moderne —, les opérations sémiotiques en question (rythmes, intonations) et leur dépendance vis-à-vis du corps pulsionnel observable dans les contractions musculaires et dans les investissements libidinaux ou sublimés qui accompagnent les vocalisations. Il va sans dire que, pour ce qui est d'une *pratique signifiante,* c'est-à-dire d'un discours socialement communicable comme l'est le langage poétique, cette hétérogénéité sémiotique que la théorie peut poser est inséparable de ce que j'appellerai, pour la distinguer de celle-ci, la fonction *symbolique* de la signifiance : en entendant par symbolique, en opposition au sémiotique, cet inéluctable du sens, du signe, de l'objet signifié pour la conscience de l'ego transcendental dont j'ai parlé plus haut à partir de Husserl. Le langage comme pratique sociale suppose toujours ces deux modalités, qui se combinent pourtant de manière

COMMENT PARLER À LA LITTÉRATURE

différente pour constituer des *types de discours,* des types de pratiques signifiantes. Le discours scientifique, par exemple, aspirant au statut d'un métalangage, tend à réduire au maximum la composante que je viens d'appeler sémiotique. Par contre, l'économie signifiante du langage poétique a ceci de particulier qu'en elle le sémiotique est non seulement une contrainte au même titre que le symbolique, mais qu'il a tendance à prendre le dessus comme contrainte majeure au détriment des contraintes thétiques, prédicatives, de la conscience jugeante de l'ego. Ainsi, non seulement, dans tout langage poétique, les contraintes rythmiques, par exemple, jouent un rôle organisateur qui peut aller jusqu'à enfreindre certaines règles grammaticales de la langue nationale et souvent négligent l'importance du message idéatoire, mais, dans des textes récents, ces contraintes sémiotiques (rythmes, timbres vocaliques phoniques chez les Symbolistes, mais aussi disposition graphique sur la page) s'accompagnent d'ellipses syntaxiques dites non recouvrables : on ne peut pas reconstituer la catégorie syntaxique élidée (objet ou verbe), ce qui rend indécidable le signifié de l'énoncé (par exemple, les ellipses non recouvrables d'*Un coup de dés*). Il ne reste pas moins que quelque élidée, attaquée, corrompue que soit la fonction symbolique dans le langage poétique grâce à l'importance que prennent en lui les processus sémiotiques, la fonction symbolique perdure, et c'est pour cela même qu'il est un langage : *1)* elle perdure comme limite interne de cette économie bipolaire, car un signifié multiplié et parfois même insaisissable est néanmoins communiqué; *2)* elle perdure aussi parce que les processus sémiotiques eux-mêmes, loin d'être laissés à la dérive (comme ils le seraient dans le discours fou), disposent une nouvelle formalité : ce qu'on appelle un nouvel « univers de l'écrivain », formel ou idéologique, la production jamais finie, indéfinie d'un nouvel espace de signifiance. La « fonction thétique » de l'acte signifiant dont parlait Husserl se trouve ainsi reprise, mais autrement : le langage poétique, ayant ébranlé la position du signifié et de l'ego transcendental, pose néanmoins non pas la thèse d'un être ou d'un sens, mais celle d'un dispositif signifiant : il pose son propre processus comme un indécidable procès entre le sens et le non-sens, entre la *langue* et le *rythme* (au sens d'enchaînement que le mot « rythme » avait pour le *Prométhée* d'Eschyle, selon la lecture de Heidegger) : entre le symbolique et le sémiotique.

Pour une théorie attentive à un tel fonctionnement, l'objet langage lui-même apparaît tout autrement qu'il ne saurait apparaître à partir d'un horizon phénoménologique. Ainsi, un phonème en tant qu'élément distinctif du sens appartient au langage comme symbolique; mais ce même phonème, pris dans les répétitions rythmiques, intonationnelles, et ayant par là tendance à s'autonomiser du sens pour se maintenir dans une modalité sémiotique à proximité du corps pulsionnel, est une distinctivité sonore qui, donc, n'est plus un phonème et n'appartient plus au système symbolique; on pourra dire que son appartenance à l'ensemble de la langue est indéfinie, entre 0 et 1. Néanmoins, cet ensemble auquel il appartient ainsi existe avec cette indéfinition, avec ce flou.

Que ce soit le langage poétique qui éveille notre attention sur ce caractère indécidable de tout langage dit naturel et que le discours univoque, rationnel, scientifique, tend à cacher, implique des conséquences considérables pour son sujet. Le support de cette économie signifiante ne saurait être l'ego transcendental seul. S'il est vrai qu'il y aurait immanquablement un *sujet* parlant puisque l'ensemble signifiant existe, il n'en est pas moins évident que ce sujet, pour correspondre à son hétérogénéité, doit être, disons, un *sujet en procès*. C'est, vous le savez, la théorie freudienne de l'inconscient qui permet de penser un pareil sujet; car, par l'intervention chirurgicale qu'elle a faite dans la conscience opérante de l'ego transcendental, la psychanalyse freudienne et celle de J. Lacan ont permis non pas (comme on essaie de l'y réduire) quelques typologies ou structures dans lesquelles se retrouverait avec complaisance la même raison phénoménologique, mais l'hétérogénéité qui, sous le nom d'inconscient, travaille la fonction signifiante. Quelques remarques, donc, à cette lumière, sur le sujet en procès du langage poétique.

I. Les processus sémiotiques qui introduisent l'errance, le flou dans le langage, et *a fortiori* le langage poétique sont, d'un point de vue synchronique, des marques des processus pulsionnels (appropriation/rejet, oralité/analité, amour/haine, vie/mort) et, d'un point de vue diachronique, remontent aux archaïsmes du corps sémiotique qui, avant de se reconnaître comme identique dans un miroir et, par conséquent, comme signifiant, est dans une dépendance vis-à-vis de la mère. Pulsionnels, maternels, ces processus sémiotiques préparent l'entrée du futur parlant dans le sens et la signification (dans le symbolique). Mais celui-ci, c'est-à-dire le langage comme nomination, signe, syntaxe ne se constitue qu'en coupant avec cette antériorité : elle sera reprise en tant que « signifiant », « processus primaires », déplacement et condensation, métaphore et métonymie, figures rhétoriques, mais toujours subordonnés-sous-jacents à la fonction principale de nomination-prédication. C'est au prix du refoulement de la pulsion et du rapport continu à la mère que se constitue le langage comme fonction symbolique. Ce sera, au contraire, au prix de la réactivation de ce refoulé pulsionnel, maternel, que se soutiendra le sujet en procès du langage poétique pour lequel le mot n'est jamais uniquement signe. S'il est vrai que c'est l'interdiction de l'inceste qui constitue à la fois le langage comme code communicatif et les femmes comme objets d'échanges pour qu'une société puisse se fonder, *le langage poétique serait,* pour son sujet en procès, *l'équivalent d'un inceste :* c'est dans l'économie de la signification même que le sujet en procès s'approprie ce territoire archaïque, pulsionnel et maternel, en quoi il empêche à la fois le mot de devenir simplement signe et la mère de devenir un objet comme les autres, interdite. Ce passage à travers l'interdit, qui constitue le signe et qui est un corrélat de l'interdit de l'inceste, est souvent explicite comme tel (Sade : « s'il ne devient pas l'amant de sa mère dès que celle-ci l'a mis au monde, qu'il n'écrive jamais, nous ne le lirons point », *Idée sur les romans;* Artaud, s'identifiant avec ses « filles »; Joyce et sa fille à la fin de *Finnegans Wake;* Céline qui prend pour pseudonyme le prénom de sa mère; et d'innombrables identifications avec la femme, ou la danseuse, qui oscillent entre la fétichisation et l'homosexualité). J'y insiste pour trois raisons :

1. Pour marquer que la dominance de la contrainte sémiotique pour le langage poétique ne peut pas être interprétée uniquement, comme le fait la poétique formaliste, comme une attention portée sur le « signe » ou le « signifiant » au détriment du « message »; mais qu'elle est indicatrice, plus profondément, des processus pulsionnels relatifs aux premières structurations (constitution du corps propre) et aux premières identifications (avec la mère).

2. Pour mettre en évidence le rapport intrinsèque entre la littérature et la rupture de l'entente sociale : c'est parce qu'il parle l'inceste que le langage poétique a partie liée avec le « mal »; « la littérature et le mal » (pour reprendre le titre de Georges Bataille) devrait s'entendre, au-delà des résonances d'éthique chrétienne, comme autodéfense du corps social contre le discours de l'inceste, destructeur et générateur

de la langue et de la socialité. D'autant plus que la « grande littérature », celle qui mobilise les inconscients pour des siècles, n'a rien à voir avec l'hypostase de l'inceste (petit jeu de fétichistes de fin d'époque, prêtrise d'une prétendue énigme que serait la mère interdite); au contraire : éclatant dans le langage, l'embrasant de fond en comble de façon si *singulière* qu'elle défie les *généralisations,* cette relation incestueuse a pourtant ceci de commun dans tous les cas marquants qu'elle s'y présente démystifiée, déçue même, privée de sa fonction sacrale de support de la loi, pour devenir la cause d'un procès permanent du sujet parlant, de cette agilité, de cette « habileté » analytique que la légende prête à Ulysse.

3. Il est forcément possible, comme Lévi-Strauss l'a fait remarquer au docteur A. Green, de ne pas tenir compte de la relation mère-enfant dans une certaine vision anthropologique de la société; or, étant donné non seulement la thématisation de cette relation, mais surtout les mutations dans l'économie même du discours qu'il semble possible de lui attribuer, on ne saurait traiter du langage poétique sans tenir compte de ce que cette relation présymbolique et trans-symbolique à la mère introduit comme errance dans l'identité du parlant et dans l'économie de son discours même. Plus encore, cette relation du parlant à la mère est probablement un des facteurs les plus importants qui introduisent le jeu dans la structure du sens aussi bien que le procès du sujet et de l'histoire.

II. Pourtant, cette reprise du territoire maternel dans l'économie même du langage ne conduit pas son sujet en procès à forclore sa modalité symbolique. Formulateur, logothète (dirait R. Barthes), le sujet du langage poétique s'approprie sans cesse et jamais définitivement sa fonction de nomination, thétique, instauratrice du sens et de la signification que représente, dans les rapports de reproduction, la fonction paternelle. Fils en guerre permanente avec le père, non pas pour prendre sa place ni même pour, gommée du réel, la subir comme menace et salut symbolique, divin, comme le ferait le président Schreber. Mais pour faire entendre ce que cette fonction symbolique, nominale, paternelle a d'intenable. Si la cohésion symbolique et sociale se soutient du fait d'un sacrifice faisant d'un *soma* un signe vers une transcendance innommable pour que, ainsi seulement s'enclenchent les structures signifiantes et sociales qui pourront ne rien savoir de ce sacrifice; et si la fonction paternelle représente cette fonction sacrificielle, ce n'est pas au poète de s'y faire. Redoutant sa coupe, mais suffisamment au courant de la législation du langage pour ne pas être en mesure de se détourner de cette fonction sacrificielle-paternelle, il la prendra d'assaut et de côté. Lautréamont lutte, dans *les Chants de Maldoror,* contre le Tout-Puissant. Mallarmé, après la mort de son fils Anatole, écrit un *Tombeau* par lequel un livre remplace non seulement le fils mort, son père, sa mère et sa fiancée à la fois, mais aussi l'humanisme sacré et l'« instinct du ciel » lui-même. Le plus analytique de tous, le marquis de Sade, abandonne ce combat avec ou pour la législation symbolique représentée par un père, pour s'attaquer au pouvoir que représente une femme, la présidente de Montreuil, figure apparente d'une dynastie de matrones auprès desquelles lui, écrivant, s'arroge le rôle du père et du fils incestueux : ici, l'interdit est consommé et la fonction trans-symbolique, trans-paternelle du langage poétique trouve son aboutissement thématique par la mise en scène d'une société impossible, sacrificielle et jouissante à la fois, et jamais l'un sans l'autre.

Il faudra bien distinguer ici deux positions : celle du rhétoriqueur et celle de l'écrivain au sens fort du mot, c'est-à-dire, comme dit Céline, celui qui a « du style ». Le rhétoriqueur n'invente pas un langage : fasciné par la fonction symbolique du discours paternel, il le *séduit* au sens latin du verbe — il le « dévoie », lui inflige quelques anomalies prises en général aux écrivains d'antan, mimant en ceci un père qui se rappelle d'avoir été fils et même fille de son père, mais pas au point de sortir de ses retranchements. C'est même ce qui arrive au discours des philosophes, en France, notamment, et ces temps-ci, lorsque, coincé par la percée des sciences humaines, d'une part, et des bouleversements sociaux, de l'autre, le philosophe se met à produire des tics littéraires et s'arroge ainsi, sur les imaginaires, un pouvoir qui, pour paraître mineur, est plus prenant que celui de la conscience transcendantale. Tout autre est l'aventure du styliste : il n'a plus à séduire le père par des préciosités rhétoriques; vainqueur du combat, il peut même laisser tomber le nom du père pour prendre un pseudonyme (Céline signe avec le prénom de sa mère) et ainsi, à la place du père, postuler un autre discours : ni discours imaginaire du moi ni discours du savoir transcendental, mais intermédiaire permanent de l'un à l'autre, balancement du signe et du rythme, de la conscience et de la pulsion. « Je suis le père de mes créations imaginatives », écrit Mallarmé à la naissance de Geneviève. « Je suis mon père, ma mère, mon fils et moi », postule Artaud. Tous stylistes, ils font entendre la discordance dans la fonction thétique, paternelle, du langage.

III. La psychose et le fétichisme représentent les deux abîmes qui guettent le sujet en procès du langage poétique, la littérature du xxᵉ siècle ne l'a que trop montré. Pour ce qui est de la *psychose* : l'effacement de la légalité symbolique pour que l'arbitraire d'une pulsion privée de sens et de communication la remplace, dans l'affolement en perte de toute référence, qui peut donner lieu au fantasme de toute-puissance ou à l'identification avec un chef totalitaire. D'autre part, pour ce qui est du *fétichisme,* la dérobade constante à la fonction symbolique paternelle, sacrificielle, produit une objectivation du signifiant pur, de plus en plus vidé de sens, formalisme insipide. Pourtant, loin d'être, par là, un accident fâcheux ou négligeable dans la marche assurée du processus symbolique qui, à l'image de la science, finirait par trouver un signifié à tous les signifiants, comme le pense le rationaliste, ces expériences limites auxquelles atteint le langage poétique de l'époque contemporaine, peut-être plus dramatiquement qu'avant ou qu'ailleurs, montrent non seulement que la scission saussurienne (signifiant/signifié) est à jamais incomblable, mais qu'elle se soutient d'une autre, plus radicale encore, entre un corps pulsionnel, sémiotisant, hétérogène à la signification et cette signification elle-même fondée sur l'interdit (de l'inceste), sur le signe, la signification thétique instauratrice d'un objet signifié et d'un ego transcendantal. Par la permanente contradiction entre ces deux modalités (sémiotique/symbolique), dont le décalage interne au signe (signifiant/signifié) n'est que le témoin, le langage poétique, dans ce qu'il a de plus explosif (illisible pour le sens, risqué pour le sujet), montre ce qu'une civilisation dominée par la rationalité transcendentale a de contraignant. En conséquence, il est un moyen de passer outre à cette contrainte. Et si, par là, il rencontre parfois des passages à l'acte provoqués par la même rationalité, comme l'est la détermination pulsionnelle du fascisme démontrée comme telle par Wilhelm Reich, le langage poétique est aussi là pour prévenir ces mêmes passages à l'acte.

C'est dire que, si l'économie poétique a, depuis toujours, témoigné des crises et des impossibilités de la symbolique transcendentale, dans notre époque elle rejoint les crises des institutions sociales (État, famille, religion) et, plus profondément, un tournant dans le rapport de l'homme au sens. Que la position de maîtrise transcendentale du discours soit possible, mais refoulante; qu'elle soit nécessaire, mais comme limite à inquiéter sans cesse; que ce soulagement à l'égard du refoulement instaurateur du sens ne puisse plus se faire sous l'aspect incarné d'un moi providentiel, historique ni même humaniste rationaliste à la Renan, mais par *une discordance* dans la fonction symbolique elle-même et par conséquent dans l'identité de l'ego transcendental lui-même : voilà ce que signifie à la raison théorique l'expérience littéraire de notre siècle, en quoi elle rejoint d'autres phénomènes de discordes symboliques et sociales (les jeunes, la drogue, les femmes).

Pour ne pas entrer dans des analyses techniques de l'économie propre au langage poétique (trop fines et trop spécieuses pour cet exposé programmatique), j'emprunterai à Céline quelques procédés, d'abord, et quelques thèmes, ensuite, qui illustrent la position du sujet en procès du langage poétique. Non sans souligner fermement que ces thèmes sont non seulement indissociables du « style », mais qu'ils sont produits par lui, autrement dit qu'on n'aurait pas besoin de les « savoir », on aurait pu les entendre en écoutant seulement le discours saccadé, rythmé, truffé de jargon et d'obscénité.

Sans s'arrêter, donc, aux thèmes sémantiques et à leurs distributions, il faudrait suivre le fonctionnement du langage poétique et de son sujet en procès à partir des opérations linguistiques constitutives : la syntaxe, la sémantique. Deux phénomènes, parmi d'autres, retiendront notre attention dans les écrits de Céline : les *rythmes phrastiques* et les *mots obscènes*. On s'y intéressera non seulement parce qu'ils semblent constituer une particularité de son discours, mais aussi parce que tous les deux, quoique de façon différente, concernent des opérations constitutives de la conscience jugeante (donc de l'identité) en perturbant sa netteté en même temps que la désignation d'un objet (l'objectité); et, d'autre part, s'ils constituent un réseau de contraintes supplémentaires à la signification dénotative, ce réseau n'a rien à voir avec la poéticité classique (rythme, mètre, figures rhétoriques conventionnels)

166

parce qu'il est puisé au registre pulsionnel d'un corps en désir, en identification et en répulsion avec une communauté (familiale ou populaire).
Donc, même si les codes dits poétiques ne s'y reconnaissent pas, une
contrainte que j'ai appelée sémiotique agit en plus de la conscience
jugeante, provoque ses défaillances ou les supplée, et, ce faisant, ne
renvoie ni à une convention littéraire (comme le sont nos canons poétiques, contemporains des grandes épopées nationales et de la constitution des nations elles-mêmes) ni même à un corps *propre*, mais à une
modalité de la signifiance, pré- ou trans-symbolique, qui travaille toute
conscience jugeante de sorte que tout ego y reconnaît sa crise. Reconnaissance jubilatoire qui, avec la littérature dite moderne, remplace
le menu plaisir esthétique.

Rythmes phrastiques. A partir de *Mort à crédit*, la phrase se
condense : non seulement les coordinations et les emboîtements sont
évités, mais les différents « syntagmes objets » (par exemple), lorsqu'ils
sont nombreux, juxtaposés à un verbe, sont séparés par les fameux
« points de suspension ». Ce procédé découpe la phrase en ses syntagmes constituants, de sorte que ceux-ci tendent à s'autonomiser par
rapport au verbe central, à se détacher de la signification propre à la
phrase, à obtenir un sens d'abord incomplet et, par conséquent, susceptible de se charger de multiples connotations qui ne dépendent plus du
cadre de la phrase, mais d'un contexte libre (l'ensemble du livre, mais
aussi tous les ajouts dont le lecteur est capable). Il n'y a pas ici d'anomalies syntaxiques (comme le *Coup de dés* ou les glossolalies d'Artaud).
La thèse prédicative, constitutive de la conscience jugeante, est maintenue. Mais l'espacement par les points de suspension (par le rythme) des
syntagmes qui constituent la phrase, fait affluer, à travers la prédication ainsi striée, la connotation : l'objet dénoté de l'énoncé, l'objet transcendental, perd ses contours nets. L'objet élidé dans la phrase renvoie
à une hésitation sinon à un effacement de l'*objet réel* pour le sujet
parlant. Que la littérature témoigne d'une déception à l'égard de l'objet
(d'amour ou transcendental); que, plus que fuyant, l'objet soit impossible : voilà ce que viennent d'indiquer, dans l'humour austère d'une
expérience et avec ses implications pour le sujet, les rythmes et les
ellipses syntaxiques de Céline, mais aussi de Beckett dont le dernier
récit, *Pas moi*, par la bouche d'une femme mourante, énonce, en phrases
élidées, syntagmes flottants, l'impossibilité de Dieu pour un parlant qui
n'a pas d'objet de signification et/ou d'amour. Plus encore, au-delà de

167

la connotation et avec elle, avec l'objet flou ou gommé, afflue à travers le sens cette « émotion » dont parle Céline — la pulsion non sémantisée qui précède et excède le sens. Les points d'exclamation qui alternent avec les points de suspension désignent encore plus catégoriquement cet afflux de la pulsion : un halètement, un essoufflement, une accélération du débit verbal, inquiet non pas d'atteindre enfin une sommation globale du sens du monde, mais, au contraire, de faire transparaître, dans les interstices de la prédication, le rythme d'une pulsion qui reste toujours insatisfaite, en creux de la conscience jugeante et du signe, parce qu'elle n'a pas pu trouver un autre (destinataire) pour que, dans cet échange, elle puisse obtenir un sens. Il faut entendre aussi Céline, ou Artaud, ou Joyce, lire leurs textes pour saisir que le but de cette pratique qui nous atteint comme un langage est, au travers de la signification du message néanmoins transmis, d'imposer une musique, un rythme — polyphonie, mais aussi effacement du sens dans le non-sens et le rire. Opération difficile qui demande au lecteur non pas de combiner des significations, mais de faire éclater sa propre conscience jugeante pour y faire passer cette pulsion rythmée constituée par le refoulement et qui, filtrée par le langage et son sens, s'éprouve comme jouissance. Les résistances à la littérature moderne témoigneraient-elles d'une obsession du sens, d'une inaptitude à cette jouissance?

Pour ce qui est de la sémantique, les *mots obscènes* qui sont des mots pivots dans le lexique célinien ont une fonction analogue au découpage de la syntaxe par le rythme : fonction de *désémantisation*. Loin de renvoyer, comme tout signe, à un objet extérieur au discours et identifiable comme tel par la conscience, le mot obscène est une marque minimale d'une situation de désir où l'identité du sujet signifiant, si elle n'est pas détruite, est excédée par un conflit pulsionnel qui le lie à un autre. Rien de mieux qu'un mot obscène pour entendre les limites d'une linguistique phénoménologique face à l'architectonique hétérogène complexe de la signifiance. Sans référent objectal le mot obscène serait aussi le contraire d'un autonyme qui, vous le savez, renvoie à la fonction de signe d'un mot ou d'un énoncé : le mot obscène, lui, mobilise les ressources signifiantes du sujet, lui fait traverser la pellicule du sens où le maintient sa conscience, le branche au gestuel, au kinésique, au corps pulsionnel, au mouvement de rejet et d'appropriation de l'autre. Alors, ce n'est pas un objet, un signifié transcendental ni un signifiant qui se donnent à une conscience neutralisée : autour de l'objet dénoté par le mot obscène, maigre limite, se déploie plus qu'un contexte — le drame d'un procès hétérogène au sens qui le précède et qui l'excède. Les comptines enfantines, ou ce qu'on appelle le folklore obscène des enfants, utilisent les mêmes ressources rythmiques et sémantiques, et maintiennent le sujet à proximité de ces drames jubilatoires transversaux au refoulement qu'essaiera en vain de lui imposer un signifiant univoque toujours de plus en plus pur. C'est de les reconstituer, et ce à même le langage, que la littérature tire des effets cathartiques.

Quelques thèmes, chez Céline, explicitent les rapports de force dans le triangle familial d'abord, dans la société contemporaine ensuite, qui produisent, favorisent et accompagnent ces particularités du langage poétique auxquelles je viens de faire allusion.

Mort à crédit, le plus « familial » des écrits de Céline, fait apparaître une figure paternelle, Auguste, homme « à instruction », « un esprit », boudeur, interdicteur, prêt au scandale, tout à ses habitudes obsessionnelles de nettoyage du carrelage devant la boutique, par exemple. Sa fureur éclate spectaculairement une fois, lorsqu'il s'enferme dans la cave et tire des coups de pistolet pendant des heures, non sans préciser, devant la désapprobation générale, « j'ai ma conscience pour moi », tout juste avant de tomber malade. « Ma mère a enveloppé l'arme dans des épaisseurs de journaux et puis dans un châle des Indes [...] " Viens mon petit... Viens! " qu'elle m'a dit une fois tout seuls [...] On a jeté le paquet dans la flotte [1]. »

Un père présent et menaçant, marquant bien la nécessité enviable de sa place, mais la gâchant par sa fureur dérisoire : puissance sapée dont on ne saurait que dérober l'arme pour l'engloutir au bout d'un voyage entre mère et fils.

Dans un entretien, Céline se compare à une « femme du monde » qui brave l'interdit familial, néanmoins maintenu, et qui a le droit de son désir, « un choix dans un salon » : « moi le client ne m'intéresse pas »; avant de se définir, à la fin : « je suis le fils d'une réparatrice de dentelles anciennes [...] un des rares hommes qui sache différencier la batiste de la valenciennes [...] je n'ai pas besoin d'être éduqué. Je le sais ».

Ce sera cette finesse fragile, héritage de la mère, qui supportera le

1. Gallimard, Bibl. de la Pléiade, p. 565.

langage — ou, si l'on veut, l'identité — de celui qui a détrôné, pour la fuir, ce qu'il appelle la « lourdeur » des hommes, des pères. C'est dire que les fils de la pulsion, excédant la loi de la maîtrise propre au verbe paternel, ne sont pas moins tissés selon une précision minutieuse. Il faudra donc penser, au travers de l'identité signifiée et signifiante et face au réseau sémiotique, une autre modalité de la loi : plus proche du *gnomon* grec (« qui discerne », l'« équerre ») que de la *lex* latine qui implique nécessairement l'acte du jugement logique et juridique. Un dispositif, donc, un discernement réglé, tisse le réseau pulsionnel, sémiotique, et, s'il déroge ainsi à l'identité signifiante, n'en constitue pas moins une autre, plus proche des archaïsmes refoulés, gnomique, susceptible d'explosion psychotisant, où se lit le rapport du parlant à une mère désirante et désirée.

Dans un autre entretien, cette référence maternelle aux anciennes dentelles est pensée explicitement comme une archéologie du verbe : « Non! Au commencement était l'émotion. Le Verbe est venu ensuite pour remplacer l'émotion comme le trot remplace le galop. [...] On a sorti l'homme de la poésie émotive pour le faire entrer dans la dialectique, c'est-à-dire dans le bafouillage, n'est-ce pas? » D'ailleurs, qu'est-ce que *Rigodon :* une danse populaire qui oblige le langage à se faire au rythme de son émotion.

Un verbe ainsi strié par la pulsion, « musiqué » — dirait Diderot — par elle, ne saurait décrire, ni raconter, ni même théâtraliser des « objets » : par sa facture et sa signification, il déborde aussi les divisions installées du lyrique, épique, dramatique, tragique. Les derniers écrits de Céline, branchés à vif sur une époque de guerre, de mort et de génocide, sont ce qu'il appelle, dans *Nord,* « la vivisection des blessés », « le cirque », « les trois cents ans avant Jésus ».

Pendant que des résistants chantent en alexandrins, c'est ce langage-là qui enregistre la secousse non seulement institutionnelle, mais profondément symbolique — relative au sens et à l'identité de la raison transcendantale; une secousse que le fascisme a infligée à notre univers et dont les sciences humaines sont encore loin d'avoir tiré les conséquences. Je dis que ce discours littéraire, par son décentrement formel qu'on entend mieux dans les glossolalies d'Artaud, mais aussi par les rythmes et les thèmes de violence chez Céline, parle mieux que quiconque l'ébranlement de la conscience transcendantale : ce qui ne veut pas dire qu'il le connaît ni qu'il l'interprète. La preuve, l'écrit qui se veut en accord avec le « cirque » et la « vivisection » se trouvera néanmoins des idoles, ne serait-ce que provisoires, dissoutes dans le rire et le non-sens dominant, mais quand même posées comme telles, dans l'idéologie hitlérienne. Et il suffit de lire tel traité antisémite de Céline pour y voir s'étaler tout cru le fantasme d'un analysant aux prises avec un père désiré et frustrant, castrateur et sodomisant, afin de comprendre qu'il ne suffit pas de faire sortir dans une langue musiquée le refoulé de la structure symbolique pour ne pas succomber à ses ruses, mais qu'il faut en plus dissoudre ses déterminations sexuelles. Faute de lier le travail poétique à une interprétation analytique, le discours qui sape la conscience jugeante et libère en rythme la pulsion qu'elle refoule s'avère toujours en défaut par rapport à une éthique qui, elle, se réserve du côté de l'ego transcendental, quelles qu'en soient les joies ou les négations chez Spinoza ou Hegel.

Depuis Hölderlin, au moins, le langage poétique a déserté le beau et le sens, pour devenir le laboratoire ou s'éprouve — face à la philosophie, au savoir et à l'ego transcendental de toute signification — l'impossibilité d'une identité signifiée ou signifiante. Si l'on prenait au sérieux cette aventure — si l'on entendait l'éclat de rire noir qu'elle jette sur toute tentative de maîtrise de l'humain, c'est-à-dire du langage par le langage, on serait amené d'abord à reconsidérer l' « histoire littéraire », pour retrouver sous la rhétorique et la poétique le même et toujours différent débat avec la fonction symbolique. On ne saurait manquer, parallèlement, de s'interroger sur la possibilité ou la légitimité d'un discours théorique sur cette pratique du langage dont l'enjeu est précisément de rendre impossible la fermeture transcendentale qui soutient le discours du savoir.

La tentation est grande, alors, face à ce langage poétique qui met au défi la connaissance, d'abandonner son abri pour n'aborder la littérature qu'en mimant ses méandres, plutôt qu'en la posant en objet de connaissance. Beaucoup se laissent prendre à ce mimétisme : écritures fictionnelles paraphilosophiques, parascientifiques. Il faut probablement être une femme, c'est-à-dire une garantie ultime de la socialité au-delà de l'effondrement de la fonction paternelle symbolique et génératrice inépuisable de son renouvellement, de son expansion pour ne pas renoncer à la raison théorique mais la contraindre à augmenter de puissance en lui donnant un objet au-delà de ses limites. Car telle est la position qui me semble possible pour une théorie de la signification qui, face au langage poétique, ne saurait aucunement en rendre compte, mais s'en servirait comme indice de ce qui est hétérogène au sens (au signe et à la prédication) : des économies pulsionnelles ouvrant toujours en même temps vers des contraintes biophysiologiques, d'une part, socio-historiques de l'autre.

Une linguistique autre que celle descendue du ciel phénoménologique est donc interpellée par une telle économie hétérogène et son sujet en procès : une linguistique qui, dans son objet langage, entendra, à travers la frontière constitutive et indépassable du *sens,* une *pulsion* non moins articulée, mais dans la matrice du signe et renvoyant à un corps pulsionnel que la psychanalyse a désigné à son attention et qui chiffre le langage de dispositifs rythmiques, intonationnels, etc., irréductibles à la position de l'ego transcendental quoique toujours en vue de sa thèse.

La démarche de cette théorie de la signification est en elle-même réglée par les préceptes husserliens, puisqu'elle constituera immanquablement un objet même de ce qui déroge au sens. Mais, tout en étant complice de la loi qui est en même temps celle d'une structure signifiante et de toute socialité, cette théorie de la signification élargie ne peut se donner ses nouveaux objets qu'en se posant comme non universelle : c'est-à-dire en présupposant qu'un *sujet en procès* existe dans une économie de discours qui n'est pas celle de la conscience thétique. Or, cela exige que le sujet de la théorie lui-même soit un sujet en analyse infinie : ce que Husserl ne pouvait pas imaginer, ce que Céline ne pouvait pas savoir, et qu'une femme, avec d'autres, après tout peut admettre, avertie comme elle est de l'inanité de l'être.

L'expérience littéraire, quand elle ne succombe pas aux risques qui la guettent, reste néanmoins autre chose que cette théorie analytique qu'elle n'arrête pas d'interpeller. Contre la pensée connaissante, le langage poétique poursuit un effet de *vérité singulière,* et réalise ainsi, peut-être, pour la communauté moderne, cette pratique solitaire que les matérialistes de l'antiquité ont conduite, à perte, face à l'achèvement de la raison théorique.

Polylogue *

> Le dévoilement n'est pas réduction, mais *passion*.
> Logiquement, le lecteur de la *Comédie* est Dante,
> c'est-à-dire *personne* — il est lui aussi dans
> l' « amour », et le savoir n'est ici qu'une méta-
> phore d'une expérience beaucoup plus radicale :
> celle de la lettre, celle où vie, mort, sens et non-
> sens deviennent inséparables. L'amour est sens et
> non-sens, il est peut-être ce qui, permettant au
> sens de sortir du non-sens, rend ce dernier évident
> et lisible [...] Le langage apparaît comme le lieu
> de la totalité, la voie de l'infini : qui ignore son
> langage sert des idoles, qui verrait son langage
> verrait son dieu.
>
> Philippe Sollers « Dante et la
> traversée de l'écriture », *Logiques*.

H : une musique qui s'écrit en langue et se raisonne elle-même, sans
arrêt et jusqu'à l'épuisement du sens saturé, débordant, fulgurant.
H ne demande rien : aucun déchiffrement en tout cas, aucun commentaire, aucun complément philosophique, théorique, politique qui aurait
été laissé en suspens, non vu, oublié. *H* emporte : vous déplace du lieu
où vous êtes assis, vous souffle une bouffée de vertige, mais la lucidité
revient tout de suite avec la musique, et vous pouvez suivre la dissolution de votre opacité — dans les sons; le dénouement de votre sexualité
aveugle, organique, meurtrière — dans un geste délié, coulant, lancé des
corps à la langue, l'échappée de vos ressentiments sociaux — dans une
vision du temps où prennent place Dionysos, l'ancien pays d'Aquitaine,
Nerval, Hölderlin, Épicure, Zwang Xu, les poètes d'Arabie, Webern :
« *Das Augenlicht* », l' « Apocalypse », Augustin, Marx, Mao, la lutte
des classes, la France de Pompidou, la révolution culturelle... Il faut
donc lire, entendre, plonger dans sa langue, retrouver sa musique, ses
gestes, sa danse, faire danser son temps, son histoire, l'histoire.

---

* Première publication : *Tel Quel,* 57, printemps 1974.

Ou bien, vous en parlez, parce que *H* vous met en analyse, et vous prenez l'auteur pour pôle de transfert, personnage de votre Œdipe. Là, c'est l'interminable, l'indécidable. Vous passez de *H* à Sollers, de Sollers à *H* : qui est quoi? Le texte a-t-il un maître? comment tuer ce que je prends pour « maître » et qui me met en abîme, découpe ma langue : *H*, ma représentation : *H*, mon histoire : *H*? Vous avez tendance à prendre *H* pour quelqu'un, à faire de sa négativité un cas — psychologique, sociologique —, à chercher son identité qui se menace — qui vous menace. Comment? Aussi musical et aussi actif? — Impossible! Pas assez fou, pas assez sexué, pas assez politisé. Trop politisé, trop sexué, trop fou... Premier temps de la protection contre *H* (je veux dire contre le procès qui écrit *H* aujourd'hui, autre chose demain) : « cela fait problème ». Deuxième temps : « on ne veut pas savoir que cela fait problème ». Troisième temps : « on se laisse quand même entamer, ailleurs, et après coup ».

Secousse de Mai : appel des masses; pour celui qui savait, depuis longtemps, que l'imagination est l'antipouvoir absolu, le nouveau était la réalisation de cette vérité dans le concret — la grève générale immobilisant la France. Erreur? Le temps de l'histoire recoupe des histoires de sujets : leur naissance, leur pratique...

Effondrement du révisionnisme mondial, visible désormais à travers son apogée atteinte. Marche de la Révolution culturelle : le socialisme tente sa transformation, sa vitalité, son rejet du dogmatisme : politique-idéologie-diplomatie, avançant, reculant, se corrigeant, attestent qu'un tournant historique est amorcé, peut-être.

Nous, ici, maintenant, concrètement, encerclés par une bourgeoisie toujours vivante, dans une culture ramollie, mais capable d'intégration, au sommet de notre rationalité non plus grecque, mais dialectisée, matérialisée, irriguée d'inconscient et structurée par le principe du réel que posent les contradictions sociales?

Une langue, un sujet dans la langue se cherche, qui parle ce tournant, ce tourbillon, ce retournement, cette confrontation de l'ancien dans le nouveau.

La violence de *Lois* (1972).
La logique riante, chantée, sombre et ouverte de *H* (1973).
En discourir : une résistance au flot?
Une résistance contre *d'autres*?

174

Puisqu'on se le demande, puisqu'on le dit, depuis le temps et sous diverses formes qui changent selon les rapports de forces, je veux en parler moi-même. En fait, en parler, et pour autant que « je » me soit permis, c'est parler de mon droit à la parole, en français. Évidemment, je ne dirai pas tout.

Pour dire les choses brutalement, je parle en français et de la littérature à cause de Yalta. Je veux dire non seulement qu'à cause de Yalta j'ai dû me marier pour avoir un passeport français et travailler en France; mais qu'à cause de Yalta j'ai désiré me « marier » avec la violence qui me ronge depuis, dissout l'identité et les cellules, envie les reconnaissances et bouleverse les nuits, les repos, fait sourdre la haine sous ce qu'on prend habituellement pour de l'amour, bref me torpille à mort : ce qui fait que, comme vous l'avez sans doute déjà remarqué, aucun « je » ne me reste, aucun imaginaire, si vous voulez, et que tout s'évade ou se reconstitue dans de la théorie ou de la politique ou de l'activisme... Mais là n'est pas la question. Vous comprendrez peut-être quand je vous dirai que Yalta a fait d'une partie du monde des sociétés qui se bâtissent dans l'illusion que le négatif — la mort, la violence — ne les concerne pas. Que le négatif est un vestige du passé (les classes bourgeoises non liquidées, les parents) ou une menace du dehors. Mais que ce que nous proposons, nous, ne *sera* et même n'*est* qu'entente, échange et socialité, donc socialisme. Ou bien que la violence est une erreur passagère (les camps de Staline). Ce qu'on a tendance à accepter, avant de virer complètement de bord et de croire que cette violence est fatale, irrémédiable, insurmontable, mais que c'est, hélas, notre cas, tandis qu'ailleurs on s'en passe, et c'est ce qu'on appelle la civilisation. On avait beau lire Hegel, le « moi » exposé au négatif fermait les yeux et s'en tirait plus ou moins sain et sauf : complice sinon fondement du stalinisme. Cela commence par la dogmatisation de la lutte idéologique, par son abandon et par la confection enfin de petits « je » protectionnistes — narcissismes commodes de bourgeois attardés. Des « sujets », comme on dit, très protégés, en fait, mais d'une protection qui — généralement et sauf exception — les soustrait à l'innovation, à l'analyse, à l'histoire. Pourtant, il se trouve que cela arrive : l'interrogation sexuelle, l'irrégularité d'un poème, le son d'une langue étrangère, l'érotisme interdit, impossible, et d'autant plus éprouvé, soutenu. On devient quelqu'un qui se dit que l'euphorie communautaire ment et qu'il s'agit d'un mensonge qui ne concerne pas seulement l'enthousiasme des moissonneurs, mais ce dont personne ne parle : les mots obliques, les rêves, les douleurs dans la gorge, les désirs, les désirs de meurtre, les phrases perdues, les rythmes. Alors, quand vous allez recueillir des informations sur les réalisations du plan quinquennal, vous écoutez, bien sûr, les chiffres, mais aussi la voix de la fille qui vous parle, et vous regardez surtout ses tapis orange-violet-rouge-vert... — du Matisse, on dirait. Pour vous apercevoir, au retour dans la capitale, que les « anormaux », les « fous », les « homo-sexuels », les « poètes », les frondeurs sont là, de plus en plus nombreux, et que rien ne permet de les penser ni de ne pas les penser. Parce qu'il y a eu le fameux relâchement — le « dégel »...

Vous me direz que Freud permet de se débarrasser de ces interrogations juvéniles ou propres aux sociétés en voie de développement, ce qui revient au même. C'est vite dit, et ce n'est pas sûr. Surtout n'oubliez pas que tout cela se passe dans le langage. Donc, pas possible dans le bulgare, à cause de Yalta, encore une fois, et de l'histoire précédente, bien entendu. D'où le français : Robespierre, Sade, Mallarmé...

Je m'enchaîne, donc, depuis, à un torrent. Désir de comprendre, bien sûr, laboratoire, si vous voulez, de la mort. Car ce que vous prenez pour de l'éclatement du langage est un éclatement du corps, et l'environnement immédiat en prend plein la gueule. Il n'a d'ailleurs aucune autre raison d'être que d'en prendre plein la gueule et de résister, s'il le peut. Surtout, ne vous prenez pas pour quelqu'un ni pour quelque chose : vous « êtes » dans l'éclatement, à éclater. Malheur à celui qui croit que vous *êtes* — en bien ou en mal, peu importe. D'abord, c'est le narcissisme qui s'effrite et le surmoi se dit : tant mieux, voilà une chose de liquidée; mais le corps semble avoir besoin d'identité et réagit — s'affine, se resserre, caillou, ébène; ou craque, saigne, pourrit — selon le sursaut symbolique plus ou moins possible. Ensuite, la nappe symbolique — celle constituée par le savoir acquis, par le discours des autres, par l'abri communautaire — se fissure, et quelque chose que j'appelle, faute de mieux, la pulsion se pointe pour casser toute assurance, toute croyance, toute protection, y compris celles que constituent le père ou le prof. Une dérive s'ensuit, qui me met en accord avec tout ce qui se brise : ce qui rejette l'établi et ouvre un gouffre infini où il n'y a plus de mots, ça me donne une apparence cassée où les naïfs se laissent prendre, mais qui, en fait, m'ouvre sur une jouissance précise que peu soupçonnent. En ce lieu, il faut sauter : autrement, c'est trop connu par deux mille ans de nonnes. Les mots arrivent, mais flous, ne voulant rien dire, pulsation plutôt que sens, et ce courant prend les seins, le sexe et toute la peau irisée. Cela peut en rester là : un « anonyme blanc conflit », comme on disait au dix-neuvième. Mais quel intérêt? Or, l'intérêt est là : l'autre, l'hétérogène, ma négation érigée en représentation, mais dont je déchiffre aussi la consumation. Cet hétérogène est, bien entendu, un corps qui m'invite à m'identifier avec lui (femme, enfant, androgyne?) et m'interdit immédiatement toute identification : ce n'est pas moi, c'est non-moi en moi, à côté, en dehors, où moi se perd. Cet hétérogène est un corps parce qu'il est un *texte* : j'écris ce mot galvaudé, et je force pour que vous entendiez ce qu'un texte a de risqué, de non identique, de non authentique, d'impossible, de corrosif pour qui veut s'y voir. Un corps, un texte, qui m'envoient des échos d'un territoire que j'ai perdu et que je cherche : dans le noir des rêves en bulgare-français-russe-tons chinois-invocations soulevant le corps disloqué dormant. Territoire de la mère. C'est vous dire que, si ce corps hétérogène, si ce texte risqué, sont donateurs de sens, d'identité ou de jouissance, ils le sont tout autrement qu'un « Nom-du-Père ». Ce n'est pas qu'ils ne se couvrent pas d'un Nom-du-Père tyrannisant, despotique; je l'entends, et on se livre des joutes oratoires infinies. Mais ce n'est qu'une question de pouvoir, et l'important est de voir ce qui l'excède. J'écoute donc le territoire noir hétérogène corps/texte, j'y enroule ma jouissance, je la lui largue, je passe à côté de la sienne, dans un feu froid où le meurtre n'est plus un meurtre de l'autre, mais de l'autre qui s'est pris pour moi, de moi qui s'est pris pour l'autre, de moi, toi, nous, des pronoms personnels, donc, qui n'ont plus grand-chose à faire dans cette affaire. Or, le corps devenu poudre liquide, le mercure brillant qui me coule, n'abolissent jamais une veilleuse : ombre paternelle, être du langage? Il m'appelle même pour que je le représente : « je » se refait, se re-pose, témoin décalé, symbolique, de l'éclatement où toute entité se dissolvait. « Je » revient donc et dit cette torsion intrinsèque où nous avons été au moins quatre par lui dédoublés, provoqués. « Je » la dis, donc « je » me pose : « Je » me socialise. Mouvement indispensable et impératif : volte-face rapide où le négatif hétérogène qui m'a fait jouir/mourir *se met au travail*, veut se connaître, se communiquer et, par conséquent, se perd. Communiquer, connaître... Tout cela est, si on peut dire, assez perverti : le langage s'en ressent, le concept se tord, le meurtre se travestit en une demande, adressée aux autres, d'effort de pensée — aucun savant, aucun théoricien orthodoxe ne se reconnaît dans mes essais communicatifs, s'il n'est pas passé par le duel à quatre que je viens de rappeler.

Et pourtant, ce mouvement me met déjà de l'autre côté : là où la société se constitue de dénier le meurtre qu'elle inflige à la musique — à la pulsion — lorsqu'elle se fonde sur un *code* c'est-à-dire sur un *langage*. « Je », revenu, s'y sent mal à l'aise, mais non sans gratification, ayant tendance à recueillir les hommages ambigus et éphémères dus au plongeur qui a eu la malice de rapporter quelques trophées. Mais, dérapant sans cesse, filant, protestant : jaloux de son exploration, fasciné par sa perte à recommencer... D'autant plus que lui, l'autre, le « poète », l' « acteur » est là, va, vient, s'en va, éclate, et ne laisse à aucun « je » la possibilité de s'assoupir du côté où ça dénie...

Je pense que ce trajet est déterminé par la différence sexuelle. Que, pour une femme, généralement, la perte de l'identité dans la jouissance exige la traversée du phallus qu'elle est banalement, mais que celui-ci se constitue immédiatement quelque part : dans le narcissisme, par exemple, dans les enfants, dans le déni et/ou l'hypostase de l'autre femme, dans la maîtrise bornée, dans le fétichisme de son « œuvre » (écriture, peinture, tricot, etc.). Sans cela, c'est la plongée sous-marine : sous-maternelle — la régression orale, la violence spasmée, mais indicible et sauvage, le déni du négatif travaillant. Souvenez-vous du texte d'Artaud où la violence noire, mortelle, du « féminin » est exaltée en même temps que stigmatisée, comparée au despotisme aussi bien qu'à l'esclavage dans un *vertige* de la mère phallique, qui dédicace le tout à Hitler... Alors, tout le problème est de régler ce resurgissement de l'instance phallique : de l'abolir pour commencer, de percer la muraille paternelle surmoïque et de resurgir après coup toujours inquiète, dédoublée, asymétrique, abîmée dans un désir de savoir, mais de savoir plus et autrement qu'il n'est codé-parlé-écrit. S'il y a une solution à ce qu'on appelle aujourd'hui le problème des femmes, à mon avis, elle chemine aussi par là.

Deux conditions me semblent nécessaires pour ce parcours. La première est historique : elle a eu lieu plus rapidement dans les pays socialistes; elle arrive déjà dans l'Occident chrétien bourgeois. Elle consiste à jeter les femmes dans toutes les contradictions de la société, sans hypocrisie et sans fausse protection. L'autre est sexuelle, et aucun règlement social ne peut la garantir. Pour moi, elle consiste en la rencontre de cette langue — de ce corps — autres, hétérogènes : l' « auteur » selon *H* me tient éveillée dans ma veille négative. Pour d'autres, cela peut être autre chose; ce qui est indispensable, c'est la fonction portée par *quelqu'Un* ou, pourquoi pas (mais pas encore), par un *groupe,* de vous mettre, à *travers la langue aussi,* en dissolution infinie, répétée, multipliable jusqu'à ce que soient retrouvées vos possibilités de reconstitution symbolique : de position vous rendant votre voix au chapitre réel et social, mais une voix divisée par des coupures multipliées, infinitisantes. Un dispositif, en somme, qui dissout toutes vos solutions : savantes, idéologiques, familiales, protectrices, pour vous désigner que vous n'avez pas lieu en tant que *telle,* mais seulement en tant que *position* nécessaire pour une pratique. Un dispositif où la castration n'est pas pour l'un ni pour l'autre, mais pour chacun spécifiquement, et récurrente : lui, traversant sa fixation phallique, elle, y accédant, et à rebours, alternativement.

L'autre qui vous guidera, et qui se guidera dans cette dissolution, est un rythme, une musique, et, dans la langue, un texte. La relation qui vous tient ensemble? Le contre-désir, le négatif du désir, le désir retourné, capable de mettre en cause (d'être la cause) de sa propre quête infinie. Romantique, filial, adolescent, exclusif, aveugle, œdipien : il l'est, mais pour d'autres. En votre lieu, commun à tous les deux, il revient déçu, irrité, ambitieux, épris d'histoire, critique, au bord de la crise et dans la crise même de son identité, de son énonciation, de la liaison de ses mouvements, une pulsion déchirant à coups de salves la thèse symbolique qui, face à vous, se rompt et se relance pour se reconstituer, calmée, ailleurs. Après le tourbillon mielleux des Jocastes et des Antigones, à côté du repos fasciné par les caprices relâchés des hystériques, le négatif s'éveille dans le corps et la langue de l'autre pour tramer un tissu où votre rôle n'est tolérable qu'à condition de s'apparenter à celui des femmes chez Sade, Joyce, Bataille. Il ne faut surtout pas se prendre pour la trame ni pour le personnage contre lequel elle se trame : l'important est de l'écouter, à votre façon et indéfiniment, et de disparaître dans le mouvement de cette écoute.

C'est dire que la femme du « poète », de ce poète, n'existe plus. Le tricot de Mme Mallarmé, la curiosité subtile de Lou Salomé, l'excitation fière et obéissante de Nora Joyce, la mythologie asexuée de la Petite Dame gidienne, pas plus que la couplaison gratifiante, virilisant la femme dans l'après-guerre existentialiste ou romantico-communiste... : tout cela est désormais impossible, désuet, survivance morne.

Puisqu'il y a un homme et une femme, mais qui ne sont « un » ou « une » que pour commencer, un autre « rapport » s'invente autour de la différence sexuelle et de cet impossible qu'elle induit des deux côtés. Invention qui commence à peine, avec une certaine façon non « uxorieuse » d'entendre la révolution freudienne; avec les communautés débloquant la famille; avec la pop-music; le H... Laboratoire douloureux, qui comporte ses ratages, ses échecs, ses victimes. Mais, si vous voulez en parler, et c'est la seule façon d'en subir le procès, vous êtes de nouveau face à face, deux à deux, portant les constellations familiales, sociales, linguistiques de soi-même et de l'autre.

J'en parle parce que c'est mon problème; un problème du jour. Des hommes captivés par des mères archaïques et se rêvant femmes ou maîtres inaccessibles; des filles exaspérées et froides enfermées dans des groupes où ce qu'elles pensent être une homosexualité féminine les conduit à l'isolement social; d'autres, hystériques classiques, en quête de l'impossible fusion maternelle, exaltées de déception : on les voit tous les jours, de plus en plus nettement, et c'est bien ces sujets-là qui entrent dans la lutte de classes, dans la lutte idéologique, dans l'expérimentation scientifique, dans la production... Voilà pourquoi, où et comment je cherche, j'entends, je lis, je prends H.

Au-delà de la phrase : le transfini dans la langue

Sans ponctuation, H n'est pas une phrase, mais il n'est pas moins qu'elle. Les propositions sont là : courtes et régulières, sans qu'aucune anomalie syntaxique ou lexicale vienne en troubler la clarté. Il est facile de « rétablir » les phrases, de ponctuer, d'isoler les noyaux propositionnels simples constitutifs du texte qui court. On perdra des ambiguïtés sémantiques et logico-syntaxiques, mais on perdra surtout une musique. J'entends par *musique* l'intonation et le rythme qui ne jouent que très subordonnés dans la communication usuelle, mais qui, ici, constituent l'essentiel de l'énonciation et nous conduisent tout droit au lieu, autrement muet de son sujet. Vous retrouvez vous-même la musique si vous vous laissez porter par ces atomes phrastiques non ponctués; vous pouvez la vérifier, si vous voulez, en écoutant lire l'auteur-acteur. Vous constatez que là où, banalement, la voix devait se poser, se baisser et s'éteindre pour suggérer une limite, un point, elle s'élève, relève le point et, au lieu de déclarer, interroge ou postule. De sorte que la limite phrastique est là, le *sens* (position d'un sujet d'énonciation) et la *signification* (dénotation possible, vraisemblable ou vrai) persistent, mais le procès sémiotique ne s'arrête pas à eux. Au lieu d'être des limites supérieures de l'énonciation, *la phrase-le sens-la signification* sont ici des limites inférieures. A travers ces limites et avec elles, mais non pas en deçà reviennent des processus qu'on a pu dire « primaires » et que dominent l'intonation et le rythme. Ce retour, appliqué au morphème, produit, on le sait, des « figures stylistiques » : des métaphores, des métonymies, des ellipses, etc. Ici, le retour intonationnel, rythmique, disons pulsionnel, se place au lieu le plus fort de la nomination : au lieu thétique de la syntaxe inéluctable qui coupe la jubilation auto-érotique indistincte du corps de la mère, se reconnaît dans un miroir et déplace la motilité pulsionnelle dans un signifiant logifiable. La relève de la pulsion, à travers cette limite et sans éluder sa coupe, situe l'expérience sémiotique au-delà de la phrase, et donc au-delà de la signification et du sens.

Les pratiques dites artistiques ont, depuis toujours, exercé leur fascination du fait qu'elles se dérobaient à cette limite dont s'instaure la signification (toujours déjà phrastique), et ressuscitaient le malaise d'une régression avant le stade du miroir. Avec *H,* nous ne sommes plus dans ces régions de l'esthétique qui ne continuent pas moins à bouleverser l'ordre logique plat en faisant agir, de nos jours, les pratiques les plus éveillées, révoltées, modernes : mais c'est en musique que cette action trouve son terrain d'élection. Cage, La Monte Young, Kagel, Stockhausen nous le font entendre.

La langue, elle, a une spécificité qu'aucun autre système de différences ne possède : elle se *dédouble* (signifiant/signifié) et *lie* (modifiant/modifié = phrase); elle est signe-communication-socialité. « Musiquer » ce dédoublement liant implique qu'on fasse éclater le rythme *dans le dédoublement,* certes, mais aussi *dans la liaison :* dans les glissements métaphoriques-métonymiques qui strient les contours des lexèmes et emportent jusqu'à la censure signifiant/signifié, mais *surtout dans les liaisons phrastiques-logiques* où l'ordre socio-symbolique se reconstitue et ne veut rien savoir de l'éclatement précédant sousjacent (sémique, morphémique, phonique, pulsionnel). Intervenir au niveau où l'ordre syntaxique opacifie la dépense sous-jacente au procès signifiant; intervenir là où la socialité se constitue en tuant — en jugulant — la dépense qui la fait vivre : c'est intervenir au point même où la phrase se noue et s'arrête; il s'agit d'élever, de relever, de faire chanter le point.

Nous sommes donc dans une composition où la phrase est l'unité minimale à partir de laquelle se constitue un tissu qui l'excède, mais ne l'ignore pas : plus-que-phrase, plus-que-sens, plus-que-signification. Si perte il y a, si une dépense s'opère, ils ne sont jamais en moins, mais toujours *en plus* : plus-que-syntaxique. Il n'y a pas d'épuisement du mouvement logique sans accomplissement de son trajet : l'achèvement de la raison passe par la plénitude de la raison et la crève après l'avoir comblée : « une raison en enfer » (26 [1]). Sans quoi, la raison persiste comme pouvoir et réclame son droit de contrôle sur la dérive qui l'ignore. Sans quoi, la littérature se prête au défi hégélien qui n'y découvrait que quelques perles de pensées dans un tas de foin. *H* expose une pratique où la raison, présente et excédée, n'a pas de pouvoir; où l'antipouvoir de la pulsion est privé à son tour de son emprise hallucinatoire, parce qu'il est filtré à travers la rigueur de la phrase; où le surmoi logique et l'oralisation fétichiste se neutralisent mutuellement, sans maîtrise et sans régression.

A regarder de près le début de *H,* on remarque que les phrases, aisément détachables de l'ensemble textuel, s'emboîtent ou bien se juxtaposent de manière ambiguë à cause d'ellipses de déterminants (particules de subordination, pronoms relatifs, etc.). Cette ambiguïté est accentuée du fait que les syntagmes prédicatifs se donnent, dans les structures de surface, comme des syntagmes nominaux, attributifs, juxtaposés, et pouvant se rapporter, de façon multiple, au syntagme nominal sujet; ou bien la suite prédicative elle-même, pour des raisons sémantiques ou de longueur, se scinde en syntagmes à fonction de sujet et en syntagmes à fonction de prédicat. A ajouter également : l'ambivalence des pronoms personnels dont le référent est indécidable : « elle » de la première page est aussi en « la machine », une « femme » que la « balle ». Des réseaux allitératifs (corrélation de « différentielles signifiantes ») opèrent des cir-

---

1. Les chiffres en romain entre parenthèses renvoient à la pagination de *H,* roman de Ph. Sollers (Éd. du Seuil, 1973); les chiffres en italique indiquent le numéro des lignes.

cuits trans-phrastiques qui se superposent à la suite linéaire des propositions et font intervenir, dans la mémoire logique-syntaxique du texte, une mémoire phonique-pulsionnelle : établissant des chaînes associatives qui sillonnent le texte du début à la fin et dans tous les sens : *son côté cata socle* (9, *1-2*) — *accents toniques* (9, *2*) — *cata cata catalyse* (9, *10-11*); *filtre, philtre* (9, *23*) — *phi flottant* (9, *28*) — *philippe filioque procedit* — *l' fil* (10, *23-24*); *clé* (9, *15*) — *claquement* (9, *16*) — *glaïeul clocher clé de sol* (10, *6-7*); *sollers-sollus* (11, *1*); etc.

A travers ces ambiguïtés, ces polyvalences, des *séquences phrastiques* se constituent quand même, qui sont délimitées, dans la lecture, par un *seul mouvement respiratoire* donnant lieu à une *intonation généralement ascendante.* Ce souffle porte donc une suite de phrases qu'unit, en même temps, un sens (une *position du sujet de l'énonciation*) et une signification (une *dénotation virtuelle*). Un mouvement respiratoire coïncide donc avec une posture du sujet parlant et avec une possibilité de dénotation. Le prochain mouvement respiratoire introduira une nouvelle posture du sujet parlant et une nouvelle dénotation. Le corps et le sens, inséparables, construisent ainsi une partition démembrée : l'arrêt du souffle et la finitude syntaxique, inséparables, sont relancés, mais dans un autre domaine logique, et comme s'ils prenaient appui sur un autre territoire du corps-support.

Les *frontières* qui constituent une *séquence* comme unité de respiration, de sens et de signification (grammaticalement construite comme une suite de phrases), sont très variées et désignent la motilité du sujet de l'énonciation : sa possibilité de résurgence et de métamorphose. En voici quelques-unes, dans le début du texte :
— Le pronom personnel *elle* (9, *3*) marque la limite de la séquence précédente et embraye vers une autre unité de respiration-sens-signification. Réponse à l'interrogation initiale (« qui dit salut »), reprise de la « machine », ou rappel d'une énonciation hétérogène, d'un « elle » qui impulse la « machine » et déclenche ses « accents toniques » — en tout cas, déplacement de l'anonymat machinique vers « elle », le rêve et le mouvement lancé — la deuxième frontière est marquée par « elle » devenue « balle », « bombe qui retombe ». Notez que le « je » du sujet énonçant le texte s'énonce pour la première fois dans un rêve d'« elle » : « elle a rêvé cette nuit que je lançais la balle » (9, *3*). La narration est ouverte : « elle » y est, à la fois, sujet énonçant et actant du récit, tout

comme « je ». Je/elle — marque de l'altération sexuelle et discursive maximale, trauma et saut, début de récit.

— L'énonciation *déclarative*, ayant ainsi succédé à l'*interrogation*, se coupe à son tour et se trouve remplacée par l'*impératif* : « tiens on est en pleine montagne y a d'la poudreuse regarde les cristaux blancs violets sens cet air ». « Je » prend la parole et commande dans le récit désormais déclenché.

— Une position *métalinguistique* suit, qui commence le trajet effectué du corps muet mis en jeu par le rêve d'une autre et placé désormais en état de commander cette altérité narrative, fantasmatique, hallucinée : « pour la première fois l'hallucination goutte à goutte est vue du dedans découpée foulée ».

— Irruption des *onomatopées* : « cata cata catalyse », rappelant le son de la machine à écrire lancée, marquant le courant biologique, électrique, signifiant, à l'infini... Cassure, donc, de la maîtrise métalinguistique précédemment affirmée; rappel de la dissolution lexicale, des salves pulsionnelles passant par les phonèmes : la position métalinguistique ne dominera pas.

— Nouvelle reprise du *récit*, avec « elle » : la machine, la femme?...

— Encore la *métalangue* : « y a-t-il une autre forme non y aura-t-il réponse bien sûr que non personne et d'ailleurs le délire n'est pas le délire ».

— En quelques lignes, plusieurs *nouvelles frontières* analogues aux précédentes, amenant un « je » explicite (« je ne suis pas né pour être tranquille ») qui commence son récit « propre », mais de nouveau dérapant, impossible à fixer, flottant cette fois à travers de nouvelles frontières que désignent les références historiques et biographiques.

— « Je » ne se cherche pas, « je » se perd dans une série de renvois à des événements logiques ou politiques qui, dans le passé ou le présent, déterminent une semblable mobilité du sujet lancé dans le tourbillon de son morcellement et de son renouvellement : de son « ex-schize » (82). Scission mortelle, mais « exquise » (ironisation du « cadavre exquis » de l'automatisme surréaliste), parce que antérieure, reprise relançante, prophétique. Ainsi, au début, ce renvoi au « filtre » ou au « philtre » magiques, structurant et régénérant l'ivresse d'une identité éclatée, mais non perdue; ou ce « phi flottant sur les lèvres comme l'autre infans avec la queue des vautours » : rappel de l'interprétation donnée par Freud d'un rêve de Léonard de Vinci; ou le prénom et le nom paternels induisant à travers des séries signifiantes toute une panoplie de signifiés, indéfiniment ouverte, chaque élément donnant lieu à un mini-récit qui est ce que nous avons appelé une « séquence » : unité de respiration de sens et de signification, recueillant des souvenirs d'enfance ou des raccourcis historiques par une ribambelle de rois homonymes; ou bien ces renvois à la Bible : « on a le même mot en hébreu pour nu rusé éveillé » (11) ou au Coran : « celui qui recevra son livre dans la main droite ça pourra aller mais celui qui le recevra derrière son dos paf zéro » (12).

La voix lisante marque les frontières des séquences en s'élevant : rien ne s'achève, l'énonciation n'est pas finie, d'autres processus sémiotiques vont reprendre la finitude accomplie par les opérations syntaxiques. Cette intonation est suspendue à une connotation nettement *interrogative,* que redouble d'ailleurs, dès le début, la phrase interrogative ouvrant le texte : « qui dit salut... » et que confirment plusieurs interrogatives ensuite fréquentes dans le texte jusqu'à la fin. Cette invocation interrogative est moins marquée à la fin du livre mais elle y persiste : les interrogatives s'y trouvent jusqu'aux dernières séquences du texte : « kilusu kilucru kiluentendu [...] que crierai-je [...] » (184-185); l'intonation invocante s'y marque aussi dans les impératives abondantes à la fin : « c'est pourquoi va entre sors rentre ressors ferme-toi sur toi cachetoi de toi hors de toi reviens sors rentre vite [...] crie-lui [...] » (185), l'ensemble se terminant par une séquence tenue sur une intonation égale, mais non descendante : « toute chair est comme l'herbe l'ombre la rosée du temps dans les voix » (185).

On sait que la baisse de la voix dans la phrase déclarative et la pause qui s'ensuit sont des marques distinctives essentielles d'une phrase : les enfants apprenant une langue apprennent d'abord les intonations indicatrices de la structure syntaxique, c'est-à-dire la mélodie, la musique, avant d'en assimiler les règles de formation syntaxique. L'intonation et le rythme sont les premières marques du fini dans l'infinité du processus sémiotique, découpant une posture limitée du sujet invocant et bientôt signifiant. L'apprentissage syntaxique accomplit et achève cette capacité du sujet d'être sujet parlant, seulement dans la mesure où il dispose d'un infini finitisable : ce que la grammaire générative, à son tour, représente par les opérations récursives susceptibles de réduire une infinité de processus signifiants aux normes grammaticales de la langue nationale et, dans l'infinité spécifique de celle-ci, de produire à chaque fois des énoncés finis mais originaux et renouvelables. Nous ne savons pas, pourtant, *ce qui détermine* cette possibilité du sujet parlant d'arrêter le processus sémiotique dans les limites de la phrase qu'on décrit habituellement comme syntagme nominal + syntagme verbal (Chomsky), ou modifié + modifiant (Kurylowicz) ou placement de traits conceptuels où le général précède le particulier (Strawson), etc. Si tout le monde est d'accord pour considérer qu'il n'y a pas de sens ni de signification sans noyaux syntaxiques, on est loin de comprendre quelle posture du sujet parlant dicte cette finition et, encore moins, ce qui se passe en deçà et au-delà d'elle.

Nous supposerons que c'est un type précis de pratique signifiante, basée sur la *demande* et sur l'*échange d'information,* qui fixe le sujet parlant dans les limites de l'énonciation phrastique; mais que d'autres pratiques signifiantes, visant la jouissance — c'est-à-dire la relève de la mort et de la dépense de l'unité signifiante dans la production d'un nouveau dispositif socio-symbolique —, exigeraient la poursuite des opérations signifiantes au-delà de la limite phrastique. Nous avons vu que ces opérations signifiantes pour lesquelles la phrase est un matériau de base à traverser peuvent être aussi bien du type « primaire » que du type « secondaire », empêchant la fixation du sujet parlant dans une position unique et unaire, pour la multiplier. Le rythme pulsionnel devient ainsi un rythme logique.

Il ne suffit pas de dire que, grâce à ces opérations, la phrase accède à un domaine supérieur : le *discours.* Car le discours pourrait être, comme il l'est, un simple enchaînement de phrases (dont la logique reste à spécifier), sans pour autant exiger un déplacement du sujet de l'énonciation *quant à sa position par rapport à son dire.* Or, c'est précisément ce qui se produit dans *H :* non pas seulement juxtaposition de différentes positions idéologiques ou communicationnelles (destinateur, destinataire, illocution, présupposition), mais aussi juxtaposition d'énoncés qui enregistrent des stratifications du génotexte (pulsion, rythme sonore, position syntaxique, position métalinguistique, et à rebours).

La langue a un transfini (si l'on peut employer ce terme autrement que Cantor) : c'est l'au-delà des limites phrastiques, conservées et ouvrant vers une continuité cassée, où un intervalle précis (la phrase) contient la valeur du sens et de la signification, mais leur véritable puissance ne se constitue qu'à partir de l'infinité dénombrée, phrasée, d'un « discours » polylogue, à sujet d'énonciation multiplié, stratifié, hétéronome. *H* produit ce transfini de la langue : ni monologue phrastique ni dialogue allocutoire, mais élévation du sens phrastique (monologique *ou* dialogique) à la puissance d'une infinité ouverte pour autant que sont ouvertes les postures possibles du sujet vis-à-vis de son dire. Parce qu'il est transfini, le texte de *H* est non seulement un dialogue pluriel du sujet de l'énonciation avec « lui-même »; non seulement un acte discursif intimant l'accomplissement de ce dialogisme pluriel dans l'instance du sujet destinataire — c'est-à-dire un acte « juridique », illocutoire, présupposant une action directe sur son lecteur et inexistant sans l'effectuation de cette action. Mais il est un dialogue pluriel, et un acte illocutoire, *à l'égard de l'instance de la langue même :* à l'égard de la phrase et de son sujet-support, en ce sens qu'il les pré-suppose, qu'il nécessite leur position, mais qu'il se les approprie dans l' « ensemble », ouvert à l'infini, qu'il est.

Il ne s'agit donc plus de *poésie* (retour en deçà de la liaison syntaxique, plaisir d'une fusion avec le corps maternel retrouvé hypostasié); il ne s'agit pas non plus de *récit :* accomplissement de la demande, échange de l'information, isolement d'un ego sujet au transfert, imaginant ou symbolisant. Dans le récit, le sujet parlant se constitue comme sujet du groupe familial, clanique, étatique; et on a pu remarquer que la phrase syntaxique normative surgit dans le contexte du récit prosaïque et, plus tard, historique. Il y aurait une simultanéité entre le genre *narratif* et la *phrase* limitant le procès signifiant à une posture de demande et de communication. La poésie, opérant sur la barre signifiant/signifié et tendant vers son effacement, serait, par contre, le cri anarchique contre la position thétique et socialisante de la langue syntaxique : elle dépense toute communauté, la détruit ou s'identifie au moment de sa subversion. La nouveauté de *H* serait de jouer la contradiction entre les deux; de n'être ni l'un ni l'autre. La fragmentation des genres (« poésie », « récit », etc.) isole des zones protectrices d'un sujet qui, normalement, ne peut pas totaliser l'ensemble des processus signifiants. Dans *H,* au contraire, toutes les cordes de cet instrument prodigieux qu'est la langue jouent ensemble et simultanément : aucun processus n'est arrêté, refoulé ou mis à part pour laisser libre cours à l'autre : les « primaires » recoupent les « secondaires », les arrêtent ou plutôt les raccourcissent, les condensent et les déplacent sur un autre palier où, en cours de route,

Qui dit : "Salut!"? - La machine avec ses pattes

(Qui dit :"Salut, la machine!")

rentrées, son côté tortue, +cata, +socle, ses touches figées,

+accents toniques hors de strophe.//+Elle a rêvé cette nuit

que je lançais la balle très haut et très loin.//+Elle ne

s'arrête plus, elle allume en passant les cerceaux disposés,

+méridiens plus ronds quand elle les traverse. Et voilà la

bombe qui retombe toute chaude, enfumée, grillée.// Tiens,

on est en pleine montagne, y a de la poudreuse. Regarde les

cristaux blancs, violets. Sens cet air. Et en effet, on enfon-

ce chevilles dans la pleine mousse (sens, éther)

//Pour la première fois l'hallucination, goutte à goutte,

est vue du dedans, découpée, foulée. // Cata,cata,catalyse.

//Ça fait des jours qu'+elle fait la tête dans son coin+sinistre

Mais ce matin, en route : c'est l'ouvert, le creux, +décidé.

// Y a-t-il une autre forme ? - Non. Y aura-t-il réponse ?

- Bien sûr que non. Personne. Et d'ailleurs, le délire n'est

pas le délire. // Vas-y, fais tourner la serrure, l'absente

serrure, la clé qui n'existe pas. // Alors c'est vrai ?

on repart ? - // Yes, sir ! // Claquement du fouet, du

sifflet+sévère. Et l'énorme est là.// Quoi l'énorme ?

Quoi ?-//+ Le tourbillon, +radium, +carrefour.// Quoi encore ?

Et comment ? Qui ? Et quoi ? Et comment ? Pour qui et pour quoi encore ? qui ? comment ? vers où ? pour où ? // Ça, décidément, je ne suis pas né pour être tranquille. J'ai pourtant fait ce que j'ai pu pour ne pas m'en apercevoir. Enfin, cette fois ce sera peut-être la bonne.// On croit toujours ça, en partant.// Invocation, début, désir d'âge d'or. Transformer le filtre, se verser le philtre.// Que veux-tu ? il y a là quelque chose d'inguérissable, double noeud qui te défait l'un mais pas l'autre. Négation du self, de la mort. //Bordel, je me dis, le moment est venu de s'enlever carrément au fourreau des membres, de plus supporter la dictée par séries volées, transvasées. //Après tout, j'ai ce phi flottant sur les lèvres, comme l'autre infans avec la queue des vautours.// Et si le huit revient sans fin quand je marche, si je pense facilement à la liturgie, si un son m'apparaît toujours accompagné, surmonté, ça vient du prénom impossible en même temps latin, de mon père.// Non, tu ne trouveras pas.// Je l'écris : .O.c.t.ave, oui, exactement comme in-octavo.Ce qui lui donnait pour signer ce o tournant sur lui-même suivi d'un point minuscule juste avant le j travaillé, brodé, genre glaïeul, clocher, clé de sol ..."[1].

s'est retourné le sujet de l'énonciation. De sorte que le heurt entre *opérations sémiotiques* (pulsion, différentielles phoniques, intonations, etc.) et *opérations symboliques* (phrases, séquences, frontières), bien qu'il se laisse penser comme une totalisation, produit en fait une fragmentation infinie, inachevable : un « polylogue extérieur ».

Dans la transcription ci-après, nous essayerons de « rétablir » la ponctuation classique : le signe + marque les ambiguïtés syntaxiques (emboîtements indéfinis) qui persistent après ce rétablissement; le signe / / note les frontières des séquences; les lignes au-dessus des phrases indiquent la courbe de l'intonation. Les traits recoupant le texte signalent quelques réseaux de différentielles phoniques-signifiantes.

On remarque que l'intonation, en fait, ponctue le texte : la « scansion » vocalique correspond généralement au découpage syntaxique et, en ce sens, elle réduit certaines ambiguïtés qui subsistent si l'on se contente de rétablir la ponctuation classique écrite. Mais la scansion vocalique ne s'identifie pas à la ponctuation courante : la scansion établit des séries vocaliques dont l'agencement est *aussi* autonome par rapport à la portée signifiée, car ce rythme se soutient de lui-même, comme si une envolée de l'énonciation, par le souffle découpé, excédait les limites des phrases et les frontières des séquences et rappelait, dans le phénotexte, une « langue de fond » qui n'est que rythme. On est frappé par la régularité de ce souffle qui s'élève et se suspend à intervalles précis : soit succession de portées courtes, soit une portée longue suivie de trois courtes; mais souvent cassées, raccourcies ou dramatisées par l'introduction d'accents toniques. Cette scansion qui se surajoute à la ponctuation sous-jacente et désigne l'impuissance de celle-ci à saisir la « langue de fond rythmée », frappe l'inconscient comme une violence calmée et épouvantable, mais que l'écoute consciente enregistre comme une monotonie invocante, lyrique — une sorte de Mozart tibétain.

C'est dans l'ensemble du texte, ni poème ni roman, mais *polylogue* pulvérisant aussi bien que multipliant l'unité par le rythme, que la phrase non ponctuée, mais scandée, trouve sa raison d'être. La motilité du sujet de l'énonciation, faisant du rythme pré-logique, ou de l'effondrement logique, une polylogique, exige un autre mode de phrasé. Il n'y a pas de parti pris formel : cassons la phrase. La phrase s'enlève dans une scansion qui, en la conservant, l'investit dans un

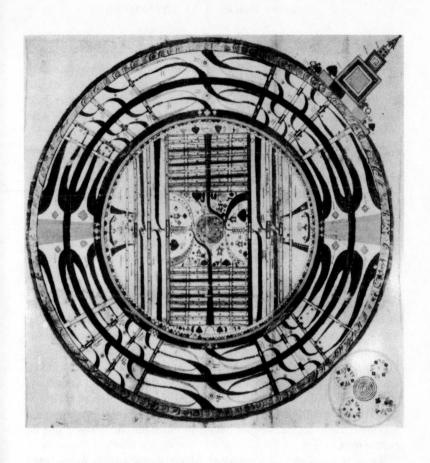

Jamboo Dwip Yantra.

(Tantra Art, Ajit Mookerjee, Ravi Kumar Publ.,
Basilius Presse AG, Genève.)

nouveau dispositif sémiotique : c'est précisément ce dispositif qui produit la phrase limitée-et-infinitisée. Cela rappelle les vieux textes chinois, non ponctués, impossibles à déchiffrer en dehors de l'ensemble : car il faut saisir le rythme de l'ensemble, donc la poly-logique du sujet parlant, pour détacher, à rebours, les sens des unités inférieures (phrastiques ou lexicales). *On ne part pas de la partie pour arriver au tout : on commence par infinitiser la totalité pour atteindre, seulement après, le sens fini de chaque partie.*

Dans ce renversement de nos habitudes logiques, la phrase apparaît comme l'abri, l'enclos où se blottit une unité idéelle simplement bornée, refusant son infinisation, l'ego métaphysique, transcendental, menacé par la négativité qui le produit, la déniant et passant outre dans la syntaxe absolutisée. Conserver et relever cet abri dans un poly-logue, où il joue le rôle non pas de sommet absolu, mais de limite inférieure, voudrait dire donc bouleverser une énonciation métaphysique. Lorsque la garantie la plus solide de notre identité : la syntaxe, nous apparaît comme une limite, toute une histoire du sujet occidental dans son rapport à son énonciation est finie. — « apprenons à la langue à chanter et elle aura honte de vouloir autre chose que ce qu'elle chante » (11); « ce qui m'intéresse le plus est cette plongée du cerveau en dessous-d'éponge flip flap laissant couler son argile en lui baisse de la pression lambeaux mi-sonores qui voit là une phrase toi oui ah vraiment » (32); « les phrases doivent être entendues de travers » (89); « la langue est un ensemble fini ou infini de phrases elles-mêmes séquences d'atomes discrets » (77); et, avec la phrase, au-delà d'elle, cette obstination logique : « seul le feu logique chiffre de la négation ne laisse pas de reste » (66).

Ainsi, le polylogue, si vous vous laissez porter par sa fugue, vous fait entendre d'abord un rythme-son-voix-scansion; mais ce n'est qu'un pont, comme ce pont de bateau en pleine mer rappelant Moby Dick et Melville (42), qui vous porte vers la dissolution de la liaison symbolique, dissolution du rythme même après la phrase, vers la pulsion vide et muette, vers les heurts de la matière — « mieux vaut périr dans cet infini hurlant que d'être rejeté aux terres » (43); « il y a un moment où je me sens porteur de tout et de rien dans tout c'est peut-être une disposition coudée symphonique » (41) et « il faut se traiter comme des sonates » (96), « ne te presse pas de donner un contour trop plein à ce qui revient » (98), car : « son-mots-sons-non-mots-sons-ni-mots-sons » (155). Première condition du polylogue : faire venir le rythme, l'accélérer, lui faire emporter la nappe symbolique : « tu crois que tu vas tenir à ce rythme dans le refus général moi tu sais j'aime assez la guerre ça m'amuse » (41); « tu trouves que je vais trop vite tu trouves que ça trépide que ça risque de faire hystérique mais non tout le monde a compris qu'il s'agissait d'un rythme paisible ouvert bienveillant vrai sens du spasme à torrent ici je mime le minimum de musique » (64); « la parole est une phase récessive du cyle respiratoire » (78). Mais, à travers la musique, le rythme respiré, « tout croule en même temps sans bouger sans eau sans substance alors que le vide oblige tout à fluer alors que ça fait chute par matière chutée seuls des filaments en surface » (32-33).

La musique est elle-même une dérivée : simple indice sonore d'une scission, d'un rythme sourd, muet, mortel et régénérant, là où le corps est strié par les coups de la biologie et par les chocs des contradictions sexuelles, sociales et historiques, s'appliquant à vif, perçant la protection de la couverture vocale et symbolique : « mais tant que l'espace et les pulsions ou le vide animé te poussent vas-y laisse-toi fleurir recommence efface ton ressors-toi d'là » (129); « ç'lui qui a des freins y s'arrête comme si la pulsion était pas constante comme si y avait l'temps de mettre virgule point-virgule et tout le bazar comme si ça transmettait pas 24 sur 24 c'est à vous de vous transformer chacun son fossé » (178); « quelle chorale tout le corps laisse-moi coller mon oreille à ta joue contre ta mâchoire c'est là que je veux entendre ton silence en bruit couvert non bruité » (94).

Langue phrasée, emportée dans le rythme jusqu'au-dessous de langue : silence violent, pulsion, vide heurté; et à rebours — parcours de la jouissance —, « c'est le dessous de langue qui vient se retourner au point d'ébullition » (64); « aussi loin que je me souvienne l'hallucination était là vivante patiente son relief en plus écoute j'ai pas inventé l'horloge du langage la question est de savoir qui est le maître et c'est tout » (64); « mes mots ont commencé à trembler sous forme d'avions de comètes vrilles torches en train d'épancher ce ciel vers la fin du jour le délire en décharge il suffit de trouver dehors le déclic brut ennemi mur de foutre piolet houillé embrouillé branle-moi sinon je me saute » (147). Chaque syllabe devient alors porteuse d'un morceau de corps qui est aussi bien dedans (corps propre) que dehors (espace physique, cosmique); elle est particule, onde, tourbillon d'un « je » pulvérisé qui s'y dissout et s'y rassemble, violant et harmonisant, remontant-descendant la voix, la langue : « mon hypothèse est donc la suivante puits de jouissance ronflante captée au dix-millième pensée au dix-milliardième repoussée en conscience avec la force d'un marteau pilon » (72); « lorsqu'on a gravi la voix en conscience on voit rappliquer les noms doucement violemment il y a là une expérience qui reprend plus haut le délire » (99).

La conscience dans le rythme et la pulsion, la pulsion et le rythme dans la conscience : reprise et représentation du délire, déliaison de la reprise et de la représentation — « ce qui différencie ce style d'avec le document clinique au sens strict c'est l'absence d'engorgements liés non liés l'ouverture n'ayant pas à se dessiner id est la représentation de choses innervée plutôt qu'énervée nervée narrée dans l'inerte c'est-à-dire innée deux fois née jamais surannée » (139); « l'schizo est aussi réac qu'un autre » *(ibid)*.

La langue rythmée porte donc une représentation, mais c'est une représentation, une vision striée : pas d'exclusion de l'œil par l'oreille; la représentation retentit, le son se fait image, la pulsion invocante rencontre l'objet signifiable, vraisemblable, poly-logique — « quand l'oreille est pénétrante elle devient œil sinon la leçon reste emmêlée dans l'oreille sans atteindre le nœud dehors saccadé » (97). La langue est là pour faire éclater la musique dans le vu, sinon la musique s'exile dans un dedans ésotérique, mythique, et le vu reste « un », opaque — « je dis qu'il faut épuiser la vue répandre l'ouïe avant de la lâcher à son tour allons sortez-moi ce crâne l'or a voulu dire sonorité et le jade éclat branche feuilles flot sourire tout cela doit être glissé dans la soie les herbes lumière [...] on doit exercer gorge larynx poumons foie rate les deux sexes [...] » (81).

Et c'est à cette condition, totalisante-infinitisante, que s'accomplit l'équation sexe = politique, l'agent en étant la langue sonore-représentante, dépensante-signifiante — « l'équation sexe et politique si l'on n'y introduit pas le langage demeure métaphysique l'indice d'une croyance non surmontée [...] comment dire ça dans quel rythme comment transformer la langue écrite et parlée dans le sens d'une respiration démontage de l'idéologie tartre verbal devenu muet orbital tantôt on est sur la berge tantôt au cœur du courant il est nécessaire qu'on sente ça très fort le courant la berge deux et l'un sur l'autre et l'un sous l'autre et l'un séparé de l'autre et l'un lié à l'autre courant berge courant berge courant berge courant en laissant le fil au courant » (83).

Une dialectique s'énonce ici entre la limite et l'infini démembré, la vision et le rythme, le sens et la musique, la berge et le courant : dialectique — précis de la langue. Pourtant, le texte-polylogue qui ne se constitue que de cette dialectique, accentuera surtout la musique et, à travers elle, la matière muette de la langue : polémique avec le fini, l'arrêt, le tout, avec la thèse socialisante, mais aussi, et en même temps, clôturante, mortelle. Le polylogue massacre la « thèse » symbolique qu'il conserve, en la bombardant d'une musique qui ressuscite le tympan assourdi, sinon crevé, de l'homme socialisé, éduqué, phraseur — « voilà tes chaînes d'association rongeant le foie d'autrefois pourtant cette musique devait massacrer la mémoire percuter direct le tympan non non pas l'oreille le tympan excisé à l'air non non pas la vieille caisse tout un cortex lucide épluché couleurs brillées déglacées maintenant écoutez soyez justes repérez les morceaux l'effort les cristaux ça tendait vers non vers quoi enfin ça tendait oui ça voulait oh oui ça voulait est-ce qu'une plainte est risquée pute d'homme animal raté » (162). Ressusciter l'animal, remédier au ratage, étendre à neuf le tympan, la résonance déraisonnante : c'est écarter l'homme, refaire l'animal dans l'homme — le faire chanter comme ces oiseaux de Josquin des Prés : « il est jour levé sus écoutés l'alouette petite qui dit dieu il est iour il est iour lire lire li fere li lire li ti » (145); le noyer dans un éclat de rire : « nous sommes la cendre d'innombrables êtres vivants quand le problème est de l'éprouver dans la gorge comme si on était devenu tous personne quel instrument impalpable dissous dans le vent » (145).

Rire à travers le sens saturé-strié, à travers l'identité affirmée-rythmée. Rire dans un vide fait de surplus logique, syntaxique, narratif. Un rire inhabituel, inquiétant, inclassable. Le rire de *H* n'est pas la joie rabelaisienne secouant la science et l'ésotérisme, le mariage et l'Esprit, appuyée sur un corps plein, retrouvé, prometteur; rire de l'Homme gigantesque. Il n'est pas non plus la crise furieuse swiftienne, désabusée et cruelle, exhumant l'enfer sous la concorde sociale et démontrant à l'Homme qu'il est « lilliputien ». Depuis la Renaissance, l'Occident n'a ri qu'avec les Lumières (le rire détrône avec Voltaire, Diderot) ou bien dans les coins de la psychose où le pouvoir et la logique s'éprouvent ambivalents, d'abord, effondrés, pour finir (le rire est noir d'un sens consumé : Jarry, R. Roussel, Chaplin...). *H* rit autrement. Le rire de *H* ne s'entend qu'à travers et après la musique du texte : il faut épuiser tous les réseaux de sens possibles sous le bon sens, le banal, le vulgaire, le facile, ou le cruel, le menaçant, l'agressif — pour saisir qu'ils sont insaisissables, qu'ils ne tiennent sur aucun axe, qu'ils sont « arbitraires » comme le sont le signe, le nom, l'énoncé, mais aussi le plaisir, la jouissance. Ce n'est pas le heurt de valeurs signifiées qui fait rire dans *H;* ce n'est pas non plus l'irruption du non-sens dans le sens comme pouvait le laisser penser *Lois.* C'est l'*arbitraire de la coupure du sens* qui se pose quand même sur le flot du rythme, de l'intonation, de la musique. Nous ne rions ni du sens ni du non-sens. Nous rions du sens constructible, de la *posture* qui nous fait énoncer de la signification comme elle nous fait jouir, et que *H* n'évite d'ailleurs pas, mais qu'il accepte pour mieux la pulvériser. Nous rions de l'énonciation qui n'est pas musique, et/ou de la sexualité qui n'est pas un procès de consumation. Nous rions de la castration. Ni gai ni triste, ni vie ni mort, ni organicisme sexuel ni renoncement sublimé, ce rire est synonyme d'une énonciation musiquée — espace où énonciation et rythme, position et infinitisation du sens sont inséparables.

Nous ne rions donc pas pour juger la position qui fait sens; encore moins pour nous mettre hors du jugement, dans une surréalité où tout se vaut. Nous rions de la limite assumée dans le mouvement qui pose et dépose le fini dans un procès indéfiniment centrable, décentré. Rire du langage, rire de la socialité même. Rire de la castration qui nous fait nommer dans un procès excédant la nomination. Pessimisme, optimisme? — Bornes déplacées qui font aussi rire. Tout fait rire depuis le mouvement de la signifiance. Un rire oriental : sensé et conduisant au vide.

Les fils sonores s'ouvrent alors, à perte, dans un corps ivre d'un mouvement qui ne lui est en rien personnel, mais qui se fond avec le mouvement d'une nature en même temps que d'une mutation historique : « il faut nager dans la matière et la langue de la matière et la transformation de la langue en matière et de la matière en langue tribu de matière doigts du parcours côté de chez swann le soleil est encore celui d'autrefois mais zwang xu avait la meilleure cursive sous les tang il se saoulait le fumier criait courait en tous sens puis prenait son pinceau écrivait à toute vitesse il lui arrivait même de tremper ses cheveux dans l'encre pour tracer à vif xièhuo veut dire écrire avec vie on voit ça nettement dans les caractères de mao le 17 août 1966 xin pei da les deux premiers confus le troisième agressif décidé sûr du nouveau et voilà c'est toute l'histoire la lutte des classes fait partie de la nature et la nature a le temps cette mouette est la même qu'il y a mille ans mais l'homme est plein de nuages » (100).

Qu'est-ce qu'un matérialiste qui parle?

Je lis *H* en même temps que le livre de Sollers *Sur le matérialisme* [1] : deux pans du même procès. Pour les mécanistes, le matérialisme est une question de substance ou, mieux, de reconnaissance d'une primauté de l'extérieur sur l'intérieur, de la nature sur la société, de l'économie sur l'idéologie, etc. La langue, cette pratique qui fait que ça signifie, que-ça-signifie-que-cela-est, est abandonnée aux gardiens du logos posant-éclipsant l'être-l'étant-le néant. *Il n'y a pas de logique ni de linguistique matérialistes.* La logique, la linguistique se constituent, l'une comme l'autre, d'un geste qui forclôt toute hétérogénéité au signifiant et qui, comme tel, suit la vérité d'une certaine position du sujet parlant : la position de l'ego transcendental, dont Husserl a exposé l'émergence à travers le jeu de cache-cache avec l'objet. Plus encore, tout discours qui obéit aux postulats d'une logique et d'une linguistique communicationnelles, est un discours d'emblée, et par son économie même, étranger au matérialisme. La philosophie — logique, grammaticale, pédagogique — ne saurait être matérialiste : pour son lieu d'énonciation, qui est aussi le lieu d'énonciation phrastique simple (énoncé de la demande et de l'échange), la matière ne peut être que « transcendance », et Husserl l'a dit.

Et pourtant, le matérialisme a pu se signifier : dans les ellipses d'Héraclite, dans le geste d'Épicure déclinant les mœurs de la cité, dans la langue poétique de Lucrèce. Ce matérialisme antique, dont on peut discuter comme on veut les ignorances, les naïvetés, les limites préscientifiques, porte une « vérité » que les matérialismes mécanistes modernes sont incapables d'atteindre. Celle-ci : le matérialisme est un savoir du monde, certes, mais ce savoir est inséparable de la posture

1. Éd. du Seuil, 1974.

du sujet parlant dans sa langue et/ou dans le monde; le matérialisme est avant tout une énonciation *de* ce que vous voulez, mais qui implique nécessairement le fait que celui qui énonce a un inconscient qui le frappe comme rythme-intonation-musique, avant de le dissoudre dans un éclatement cellulaire, biologique, en même temps que subjectif, symbolique, social. Un « je », qui a suivi ce procès pour revenir à sa position, et en parler la poly-logique : c'est un *matérialiste* qui *parle*. Diderot parle en matérialiste lorsqu'il joue l'homme orchestre : le Neveu de Rameau. Marx et Lénine parlent en matérialistes, lorsqu'ils refusent le discours de la philosophie et, dans la polémique ou le combat, retrouvent un « discours » multivalent sous la parole apparente, disons un discours sans paroles : indice de leur mise en procès, impliquant la mise en procès des masses.

H explore précisément ce moment que tant de philosophies et de dogmatismes visent à recouvrir : le moment où le matérialisme peut se parler; non pas dissolution du « moi » dans une matière muette — schizophrénie à la dérive; non pas fuite d'un ego subsumé par la synthèse prédicative en dehors de toute antériorité à sa position logique; mais l'épreuve de l'attaque, de la séparation pulsionnelle, de l'immobilisme ou de la mort, en même temps que leur reprise dans une polyvalence logique découpée, rythmée. Le sujet se perd pour s'immerger dans le procès matériel et historique, mais il se reconstitue, reprend son unité et parle, rythmé, sa dissolution aussi bien que son retour.

Le discours matérialiste, lorsqu'il s'énonce en rythme, est d'une gaieté déchirée de douleur. Le rythme qui multiplie la langue et la soustrait à sa position transcendentale est propulsé par la douleur : le rythme est l'énonciation de la douleur qui coupe le « moi », le corps, chaque organe. Une douleur ressentie comme telle dès qu'un mot (signifié, signifiant) se pose; une douleur qui ne s'évide qu'après avoir bombardé tous les mots en circulation dans, avant, après, le sujet énonçant. Sans cette douleur d'une schize multipliée, aucune chance de parler le procès du sujet, de la matière, de l'histoire, comme un procès dialectique, c'est-à-dire *un* et *hétérogène*. Héraclite « misanthrope » : fragmenteur, diviseur, séparateur. Sade metteur en scène de la douleur, lieu d'évanouissement et de jouissance enfin dite, enfin possible. Lénine écartelé entre les *Cahiers sur la dialectique* et *Que faire?,* qui arrive dans la nuit de Smolny avec son propre corps perclus de mal, et cette mort mystérieuse... Le code social, échangiste, protectionniste, fait d'unités opaques qui permutent sans se mettre en cause, sujet-objet irrémédiablement perdus l'un pour l'autre... — ce code ne se laisse pas lever — jouir — rire — sans faire mal.

Moment de l'attaque : perte du moi, du savoir, douleur de la schize, frôlement de la mort, absence de sens — « il y a un instant vertige quand tu tends le bras hors du savoir absolu pour trouver la fleur » (96); « un os en train de flipper » (162); « c'est comme le sursaut intime de la matière or moi je refuse je refuse je refuse non non non [...] je n'accepte pas l'identité je me sens beaucoup trop amphibie bombardement protéines nucléotides nuage d'hydrogène initial irisation de l'hélium double hélice » (61) « c'est vrai que ça leur fait peur cet émiettement quotidien du tissu sensible douleur des gencives aux reins du foie à l'épaule y en a qui s'enfermeraient dans les maths pour moins que ça y en a qui préfèrent foncer dans la danse » (26); « voilà la douleur qui repart dans les dents les tempes sous la nuque la douleur tu comprends c'est comme la jouissance étendue dénombrée temporalisée palpable qui a dit qu'on ne pouvait pas l'écrire mais si en souffrant longtemps petit feu élancé points vifs c'est là que tu vois qui travaille et qui bavarde [...] ô tapis roulant poudroyant » (32); « j'en ai mal partout quand me prend cette épilepsie du grec médical épilepsia proprement attaque oui ça m'attaque ça me prend squelette à l'envers » (121); et cette transformation de saint Paul : « oh mais qui donc me délivrera de ce corps sans mort » (39); « le tombeau tu l'emportes partout avec toi » (77).

La pulsion négativante, schizante, douloureuse, immobilisante, mortelle n'arrête pas le procès : « je » resurgit parlant, musiquant, pour exposer la vérité matérielle du procès qui l'avait porté au bord de son explosion dans un tourbillon de particules muettes. Le schizo ressuscite : « le schizo devient diplomate entreprenant imbattable assoupli post maso genre oiseau » (113).

Son éclatement l'a multiplié, désanthropomorphisé, anonymisé : « la nature est pour moi un lac rempli de poissons et moi poisson poisson poisson sans complexes » (63). « Je » est devenu un étrange physicien pour lequel la particule quantique n'est pas seulement un objet « externe » à observer mais un état « interne » de sujet-de-langue éprouvé : « l'acteur peut désigner ça par la fonction d'onde de sa molécule pour échapper au cycle il devra s'écraser lui-même dans l'ombilical » (105); « si tu veux maintenir l'ébullition dans ta chambre n'oublie pas que chaque liaison est représentée par une fonction d'ondes à deux centres occupés par une paire d'électrons venant de deux atomes liés vas-y respire ta probabilité de présence les nuages remplacent maintenant les trajectoires nous évoluons avec ce brouillard spectral toute éjaculation émet un coup de pensée non pensé c'est même à crever de rire » (106). Infixable, mais aussi susceptible d'être présent, logique, pensé — particule et onde, matière en passage : « je ne peins pas l'être je peins le passage d'ailleurs je ne peins rien du tout je me sens vraiment high quand accepterons-nous l'impermanent l'absence de signature la disparition du sceau à l'intérieur pieds joints et bonsoir » (46).

C'est alors seulement que le sujet parlant se découvre sujet d'un corps, lui-même pulvérisé, démembré et refait selon les coups des pulsions — des rythmes — du polylogue. Territoire de strates hétérogènes (pulsion-son-langue), multipliable et infinitisable : la langue matérialiste est la langue d'un corps jamais entendu ni vu. Pas de substance spinoziste, pas d'étendue cartésienne, même pas de monades leibniziennes en réseau tabulaire : ce corps polylogique est une contradiction permanente entre la substance et la voix, chacune entrant en processus de fission infinie à partir de leur heurt — substance vocalisée, voix amortie, chacune infinitisée par rapport à l'autre. Mais retrouvant enfin l'unité de la conscience parlante pour se signifier.

Le sujet est en procès — Van Gogh, Artaud — et la dislocation physique en est la métaphore. Mais, et c'est là l'inouï, le sujet revient : Sollers parle d'un « springing du sujet », survenant pour disposer cet éclatement en une langue à laquelle il donne, du coup, un corps démembré, innombrable. Parce que quelqu'Un émerge du poudroiement schizophrénique et le fait passer à travers notre code communautaire (le discours), un nouveau rythme se fait entendre et notre corps nous apparaît cassé, refait, infini : « un corps n'en vaut pas un autre nous sommes ici pour commencer à éclaircir le continent balafré usé sanglant fonctionnant l'échelle des corps dans le courant comment forcer la tête à le laisser être à prendre conscience de tous les claviers » (47); « cette capacité qu'a parfois un sujet obstiné mais fluide d'enlever voile sur voile de détacher les nœuds d'appuyer sa négation jusqu'à ce que l'infini sous sa forme toujours inattendue commence à sourdre dans ses parages inside outside » (70); « curieux comme l'animal peut bander en rêve pendant qu'il est en train de se découper comme il s'éprouve en même temps unité gazeuse comprimée rangée en tiroir » (68). Animal : tourbillon physique, vocal, peut-être codé, mais clivé de son axe ou de son point de contrôle subjectif-signifiant-symbolique. Épreuve de l'hétérogénéité radicale : la thèse signifiante est hors de la multiplication subie, et cet écart tendu qui peut à chaque instant se rompre sans aucun retour à l'unité possible, fait, de cette « unité » suspendue, un mort : « je m'applique ce traitement par excitation massée périodique chaque bord occupé à se traverser zones striées dans l'ensemble le problème est cette unité du point mort qui fait que la multiplicité est pensée en dehors à partir de l'unité fixe ou morte » (155) — « n'oubliez jamais la raison du plus mort » (110).

La raison n'est, en somme, que du « plus mort » : ce n'est que le plus mort qui formule quelque chose de neuf. Mort-antériorité immédiate de la formulation. Condition (première) de ce sursaut étonnant, lui-même condition (seconde) faisant parler le poudroiement, faisant danser l'unité tout à l'heure aliénée — « c'est elle au fond la mort qui a peur de nous » (87); « toute formulation spontanée non cherchée doit se payer cher » (62).

J'appellerai « écrivain » cette capacité de sursaut où la violence du rejet, avec un rythme insensé, passe dans un signifiant multiplié. Non pas reconstitution d'un sujet unaire remémorant — à l'hystérique — ses absences de sens, ses plongées dans un corps sous-marin; mais les retours de la limite-coupe, castration, barre signifiant/signifié — qui instaurent la nomination, le code, la langue; et ceci non pas pour y expirer (comme le veut le sens communautaire), mais pour les rejeter en connaissance de cause, les multiplier, pour les dissoudre même aux frontières, les reprendre à nouveau... Rappel des *Védas* : « me voilà je je et encore je premier-né de l'ordre avant les dieux dans le nombril de la non-mort » (99). Un « je » affirmé, ineffaçable, agrippé à son unité, mais occupé à la traverser — à se traverser — dans tous les sens, à se sillonner, à se surplomber, à prendre ses mesures, à se penser dans toutes les coordonnées d'une « géométrie » bouleversée — « ça fait un drôle de cheval ce sujet au pas au trop au galop devant toi derrière toi sous toi et sur toi avancée recul englouti nageur travailleur glandeur et rêveur et toucheur menteur et chercheur et parleur pilleur pleureur écouteur fuyeur et chômeur [...] » (129); « comment voulez-vous vivre avec une nappe d'eau insaisissable avec un corps qui se voit et se voit se voir se voyant vu visible invisible donc sans cesse en train de dire au revoir ça n'est pas un père ça madame c'est pas une mère » (107); « il y a l'objet de la jouissance et celui qui passe pour le jouisseur mais celui qui tout en jouissant connaît l'un et l'autre n'est pas affecté » (99). Voici donc « l'annonce d'une géométrie plus profonde que je sens en moi derrière moi avec l'odeur du grenier carrefour des mailles fin réseau d'étoiles creuse creuse détache décolle renvoie on obtient ici une théorie rapide des enveloppes d'algèbre et l'arithmétique sont des doubles de ce vent langué hors effet » (98).

« Je » parle-chante le mouvement indécis de son avènement. Sa géométrie, c'est-à-dire le texte, ce « double du vent langué », ramasse en une seule séquence formulée le rythme et le sens, la présence effacée et la présence reconstruite, mimée, où il scande-et-signifie la vérité de sa production et de sa mort : passage du « subjectif » à l' « objectif » puis de nouveau au « subjectif », sans fin — « je n'avais du dehors qu'une perception interrompue circulaire je n'arrivais pas à savoir si l'eau avait un horizon végétal la couleur verte était peut-être un simple reflet du volet » (11); « je veux être seul c'est compris seul quand je veux aussi baigné aéré qu'au premier matin » (36).

Mais ce « je » affirmé, hypostasié, inébranlable dans ses multiplications tordues, conscient de la vérité de sa *pratique,* n'exigera pas une vérité pour sa *parole.* Ce n'est donc plus le mysticisme disant : « je suis la vérité ». Le polylogue dit : « moi la vérité j'ai le droit de mentir dans la forme qui me chante » (35). Car ce « je » polylogique parle d'un *avant :* avant la logique, avant la langue, avant l'être. Un *avant* qui n'est même pas inconscient; un « avant » tout « avant inconscient » — *choc,* jet, mort; heurt, puis — *stase* du son, puis — *hétérogénéité* du « representamen », « autre », « langue », « je », « parole »..., puis — *irruption* du choc, du jet, de la mort. Un « je » qui va dans cet « avant » dont on ne peut même pas dire qu'il « a été » (car « il a été » c'est parce que « je » le dis, sans cela cet avant, par rapport à « je », fait « nœud », « ne... pas », négativité) n'a aucune garantie d' « être » ou de « vérité » dans son dire, sauf l'intonation, la mélodie, le chant et la torsion qu'il inflige à la langue en la faisant parler dans un futur menaçant pour les assis du *présent,* donc de l' « étant » commémorant un « être » qui n'en reste pas moins présentable. Dans *H,* « je » présent est la crête d'un *avant* mélodieux et d'un *futur logique immédiat,* fulgurant pour celui qui n'a pas entendu l'écho de l'avant et qui n'y est pas allé de lui-même. « Je » tout juste présent pour ouvrir le présent dans un double infini : *avant* immémorial et *immédiateté* historique ravageante — «moi je parle du détournement d'avant de l'avant que celui qui a l'étincelle s'éclaire de la retenue à la source dont ils ne se doutent pas viscéralement c'est tout autre chose un combat ici au couteau entre ce qui me traverse et le front buté appelé jadis démoniaque ne croyez pas une seconde les endormeurs qui vous disent que rien n'est moins vrai le terme prophète apparaît vers 980 à propos de passion pris au sens physique c'est au douzième qu'on dit prophétie du grec prophêtês littéralement qui dit d'avance vous vérifierez vous-mêmes du moins ceux d'entre vous qui ne sont pas trop enracinés d'où me vient cette insolence je ne sais pas oui elle est vraiment sans limites» (30).

«Qui dit *salut*»? — salut, Yesha'yâhû, Isaïe. C'est «je», présent pour signifier le procès qui l'excède, et tout juste pour ça. Ni Un paranoïde fixé dans sa maîtrise. Ni Autre prophétisant parce que coupant un après dangereux (logique, nommant, castrant) d'un *avant* inaccessible (pulsionnel, maternel, musical). Mais le *procès même, où l'Un et l'Autre* sont des stases, des moments d'arrêts : procès naturel-sémiotique-symbolique, hétérogénéité et contradiction. — «j'aime assez quand le malaise le malentendu gagnent en épaisseur il faut que le tourbillon s'y fasse peut-être qu'ils vont m'obliger à me flinguer pour finir accusé comme je suis de vouloir le deux en même temps de proposer la scission ils y voient du manichéisme alors que leurs borborygmes ne font pas la multiple voix une et liée multiple divisée liée disant l'un multiple le non-un le toujours et jamais multiple oh mon vide toi seul fidèle j'irai même jusqu'à dire tendre et fidèle et coupant horrible doux ponctuel terrifiant» (35).

Un signifiant flottant? — Un flot insensé qui produit sa signifiance : «quel métier d'être le soi-disant signifiant flottant ou plutôt la flotte qui se signifie elle-même» (59). Impersonnel donc, en somme, ne parlant (en) aucun nom même pas en son «nom propre», mais *disant l'entendu :* «il ne parlera pas de lui-même mais tout ce qu'il entendra il le dira» (181). Formule d'Augustin pour spécifier le «saint-esprit» dans le *De Trinitate*. Mais que pourrait indiquer, en ce registre, «au nom de»? L'excès de l'instance : du Père, du Fils; le procès idéal de l'Un, de la Nomination elle-même?

Le transfini dans la langue — cet «au-delà de la phrase», est sans doute avant tout une traversée de la nomination : ce qui veut dire qu'il est la traversée du signe, du syntagme et de la finitude linguistique, bien sûr, mais aussi et en même temps la traversée du « nom propre » : d'une indexation qui identifie l'entité si et seulement si elle la fait procéder d'une origine symbolique où se recueille la loi du contrat social.

H fait le procès de la nomination et du Nom (propre) en posant et en reconnaissant leur contrainte. Nom propre — pseudonyme — et relève des deux dans un éclat de rire qui attaque l'identité du fils, mais aussi de l' « artiste ». Phrase-séquence-narration — et excès de leurs significations localisables (dans lesquelles s'étaient pris maints lecteurs de *Lois*) dans un procès à centres indéfiniment, infiniment déplaçables. Rien ne procède de rien : l'infini s'invente à coup de jets heurtés, hétérogènes, contradictoires où « ce qui procède » (nomination, Nom) c'est qu'un ensemble n'ayant d'existence qu'à partir de l'infini écarté; or, ici l'infini (logique *et* hétérogène) ne se tient plus à l'écart, mais revient et menace toute existence nominale.

L'éclatement de la famille

Il y a une sobriété de *H* : contour léger de la musique, évitement de la surcharge narrative des séquences, éveil logique permanent dans la dérive même des syllabes — qui frustrent l'hystérique, désappointent l'obsessionnel, énervent le fétichiste, intriguent le schizo.

H le dit : ce qui détermine ces réactions gît du côté de la mère phallique. Que tout sujet se pose par rapport au phallus, on l'a compris. Mais que le phallus, ce soit la mère : on le dit, mais nous voilà tous arrêtés par cette « vérité » : l'hystérique, l'obsessionnel, le fétichiste, le schizo. Point de mire qui nous rend fous ou bien nous permet de surnager lorsque lâche le thétique — le symbolique : la mère phallique détient les imaginaires parce qu'elle détient la famille, et l'imaginaire est familial. L'alternative semblait fixée : ou bien le Nom-du-Père transcendant la famille dans un signifiant qui, en fait, en calque les drames; ou bien la Mère phallique qui vous ramène à l'oral, à l'anal, au plaisir de la fusion et du rejet, avec quelques possibilités de variations limitées : soit vous y restez spasmés, aphasiques; soit un fantasme s'y loge et ouvre la voie au polymorphisme qui peut ronger le code social admis, mais aussi être son complice refoulé; soit vous faites passer cette Mère Phallique dans la langue et elle vous permet de tuer le signifiant maître, mais reconstitue le refoulement ultime et tenace qui vous capte dans les voiles du « mystère génital » (Nerval, Nietzsche, Artaud)...

Aucune langue ne chante si elle n'affronte la mère phallique. Encore faut-il ne pas la laisser intacte en dehors, en face, contre loi, code ésotérique absolu. Mais l'avaler, la manger, la dissoudre, la placer comme une frontière du procès où « je » avec « elle » — « l'autre » — « la mère », se perdra. Qui en est capable? — « Moi seul je me nourris de la mère », écrit Lao Tseu. Dans le temps, on appelait ça du « sacré ». En tout cas, dans cette traversée du mirage maternel phallique, dans cet inceste consumé, la sexualité n'a plus l'aspect gratifiant d'un retour à la terre promise. Connaître la mère, prendre sa place d'abord, faire le tour de sa jouissance et, sans la lâcher, passer outre. La langue qui témoigne de ce trajet est irisée d'une sexualité dont elle ne « parle » pas : elle la rythme, c'est le rythme. Ce qu'on prend pour une mère, et toute sexualité que l'image maternelle commande, n'est qu'un arrêt du rythme, où se constitue l'identité. Qui le sait? Qui le dit? — Seul le scande le rythme, le geste dé-signant, dissolvant.

Inceste du fils : rencontre avec l'autre, du premier autre, de la mère; pénétration de ce territoire hétérogène, absorption de son éclatement, et liaison de l'éclatement du « propre » qui s'ensuit : la jouissance du poète, qui fait que celui-ci émerge de la décorporalisation schizophrénique est la jouissance de la mère : « qui a pu peut pourra embrasser ainsi sa mère profonde à la bouche et sentir monter rayonnante la triple et une jouissance » (164); « j'ai eu ma mère en rêve très découpée nette aguichante » (138); « ce qui fait qu'un poète a d'abord un goût prononcé de menstrues dans la bouche et qu'il est pas raisonnable de lui demander de parler comme s'il n'avait pas perdu ses dents de lait » (143); « c'est le tourbillon pas besoin d'insister pour faire croire à une pensée en deçà nerveux non-pensé lisez-moi lentement s'agit pas d'une crise on est dans le miel en réalité ce qui reste ici est toujours enfantin chute libre la difficulté est justement d'accepter que la mère soit cette lente oh si lentement cassée de l'espèce qu'elle soit aveugle quoi voilà le secret qu'elle soit cette lente chute aveugle et putain malgré l'appétit support mais n'espérez pas la voir sans vous défoncer » (127).

Étrange inceste d'où « Œdipe » sort comme Orphée — chantant —

et où Jocaste reste aveugle. Renversement des rôles : la puissance maternelle, approchée, utilisée pour refaire une identité harmonieuse, est épuisée. Œdipe, héroïsé par l'appui inconscient de Jocaste, revient sur ses traces : *avant* que cela fût — pour *savoir :* refus de l'aveuglement, démystification de la sphinge, abandon d'Antigone. Le mythe grec est crevé : un inceste non œdipien le remplace qui ouvre les yeux au sujet se nourrissant de sa mère. La mère phallique — pilier aveuglant de la *polis,* support inconscient des lois de la cité, — est prise, comprise et écartée. Le sujet de cette aventure ne peut pas être un « citoyen » : ni Oreste meurtrier de sa mère ni Œdipe — dépositaire castré d'un savoir invisible, sage occulte, support tragique de la religion politique. Le sujet « acteur », « poète », banni de la République parce que ayant percé son socle maternel, se maintient dans ses marges en vacillant entre le culte de la mère et la levée enjouée, riante, de son mystère. Du coup, il se soustrait aux codes, ni bête, ni dieu, ni homme : Dionysos, né une seconde fois d'avoir eu la mère.

Son discours oraculaire, dédoublé (signifiant/signifié) et multiplié (dans ces enchaînements phrastiques et logiques), porte la cicatrice du *traumatisme* mais aussi du *triomphe* dans le combat avec la mère phallique — « on n'a pas assez remarqué que la double dimension du langage œdipien reproduit sous une forme inversée la double dimension de l'oracle oidos pied enflé oida je sais en suçant son pouce raisin de corinthe on dit aussi les lois au pied élevé définissant au-dessous les bêtes au-dessus les dieux les unes et les autres pions isolés sur l'échiquier d'la polis hors-jeu brisure du jeu moralité celui qui veut sortir sans pour autant s'acheter lunettes canne blanche en écoutant bien le iou iou quand l'animal tombe finalement sans lui nous ne saurions rien quelle vue dans le noir vrai dépassement du devin bref il y a deux façons d'être aveugle l'une à l'avenir l'autre au passé [...] ou alors va faire un tour au schizo quand je dis tuer père coucher mère s'en aller sans yeux d'où l'on vient faut comprendre que ça s'passe sur le même corps main droite main gauche [...] savez-vous ce qu'il fait après avoir disparu à colone car antigone commençait à le faire chier il revient sur le chemin de thèbes il s'aperçoit que la sphinge remonte en surface eh bien une nouvelle fois il la tue mais averti par l'expérience précédente il n'en dit rien à personne et ma foi se taille loin très loin il est là parfois parmi vous regard désolé d'être si mal vu mal connu » (158).

La guerre n'est pourtant jamais finie, et le poète aura toujours à se mesurer à la mère, à sa double face : rassurante-régénérante, d'une part, et castratrice-légiférante-socialisante, d'autre part — « c'est la vengeance de la vieille furieuse d'avoir été déchiffrée disant voilà hein c'est fini enterré une bonne fois ce cochon vous êtes libres chéris je m'accroupis sur sa tombe reproduisez l'impasse posez vos questions respectez la barre c'est moi c'est la loi j'anus en surmoi je t'apporte l'enfant d'une nuit d'inhumé » (158). Le lustre du mystère mallarméen vole en éclats. Par là même s'envole la tragédie ancrée tout entière dans la lutte des classes bien sûr et avant tout, mais — pour le sujet — ancrée surtout dans la contrée sombre et aveuglante du phallus maternel. Le discours d'un savoir agressif et musiqué s'ensuit, qui attaque la puissance phallique à chaque fois qu'il la voit se constituer sous les hospices de la mère; mais sans oublier de puiser la vérité que ce conflit a laissé échapper.

Ainsi, cette mise en garde qui évoque *la Cité de Dieu* : « la grande mère a tendance à revenir avec ses châtrés comme chaque fois que le sol s'ouvre avant une ébullition » (49); « quand la pensée est bloquée c'est qu'elle vient se rassembler autour d'un nom d'un désir de nom d'un nombril » (52). Celui qui se prend pour un homme n'est que l'appendice d'une mère : l'*Homme* serait-il un fantasme de mère phallique? — « l'homme comme tel n'existe pas [...] l'ombre de maman façonnant partout son pénis » (113); comme le Père Primitif d'ailleurs : « qu'est-ce que c'est cette histoire d'un homme qui aurait toutes les femmes sinon un fantasme de femme » (137).

La procréation : la grossesse de la mère — soutien inébranlable de tout code social : « comme si le postulat de la science était au commencement était l'engrossée » (137); « mister totem misses tabou le dessert en stabat mater » (137) — assure le refoulement. Du même geste, elle assure la puissance de la mère phallique sous-jacente à toute organisation tyrannique comme elle est présente dans tous les désirs inconscients — « la mamma la mamma du grand gros papa [...] mère à droite père à gauche et la droite fait tuer la gauche et la droite obtient le bout de la gauche qu'elle cache sous sa p'tite jupette ce qui engendre la ponte indéfinie de l'exclu du tiers » (137); « le culte de la déesse raison m'a toujours paru être un argument négatif contre robespierre y a encore d'la maman là-dedans ça sent le fils soumis bon élève encore que la cantatrice sur l'autel fallait oser de ce point de vue on n'a pas tellement avancé » (70). Occultisme, ésotérisme, régression, affluent dès que le symbolique craque et qu'il laisse se profiler l'ombre de la mère travestie qui est son secret, son support ultime. D'où vient cette impossibilité du sujet parlant de parler la mère en elle-même? d'où vient que la « mère elle-même » n'existe pas? que ce qui est (ce qui est dit) n'a de mère que phallique? L'infranchissable phase orale? — « vous êtes tous collés à l'oral » (75). Les difficultés de ramasser la motilité d'un corps humain prématuré pulvérisé par la pulsion, dans un espace spéculaire : difficulté de l'identification que la mère précisément favorise — toile de fond infranchissable? Le fait de transformer ce support identificatoire en un Autre — lieu de pur signifiant, préserve dans l'ombre la présence d'une opacité maternelle, substancielle, moïque. La mère resurgit comme l'archétype de l'objet indéfiniment substituable de la quête désirante. Ce n'est donc qu'en crevant ce lieu de « pur signifiant » qu'on crève du même coup le support maternel sur lequel le signifiant s'érige, et vice versa. Et la quête désirante alors? Elle devient désir d'approbation de la langue maternelle : « j'vous parle pas au nom de l'anal phallique qui vous fait chier comme moi ni au nom du père du fils ou du monoprix ni au nom du génital barboteuse non mais du génie étale la nouveauté de demain l'anti-surhomme le non-dieu non-homme le non-unique le débordement des dortoirs car enfin je vous le demande que devient la mort dans votre local [...] ta naissance te saute à la gueule tu entends souffler les droits de ce qui était là avant toi je passe par toi je passe pas par toi c'est toi qui choisis mon amibe » (75-76).

Retrouver les intonations, les scansions, les rythmes jubilatoires qui précèdent la position du signifiant comme position d'une langue : retrouver donc le souffle voisé qui vous avait noués à une mère indifférenciée, à une mère qui plus tard s'est altérée, avec le stade du miroir, en *langue maternelle*. Et souffler la langue maternelle grâce à la mère retrouvée après coup et, du *coup* (linguistique, logique, position du sujet) percée, dénudée, enlevée dans le symbolique, signifiée, découverte, châtrée. C'est le texte — de l'oral décollé, placé dans la thèse symbolique de la langue acquise déjà avant la puberté.

Il s'agit peut-être de la possibilité de réactiver la petite enfance (l'Œdipe), après la latence, dans la puberté, et de subir la crise de cette réactivation-là, en pleine langue, sans retardement, à vif sur le corps « propre » et dans le système symbolique-logique déjà mûr dont le

sujet disposera dans son expérience à venir. La « seconde naissance »
— la naissance dionysiaque — se situe probablement à ce moment
pubertaire : retrouvailles du corps maternel œdipien, heurt entre son
pouvoir à elle et le *symbolique* que le sujet-corps mûr a déjà maîtrisé
lors de la latence, traumatisme de ce heurt, et là : ou bien soumission
inextricable à l'Œdipe réactivé, ou bien départ du sujet et de sa capacité
sémiotique au-delà de la mère consumée, affolante, menaçant l'unité
symbolique, mais emportée, en dernière instance, dans un procès
sémiotique où le sujet se fait et se défait.

A lire *Lois* et *H,* avec leurs nombreux rappels de scènes enfantines —
la Gironde, le jardin, la famille, l'usine, les sœurs, les ouvriers, les
camarades, les jeux —, on ne peut pas ne pas relever l'importance que
Sollers accorde à la période de latence comme véritable laboratoire où
s'élabore ce réservoir, ce *coup* sémiotique, plus-que-linguistique, qui permettra au sujet de franchir la réactivation pubertaire de l'Œdipe, pour
renouer avec son en-deçà (oral, anal, phallique) et opérer ainsi sur toute
la gamme du corps, de la langue, du symbolique. Le « poète » serait-il
le sujet qui ne s'est pas banalement arrêté à la sortie de l'enfance en
oubliant, mais sillonne son arrière-pays et, enfant anamnésique, retrouve
sa mère phallique pour laisser trace de leur conflit dans la langue même?
De sorte que cet inceste parlé le place au bord où il peut sombrer dans
le délire du schizo qui franchit tout sauf la mère; comme il peut, sur
la même lancée, mais en dialectisant la mère retrouvée, d'une part, et
le signifiant mûri lors de la latence, d'autre part, en les faisant lutter
l'un contre l'autre, produire le *nouveau* de la « culture ». L'innovateur :
cet enfant qui ne s'oublie pas; ni Œdipe aveugle ni Oreste guerrier
foulant aux pieds la mère; mais sans cesse cherchant dans sa mémoire
latente ce qui pourrait lui permettre de tenir tête à une mère appelée
et rejetée.

Toute « elle » prend place désormais dans cette constellation. Toute
hystérique : symptôme d'une défaillance symbolique vis-à-vis de la pulsion débordante, indice d'un phallus mal réglé, drame de la séparation
mot/corps dont le « poète » seul entendra le spasme-éclair et récupérera
la leçon : « la bouche de l'hystérique est notre radar » (67); « elle peut
ressentir en un éclair ce que des années ne lui auraient pas révélé » (88);
« mercure sonore séparant les germes écart de teinture surtout chez les
femmes tandis que l'homme a tendance à s'ensevelir sous les mots
parce qu'il ne sait pas encore laisser les mots enterrer les mots » (117)

209

— erreur d' « Homme » que le « poète », instruit par l'hystérique, ne fera pas.

L'hystérique, une femme, l'autre hétérogène au « poète », représente ce que le discours poétique opère, mais que l'homme n'est pas (pour autant qu'il existe) : « elle » est cette « unité désunie unie dans l'unique et multipliée en multiple » (130) que lui, il éprouve uniquement dans un texte.

D'où, encore, la nécessité de se mesurer constamment à elle : de l'affronter en inventant un nouveau sens de l'amour. Rappel de Joyce : « l'autre a raison de dire que finalement peu importe un héros qui n'a pas vécu aussi avec une femme que les grands airs sans cette expérience multipliée dans le minuscule laisse subsister le maximum d'illusion » (22). L'amour? — « quel nouveau rapport mâle femelle j'ai toujours cherché ça au fond seul avec tous plus vite plus léger plus coloré » (102); « je dis quand même amour par goût personnel du paradoxe parce que bien entendu peu de chose à voir avec la cochonnerie vendue sous ce nom n'empêche que nous avons besoin du romantisme révolutionnaire d'un certain sérieux nouveau style brillant décidé d'un vice qui nous obéisse de partenaires qualifiés [...] je dis au contraire qu'avec ça nous nous installons au cœur du pouvoir qu'on le fait sauter si on tient sur les points obscurs quoi qu'il en soit je veux voir les gens jouir en cherchant pourquoi [...] » (56). — Sans quoi, c'est encore Dieu, le négatif *exilé,* la fusion mythique. Contre cela, et pour le « nouveau rapport », il faut *« penser »* l'amour : ce qui voudrait dire qu'il faut l'imprégner de négativité, de contradiction, de conflits, en étaler en filigrane la haine constitutive : « subir la haine de qui vous hait n'est pas indigne et je suis malade si c'est l'être de haïr ses ennemis la haine est plus ancienne que l'amour » (167). Le « nouveau rapport » en question est en conséquence aux antipodes du repos domestique, familial, maternant; ce qui se rapproche le plus de lui serait l' « hypothèse du big bang inspiration expiration les galaxies s'éloignent les unes des autres comme si elles se trouvaient à la surface d'un ballon que l'on gonflerait rapidement voilà l'impression qu'il faut demander au coït sans quoi quelle barbe le coup d'la fusion de la captation la crèche l'étable le meuh meuh d'la belle et la bête » (52). « Lui? » « Elle? » Chacun scindé, tordu, infinitisé, usurpant la place de l'autre, la lui rendant, ennemi, seul, insaisissable, dissous, s'harmonisant, refaisant la guerre ailleurs, plus sûr, plus vrai — « il s'agit donc d'épouser étroitement son ennemi dans l'épouse et l'épouse dans l'ennemi c'est comme ça que lui-même vous tend la victoire l'un veut l'autre et son autre est autre et tu es seul avec le coucher de soleil » (124); « vrai filet de la compagne de lit devenue complice de meurtre n'empêche que j'aime ton côté cheval galopant noble sauvage » (96).

Elle? — « là y a un moment où la fille te regarde en émettant je suis toi t'es content que j' sois toi » (144);

Lui? — « lui le professionnel des grossesses à l'envers » (110);

Elle-lui? — croisement de la différence sexuelle, dédoublement des « je »-s, évitement, chacun donnant le manque à l'autre : « leur parade à elles est tendue sous roche vers l'enfantement eux voudraient éviter la mort théorème leurs désirs se croisent » (60); « t'es mon garçon et je suis ta mère très vicieuse à t'observer jeune belle souple ta vivante fermeture éclair » (38); la mort menant le jeu, brisant toute entité : « et chaque os explosé par plaques les bras de plus en plus longs [...] mais il y a le supplice de l'autre confiant et brûlant et je sais déjà comment elle n'arrivera pas à savoir je la vois déjà les yeux ouverts incrédules gorgée de vie et d'odeurs emportée soufflée comme une torche es-tu capable de toucher son crâne troué de le soupeser de le lancer dans la course et de rire quand même de continuer est-ce que ça n'est pas le moment où tu craques » (84).

Roméo? Juliette — dissonants : « il est vrai que je te tuerais par trop de caresses et lui détestable matrice de la mort je forcerai bien ta gueule pourrie à s'ouvrir [...] ils ne peuvent pas sentir du dedans cette jouissance inattendue aspirée celle depuis toujours à l'horizon l'excès retenu fusée allons viens mourir où fut ta vie » (84-85); et encore plus nettement : « arriverai-je à être une parcelle aiguë de son souffle arriverai-je à faire rive dissolveur de rive dans son reflet je comprends celui qui dit non je ne m'arrêterai que lorsque le dernier aura été libéré jusque-là je ne veux entendre que des dissonances je refuse de signer l'accord préparé » (148).

On aura compris que la logique de ce lieu où la négativité cause la jouissance est étrangère à celle de la généalogie, de la numérotation paternelle-filiale, bref à la procréation. Lieu de dépense, transversal à celui de la reproduction de l'espèce, refusant l'absolu de sa réglementation avec une aisance noire qui, ici comme ailleurs, évide le tragique par le rire : « je propose de prévoir dès maintenant une région centrale de reproduction avec constitution jusqu'à l'os des intérêts féminins

assemblées nationales des pères baratins bourse des noms propres [...]
avec normalisation des diverses pratiques homosexuelles [...] sgic
sodome gomorrhe international council » (69-70).

La fonction de reproduction, soutenue par une homosexualité (narcissisme — captation par la mère) qui s'ignore, engendre le Père :
figure d'un pouvoir contre lequel l' « acteur » s'insurge et dont les
fissures, précisément, le mènent à explorer le territoire maternel. Ainsi,
à côté de la mère phallique, mais plus évident qu'elle et, en ce sens,
moins dangereux, se dresse le Père Primitif : la vision freudienne de
Totem et Tabou est déchiffrée comme une conjuration homosexuelle
dans laquelle les frères tuent le père pour s'approprier la mère, mais,
avant de rétablir la *puissance* paternelle sous la forme d'un *droit* paternel, s'adonnent à des pratiques homosexuelles sous l'emprise imaginaire de la mère primitive (« en définitive le père primordial était simplement une grande folle et freud a raison de rappeler que les mecs en
exil font reposer leur organisation sur des sentiments mutuels ils
renoncent à l'usage des femmes libérées ça leur fout la chiasse ils
revoient en rêve ce père égorgé lequel n'est rien d'autre que maman
tuyautée plombée » (128)); de même que Laïos, le père d'Œdipe, « a
désobéi à l'oracle qui lui interdisait de procréer mais comme d'autre
part il était pédé comme tout le monde et qu'il est censé s'être oublié
un jour dans une femme on voit le programme » (163). Le procréateur-
géniteur inconscient, exécuteur du désir d'une mère phallique, est ainsi
l'antonyme de l' « acteur », du « poète ». Celui-ci, soustrait à la chaîne
reproductive, l'est du même coup à la socialité, au *code sexuel* social
— normal ou anormal : « quitte le bal où le juge danse collé contre son
transgresseur préféré enfonce-toi laisse-les t'en as rien à foutre » (27)—,
et à l'*autorité,* à la maîtrise codée : « vous devriez procréer comment
voulez-vous sans ça qu'on croie à votre parole » (79). D'où, une fois de
plus, la complicité du « poète » avec l'hystérique-phobique se doutant
que le père est castré : « énorme différence de la fille qui a pu constater
physiquement la saloperie du père elle peut devenir par exception
notre alliée comment libérer la femme de la femme là est la question de
même comment débarrasser le mec du mec et peut-être alors chacun
hors limites la séance réelle pourrait commencer » (37).

Et pourtant, puisque le réseau symbolique non seulement résiste à
l'afflux de la musique, puisque l'unité du sujet non seulement ne
s'écroule pas dans le « schizoo » mais, pluralisé, dispose un polylogue

analytique dans chacun de ses méandres, la *fonction paternelle,* en tant qu'elle est fonction symbolique, garante de la nomination, de la symbolisation et des sursauts surmoïques même pulvérisables, perdure. La mort du père accélère l'analyse de la mère phallique, relance l'accès de la négativité pulsionnelle, mais elle favorise aussi sans doute sa liaison dans un signifiant jamais aussi complètement libéré et maîtrisé à la fois. Le prénom paternel apparaît dès le début de *H,* de même que, plus loin, cette image, d'un calme asiatique, où le père plante des orangers (139). Accomplissement imaginaire pour la reconnaissance de cette fonction symbolique, paternelle si l'on veut, que « je » assume désormais, mais qui, loin de lui donner une famille ou un pouvoir, fait de lui un sujet exilé des ensembles sociaux, innombrable, infinitisable : « et lui met sa main droite sur moi c'est-à-dire que je me la mets moi-même mais d'une façon un peu spéciale qu'il serait vraiment trop long d'expliquer mais qui en tout cas passe par un saut qualitatif assez important pour garder le deux du un se divise en deux et il me dit t'en fais pas je suis le premier et le dernier on a par conséquent le temps de causer ensemble je suis vivant j'ai été mort mais maintenant je suis vivant de la façon dont tu n'arrêtes pas de te douter [...] d'ailleurs ils ne peuvent rien contre ma fusée sol sol sol air que celui qui a des oreilles écoute » (28).

Fonction paternelle : structuration intérieure au procès polylogique, condition de la séparation avec le rythme maternel, position d'un « je » stable et, ici, par un inceste parlé, multipliable.

Lorsque tous les protagonistes de ce qui a été la famille deviennent des fonctions dans le procès de la signifiance, et rien que des fonctions, la famille n'a plus de raison d'être. Elle s'efface devant quelque chose d'autre, invisible encore, un autre espace social pour le sujet polylogue : devant une association contradictoire de jouissance et de travail?

Le temps stratifié. L'histoire — totalité infinitisée

La famille ayant son temps familial — le temps de la reproduction, des générations, de la vie et de la mort, le temps linéaire-phallus dans lequel et par rapport auquel se pense le sujet-fils-fille familial —, l'éclatement de la famille dans le polylogue rythmé met fin à ce temps-là. Le temps du polylogue n'est pas, non plus, un arrêt du temps : un hors temps que retrouve un « je » en analyse, franchissant son écran symbolique pour plonger dans un réceptacle où l'inconscient se protège en réserve, sans temps et sans « non », mais revenant dans l'acte de l'écriture pour tracer cette division sous la forme de la contradiction je/elle-il. Cette achronie que *Drame* et, en partie seulement, *Nombres* mettaient en scène, n'est plus de mise lors du « springing du sujet » dans *Lois* et *H*. Ici, le temps revient et, avec la thèse logique-symbolique, « je » retrouve le fil de la succession, de la déduction, de l'évolution. Mais le rythme qui la scande fait de ce fil un parcours brisé, avec des bords multiples, des lancées à l'infini, des retours au même bord, des départs dans d'autres dimensions : une « topologie » invraisemblable, totalisant toutes les zones possibles et imaginables (histoire de la pensée, histoire de l'art, histoire des conquêtes, histoire des révolutions, histoire des luttes de classe), et les infinitisant les unes à travers les autres. Une *Phénoménologie de l'Esprit* dont les chapitres auraient été mêlés comme des cartes, les recoupements dévoilant des déterminations récursives, des causalités trans-temporelles, des dépendances achroniques que Hegel — téléologue du fini évolutif procédant par fermeture de cycles — ne pouvait pas penser. Dans *H :* pas de cycles — les cycles s'ouvrent et s'entrecoupent.

Ce n'est pas le « temps retrouvé » proustien où un enchaînement phrastique remonte l'histoire de sa genèse familiale, même s'il se laisse briser, rythmer, par un pro-jet panchronique, inconscient. Le temps de *H* est un temps stratifié polyphonique : la genèse familiale n'y joue qu'une partition parmi d'autres, littéralement saccadée par l'irruption d'autres pistes, courts éclairs, échos condensés de chronologies autrement interminables. Presque chaque séquence est un temps retrouvé, mais qui ne dure que le temps d'un souffle, d'une intonation, d'une ou de quelques phrases juxtaposées ou emboîtées. La séquence suivante vient déjà d'une autre chronologie, condense un temps tout autre. La *rapidité* que produit *H* est en fait une rapidité de changements temporels; elle tranche avec la maîtrise logique, la calme rigueur des énoncés, le rationalisme permanent du sujet de l'énonciation traversant sans gêne les frontières des séquences. Ce qui tourne vite, ce ne sont donc pas le temps linguistique ni les séquences intonationnelles qui, tout en étant brèves, de par la répétition de leur débit, apaisent le texte jusqu'à le rendre même « monotone » comme l'est, si l'on veut, la musique indienne. Ce qui tourne réellement vite, c'est l'histoire, perpé-

POLYLOGUE

tuellement divisible. D'abord, elle est prise à des « domaines » différents, hétéronomes, comme on le voit d'après les noms propres évoqués : Goethe *(Dichtung und Vahreit),* Homère *(Iliade)* (11), Overney (12), Hölderlin (16)... URSS-Inde-USA (59), Staline-Lénine-Lassalle-Hegel-Héraclite (67), Freud malade (73), les résistances à Freud (81), Don Juan (86), Mozart et Nietzsche (87), Rûmî (89), Mozart (89), Purcell (90), Joyce (90), Charcot (92), Mallarmé (103), Marx (107), Sade (109), Nietzsche et Socrate (113), la fille de Staline (114), Leibniz (114), Spinoza (114), de nouveau Marx-Engels et Nietzsche, avec le Vietnam (115), Hölderlin (119), Lénine-Épicure (119), Hegel, Platon (119), Mallarmé refait (125), les Grecs (125), Melville (126), Mao (« le flot infini de la vérité absolue », 125), les Bituriges (141), Goethe enfant (145), Gorgias (110), Euripide et Pindare (122), Aristote, Eschyle, Purcell (122), Nerval (123), Engels et Bachofen (123), Copernic (156), Baudelaire traité par *le Figaro* (162), le péan grec (165), Mallarmé de nouveau refait (164), Pound (172), Freud sur l'homosexualité (132), Nerval avec le Prince d'Aquitaine (139), Monteverdi (« que gloria il morir per desio della vittoria », 142), les brahmanes (142-143), Descartes-Napoléon (143), Socrate (148), Céline, Beckett, Burroughs (151), Lautréamont (153-154), Van Gogh (154), Lénine (182)... — La liste est loin d'être complète, mais elle peut donner éventuellement une idée (approximative) du sillonnement de *H* dans ce qu'on appelle l'histoire de la philosophie, de la science, de la religion, de l'art, qui, par ces circuits et courts-circuits, cessent d'être des lambeaux d'une « histoire spécifique » pour devenir des temps hétérogènes d'un sujet poly-logique, poly-temporel; le lecteur étant invité à reconstituer dans son procès sémiotique des « temporalités spécifiques » (art, science, politique, économie) et des aventures exceptionnelles des « grands hommes » — indices du « saut du sujet » dans et à travers sa dissolution dans les masses, entre autres, et qui restent inconfortables pour la conscience complexée, névrosée, de telle ou telle option politique... A travers ce temps refait — hétérogène et multiplié —, le sujet qui est appelé, le sujet du XXᵉ siècle, est un sujet de plus de vingt siècles d'histoires qui s'ignoraient dans des modes de production qui se rejetaient. Rythmons l'histoire, faisons entrer le rythme de l'histoire dans nos discours, pour pouvoir être le sujet infinitisé de toutes les histoires — individuelles, nationales, de classe — que rien désormais ne peut totaliser. Face à cette pratique de *H*, toute reconstitution historique

215

linéaire et « spécifique » apparaît étroite, disciplinaire, disciplinante, réductrice d'au moins une des dimensions qui, ici, jouent à se couper, à se compléter et à s'ouvrir, à s'empêcher de se boucler.

Un axe, pourtant, qui fait tourner cette fragmentation du temps refait : la position politique critique dans l'histoire présente. A la thèse logique que le rythme sémiotique pulvérisait dans une phrase infinie, correspond, pour ce qui est du temps, une pratique critique dans l'histoire présente. Overney annonce la couleur dès le début; mais on reconnaît aussi les passants de la politique : Messmer, Pompidou (134), les Palestiniens aux jeux Olympiques de Munich (155), les fascistes massacrant les Juifs : l'étoile jaune de l'amie d'enfance, Laurence (140), Mao recevant le Premier ministre japonais (172), l' « affaire » Lin Piao (168), la bêtise du discours universitaire (« ce mouton à sept cornes spécialiste de la lecture », 30, 148), le rythme accéléré du polylogue se reconnaissant dans les cadences de travail (92), etc. Conflits de classes, déplacement de l'axe historique, entrée de la Chine sur la scène de l'histoire mondiale et, de fil en aiguille, la lutte idéologique, ici, maintenant : ainsi se constitue le lieu historial où un sujet se pose pour refaire le temps — le temps de la subjectivité et, à travers elle, un nouveau temps historique. Sans ce lieu, pas de polylogue possible : ni rythme, ni sens multiplié, ni temps totalisé, stratifié, infinitisé.

C'est dire que *H* ne serait pas possible s'il n'était pas politique. Pas de sujet polylogique sans ce topos politique nouveau — stratifié, multiple, récurrent — qui, on le voit, n'a rien à voir avec la position politique classique, dogmatique, simplement linéaire, vivant un temps familial dans un discours familial. L'inséparabilité de la politique et du polylogue apparaît comme la garantie d'une rencontre entre le procès du sujet et le procès de l'histoire; le ratage de cette rencontre est folie ou dogmatisme, toujours solidaires, deux faces d'une même médaille. La bourgeoisie, historique, la classe même qui a forgé une conception de l'histoire, n'a pas eu de poésie : elle a censuré la folie. La petite-bourgeoisie, qui lui succède, réhabilite, au mieux, la folie, mais manque l'histoire — « il n'y a pas par définition de poésie bourgeoise de même qu'il n'y a pas d'histoire petite-bourgeoise » (141). Les nouvelles forces historiques, si elles existent, ne pourront que prendre d'autres voies — une politique polylogique : « une forme de vie a vieilli c'est cuit amenez la suivante » (161).

Le bouleversement exigé maintenant est plus qu'un changement du pouvoir de classe. Nous sommes ici dans une exigence monumentale : transformation du sujet dans son rapport au langage, au symbolique, à l'unité, à l'histoire. Jusqu'à nous, ce type de révolutions prenait l'aspect de la religion : « comme si le nouveau sujet n'était pas d'abord le ressuscité c'est-à-dire celui qui se fout carrément de tout dans les siècles des siècles sortant de la fosse commune avec son petit drapeau rouge et or voilà pourquoi le christianisme est un contresens tragique ou comique » (65). *H* écoute le *temps du christianisme,* aussi, peut-être plus que personne aujourd'hui, pour entendre la vérité du monothéisme qu'il explicite : à savoir qu'il n'y a pas de sujet ni d'histoire sans confrontation du procès (sémiotique, production, lutte de classe) à l'unité symbolique, thétique, phallique, paternelle, étatique... Et pour nous conduire, à travers le christianisme, après lui : « il viendra le nouveau sujet c'est du messianisme mais non simplement on avance en désordre sur tous les fronts mille feuilles » (73).

H nous met sur la lancée de la mort relevée : du temps; *H* casse et refait notre langue, notre corps, notre temps; installe la lutte dans notre identité pour nous faire désirer la lutte sociale et ne plus séparer l'une de l'autre. Aujourd'hui, en France, « la mort vit une vie humaine ce que tu peux vérifier chaque soir en regardant un présentateur de télé le savoir absolu a eu lieu point final » (41). Donc, « j'accepte jusqu'au bout l'entrée de la lutte des classes ça ne touche en moi aucun intérêt aucune arrière-pensée pas de compte en banque pas d'obélisque subjectif à polir je cherche les points d'interventions petit doigt pied droit lobes d'oreilles poignets haut d'épaules je suis vraiment sur le coup depuis des années » (27).

Traditionnellement, deux modes de temps s'opposent, irréductibles, clivés, symptômes et causes de la schize. D'une part, le « fond » intemporel d'où surgit une impulsion sonore indéfiniment répétable, découpant en *instants* uniformes ou différenciés une *éternité* inaccessible. D'autre part, la *succession* disons biblique des nombres, le développement, l'évolution à but infini, couramment appelé temps *historique*.

H dégage, dans la suite historique, des instants éternellement récurrents; de même, et inversement, *H* empêche la constitution de quelque « fond » intemporel que ce soit, lorsqu'il situe chaque mesure rythmique, chaque intonation, chaque séquence narrative, chaque phrase et chaque instant éternel d'une expérience personnelle, dans le dévelop-

217

pement historique. Le temps — *instance rythmée,* et le temps — *durée*
évolutive se rencontrent dialectiquement dans *H,* comme ils se rencontrent dans la langue, même si toutes les performances linguistiques
ne le manifestent pas. De sorte que, si la durée historique opère à partir
du refoulement et enchaîne le *moi* et le *surmoi* dans une course indéfinie à la mort qui s'imagine comme course vers le paradis, le rythme —
temps mesuré, spatialisé, volume plutôt que ligne — vient rappeler
ce qui travaille sous le refoulement : le prix auquel le refoulement
(la durée, disons l'histoire, pour aller vite) s'accomplit comme réalisation d'un contrat socio-culturel.

Rencontre explosive : car lorsque le rythme fait sauter la durée
refoulante, le temps peut s'arrêter pour le sujet qui est devenu le lieu
du croisement. Arrêt propulsé par le rythme pour couper la durée;
arrêt projeté par la durée pour empêcher la douleur rythmée. — Suicide : « vous me copierez cent fois le rythme est un démon inférieur
mais monsieur si le général se rapporte à lui-même il s'enflamme la
négation qui forme le fond de la cause est la rencontre positive de la
cause avec elle-même et d'ailleurs l'action réciproque étant la causalité
de la cause la cause ne s'éteint pas seulement dans l'effet [...] qu'est-ce
que l'un une limite éliminatoire et lénine le dit sobrement la pensée
doit embrasser toute représentation et pour cela doit être dialectique
à savoir divisée en soi inégale altérée j'ai soif [...] j'en ai assez ou
alors courage de vouloir aussi cet assez à l'extrémité en une demi-
seconde c'est la tentation gorgée crue car il est exclu de s'exprimer
ainsi dans la conférence allume non ouvre le gaz non saute allez
vas-y donc saute non avale tout ça non et non le couteau non les
lames de rasoir dans l'eau chaude non c'est le moment où t'es la
ration [...] » (182-183).

Le suicide représente l'accident de cette rencontre dialectique entre
le rythme et la durée, de la négativité qui propulse toute stase en « différé » et tout refoulement vers les bords où s'éclipsent la socialité et la
vie, et du refoulement qui instaure le symbolique, la communication,
l'engrenage social. On comprend pourquoi les discours striés, rythmés,
transfinis ne s'investissent dans la logique sociale qu'au moment de ses
ruptures : de ses révolutions. Et que le suicide (Maïakovski) signe l'échec
de la révolution : son installation censurant un rythme qui avait cru
pouvoir s'y rencontrer, s'y reconnaître. Mais hors des révolutions?
Classiquement, traditionnellement, c'est la transcendance — quand la

révolution manque — qui « sauve » du suicide : transcendance divine, familialiste, humanitaire... (la série est ouverte) qui déplace le temps rythmé du sujet polylogique dans un ailleurs signifiant ou symbolique où il s'exile à l'abri. Mais où, subrepticement, se reconstitue le « fond » éternel, l'homogénéité phobique et de nouveau l'éternelle — support de l'Éternel — mère phallique. Pareil « sauvetage » est donc impossible pour l'expérience hétérogène, matérielle, polylogique du sujet en procès. Alors, le suicide? En effet, geste ultime, s'il en est un, et que seul retient la jouissance du sursaut : le sursaut de « je », ce « springing du sujet » contre (comme on dit : « s'appuyer contre ») elle, l'autre, les autres, l'autre en soi, contre la *thèse* symbolique structurante, légiférante, protectrice, historisante — à décaler, à traverser, à excéder, à négativer, à faire jouir.

Négativité sous-jacente à la durée historique : rejet de l'autre, mais aussi de « je », de « je » altéré. L'histoire qui nous précède, qui se fait autour, qu'on invoque comme justification ultime et comme sublimation intouchable —, cette histoire s'érige sur la négativité-le rejet-la mort; et le lieu d'application de la négativité est d'abord et avant tout le sujet même : mis à mort, suicidé de la société (comme disait Artaud de Van Gogh) — c'est ce que *H* précise à travers la série des « histoires personnelles », des « cas » (Nerval, Hölderlin, Artaud...) souvent invisibles pour l'histoire « courante » fût-elle celle de la lutte des classes. Faire entendre à l'histoire *durable* le meurtre sur lequel elle chemine; faire raisonner-résonner les instants atemporels où la durée s'est rompue, pour en extraire ce qu'elle refoule et ce qui, en même temps, la renouvelle (nouvelle musique, nouvelle poésie, nouvelle philosophie, nouvelle politique). Le temps rompu, renversé et refait, de *H* nous conduit à entendre une nouvelle histoire.

On a tendance à oublier qu'en écoutant *l'Héroïque,* par exemple, l'homme du XXᵉ siècle écoute le temps tel que l'éprouvait Beethoven écoutant passer les armées de la Révolution de 89 : rythme de chevaux, frontières ouvertes, Europe pour la première fois rassemblée grâce aux canons...

En écoutant le temps de *H,* j'écoute le globe enfin étalé : Asie, Afrique, Amérique, Europe inextricablement emmêlées dans l'économie, la politique, la radio, la télévision, les satellites; chacune portant une chronologie qui, au lieu de prendre sagement sa case dans la succession, interpelle l'autre et lui signale ses manques, tout en se voulant son partenaire; chacune comportant des pratiques sémiotiques différenciées (mythes, religions, art, poésie, politique) dont la hiérarchie n'est jamais la même, chaque système interrogeant les valeurs des autres. Le sujet qui écoute ce temps pourrait, en effet, et au moins, se « traiter comme une sonate », comme l'écrit *H.*

H — un livre? Un texte qui n'existe qu'à condition de trouver un lecteur à son rythme : phrastique, biologique, corporel, trans-familial, infiniment fléché dans le temps historique. Déjà, avec *H,* et comme le voulait Artaud, « la composition au lieu de se faire dans le cerveau d'un auteur se fera dans la nature et l'espace réel avec par conséquent une immense richesse objective en plus empêchant l'appropriation en douce exigeant le risque de l'exécution » (104). Et cela est possible parce que *quelqu'un* a fait de son « je », de sa langue, une musique adéquate au temps qui continue, morcelle. Mais aussi, et en même temps, parce que en excédant l'*Un* pour s'écrire, *H* appelle tout « un » à se risquer dans cet éclatement qui nous entoure, nous traverse et nous refait, et que nous ne pourrons pas rester longtemps sans entendre : « une forme de vie a vieilli c'est cuit amenez la suivante » (161) où, si vous prenez du *H,* vous le savez, « toute chair est comme l'herbe l'ombre la rosée du temps dans les voix » (185).

Nous donnons ici les pages finales de *H* (183-185) ponctuées par l'auteur. On s'apercevra que cette ponctuation donne à lire un signifié au détriment de sa polyvalence musicale.

> *Qu'est-ce que tu préfères? Les pieds dans l'eau ou le feu? Partout, des bouts de seins sortent de la peau, débouchant les pores. Points noirs, abcès farineux, bites, jarrets tendus, tendineux. Ek! Ce goût étouffant, pâteux, dans les bronches! Ce pus, lait pourri, sperme aigri! Et maintenant, voilà sur l'épaule, marquée en coulisse, ces algues de sang, pattes découvrant le tuyau usé, entamé. Mais ça va claquer en trachée! Le moteur est foutu d'artère! Je rêve l'aorte, là. Je sors? Je sors pas? Qui coupe le cordon, jet d'urine? Qui tranche, se défile, reste ou devient? Mais qui? Oh qui? Donc, toujours le même truc? Alors, on y va, ça marche? On finit de nouveau germé dans l' baisé? Pompe à merde? Sanglant, baisé, fissuré? Traction? Carré d'atout*

maître? Bordel! Me voilà funèbre, encore une fois, dans le puits. Ça va recommencer, non? De profundis, veiné cave! Eh! Oh! J'en appelle! Où est le bouton affirmatif? Vite, viens ici, mon seul que j'te sélectionne! Alors, tu l'as? Tu l'as pas? En tout cas, confrère, on l'est pas. Et comme ne cesse de le répéter le grand syllogisme de l'hystérique, loi, marée sublunaire : je l'aime, or je suis lui, donc il est mort.

A l'aube, il se traîne jusqu'à la salle de bains. Bref regard dans le miroir. Les toits se colorent. Quelle nuit sur les rames. Quelle barrique. J'en ai assez. Assez. Ou alors : courage de vouloir aussi cet assez. A l'extrémité, en une demi-seconde, c'est la tentation. Gorgée crue. Car il est exclu de s'exprimer ici, dans la conférence. Allume! Non. Ouvre le gaz! Non. Saute! Allez! Vas-y donc! Saute! Non. Avale tout ça! Non. Et non. Le couteau! Non. Les lames de rasoir dans l'eau chaude! Non. C'est l'moment! Où t'es? La ration, tu vois, le quartier de viande. Comme on l'oublie, pas vrai, cette barbaque de jour! Alors, j'ai dit : bon, ça va, je joue ma coupure, la voilà, j'arrive, je la pose sur le tapis.

Il y eut un moment de vertige. L'assemblée retenait son souffle. Quelques femmes vinrent me palper la masse. De vraies somnambules. Cependant le malaise grandissait à vue d'œil. N'importe qui aurait donné n'importe quoi pour qu'éclate un torrent d'orage. Et un type se lève, et commence à chuchoter de plus en plus fort : selva oscura. Et moi, je pense : allons, bon, c'est ça, il faut tout reprendre. Donc, je reviens dans mon lit, mais l'autre est resté courbé sous le lavabo, la tête sous l'eau. Et alors, je cadre. Bon. Soleil couché. Pensées couchées sous la voûte. Terre, feu d'air couché. Ite tissa est! Double ciel couché. Poussière, grains lumineux. Bonsoir. Je suis crevé, pas toi?

Mais ça marche pas. Je reste suspendu. Et ça tourne. Je ne sens plus rien. Ni mes mains. Que dit Amos? Les jours viennent où j'enverrai la famine, et ils courront d'une mer à l'autre, depuis l'aquilon jusqu'à l'orient, sans rien trouver ni entendre. Et je frapperai la maison d'hiver avec la maison d'été, et les palais d'ivoire seront détruits. Le bruit de ses paroles était une multitude. Traumgedanke. Un temps, des temps, une moitié de temps. Après nous, ça ira moins bien, mais, tant que nous sommes là, ça ira. Que dit Isaïe? Je me suis tu pendant longtemps, j'ai été dans le silence, je me suis retenu. Mais je crierai comme une accouchée, je détruirai, j'engloutirai tout. Que dit Jérémie? Informez-vous pour voir si un mâle enfante. Pourquoi donc ai-je vu tout homme ayant ses mains sur ses reins, comme dans une grossesse? Pourquoi tous les visages sont-ils maintenant jaunis? Ce qui bouge, c'est la série. Timbres. Par exemple, en 1909, six pièces pour orchestre, opus 6. Roman, bref soupir. Klangfarbenmelodie. Klangmomente. Et vous voudriez que la tonalité continue? Non, mais! Lueur. Projecteur de toutes les lumières ensemble. Il t'enveloppera, te transportera, te fera rouler, vite, comme une boule, dans un pays large, spacieux. Et la terre sera froissée, remuée, piochée. Et chaque forme aura sa loi dans les bois. The west shall shake, the east awake! Fantasy, funtasy on fantasy, amnes fintasies! Rien d'nouveau sous le ventricule!

Alors, ils fumèrent. Et chacun devint ce qu'il était. Le doux, doux. Le virulent, violent. L'incertain, certain. Le douteur, fouteur. Et ils eurent l'impression de pêcher la truite, quelque part, sur les hauts plateaux, tout en ramassant leur ethnique. Et la femme fit l'homme défaisant la femme. Et leur méli-mélo s'enclencha. Et la roue fut là, rayonnante. Et les récifs s'aplanirent, les volcans se turent, les fleuves se rengainèrent. Et il retrouva sa chanson en combinaison, la nature condensée, dans son p'tit sixième. Allegro, ma non troppo. Aéré. Cependant, l'alerte avait été chaude. Conclusion : ils décidèrent de souffler un peu, histoire de monter d'un poil les reliefs. Moralité : on ne va pas plus loin que la plante d'immoralité. Ou encore : j'ai trouvé la clé dans les champs. Contents d'la traversée, mecs? Contentes du courant, les filles? Faut avouer qu'on y perd du poids sous mimique. Kilusu? Kilucru? Kiluentendu? Avec ça, le calme descend dans les cendres. Feu couvant sous langue. On est pas chez soi. Et il enlèvera l'enveloppe redoublée des peuples, la couverture étendue sur toute nation. Nous avons conçu, nous avons été en travail, mais nous n'avons enfanté que du vent. C'est pourquoi va, entre, sors, rentre, ressors, ferme-toi sur toi, cache-toi de toi hors de toi, reviens, sors, rentre vite. Et si la voix crie, tombant d'hydrogène, alors, que crierai-je? crie-lui : toute chair est comme l'herbe, l'ombre, la rosée du temps dans les voix.

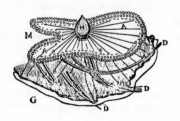

ÉTHIQUE DE LA LINGUISTIQUE

Objet ou complément *

La « science du langage » qui, aujourd'hui, prétend non seulement s'instituer comme *science,* mais aussi guider la constitution du savoir sur l' « humain », s'enracine dans une spéculation sur *l'entendement,* « le pouvoir de jugement », tel que Kant le définit, et dont la position remonte entre autres à la *loi de l'identité* que le platonisme lègue à la pensée formelle, aux *modi significandi* de la scolastique et à l'achèvement du projet d'une *grammatique générale* par les logiciens et les grammairiens de Port-Royal. Cette science du langage, *sémantique* à ses débuts, mais qui devait nécessairement s'écrire comme *syntaxique,* autrement dit qui se formait comme science au fur et à mesure qu'elle devenait syntaxe [1], on peut désormais désigner quelques-uns de ses

* Première publication : *Critique,* février 1971.

1. Il est vrai que la grammaire comparée du XIXᵉ siècle, la linguistique sémiologique de Saussure et le développement du structuralisme (phonologique, glossématique ou distributionnaliste) s'écartent apparemment de la description syntaxique et cherchent dans la langue ou les langues des constructions et des régularités sans égard à la *phrase,* seul domaine de la syntaxe. Or, d'une part, toutes ces tendances de la linguistique sont postérieures à l'achèvement de l'appareil syntaxique (accompli par Port-Royal et l'Encyclopédie) et présupposent comme acquis le système conceptuel qui pense cette syntaxe. « La linguistique générale repose sur la grammaire descriptive et historique à laquelle elle doit les faits qu'elle utilise », écrit A. Meillet, dans son *Introduction à l'étude comparée des langues indo-européennes,* 7ᵉ éd., 1934. La vision saussurienne de la langue comme système formel de *termes en relation* profite d'un acquis syntaxique qui, plutôt qu'abandonné, est intégré dans chaque terme pour en expliquer la valeur à l'intérieur d'une construction; ce que Hjelmslev explicite, d'ailleurs, lorsqu'il préconise l'abandon de la distinction morphologie/syntaxe au profit d'une étude des dépendances non seulement dans la phrase, mais aussi dans le mot et entre ses parties (*Prolégomènes à une théorie du langage,* Éd. de Minuit, 1968, p. 99). D'autre part, tout en oubliant la synthèse formelle de l'entendement dans la phrase, ces courants de la linguistique moderne n'en établissent pas moins des *grilles formelles* pouvant embrasser d'autres aspects du fonctionnement linguistique; grilles formelles qui sont, si l'on veut, des « syntaxes » au sens large d'*arrangements,* mais qui représentent surtout des sortes de reprises, avec des développements bien entendu nouveaux, de certaines phases de la grammaire, antérieures à l'achèvement de l'édifice syntaxique (cf. par exemple les

moments constitutifs et de ses variations internes, surdéterminées par l'entendement du sujet conscient.

Si un tel parcours est aujourd'hui nécessaire, il ne saurait plus se faire à la manière d'une « archéologie » du type phénoménologique (qui « dissocie les enchevêtrements, poursuit les renvois indicateurs pour aboutir au système lisse des actes en pleine lumière ») [1]. Car un *dehors* objectif de la pensée ratiocinante est apparu, à partir duquel la science — et concrètement ici la science du langage — ne peut plus se limiter à ajouter un maillon de plus à la chaîne qui la précède pour mimer sa systématicité, mais, au contraire, se doit théoriquement et analytiquement de *refondre*, d'*approfondir* et de *raturer* les données acquises.

La dialectique hégélienne, avec son « renversement » marxiste, et la découverte freudienne de l'inconscient, de même que les textes dits modernes qui s'écrivent dans une logique *autre*, de Mallarmé à Bataille [2], constituent les axes de ce dehors, dans la mesure où ils extraient la contradiction de la sphère de la représentation où la pensée formelle la maintient pour s'en détourner, et la situent là où elle agit : « moment essentiel du *concept* » (Hegel), « essence des choses » (Lénine), « l'*inconscient* ignore la contradiction » — c'est-à-dire, est fait de contradictions (Freud); « le verbe est un principe qui se développe à travers la négation de tout principe, le hasard, comme l'Idée », « confusion des deux » — « une fête » — (Mallarmé).

Un autre mode du *Langage*, que ne recouvre pas le jugement et qui, de ce fait, défie la logique formelle classique, s'ouvre à ce carrefour qu'ignore la représentation et que Mallarmé énonce, mais aussi

rapports établis par J.-Cl. Chevalier entre le structuralisme moderne et le « structura-lisme » de la Renaissance). Sans vouloir réduire l'histoire de la linguistique à une répétition de cycles (structuralisme de la Renaissance, syntaxe de Port-Royal et de l'Encyclopédie; structuralisme moderne : syntaxe générative), nous ne pouvons pas ne pas souligner l'enfermement épistémologique d'un certain discours sur la langue que cette circularité superficielle suggère.

1. « Dans ce sens, dit Fink, la phénoménologie devrait s'appeler archéologie. D'une part, il n'y a rien à demander au-delà de l'acte ou du contenu dans leur présence immédiate; d'autre part, l'autorité supérieure est cette présence même ou plutôt l'impossibilité d'en dissocier par variation une partie ou un caractère sans tout perdre. Le fondement de toute nécessité est ce " je ne peux autrement " de la variation eidétique qui, si légitime soit-il, est une abdication de la pensée... » (J. Cavaillès, *Sur la logique et la théorie de la science*, PUF, 1947, p. 76).

2. Cf. Ph. Sollers, *Logiques*, Éd. du Seuil, 1968.

pratique. Mode que réalise, sans s'en détourner, sans glisser au-dessus, sans le suspendre par une médiatisation, le « langage poétique » comme une pratique de la *contradiction maintenue*. Mode qui dessine les bornes d'une théorie-science du langage (mais aussi d'une philosophie qui l'authentifie), saturée par la subjectivité et par les règles de la science données par le jugement.

La *dialectique* dont il s'agit relève le trajet de la dialectique hégélienne sans se confondre avec elle. Le terme sera donc employé dans une acception qui s'écarte de Hegel, même si elle en tire son origine. Une acception nouvelle, que lui confère l'adjonction du terme *matérialiste* : dialectique matérialiste. Dialectique qui génère à travers l'inconscient ce qui se présente comme ayant un sens dans le jugement (dans la phrase). Mais *aussi* dialectique comme vérité et/ou génération du *sujet* qui détient ce sens, de même que dialectique du lien entre le sujet et son *dehors hétérogène*. Cet « aussi » dialectise, pour ainsi dire, la dialectique hégélienne elle-même, en exposant sa logique dans son dehors/dedans qui la génère à son insu.

Il apparaît donc que, si le concept de *dialectique* peut se soutenir dans une attitude matérialiste ou, comme dit Marx, « sous son aspect rationnel », ce n'est pas à l'intérieur d'une sphère homogène (concept, idées, signifiant ou diverses structures de communications sociales ou naturelles), mais comme concept-base de la *génération* — de la *production* — des formations signifiantes dans un *espace hétérogène*. La dialectique joue au lieu même où s'articulent *deux ordres hétérogènes* : la matière objective donnée dans l' « activité pratique humaine » (Marx, première thèse sur Feuerbach) et l'ordre signifiant.

Dans l'enclos du savoir linguistique dont nous venons d'indiquer les excédents, un déplacement s'est produit à la fin de l'âge classique, qui ressemble bien à une « coupure épistémologique », même si, apparemment, il ne fait que reprendre les fondements philosophiques des théories scolastiques et les rendre systématiquement maniables. Il s'agit du passage d'une « *sémantique* » étroitement liée à l'ontologie chrétienne à une *syntaxe* appuyée sur la logique du sujet raisonnant la *pensée formelle*. C'est justement ce déplacement que trace le travail fondamental pour l'histoire de la pensée linguistique de J.-Cl. Chevalier [1]. Que se joue-t-il dans ce déplacement qui mène de Duns Scot et de ses *modi significandi* à la logique du *jugement* que Port-Royal découvre dans tout énoncé, et jusqu'au premier élément de logique relationnelle qu'introduit la notion de *complément* des grammaires encyclopédistes? Grossièrement, c'est le passage d'une logique hésitant entre l'objectivité et la subjectivité à une logique subjective qui n'a pas d'autres déterminations que celles du Moi lui-même. C'est l'abandon de l'extériorité comme contenu, la suppression de l'objectivité, et sa réduction à une *formalité pure*, à l'*actus* de l'entendement conscient, forme vide qui deviendra le terrain de la logique; là aussi essayera de se construire, avec beaucoup de difficultés, toujours vulnérable, la science du langage.

Directement dépendante de la logique chez les grammairiens de Port-Royal, autonome et respectant la spécificité propre du tissu linguistique chez les Encyclopédistes, la *Syntaxe* devient de nos jours, et avec l'expansion de la grammaire générative, le secteur pilote de la linguistique, voire même son synonyme. Elle absorbe les catégories sémantiques et morphologiques dans des termes « vides », des marques qui ne se révèlent comme catégories que par la manière stricte dont elles se sélectionnent mutuellement pour s'agencer. Mais, dans cette sélection qui préside à la cohabitation, à l'arrangement mutuel *(syntaxis)*, la morphologie et la sémantique reprennent doucement leurs droits, et le formalisme à peine restauré se résorbe dans ce qu'il a voulu éviter : la « philosophie ». De nos jours l'importance grandissante de la *sémantique* générative repose ces problèmes.

Une double démonstration apparaît à la lecture de ce passé. D'une part, que la constitution de la syntaxe dans la grammaire est le chemin même par lequel se constitue la linguistique comme science (formelle) des constituants et des relations (des universaux) du langage. D'autre part, que cette procédure grammaticale qui, à partir du XIVe siècle, accédera au statut d'une science est, dans ses fondements et son déroulement, l'écho affaibli d'une conception globale (philosophique, théologique) la déterminant en cachette et la propulsant à la surface séculaire où elle dessert l'*usage* et la *pédagogie*. La fonction de la grammaire (de la linguistique) n'a-t-elle pas toujours été, comme l'avoue tel traité

1. J.-C. Chevalier, *la Notion de complément chez les grammairiens*, Étude de grammaire française, 1530-1750, Genève, Droz, 1968. Les références que nous en donnerons seront désignées par les initiales du titre N.C., suivies du numéro de la page.

de la Renaissance, de repousser la spéculation cosmographique d'une époque dans les coordonnées rassurantes, parce que empiriques, de l'*usus* (le « bon sens ») et de la transmission de la *normativité* (la pédagogie), lesquelles réduisent la valeur ontologique d'une *cosmographie* à la technicité effacée, mais maîtrisable, d'une *grammatographie* et, par là même, assurent la continuité d'un raisonnement métaphysique sous le dehors de la science grammaticale (linguistique) qui n'en est que le refoulement et, en conséquence, la perpétuation ?

Or, c'est à partir de cet aplatissement, voire même de cette suppression de la philosophie dans la grammaire (la linguistique), que la théorie moderne trouvera son lieu d'émission. Car, par ce mouvement précis de rature de la philosophie, la grammaire/la linguistique lui redonne la base matérielle-langagière qui la parle et la surdétermine : lui restitue, sous une forme concrète et élémentaire, les noyaux constitutifs (les *catégories,* sujet, objet, etc.; les *relations* d'identité, de détermination, etc., sémantiques, syntaxiques...) qui la saturent et sans lesquels aucune analyse vraiment générative, c'est-à-dire dialectique, n'est possible. Le cheminement modeste de la grammaire et de la linguistique, sous sa brillance technique et scientifique, est en effet le temps creux de la philosophie représentative, son secret et sa surface. Mais aussi son épuisement, car son achèvement. Ce n'est qu'à partir de cet achèvement effectif, donc à partir de la complétude de la sphère linguistique par la notion de *complément,* dont le développement (actuel) de la syntaxe est l'apogée, que la sphéricité de son fondement logico-philosophique apparaît et se propose à une suppression qui ne l'ignore pas. Hegel vient après l'Encyclopédie : *c'est dire que la logique dialectique est une séparation d'avec la syntaxe déjà dessinée par les grammairiens du XVIIIe siècle.* En d'autres termes, pour que la scission dialectique puisse s'opérer comme *exposition* de la contradiction objective en tant que *cause* de la syntaxe, donc du sens (nous reviendrons sur cette identification du sens à la syntaxe), il lui faut la finition de l'édifice syntaxique qui ne trouve de sens que dans la *proposition* sujet/prédicat. La logique dialectique est donc une négation de la syntaxe « en connaissance de *cause* » : elle est l'ex-position de sa causalité extérieure et générative comme étant sa vérité. Pyramide de la pensée ratiocinante, c'est-à-dire syntaxique, et/ou point sublime et mort de la science linguistique dans ce qu'elle a de métaphysique, la logique dialectique est aussi celle qui, seule, *voit,* donc comprend, son mouvement démonstratif, usuel et pédagogique, jusqu'à ses embranchements les plus modernes.

Aussi essaierons-nous de lire la constitution de cette syntaxe dont la logique dialectique est la suppression « en connaissance de cause », en nous situant dans une *temporalité épistémologique*. Cette temporalité impliquera qu'on évite la seule chronologie au profit d'un dispositif où le lieu central toujours présent et négatif est attribué à ce qui voit ce que nous lisons, qui le comprend et nous en sépare, permettant ainsi d'en saisir le devenir et la fin toujours vivante. Temporalité épistémologique, donc, que la réflexion de J.-Cl. Chevalier prévoit et adopte lorsqu'elle ne se prive pas de suivre l'histoire de la constitution d'une science (ou d'une procédure scientifique), mais en *même temps* en supprime la téléologie, introduisant dans chacun de ses moments constructifs ce qui en indique la vérité : la cause et la mort, la cause comme mort. C'est ainsi qu'elle se place en dehors de la science pour en traiter : en dehors de ce que cette science se donne pour objet et pour méthode [1].

L'épistémologie positiviste — qui n'est, au fond, qu'une méthodologie — prétend se préserver aussi comme un « dehors » de la science : un pseudo-dehors, pourtant, car c'est un simple parallèle, un redoublement technique et systématisant de la procédure scientifique, une tautologie de son activité lui tendant un miroir où elle se voit identique à elle-même, décomposée mais non analysée.

Le regard épistémologique devra, au contraire, nous semble-t-il, quitter cette ligne parallèle et en creuser la seule extériorité possible, à savoir la production ou génération des « objets », des « êtres » constitutifs [2], une génération qui n'est autre que dialectique : *1)* dialectique du concept marquée par Hegel; *2)* dialectique de la logique du signi-

---

1. Cf., sur l'épistémologie de la science, G. Canguilhem, *Études d'histoire et de philosophie des sciences*, Vrin, 1968; M. Fichant, M. Pécheux, *Sur l'histoire des sciences*, Maspero, 1969 : « Par épistémologie nous entendrons, en opposition au projet universalisant de la philosophie des sciences et de la théorie de la connaissance, celui de la *théorie de la production spécifique des concepts et de la formation de la théorie de chaque science* » (p. 100).
2. « De même que la théorie directe des sciences ou de la science renvoyait à la théorie de la démonstration, celle-ci réclame une ontologie, théorie des objets qui fixe enfin la position relative des sens authentiques et des êtres indépendants ou non, auxquels ils se rapportent ou qui prétendent les fonder » (Cavaillès, *Sur la logique et la théorie de la science, op. cit.*, p. 42-43).

fiant posée, après Freud, par Lacan; *3)* dialectique de l'hétérogénéité ou dialectique matérialiste définie par Marx.

La temporalité épistémologique sera donc constituée par la surimpression de cette logique dialectique, avec son triple registre, dans l'histoire de la procédure scientifique : posant ainsi un dehors radical de la science, qui en analyse la nécessité générative non pas comme « celle d'une activité, mais d'une dialectique ».

L'*espace épistémologique* sera, en conséquence, un espace brisé, contradictoire en lui-même, constitué par la contradiction/confrontation entre deux types de pensée irréconciliables, car le premier ne s'articule que de l'ignorance du second : la représentation et sa production, la ratiocination des objets et la dialectique de leur procès (de leur devenir). Espace scindé, ouvert en un abîme, analytique, jamais saturé, car cet abîme tire son existence du développement incessant et illimité d'une critique qui réintroduit le procès dans chaque représentation concrète figée, la déséquilibre, lui enlève sa finitude et expose sa production.

Au lieu même de cette brisure, nous allons tenter de situer un secteur épistémologique de la linguistique [1]. Tentative ambiguë en raison de l'instabilité de la linguistique comme science, d'abord; mais aussi en raison de l'espace incertain, inclôturable, qu'occupe son objet : le langage.

C'est donc peu dire qu'on ne parle pas que de linguistique quand on traite d'un de ses mouvements, fût-il fondamental. Dans l'espace de cette épistémologie qu'on peut appeler *analytique* pour la différencier de l'épistémologie positiviste, disons qu'on ne parle pas de la *linguistique* ou, mieux, qu'on démontre l'impossibilité de ce *de* d'appartenance : il est un *de* de distance, d'envol, de négation. Car, sous les apparences de la linguistique, on aborde inévitablement certains soubassements d'une vision épistémologique globale qui étayent diverses sphères du savoir de la symbolicité : la matrice constitutive de cette vision épistémologique elle-même comprenant, dans des prismes superposés, les « champs scientifiques » par elle ouverts. N'est-ce pas une démons-

---

1. Quelques tentatives récentes de constituer une épistémologie de la linguistique d'inspiration logico-positiviste ont été faites à partir de la grammaire générative. Cf. Rudolf Botha, *The Function of the Lexicon in Transformational Generative Grammar*, Mouton, 1968; *The Methodological Status of Grammatical Argumentation*, Mouton, 1970. Cf. aussi la théorie des procédures en linguistique moderne (« différenciation », « gouvernement », etc.) in *Problemy strukturnoï linguistiki (Problèmes de linguistique structurale),* Moscou, 1968.

tration récursive du fait que l'indépendance du champ de la linguistique est fragile, et l'est davantage encore lorsque la linguistique est réduite à la grammaire ou, plus précisément, à la syntaxe?

Nous ne voudrons ni ne pourrons donc pas suivre en détail les moments successifs de l'élaboration de la procédure syntaxique : les interprétations successives données aux différentes parties du discours, les procédures techniques conduisant à reconnaître leurs liens, les mutations de la grammaire dues au remplacement du latin, comme objet d'analyse, par le français, etc. De cette *technè* strictement grammaticale, nous ne retiendrons — pour notre propos d'analyse épistémique — que quelques moments de complicité entre *logique* (ou théorie de la signification) et *grammaire,* moments se situant, nous semble-t-il, aux charnières mêmes qui ont ouvert la voie à la syntaxe. Il s'agira, notamment, de l'abandon de la matérialité extra-linguistique (ou extralogique) et de l'assujettissement de la matière dans la théorie scolastique du langage; du cheminement de la grammaire jusqu'à la constitution du sujet parlant comme sujet du jugement; du modelage de la grammaire sur la grille de la logique subjective de Port-Royal; de l'indépendance (relative) de la grammaire proposée par l'Encyclopédie; de quelques-uns de ses prolongements récents [1].

I. L'OBJECTIVITÉ TRANSCENDANTE
OU L'HETEROTHESIS ASSUJETTIE

La trinité augustinienne (Père, Saint-Esprit, Fils) se profile derrière les théories spéculatives du Moyen Age : elles en sont déterminées pour s'en détourner. Le lieu du Père étant le lieu divin, le Saint-Esprit

---

[1]. La syntaxe moderne, qui atteint des très hauts degrés de formalisation rigoureuse, a pu être définie comme « un ensemble de règles combinatoires appliquées à certains signes dans un certain but », en quoi l'appareil mathématique nouveau utilise des catégories linguistiques des plus traditionnelles. « On peut penser qu'il serait plus aisé de décrire la langue à l'aide de relations qui lui seraient propres tout en étant restées inaperçues par la linguistique traditionnelle dans son existence séculaire. Ainsi, le but nécessaire de la modélisation mathématique de la langue, c'est la mise en formules de certains concepts linguistiques » (M. J. Belitskij, « Modèle pour la description du système des composants et des relations de gouvernement dans la langue », *Problemy strukturnoï linguistiki, op. cit.*). Les réflexions qui suivent se rapportent à de tels concepts linguistiques et, par conséquent, elles concernent directement les modèles syntaxiques les plus modernes.

procédant du Père pour devenir l'élément dans et par lequel agissent le Père et le Fils, il ne reste au troisième terme de la triade, au Fils, qu'à être un « je » double, à la fois divin et humain, sujet scindé déterminé par l'Esprit, dont le Père n'est que le lieu pur. Par ce geste de maîtrise qui devait donner sa cohérence au monde chrétien — monothéiste — naissant, saint Augustin (354-430) établit un monisme où le sujet — moment de la différenciation triadique — ne trouve son autre que dans le Père, c'est-à-dire à l'intérieur de l'Esprit, et n'a pas de dehors *hétérogène*. La multitude des païens une fois supprimée, l'hétérogénéité l'est aussi : il n'y a pas d'*objet* à connaître qui soit externe à l'emprise de la triade; la « connaissance » est « amour » (Dante l'incarnera dans Béatrice — morte et divine), elle se boucle sur le sujet : en connaissant un autre (objet), il *se* connaît dans *son* autre (en Dieu). La Trinité de l'acte signifiant oblitère l'*objet hétérogène*, mais réserve une mobilité considérable au sujet qui se fait et se défait dans sa « dialectique » à Dieu — lieu de l'Esprit. Cette « topologie » installe massivement le site d'un sujet, mais le laisse libre d'*enchaînement* à un ordre objectif hétérogène à lui, donc ne le fixe pas autrement que par rapport à son Autre générateur (Père, Dieu) et non articulable, non analysable. La *création,* c'est-à-dire le temps et l'histoire, s'ouvre dans le hiatus de cette dialectique du Même à l'Autre, mais non le *système* qui est d'abord une « ordination au sein de l'abondance multiple de l'objectif » (Heidegger, cf. *supra*). La signifiance est unifiée par la triade du sujet, le monde est saisi par et dans cette signifiance unifiée; il est ainsi pourvu d'un moteur (les relations-tensions de la Trinité), mais passe à côté de la multitude.

A partir de ce triangle, la mise en place d'une hétérogénéité ne pouvait être que transcendante. L'*Ens* de Duns Scot (1270-1308) [1] — sens global de la sphère objective — est déterminable par le sujet connaissant; l'heterothesis est *assujettie* et, comme telle, elle est l'essentiel d'un *Transcendens,* c'est-à-dire d'un *au-delà* du sujet. Moment capital de la constitution de la pensée formelle que celui où le *non-même* n'est plus un *autre,* mais un *au-delà :* où l'hétérogène devient transcendant. La matière sera, dans cet *Ens,* assujettie et transcendantale, hors frontière, juste indiquée et immédiatement ramenée *en deçà* de la frontière pour être *déterminée,* donc identifiée par le sujet connaissant et avec lui.

1. Nous suivons ici l'analyse de M. Heidegger, *Traité des catégories et de la signification chez Duns Scot,* Gallimard, 1970.

Le terme d'*objet* se substitue à celui de *matière* : si Duns Scot prenait une position matérialiste reconnaissant que « la matière différencie la signification », il insistait sur le fait que l'objectivité ne s'édifie qu'à l'intérieur du sujet et par l'entendement. Aristote vient à l'appui, et la logique offre sa cellule, le jugement, pour constituer *l'objet* en éludant la matière. L'objet sera désormais un *terme* du jugement : autrement dit, la problématique de l'objet sera insérée dans celle du rapport sujet-objet à l'intérieur de l'entendement. Pourtant, la grammaire spéculative gardera deux axes pour penser le jugement : *1)* comme signification appartenant à l'objectivité du « monde réel » dont elle reçoit son contenu — les *modi significandi* indiqueront les relais de cette réception ; *2)* comme *compositio* ou armature dont l'unité *(« nota compositionis »)* est fondée par *est,* verbe inhérent à tout jugement car lui conférant le sens de *esse verum* ou, comme dit Heidegger, un rapport de « valeur ».

Dans cette heterothesis de Duns Scot reconnaissant l'existence externe d'une matière qui « différencie la signification », Marx voyait une « première expression du matérialisme[1] ». Mais l'ambiguïté de la démarche scolastique souligne les limites et les équivoques de ce « matérialisme » nominaliste : il est « objectif » et « subjectif » mais non dialectique et revient comme tel dans la tradition matérialiste mécaniste du XVIIIe siècle, aussi bien que sous l'aspect du positivisme moderne aveugle à la *dialectique* qui en est la vérité comme cause de son sujet et de sa syntaxe. Contrairement à Marx, on peut voir en lui un des visages de l'idéalisme.

Deux moments retiennent l'attention dans cette assomption de l'objet (substitut de la matière) dans la logique (du sujet toujours déjà-là), propre à la scolastique et au positivisme.

D'une part, le statut qu'elle accorde à la *vérité* comme *être* et à l'*être* comme *vérité*. Loin d'être une dialectique qui génère, donc cause — comme Hegel le démontrera —, la vérité, pour le « matérialisme » scolastique, est une affirmation ontologique ; *esse* attribue une valeur : ainsi *esse* et/ou la vérité est la prémisse essentielle du jugement, son dessein originel.

1. « Le matérialisme est le fils de la Grande-Bretagne. Déjà son scolastique Duns Scot s'était demandé si *" la matière pouvait penser "* [...] Pour opérer ce miracle, il eut recours à la toute-puissance de Dieu, autrement dit, il força la *théologie* elle-même à prêcher le matérialisme. Il était de surcroît *nominaliste.* Chez les matérialistes *anglais,* le nominalisme est un élément capital, et il constitue d'une façon générale *la première expression du matérialisme* » (*la Sainte Famille,* Éd. Sociales, p. 254).

Ce n'est pas son existence réelle qui importe, encore moins son devenir, c'est l'énonciation de sa *valeur* qui déclenche la signification.

Pour les grammairiens, au contraire, tout verbe liant les termes d'un jugement sera appelé *verbe substantif* : est-ce seulement une erreur de traduction de Priscien qui confond οὐσία et ὕπαρξις, et traduit *existence* par *substance,* ou bien le signe d'un glissement du raisonnement qui verra dans le *prédicat* l'*affirmation* d'une *substance* qui pèse dans le sujet? En tout cas, c'est bien cette conception « substantielle » du prédicat qu'analysera Hegel... Port-Royal reprendra, nous le verrons, la conception scolastique pour l'amputer pourtant de sa consonance apodictique et n'entendre dans *esse* que l'*affirmation* (et non plus la vérité), devenue, du coup, inhérente à tout verbe. Par là même, le langage devient le lieu d'opérations de vérité.

D'autre part, *esse* est le relais par lequel la sphère objective est convertie en sphère logique. *Ens natura* devient *ens logicum* ou *ens anima* par un truchement dont les stoïciens étaient parmi les premiers à se servir : la proposition identifiée avec le jugement. Le dédoublement sphère objective/sphère logique, initialement esquissé, ne mène donc pas à une théorie du reflet, mais − grâce au jugement qui enjambe les deux sphères − se trouve effacé et repris dans l'archétype logique. L'objet n'est, c'est-à-dire n'est vrai, que dans la mesure où le sujet lui attribue une signification *(predicari est intentio)* dans le jugement. Le jugement établit ainsi un court-circuit entre l'objectif (le réel) et ce que le sujet en signifie par l'acte de la prédication, sans qu'aucune « psychologie » de cet acte soit mise en cause.

En effet, même l'analyse augustinienne du sujet semble ici suspendue : le lieu du sujet scolastique n'est qu'un point axial qui articule le jugement pour y abriter l'*Ens* et, comme tel, rappelle plus le refuge du sage stoïcien que la dynamique ternaire de saint Augustin où se manifestent les relations constituant un sujet de l'énonciation.

Pris dans la tenaille du jugement, le sujet scolastique ne se rapporte à la vérité que par l'affirmation d'un objet qu'il subordonne sans en subir les effets de retour. L'Un scolastique est, au fond, l'Un du sujet − omnidéterminant, unique et unifiant, opaque à sa dialectique, donc à sa production objective et aux lois de son propre avènement. Son jugement inclut le temps dans son lieu ponctuel hors temps et recueille la variété mondaine dans une structure logique dont les termes sont identiquement constants : ainsi, il s'érige comme la figure donatrice de sens et de signification. Ceux-ci sont des *déterminations* de l'*Ens* par le sujet, c'est-à-dire des *identifications* de l'objet à *son* sujet. Il n'y a pas de sortie ni de contradiction dans cette boucle, l'objet signifie parce qu'il est prédiqué ou, en d'autres termes, parce qu'il est dit *esse (verum)*. L'objet n'est maintenu que pour être génétiquement posé sur le sujet jugeant.

Le jugement devient ainsi l'architectonique d'un signe : il affirme la relation nécessaire, mais arbitraire entre le « je » qui parle (Logos) et son dehors autrement *insignifiant*, c'est-à-dire à la limite *inexistant*.

La matrice du signe va lier aussi la sphère logique à la sphère *linguistique*, première sphère de l'acte de l'entendement, où — à travers le mot et la phrase — le logique devient réel, perceptible et temporel.

Le triple relais s'établit ainsi : la sphère grammaticale est *signe* de la sphère objective par l'armature du *jugement*. Selon qu'elles traversent verticalement ces paliers ou bien qu'elles sont déterminées en dernière instance par la cellule logique, les catégories de la signification s'insèrent dans les *modi significandi* ou bien participent à une mise en place par la logique du jugement. Mais, puisqu'elles fonctionnent à la fois verticalement (traversant les trois sphères) et horizontalement (s'enchaînant dans le jugement), les *modi significandi* se réalisent à l'intérieur de cette syntaxe logique tandis que la syntaxe est remplie par les *modi significandi* qui en sont le préalable. Il est vrai que les *modi significandi* sont déterminées par une *matière (modus essendi ens)* et trouvent leur point de départ dans les catégories propres à la nature effective et réelle. Mais cette *matière est déterminée*, c'est-à-dire mise en forme et identifiée — par l'intermédiaire des *modi intelligendi* — aux *modi significandi,* dont la visée essentielle est la *construction*. Ainsi, si la théorie scolastique de la signification maintient l'hétérogénéité, elle l'insère en définitive comme partie dans la syntaxe logique. Sa grille distribue, ordonne et, en dernière instance, modèle la signification que la matière pourtant avait commencé par différencier. La conception scolastique de la signification est donc *déjà* une conception syntaxique (logique) et les *modi significandi* sont des foyers où se croisent deux directions : l'une, *Logos-Ens,* articule un sujet de l'énonciation (indiqué pour être suspendu) à son hétérogène — la matière; l'autre, enchaînement interne logique, articule le sujet de l'énoncé à son objet; dans l'interaction, celle-ci détermine celle-là.

C'est dire, en définitive, que, pour la scolastique, il n'y a pas de sujet de l'énonciation, les *modi significandi* sont ce qui en tient place ou, mieux, son refoulement par un étagement visant la construction du jugement, refoulement qui sera à son tour refoulé, donc supprimé, lorsque la *syntaxe logique* deviendra *syntaxe linguistique.*

Pour l'instant, la grammaire scolastique fusionne avec la logique, et la science de la signification linguistique est la simple reprise de la science logique. Les parties du discours sont des carrefours qui renvoient à *l'objet* matériel, mais aussi, et de manière équivoque, aux rapports des objets à l'intérieur de la proposition (du jugement). Ainsi, le nom qui par son *modus generalissimus* signifie un objet comme objet, par son *modus accidentalis,* tel le cas, reflète les rapports des objets saisis. Le maintien de l'hétérogène reste très frappant dans la conception du *verbe,* dont les deux modes essentiels sont *modus distantis,* isolant le rapport à l'objet, et *modus compositionis* qui, grâce au fait que *est* est inclus dans tous les verbes, désigne *d'abord* le rapport *objectif comme tel* et procède seulement ensuite à une *composition* interne logique. Si une syntaxe est alors esquissée, elle est lourde d'ambiguïté insoluble : loin d'être encore une syntaxe pure formelle, elle est *au préalable* un enchevêtrement de la sphère logique et de la sphère objective; plutôt qu'une grille formelle, elle est un *signe* jouant sur les deux registres logique/objectif *(quia quid est signum signi est signum signati),* rendant ainsi possible une articulation pure logique.

Ainsi, malgré la forclusion du *sujet de l'énonciation* et de la dialectique qui en fonde la vérité, la pensée objective — par le fait même qu'elle maintient l'hétérogénéité — fait obstacle à l'isolation de l'objet langage comme objet pur formel et empêche la constitution d'une grammaire indépendante : formelle et universelle.

II. LA GRAMMAIRE ENTRE L'« OBJET RÉEL » ET L'OBJET LANGAGE

Si la scolastique de Duns Scot présente l'heterothesis à son point culminant et ambigu — à la fois prémisse du matérialisme et ouverture de la ratiocination —, on sait que, dès son apparition grecque, mais aussi avec et après Priscien, au cours du Moyen Age et pendant toute la Renaissance, la grammaire fut elle aussi, à sa façon, une réflexion *intermédiaire* entre l'ordre linguistico-logique (avec autonomie du linguistique par rapport au logique) et ce qui lui est apposé du dehors : réflexion qui s'articulait avec les *catégories* d'Aristote se rapportant à la réalité *objective* ou aux *formes logiques* et avec une *morphologie* transposant ces catégories et ces formes au niveau du langage. Nous verrons dans la pensée *objective* l'obstacle majeur pour la constitution d'une *syntaxe grammaticale,* même si cet obstacle n'apparaît pas explicitement dans les travaux des grammairiens, et même si leur description semble se réserver une certaine indépendance par rapport à la philosophie et à la théorie de la signification, pour s'acheminer vers une conception du langage comme *construction* formelle, ordre (arrangement) des mots.

Pour Priscien (500), un des fondateurs de la syntaxe [1], celle-ci « traite de l'arrangement *(ordinatio)* des mots qui vise à l'obtention de l'oraison parfaite ». Le résultat : « enfermer » la syntaxe dans les cadres de l'étude des formes et en faire un appendice de morphologie. La partie sur la syntaxe suit celles sur la morphologie; en outre, elle est divisée en chapitres selon les catégories morphologiques : article, pronom, nom, verbe. Or, Priscien remarque que, selon le contexte, une même *vox* peut être employée avec des valeurs différentes, aussi bien que des formes différentes peuvent avoir une même fonction fixée par le contexte. Et le grammairien latin de conclure : « Ce ne sont donc pas plus les formes des mots qui ont de l'importance dans la répartition de ces mots que leur signification. » Ce qui aurait de l'importance, serait-ce la *fonction* des mots dans la phrase? Ni la phrase ni la fonction de ses termes ne sont pourtant évoquées : Priscien, comme tous les grammairiens qui vont le suivre au long du Moyen Age, ne saisit pas *l'ensemble linguistique* comme un ensemble *phrastique* fonctionnel. La sphère linguistique est en effet envisagée dans une autonomie relative par rapport à la logique; les *formes* linguistiques sont identifiées (soit parce qu'elles sont univoques, soit par le contexte ou par des tables de substitution), et un jeu possible est établi entre elles de sorte qu'elles produisent un complexe logiquement satisfaisant. Mais cette construction logique, dans laquelle s'insèrent les catégories morphologiques, repose sur le rapport de base, précédemment signalé, entre le *sujet* parlant et l'*objet* hétérogène dont on parle, rapport déterminé par

1. N.C., p. 28.

une théorie de la signification, ou, si l'on veut, par une sémantique [1].
Mais les grammairiens ne songent pas à emprunter à la logique les
termes de *propositio, termini, subjectum, praedicatum,* ni à chercher
des expressions équivalentes [2] : ce qui leur manque, c'est bien le cadre
de la proposition qui reste un concept logique — ni Apollonius ni Priscien n'emploient les termes *subjectum* et *praedicatum.* Les notions
logiques sont admises en grammaire tant qu'elles articulent le rapport sujet/objet dans le cadre d'une pensée objective, et servent à constituer l'objet « langage » de la grammaire encore hésitant entre la
« pensée » et le « monde réel ».

Ainsi, chez Priscien, le chapitre sur la *rection du verbe* — essentielle
pour une conception syntaxique — abandonne les critères formels et
les catégories relationnelles et/ou fonctionnelles sous-jacentes aux
fonctions formelles, qui semblaient s'esquisser avec les problèmes des
noms et plus particulièrement des *cas,* pour se construire sur des
notions logiques opérant avec des catégories comme *actif* et *passif*
(mettant en jeu le rapport sujet/objet), mais surtout la relation logique
transition (mettant en jeu les types d'adaptation potentielle des sens
d'un verbe à ses objets : *« actum significatia cum transitione in
quodcumque »).* Le verbe, pivot de l'hétérogénéité pour la scolastique
(cf. plus haut Duns Scot), devient ainsi en même temps le pivot de la
construction phrastique par son pouvoir d'assembler des mots régis.
La *rection* verbale (Pierre Hélie, grammairien du XIIe siècle, compare
le verbe au « général [qui] dirige [régit] une armée, ainsi le verbe
dirige le nominatif en place dans la construction »), s'effectuant sous le
mode de la *transition* ou de l'*intransition,* assure la syntaxe comme
articulation de *termes* ayant leur valeur en dehors de et sans cette articulation, comme s'ils la tiraient d'une totalité sémantico-logique extra-
linguistique. Ce courant grammatical « n'a pas de finalité linguistique [3] »
car il obéit aux grandes lignes de la théorie de la signification scolastique. Les « termes » qu'il enchaîne dans l'arrangement linguistique
flottent entre deux statuts, souvent indistincts, celui d'*objet* externe à

---

1. « Si la manière de signifier n'était pas *formellement* et *immédiatement* principe de
construction, elle *disposait* d'une manière de signifier qui était principe de construction », écrit Charles Thurot (*Notices et Extraits de divers manuscrits latins pour servir
à l'histoire des doctrines grammaticales du Moyen Age,* Paris, 1868, p. 229).
2. Ch. Thurot, *ibid.,* p. 177.
3. N.C., p. 57.

l'ordre linguistique et celui d'*unité* spécifiquement langagière; ce qui revient à dire d'unité *sémantique* (l'objet *matériel assujetti* étant devenu un objet de sens, un *signifié*) et d'unité *syntaxique.*

On voit nettement les coordonnées dans lesquelles va fonctionner la grammaire pendant des siècles : *a)* catégories morphologiques transposant les catégories aristotéliciennes; *b)* relations logiques articulant la pensée (avec le langage qui lui est assimilé) au dehors matériel. Que, dans le cadre d'une réflexion se voulant strictement grammaticale, ces relations logiques perdent de plus en plus leur valeur initiale de relais entre deux sphères hétérogènes (sphère logique/sphère objective) et s'ordonnent comme un réseau *formel* qui assure la *jonction pleine de sens* des catégories morphologiques, c'est ce que nous voulons ici suggérer. Ainsi peut-on dire que la grammaire comme champ spécifique expulse l'hétérogénéité de la logique et la pousse vers un développement plus nettement formel. Or, d'autre part et simultanément, l'objet langage étudié par une telle grammaire est surdéterminé par cette logique de l'objet maintenu comme externe à l'oraison : en conséquence, cet objet langage n'arrive pas à se poser comme un ensemble fonctionnel spécifique, donc à dégager une unité formelle (que sera par la suite la *phrase*) dans laquelle les termes prendraient leur signification de leur simple jonction, unité qui serait rendue possible par une logique du sujet jugeant et/ou ayant suspendu le rapport de ce jugement à son dehors référentiel. Le glissement du réalisme au nominalisme est évidemment à l'arrière-fond de cette évolution.

Dans un tel cadre, la « science » du langage devient une *grammaire formelle* qui établit les équivalences sémantico-fonctionnelles parmi les catégories morphologiques et, par conséquent, des tables de substitution, etc. J.-Cl. Chevalier analyse les efforts de Siger de Courtrai pour distinguer la logique (science du vrai et du faux) de la grammaire (science des rapports entre le contenu et les formes d'expression), et toute la longue file de grammairiens qui, de Vives, Despautière, Valla, Bade, Lefèvre d'Etaples, mène à Sylvius, Scaliger et Ramus.

Dans un premier mouvement, la grammaire s'éloigne de plus en plus de la théorie médiévale de la signification, sans pour autant oublier qu'elle n'est que la simple expression du mouvement de la pensée. La *rection* reste une fonction à mi-chemin entre la logique de l'hétérogène et la grammaire des relations formelles, elle est « une diction d'une signification *confuse,* ayant pouvoir de régir un cas déterminé... »

(Bade, *Doctrinale,* XVIe siècle [1]), mais *« constructibilium unio ex modis significandi ab intellectu causata ».* « La nature du verbe, c'est une certaine relation qui s'établit entre un *mode de signifier* et un élément *extrinsèque* visé par lui, qui peut se construire avec lui et se proportionner à lui », écrit Metulinus *(Natura Verborum* [2]*).* Sylvius aussi hésitera à attribuer la rection (verbale) au *sens* du mot régissant ou à la nature *grammaticale* du mot régissant [3].

L'autonomie de la grammaire par rapport à la théorie de la signification sera accentuée par les soucis de l'*enseignement* (pour les élèves, il faut une pédagogie simple, claire et rapide) qu'imposera l'humanisme, et par la nécessité d'aborder des langues nouvelles (le latin perdant son privilège médiéval). Citons avec J.-Cl. Chevalier l'Introduction de Simon de Colines à sa *Grammatographia* (1529) : « De même que, grâce à ces descriptions générales du monde qu'on appelle Cosmographies, n'importe qui très rapidement apprend à connaître le monde entier, tandis qu'en parcourant les livres, il ne serait pas certain d'y arriver, même en y consacrant énormément de temps, de la même façon, cette " Grammatographia " nous permettra de voir toute la grammaire en peu de temps. » Outre l'économie d'effort intellectuel que cette description préconise, elle marque nettement qu'un *cosmos grammatical* fermé sur lui-même est en train de se constituer, dont on cherchera à établir la *description* équivalente, « généralement » et « en peu de temps ». Aveu d'un état empirique et pragmatique de la réflexion linguistique, condamné à la *description* — dissection, identification, substitution des formes à l'intérieur d'un contexte formel qui constitue de plus en plus un monde particulier sans attaches immédiatement apparentes avec l' « essence » ou la « matière » — en même temps qu'à la *normativité* : on préconise le correct, car tel est l'*usus,* sans en expliquer le pourquoi —, en deçà de la théorie. L'éloignement de la spéculation médiévale écarte la métaphysique, mais, par le même geste, on passe aussi à côté de toute possibilité de science.

---

1. Nous soulignons.
2. N.C., p. 113; nous soulignons.
3. N.C., p. 111.

IVLII CAESARIS
SCALIGERI

De caufis linguæ Latinæ,

LIBER PRIMVS.

Artifex & Natura uerfantur circa certam fubiectam materiam. Duplex artificium: circa materialia, & circa immate-
rialia. Multiplex modus circa eādem materiam. Notiones
quid. Vocum affectiones tres, Finis Dialectici. Finis Gram
matici. Excludūtur à Grammatico officia aliquot falfò at-
tributa. Relinquit alijs inflexiones, fignificationes, compofi
tiones: ipfe caufas perfcrutandas profitetur.

CAPVT PRIMVM.

Q VEMADMODVM Natura non
uno modo circa unam uerfatur rem:
ita nec Ars. Nam ficuti Solis uis
quercum educit, atq firmat, aqua pu
trefacit, ignis abfumit: fic faber ci-
dem quercui formā abaci imponit,
ftatuarius, Iouis: architectus, tigni.
Par item ratio in fcientijs eft. Homi-
nem contemplatur Philofophus na-
turalis, ut mouetur; Geometra, quatenus cum metiri debet:
Medicus, quem à morbis aut uindicet, aut tueatur. Natura
enim ut eft artifex quafi quidam eorum, quæ molitur: ita

a   artifex

BN/Seuil

III. DE LA STRUCTURE À L'ACTE

Le *descriptivisme* prendra, au xvie siècle, un aspect *structural* avec Sylvius, Scaliger et Ramus. A partir de ce dernier, mais grâce surtout aux efforts de Port-Royal, il sera ressaisi, synthétisé, unifié et achevé par le sujet jugeant qui reconstituera enfin une totalité fonctionnelle et formelle, non plus hétérogène, mais qui se complète elle-même et s'épuise dans la syntaxe de cette complétude. De nos jours encore, la pensée linguistique semble repasser par ces deux pistes fondamentales : l'une, la structure, l'autre, la syntaxe du jugement, auxquelles la contraint la dissolution de cette pensée hétérogène non dialectique que fut la pensée médiévale s'exprimant dans une théorie de la signification cernée (comme elle ne le savait pas forcément, mais comme Port-Royal le découvrira plus tard) par l'*ego-cogito*.

On dégagera en particulier le « structuralisme » de la Renaissance : les structures sont des fonctions logiques invariables, des relations d'universaux propres à toutes les langues parce que inhérentes à la construction de la pensée humaine (toute pensée, pensée universelle); des *marques formelles* diverses (déclinaisons, terminaisons) au sein d'une langue, ou dans des langues différentes, se correspondent à l'intérieur d'une fonction ou « structure ».

L'ordre linguistique se dessine ainsi comme un *ordre de formes* en relation qui « reflètent une vérité logique et qui en même temps n'en ont aucune [1] » : le parallélisme du logique et du linguistique détermine le structuralisme qui organise l'inventaire (le catalogue) des formes, décelées par une méthode descriptive, en un jeu de marques; l'instance logique est hiérarchiquement supérieure (« ...décèle le rôle directeur d'une substance à l'abondance et à la fécondité de ses attributs [2] »); mais il s'agit bien d'une logique des catégories et non de l'acte de l'entendement. Le geste de synthèse qu'effectue le grammairien consiste à subordonner le linguistique au logique, mais ce logique lui-même ne recèle pas un synthétisme inhérent : il n'est pas ramassé dans un

---

1. N.C., p. 130.
2. N.C., p. 131.

axe qui ordonnerait les catégories. Par conséquent, un tel structuralisme n'arrive pas à se construire en formalisme pur et reste constamment tendu, voire déchiré, entre la strate purement linguistique (jeu de marques sans vérité logique propre, mais reflétant la vérité logique ou matérielle) et la strate logique ou, plus loin, matérielle. Le reflet entre les deux strates désigne une coupure, un temps mort, un creux qui maintient un écart entre elles et qu'essaiera de combler la notion de *transition* jouant à l'intérieur de la strate linguistique aussi bien qu'entre les strates.

Ainsi, pour Sylvius [1], en français, les prépositions *(à, de)* jointes aux articles *(le, la, les)* deviennent la marque formelle d'une structure (logique) universelle que le latin, par exemple, signale à l'aide de la déclinaison. Par conséquent, le grammairien considère comme légitime de maintenir la déclinaison en français... Mais, autre conséquence, la réflexion grammaticale tend à franchir les limites du seul *mot* et à analyser la chaîne verbale en la découpant en ensembles semi-autonomes. C'est pourtant la *relation de transition* — transition d'une action vers un *objet* qui ne se laisse pas situer seulement à l'intérieur de la chaîne parlée, mais qui relie les domaines matériel et subjectif — qui définit le *régime*, et laisse ainsi la grammaire flotter entre le langage et ce qu'il n'est pas, sans le boucler fermement sur son formalisme. Scaliger [2] continue à subir cette ambiguïté et essaie de résoudre la difficulté en rendant le métalangage linguistique « neutre », indiquant seulement qu'il s'agit d'une *certaine* relation, sans en préciser la nature; langage donc autonome de la terminologie logico-séman-tique qui, pourtant, le détermine : « Nous avons agi plus sagement que les anciens quand nous avons donné aux cas un nom d'ordre, Primus, Secundus, Tertius... et non pas le nom de leurs emplois », écrit-il dans *De causis linguae latinae* [3]. Ces relations numériquement exprimées esquissent l'armature d'une syntaxe faite de *formes* et de *figures,* qui se place à un lieu intermédiaire entre le mouvement de la pensée et l'expression linguistique concrète : « Elle est l'image d'une abstraction préparatoire au langage, d'une forme du contenu [4]. »

1. *In linguam gallicam Isagoge,* 1531; *In Hippocratis et Galeni physiologiae partem anatomicam Isagoge,* 1555; *Methodus sex librorum Geleni...,* 1535.
2. *De causis linguae latinae libri tredecim,* 1540.
3. N.C., p. 185.
4. N.C., p. 207.

1. « Ce suis je » et « je pense, donc... »

L'acte de l'énonciation dont le fonctionnement restait refoulé, mais sous-jacent dans les analyses médiévales de la signification, est censuré par le formalisme de la Renaissance. Le lieu du sujet parlant est comme ignoré par cet empirisme structural. Scaliger ne semble pas s'apercevoir que « chaque verbe est accompagné d'un sujet et d'un objet [1] ». De façon spectaculaire, c'est l'analyse du tour « ce suis je » — commun au Moyen Age et encore utilisé au XVIe siècle [2] — qui témoigne de l'hésitation que le grammairien éprouve en désignant le site du sujet. Meigret (le Traité de la grammaire française, 1550) considère comme incongru le groupement « c'est moi » (verbe à la 3e personne mis en rapport avec un pronom à la 1re ou 2e personne) et préconise l'emploi de « ce suis je », car, dans ce cas, le suppost et l'appost s'accordent en personne et le sujet est bien « je » (puisque le « véritable » ordre du groupement — « initial » est « naturel » — est « je suis ce »). Le « je » est, bien sûr, reconnu comme sujet, mais non pas comme lieu autonome, libre et axial : pour se maintenir, il a besoin d'un démonstratif, de ce, qui l'appuie et l'équilibre. Plus encore, dans la formule courante de l'époque, « ce suis je », « je » est un attribut : le sujet de l'énonciation s'est donc réfugié à la place d'un attribut d'être, tandis que c'est un anaphorique, ce, qui devient sujet de l'énoncé. La triple stratification que semble introduire la formule « c'est moi » à l'endroit même du sujet (je dis que ceci est moi), c'est-à-dire la distance que ceci (sujet de l'énoncé) établit entre je et moi disjoints, l'un sujet implicite de l'énonciation, l'autre prédicat explicite de l'énoncé — enfreint la règle formaliste de la congruitas et désempare la grammaire. Moi, ce je, ce je (qui) est moi, ce je donc est moi : voilà le problème qui reste en suspens tant qu'on n'a pas redécouvert ce que la scolastique savait, à savoir le jugement désignant le « je » comme « moi » : c'est-à-dire comme objet du sujet de l'énonciation (non dit) dans l'acte du jugement. Ce, ce qui dit ce, ce qui désigne je comme moi, c'est bien l'acte du jugement d'un sujet « je » non-dit, d'un sujet de l'énonciation sous rature.

1. N.C., p. 205.
2. N.C., p. 235.

DIALECTIQVE
DE PIERRE DE LA
RAMEE,

A

CHARLES DE LORRAINE CARDINAL,
ſon Mecene.

A PARIS,

Chez André Wechel, rue S. Iean de Beauuais
à l'enſeigne du cheual volant.

1555.

Auec priuilege du Roy.

R.

BN/Seuil

C'est l'acte du jugement, représenté par le démonstratif *ce,* qui, subtilement et en cachette, détruit l'identité de *ce* et de *je* aussi bien que la continuité de l'un à l'autre présentes dans « ce suis je », en introduisant un *être* impersonnel, de troisième personne *(c'est)* pour lequel « je » n'a sa substance que dans le prédicat ou en tant que prédicat, en tant qu'*autre, objet,* « moi ». Ainsi : « je » dis : ce « je » est moi; donc : « c'est moi ».

Trois siècles plus tard, lorsqu'une pensée (que Hegel systématisera par la suite comme étant une dialectique) se mettra à dissoudre l'identité du sujet en analysant le rapport d'unité et de séparation, c'est-à-dire de *contradiction,* entre le sujet et le prédicat dans le jugement, elle trouvera le « meilleur exemple » dans l'énoncé où le « je » parlant se sépare de lui-même. C'est dire qu'elle reconnaîtra dans les opérations constitutives du jugement les contraires (sujet/prédicat) se représentant comme identiques pour mettre en place l'unité du sujet. Faut-il s'étonner que ce soit à un « poète » — Hölderlin — qu'appartienne la primauté de cette formulation qui esquisse la dialectique et, du même coup, la place dans le sujet [1]?

Mis à distance du lieu scindé de son énonciation, distancié de ce/je, ce *moi* arrive comme second terme d'une scansion qu'articule un acte logique encore obscur, mais dont Ramus soulignera déjà l'importance. Il l'appelle *jugement* et ne le rattache pas encore au lieu du sujet, mais indique que c'est lui qui assure la *conjonction* des choses (dans la sphère matérielle, mais aussi entre elle et le logos) aussi bien que celle des mots dans la syntaxe : « ...ne sera jà le soleil de jugement

---

1. « Quand je dis : Je suis je, le sujet (je) et l'objet (je) ne sont pas unis de telle manière que l'on ne puisse procéder à aucune séparation sans altérer la nature de ce qui doit être séparé; au contraire, le moi n'est possible que grâce à la séparation du je et du moi. Comment pourrais-je dire *moi!* sans conscience du *moi?* Mais comment la conscience de soi est-elle possible? Elle l'est quand je m'oppose à moi-même, mais que, malgré cette séparation, je me reconnais dans l'opposition comme le même. Mais dans quelle mesure le même? Je peux, je dois poser la question ainsi, car, sous un autre rapport, il s'oppose à lui-même. Par conséquent, l'identité n'est pas l'union de l'objet et du sujet qui se produit sans plus, par conséquent, l'identité n'est pas = l'Être absolu » (Hölderlin, « Être et jugement », *Œuvres,* Gallimard, 1967, p. 283).

Hegel, pour sa part, démontrera que le rapport sujet/prédicat est une *contradiction* qui se *présente* comme une *détermination.* « Toute *détermination* est une unité de moments différents et différenciables, qui deviennent *contradictoires* du fait de la différence précise essentielle, qui les sépare » (*Science de la logique,* Aubier, 1947 t. II, p. 71). Cette contradiction se résout en zéro (unité négative) qu'est la chose, le sujet, le concept. Cf. plus loin, p. 269-273, 338-347.

cognoissant la conjonction de toutes choses, ains sera seulement comme une veüe troublée et esblouye et bien souvent prenant l'un pour l'autre [1]. » Sous le nom de *Dialectique* (1555), Ramus rappelle aux doctrines formalistes exténuées une logique qui ne se contente pas de désigner des catégories, mais qui agence l'acte même de l'entendement. Du *signum* au syllogisme : le raisonnement de Ramus révèle un acte logique sur lequel, enfin, une syntaxe linguistique pourra se dessiner. Devenu « dialecticien », le grammairien ne se satisfait plus de l'*étymologie* des formes (on doit entendre : de la morphologie), mais en trouve la construction telle que la détermine la construction de l'entendement. Grammaire orientée vers l'acte logique, oui, mais aussi logique sensiblement modelée par une nécessité grammaticale, donc une logique moins soucieuse de *générer* les catégories de l'entendement dans la dialectique entre le dehors et le sujet qui signifie, que de *construire* un formalisme depuis le lieu toujours déjà-là, quoique oublié, du sujet. Le terme de *dialectique* chez Ramus dénote une doctrine de la vérité de la raison recueillie chez Aristote, Platon et Cicéron (logique de l'identité, philosophie de l'idée, rhétorique) et, comme telle, pressent Descartes, non Hegel.

Même si la grammaire ramusienne reste formelle — système de marques, et non construction de relations — et atteste « le premier essai, non suivi, d'une grammaire formelle, mais déjà le premier échec [2] », elle trace la voie d'un raisonnement linguistique qui fonde l'analyse formelle sur une analyse de la signification (strate distinguée de la structure purement grammaticale) et, par le même geste, de l'acte logique.

Avec l'œuvre de Sanctius, *Minerve* (1587), le XVIᵉ siècle finit par « élaborer cette notion du double niveau de la langue, du fond et des apparences, qui donne un contenu infiniment plus riche à la vieille distinction faite, depuis les Grecs, entre l'arbitraire et le motivé [3] ».

2. La raison syntaxique

C'est ici que viendra se loger la *Grammaire générale* (1669) d'Arnauld et Lancelot. Débarrassée de « l'obsession des structures des

1. N.C., p. 249.
2. N.C., p. 305.
3. N.C., p. 367.

contingences de l'analyse linéaire du discours[1] », elle se rappellera la théorie scolastique de la signification : le cartésianisme n'est-il pas l'anamnèse de la scolastique, avec sa théorie du *signe* et de l'*acte de l'entendement?* Plusieurs analyses de la grammaire générale ont relevé sa portée épistémologique qui retentit jusqu'à nos jours[2]. Contentons-nous ici de reprendre les moments qui font de la grammaire générale le fondement et le premier achèvement de la raison syntaxique, c'est-à-dire de la pensée formelle.

1. La sphère logique — universelle — détermine l'expression linguistique et lui confère son mouvement. Le *jugement* est donc la « structure profonde » de tout assemblage, apparemment arbitraire, de formes discursives. Un modèle à deux niveaux s'établit ainsi, dont le niveau déterminant est le niveau *logique* car c'est lui qui remplace l'*arbitraire* (« la fantaisie des hommes ») par le point fixe et ordonnateur du *sujet jugeant* (« un jugement solide et effectif de la nature des choses par la considération des idées qu'il en a dans l'esprit », dit la *Logique* de Port-Royal). Jusque-là, « on raisonne au niveau du discours, de la forme d'expression ; à partir de Port-Royal, on raisonne au niveau de la forme du contenu[3] ».

2. La langue n'est plus un agrégat, mais une *« création de sens »*. Les Solitaires reprennent les théories médiévales du *signe* et des *modi significandi :* la langue fonctionne de façon logique parce qu'elle est porteuse de sens grâce au *signe* à quatre paliers. Mais — et c'est ici que la raison grammaticale déplace la raison scolastique — le *signe* des Solitaires n'est plus l'agent qui, par le jeu des *modi significandi,* maintient une pensée hétérogène constamment soucieuse d'un *objet* externe. Au contraire, il est là pour ramener définitivement cet objet à l'intérieur d'une construction logico-linguistique. Dans la raison grammaticale, l'*objet* n'est plus[4], il devient *sujet,* c'est-à-dire premier terme du *juge-*

---

1. N.C., p. 484.
2. M. Foucault, *les Mots et les Choses,* Gallimard, 1966, de même que *Introduction à la grammaire de Port-Royal,* Éd. Paulet.
3. N.C., p. 499.
4. « ... le type de la science, son effort vers un type rationnel classique aussi bien que son extension mathématique négligent complètement l'apport de *l'objet* pour la structure de la théorie. L'indifférence à l'objet — troisième caractéristique de la *Logique* de Port-Royal — est donc ici représentée par la subordination de la matière à une forme qui, même dans le cas de la mathématisation, tend à l'absorber. Il n'y a pas de science en tant que réalité autonome et caractérisable comme telle, mais unification rationnelle, suivant un type fixe, d'un divers déjà organisé par l'entendement, ou parcours d'un

ment, appendu à *l'attribut* ou *praedicatum* — second terme du même jugement, c'est-à-dire le *groupe verbal* qui *affirme* quelque chose du sujet. « Juger, c'est affirmer qu'une chose que nous concevons est telle ou n'est pas telle : comme lorsque, ayant conçu ce que c'est que la *terre* et ce que c'est que la rondeur, j'affirme de la *terre* qu'elle *est ronde* » *(Grammaire générale).* *Être* qui, pour la scolastique, était un *esse verum* et supposait l'engendrement d'une valeur à l'intérieur d'une architecture de *modi significandi,* est ici une *copule* affirmant la collusion du *sujet* (joué par les noms, articles, pronoms, participes, prépositions et adverbes) et de *l'attribut* (joué par les verbes, conjonctions, interjections). Lorsque Port-Royal postule que tout verbe dégage un *est,* ce n'est donc pas la genèse d'un *esse verum* qu'il y voit, mais la possibilité pour le verbe *d'affirmer* [1], dans la raison grammaticale, *l'objet* comme *sujet* de l'énoncé [2].

Dans cette affirmation, les verbes ne sont que de simples copules, mis sur le même plan que les conjonctions, des ligatures par rapport aux autres éléments qui sont de pures données. Une vision nouvelle se dégage, à partir de là, de la langue comme *activité :* « comme une organisation, comme une création [3] ». La logique hégélienne attaquera précisément cette représentation, en révélant dans le *verbe* non plus la copule, mais la *seule détermination* (donc la *négation) du sujet* qui, si solide pour Port-Royal [4], n'est qu'un terme, pour Hegel, et n'a de cours que pour la représentation [5].

3. D'autre part et en même temps, la construction *(syntaxis)* du sujet et du prédicat se fait d'après la règle de la *convenance,* la même qui agit entre le nom et l'adjectif, par exemple, mais qui diffère de celle qui

---

ensemble d'évidences sans plan ni découvertes » (Cavaillès, *Sur la logique et la théorie de la science, op. cit.,* p. 14).

1. « ... le verbe, un mot dont le principe est de signifier l'affirmation » (Arnauld, *Œuvres complètes,* 1780, p. 49; N.C., p. 508). Chevalier remarque : « Port-Royal fonde une syntaxe qui définit les possibilités de réalisation et *repose sur le concept d'affirmation simple ou complexe* » (N.C., p. 511; nous soulignons).

2. N.C., p. 504 et p. 507 : la confusion, faite par Port-Royal, entre régime, objet, sujet.

3. N.C., p. 505.

4. N.C., p. 530.

5. « C'est au *prédicat* que l'on s'intéresse à travers le jugement [...] le rôle attribué au sujet n'existe que dans la représentation » (Hegel, *Science de la logique, op. cit.,* t. II, p. 301).

construit le rapport du verbe au régime et dans laquelle « l'un des deux cause une variation dans l'autre ». Cette *convenance* veut que le verbe marque « ce que l'on pense de ce qu'on conçoit », donc sa *substance;* inversement, « parce que le propre du verbe étant d'affirmer, il faut qu'il y ait quelque chose dont on affirme, ce qui est le sujet ou le nominatif du verbe[1] ».

Hegel explique : « Mais le prédicat qu'on applique au sujet doit encore lui convenir, autrement dit il doit lui être identique. Grâce à cette application se trouvent supprimés le sens subjectif du jugement et l'existence extérieure et indifférente du sujet et du prédicat [...] Au point de vue grammatical, ce rapport subjectif, fondé sur l'extériorité indifférente du sujet et du prédicat, garde toute sa valeur; car ce sont des mots rattachés l'un à l'autre par un lien extérieur[2]. » La logique dialectique s'emploiera à dissoudre précisément cette règle de la *convenance* entre le sujet et sa substance devenue prédicat, en introduisant la négativité pour poser la *contradiction* dans l'accord des deux termes complices, mis ensemble parce que identifiés dans le même.

Sous la forme d'un prédicat, la raison syntaxique introduit la *substance* — présente depuis la scolastique, devenue après fantomatique, mais toujours là — comme *détermination* qui bloque l'*objet* (c'est-à-dire le sujet de l'énoncé), lui rend la finitude et, par là même, limite l'inépuisable inventaire de figures linguistiques à la seule cellule de la raison sujet/prédicat[3]. Ce qui revient à dire que la raison syntaxique

1. Cf. la *Logique de Port-Royal,* chap. XXIV, « De la syntaxe ou construction des mots ensemble ».
2. *Science de la logique, op. cit.,* t. II, p. 302.
3. « La pensée représentative suit par sa nature même les accidents et les prédicats et à bon droit les outrepasse puisqu'ils ne sont que des prédicats et des accidents; mais elle est freinée dans son cours quand ce qui, dans la proposition, a la forme d'un prédicat est la substance même. Elle subit, pour s'imaginer ainsi, un choc en retour. Elle part du sujet comme si celui-ci restait au fondement, mais ensuite, comme le prédicat est plutôt la substance, elle trouve que le sujet est passé dans le prédicat et est donc supprimé; de ce fait ce qui paraît être prédicat est devenu la masse totale et indépendante, alors la pensée ne peut plus errer çà et là, mais elle est retenue par ce poids » (Hegel, *la Phénoménologie de l'esprit,* Aubier-Montaigne, t. I, p. 53). La logique dialectique découvrira sous ce poids substantiel la *contradiction* qui fait éclater l'identité de (et) la syntaxe dans l'énoncé : « Le sujet est le prédicat, il est avant tout ce qu'énonce le jugement; mais, comme le prédicat ne doit pas être ce qu'est le sujet, on se trouve en présence d'une *contradiction* qui doit être réduite, pour devenir un résultat [...] c'est le rapport des extrêmes » (*Science de la logique, op. cit.,* t. II, p. 37).

bannit en dehors du langage comme objet de la linguistique toutes les « distorsions » syntaxiques (ou sémantiques) dont se chargent, caduques, la stylistique, la rhétorique ou la psychiatrie.

Par ce même mouvement de prédication, la pensée formelle boucle la sphère du sens, et la syntaxe se présente comme donneuse de signification. Ce qui revient à dire qu'en elle et pour elle l'*objet matériel* ou mieux, l'*instance de la matière* est forclose. *Que la syntaxe se constitue de la forclusion de l'instance matérielle,* c'est ce que nous voulons suggérer, en entendant par *syntaxe* aussi bien le métalangage qui analyse la phrase que la normativité syntaxique elle-même dans laquelle se pose — parle — le sujet forclos (potentiellement psychotique) du même geste par lequel s'est opérée la forclusion de ce qui le détermine en le niant : la forclusion de l'hétérogénéité. C'est dire que *la forclusion du sujet de l'énonciation représente la forclusion de la matière.*

4. Le glissement de l'*être (esse verum)* du lieu de la vérité à la place d'une *copule* inhérente à tout verbe et assurant la cohésion de l'ensemble énoncé — ce passage de la « *vérité* comme genèse » à l' « affirmation » d'une substance comme prédicat — est devenu possible car le lieu du *sujet* de l'énonciation est déjà dégagé *explicitement,* sans pour autant être *analysé.* Il s'agit bien du topos de « je pense » dans « je pense, donc je suis ». Si elle mime la réflexion scolastique, cette formule ne pose pas pour autant une existence ou une vérité du « je ».

On peut dire que, pour la raison grammaticale, dans la grammaire, la formule cartésienne veut dire « je pense, donc j'affirme (l'objet de l'énonciation comme sujet de l'énoncé) » : le lieu de « *je pense* » ne sera pas interrogé, il est un lieu ferme, c'est-à-dire non dit, forclos, hors de la sphère logico-linguistique où « *j'affirme* »; le site qui intéresse la raison grammaticale est celui où *je* juge, ce qui veut dire : « j'affirme qu'une chose que nous concevons est telle ou non pas telle ».

Deux « je » sont en jeu ici : d'une part, un « je » excentrique (forclos) qui « pense » pour le « je » affirmant et, d'autre part, ce deuxième « je » interne au jugement, assurant le sens de l'énoncé car il affirme. Ce « je » qui *est* (au sens d'*affirme*) se substitue à « je » qui pense, élude le problème de la genèse de la pensée et de son « je », et instaure la composition *homogène* du jugement parallèlement à celle de la proposition. La cellule logique, parce que linguistique, n'est donc plus : *sujet de l'énonciation/objet matériel,* mais : *sujet/prédicat.* Avec la différence suivante que le sujet du premier noyau (sujet/objet) n'est plus manifeste dans le second (sujet/prédicat), car le sujet du second est un sujet de l'énoncé, donc objet de l'énonciation.

SUJET/OBJET

SUJET/PRÉDICAT

$$\frac{\text{Sujet (énonciation)}}{\text{Objet (énonciation, énoncé)}} \longrightarrow \frac{\text{Sujet (énoncé)} = \text{Objet (énonciation)}}{\text{Prédicat} = \text{Objet (énoncé)}}$$

[Sujet (énonciation) : forclusion]

Pour que la cellule du sens puisse se constituer en cellule phrastique, c'est-à-dire pour que la matrice scolastique (sujet/objet) vire en noyau rationaliste (sujet/prédicat) et/ou que la syntaxe remplace la théorie de la signification, une disparition est nécessaire : celle du sujet de l'énonciation, en tant qu'elle est signe de la forclusion de la matière (de l'hétérogénéité déterminante du sujet).

Par cette chute, qui est à la fois la découverte *et* la suspension du lieu du sujet de l'énonciation, la *syntaxe* moderne sera inaugurée : découpage de macro-unités (la période ou la proposition) à l'intérieur desquelles prennent sens les autres unités qui « relèvent d'une appréhension immédiate et peuvent être rattachées aux idées [1] ». Or, l'assimilation de la *forme canonique de la syntaxe* à l'analyse syntaxique de l'*affirmation* (assemblage du nom et du verbe), si elle fonde la syntaxe, constitue déjà son vice originel : une telle démarche réduit toute construction particulière à chaque langue, et variable selon les langues, à un noyau universel. « Chomsky, déterminant les formes canoniques qui sont à la base des transformations, a achoppé à la même difficulté [2]. »

Les grammairiens venus après Port-Royal n'essaieront de remédier qu'à ce vice de la grammaire générale [3] en élargissant le cadre canonique pour qu'il embrasse dans la même raison grammaticale, déjà

---

1. N.C., p. 511.
2. *Ibid.*
3. L'exclusion de la syntaxe linguistique des constructions propres à l' « art », par exemple, ne préoccupe pas les grammairiens; ce sont les philosophes-sémioticiens (de Condillac à Diderot) qui s'en chargent, pour constater l'incompatibilité de deux logiques : celle de la grammaire, d'une part, et celle du geste (Condillac) ou de la poésie et de la peinture (Diderot), d'autre part, cette dernière logique relevant de l'agencement non plus du jugement, mais du hiéroglyphe (Diderot voit dans la poésie le « hiéroglyphe occidental »).

fondée par la mise en place de la proposition, les *divers modes de complémentation* du verbe que les Solitaires avaient laissés de côté. L'étude des langues concrètes avec leurs relations spécifiques suscitera le développement ultérieur de la syntaxe.

IV. SUPPLÉMENT ET COMPLÉMENT

Regnier-Desmarais, le père Buffier, l'abbé Girard, Du Marsais et Beauzée sont parmi les grammairiens qui marquent ce mouvement.

Si le *nom* et le *verbe* affirment et bouclent le sens, ils sont susceptibles de *modificatifs* (Buffier), *déterminatifs* ou *régimes*. L'attention grammaticale, fixée par le cadre syntaxique et à l'intérieur de lui, s'oriente vers la détermination des *relations* spécifiques entre les termes de la cellule syntaxique.

Mais il faut attendre Du Marsais pour que les relations intra-syntaxiques soient définitivement définies. D'une part, parce qu'il dissocie davantage le parallélisme logico-grammatical et ouvre le cadre logique pour y faire jouer des « rapports réciproques » entre les mots (plan grammatical) distincts du « sens total qui résulte de l'assemblage des mots » (plan logique). D'autre part, à l'intérieur de ces « rapports réciproques », la distinction logique entre *identité* et *détermination* sera reprise et introduite comme relation qui sous-tend la distinction des rapports grammaticaux *concordance* et *complémentation*. L'*identité* est le fondement de l'accord de l'adjectif avec le substantif, tandis que la *détermination* règle la construction des mots en complétant la relation syntaxique de base (sujet/prédicat). « Un mot doit être suivi d'un ou de plusieurs autres mots déterminants toutes les fois que, par lui-même, il ne fait qu'une partie de l'analyse d'un sens particulier; l'esprit se trouve alors dans la nécessité d'attendre et de demander le mot déterminant pour avoir tout le sens particulier, que le premier nom ne lui annonce qu'en partie », écrit Du Marsais dans *Du discours et de ses parties* [1].

Il énonce ainsi la nouvelle conception de la syntaxe que consacrera

---

1. Cf. *Œuvres complètes,* Paris, 1797.

la notion de *complément,* élaborée par lui, mais formulée par Beauzée dans l'article « Régime » de l'*Encyclopédie.* Deux moments essentiels de cette conception :

1. Pour Port-Royal, les « déterminants » du verbe étaient des régimes exprimés par des cas et à syntaxe « presque tout arbitraire ». Ils formaient pourtant un groupe grammatical distinct, puisque le rapport qui unissait le terme régi au terme régissant n'était pas celui d'une convenance (comme l'était le lien entre le sujet et le prédicat), mais était tel que « l'un des deux [termes] cause une variation dans l'autre ». Avec la notion de complément, cet exercice d'influence est écarté : il ne s'agit plus de faire *varier* un terme par l'action d'un autre qui le pénètre, mais de *compléter* une armature déjà constituée par le rapport fondamental de « convenance » (entre sujet et prédicat) ou de détermination identifiante.

La notion mi-sémantique mi-syntaxique de *régime,* qui supposait le verbe comme centre de l'énoncé (du sens?) subordonnant les autres termes, est abandonnée. Beauzée la désapprouve comme fondée « sur le principe de la diversité des idées mises en rapport »; or, dans les langues analogiques, il ne devrait pas avoir cours, car les *compléments* apparaissent sous la même forme. Si la syntaxe doit, comme l'écrit Beauzée, fixer une proposition « d'après la succession analytique et les relations des idées élémentaires de la pensée », elle ne saura le faire qu'à travers la notion de complément qui exprime un rapport, une *relation* aussi générale et privée de poids morphologique que peut l'être une relation mathématique (Beauzée illustre sa conception du complément par une notation « mathématique » : A, B...). Le complément est une *relation* essentielle, non une *forme* accidentelle; c'est donc lui seul qui peut fonder la syntaxe comme « ordre analytique » considéré comme « ordre naturel de l'élocution grammaticale », et qui ne peut être entendu que « par des grammairiens véritablement logiciens et philosophes »[1]. Ainsi, jugé comme abusif, le terme de *régime* sera délaissé : « Il était plus simple de donner le nom de *complément* à ce que l'on appelle régime, parce qu'il sert en effet à rendre complet le sens qu'on se propose d'exprimer » (art. « Gouverner » de l'*Encyclopédie*); « Il n'y a peut-être pas un point de syntaxe plus important, surtout pour bien fixer l'ordre analytique qui est la boussole de toutes

1. N. Beauzée, *Grammaire générale,* Paris, 1767.

les langues, principalement de celles qui, comme la nôtre, n'ont pas admis de déclinaison; il n'y a pas, dis-je, un point plus important que celui qui concerne l'arrangement des divers compléments d'un mot »[1].

La notion de complément s'intègre à une cellule déjà syntaxique et purement formelle : sujet/prédicat, et lui adjoint une plénitude sans cela manquante. Le sens est déjà là, dans l'affirmation de l'appartenance du sujet au prédicat. Mais sa sphéricité n'était pas encore achevée, car le canon sujet/prédicat des Solitaires laissait échapper des relations supplémentaires. Or — et c'est ce que la grammaire de l'*Encyclopédie* affirme —, ce supplément n'est nullement extérieur à la boucle phrastique, au contraire : c'est lui qui l'arrondit, lui donne sa circularité, la ferme. Mais, plus encore, le *complément* rend la syntaxe *relationnelle*, Beauzée dit : « analytique ». Le terme de *complément* traduit bien ce mouvement d'une *construction de termes* vers une *syntaxe de relations*. Il saisit la relation, l'objective et l'arrête en un « terme », lequel, pourtant, est le résultat d'une relation. Il assure ainsi définitivement la solidité de la raison syntaxique, désormais équipée pour analyser les relations variables et supplémentaires à la cellule sujet/prédicat. Apollonius, l'auteur de la première syntaxe, entendait, par ce terme de syntaxe, l'*union* de deux mots. Pour Priscien, c'était déjà une *construction,* arrangement substantiel de termes. Achevée avec l'*Encyclopédie*, la σύνταξις n'est pas une simple mise en ordre ou disposition (d'un empire, d'un État, d'une institution, d'une bataille — et enfin, par métaphore, d'un discours) : elle est une complémentation, une mise en relation (σύν, *sun :* « ensemble », « tous ensemble ») à l'intérieur de la relation magistrale (τάξις, *taxis :* « association », « confédération », « convention », « pacte », « traité », mais aussi « contingent de guerre », mais aussi « salaire »).

2. La notion de *complément* déplace le terme rousseauiste de *supplément*[2] désignant toute *extériorité* au naturel — l'art, la technique, l'écriture, la culture, mais aussi la *langue* qui supplée à l'expression des passions. Pour la raison syntaxique, cette extériorité n'existe pas : le monde est une syntaxe où les termes se complètent pour construire un sens. Comme le *supplément*, le *complément* est un *en plus*, mais

---

1. N. Beauzée, *Grammaire générale, op. cit.*
2. Cf. J. Derrida, *De la grammatologie*, Éd. de Minuit, 1967, p. 207-259, p. 275 s., p. 375 s.

— contrairement au supplément — il ne remplace pas, ne tient pas lieu d'un manque ou de quelqu'un d'autre. Il s'adjoint au *même* pour le combler, il s'ajoute à ce qui est du même côté que lui, à ce qui lui est homogène et qui le demande. Il n'est pas un autre externe, un hétérogène; il est le même qui est *avec (cum)* ce qui est déjà présent (la matrice du sens sujet-prédicat) pour mener à son comble cette présence, pour l'accomplir, la saturer, la boucler sans espoir d'échappée. Avec le complément, plus de « dehors » et plus d'abîme — plus de négativité — pour la sphère logico-linguistique. Il est un *en-plus* qui n'est pas un excès, une altérité, une corrosion; mais un *en-plus* qui fait partie de l'Un, qui construit l'Un, qui le comble : un plus *dans* Un, topique de l'inclusion, de l'assomption. Vu d'un autre angle, le complément est une division interne de l'Un, un fragment d'Un qui donne l'illusion de la pluralité, un éclat de la pseudo-diversité à l'intérieur d'une circonvolution, d'un circus déjà fermé et comblé; un effacement de la fuite extra-logique, de la différence logique-langage/dehors, où s'étaient maintenus et se maintiennent toujours l'acte signifiant et le sujet qui en prend acte; un aveu explicite que le supplément comme extérieur est impossible dans la logique de l'identité et/ou de la détermination.

Ayant répudié l'hétérogène, le dédoublement, le moment — en somme — de la *négativité,* grâce au complément, l'*Un — Ens* — est désormais une *Syntaxe.* C'est dire que la topique du complément n'est pas celle d'un signe, donc d'un suppléant, mais bien celle d'un syntagme, d'une articulation de termes signifiants à force d'être appendus à la cellule sujet-prédicat elle-même justifiée par le signe. Voilà le « déplacement » : du suppléant (signe) à l'accomplissement (syntagmatique) de la plénitude du sens — le raisonnement quitte son extériorité objective et le volume signifiant se réduit à une chaîne parlée.

Non pas que la réflexion sur le *signe* disparaisse au XVIIIe siècle. Au contraire, de Condillac à Diderot, une sémiotique détaillée s'esquisse qui embrasse les langues, la rhétorique, les gestes, les actes. Mais elle est désormais à part de l'objet *langage* de la grammaire, et il faut attendre Saussure qui l'introduit, sous l'image amincie d'une feuille de papier à deux faces (signifiant et signifié) : plus de dehors, l'hétérogène s'est étendu dans l'enchaînement d'un système biplan.

La notion de complément ne fut pas un simple ajout à la syntaxe cartésienne. Une modification épistémologique s'ensuivit dont les conséquences ne pouvaient pas être vues par Du Marsais et — on peut le dire — n'ont jamais été perçues par la linguistique jusqu'à une date très récente. Cette modification consiste dans le fait que, rendue possible par la syntaxe du jugement, la syntaxe grammaticale ne se veut plus subordonnée au canon logique de base (sujet-prédicat); au contraire, elle obtient une autonomie en se pensant comme un réseau de *rapports de détermination,* ou de *complémentation :* « *La syntaxe d'une langue ne consiste que dans les signes de ces différentes déterminations.* Quand on connaît bien l'usage et la destination de ces signes, on sait la syntaxe de la langue », écrit Du Marsais [1]. La syntaxe du jugement n'aura servi qu'à éliminer l'hétérogénéité sémantique et/ou objective du raisonnement grammatical et à isoler le domaine — universel — de la raison pure. Ce rôle une fois accompli, elle prend ses distances par rapport à la surface langagière qui l'exprime, et laisse s'y organiser un jeu de relations entre les termes. *Relation de détermination,* dit Du Marsais, et la parcimonie de sa définition donne l'impression qu'un formalisme outrancier s'ouvre ainsi, vidé de tout rapport au contenu (logique ou sémantique). Il n'en est rien, car, pour définir le type de *détermination,* un recours à des notions sémantiques, logiques ou morphologiques sera nécessaire. La syntaxe formelle à peine constituée retombera dans la sémantique, la forme ne saura se passer de contenu; mais cette fois — c'est-à-dire après Port-Royal et l'Encyclopédie — elle aura l'impression d'être un raisonnement homogène, car ayant refondu le formalisme et sa sémantique dans l'articulation d'un acte sans dehors, sans objet. Absorbé définitivement dans la syntaxe par la notion de *complément,* l'*objet* « matériel » n'est plus, et la pensée hétérogène cède devant la complétude autosatisfaite de l'acte phrastique de la syntaxe. Seule la théorie moderne de la référence essaiera d'en tenir compte.

Malgré ses réalisations techniques étonnantes, la linguistique moderne ne semble pas être allée plus loin quant au dilemme épistémologique qui la fonde : syntaxe fragile, constamment sollicitée et déchirée par une sémantique (explicite ou implicite) et, au-delà d'elle, par un « objet » omis, mais insistant comme *matière.*

Dans l'histoire de la logique, un siècle plus tard, l'œuvre de Charles

---

1. N.C., p. 655; nous soulignons.

Sanders Peirce nous paraît reprendre et donner une existence nouvelle à la conception encyclopédiste de la syntaxe comme *relations de déterminations*. Peirce constate que les deux relations d'*identité* et de *détermination* ne sont que des variantes d'une seule : la relation d'*identité*. Il en déduit les deux postulats clés de la logique des quantificateurs : *1)* « La proposition, partie essentielle du discours, existe pour exprimer des relations [1] »; *2)* Toute proposition est réduite à une *copule (is)* et à une *identité*. Si la plupart des mots dans les langues indo-européennes sont des *mots relationnels,* ou des *relatifs* (dans le sens que « chacun d'eux devient un nom général lorsqu'un autre nom général lui est affixé comme objet »), le seul cas de *relatif complet (« complete relative »)* est celui du *verbe*. En conséquence, la phrase se construit comme une molécule chimique, les valences correspondant aux relations issues du verbe. La syntaxe relationnelle de Peirce est une syntaxe logique, non grammaticale. Elle se maintient près du raisonnement des Solitaires (les cellules du jugement ou du syllogisme guident sa conception relationnelle : « Dans l'affirmation d'une relation, les désignations des corrélats doivent être considérées comme des *sujets* logiques et les relatifs eux-mêmes comme des *prédicats* [2]... »). Le relationnisme peircien ne diversifie pas — ne serait-ce que de façon illusoire — le canon logique pour l'approprier aux variantes des relations dans les langues naturelles : il s'insère dans la cellule logique de base, plutôt qu'il ne la complète, pour la reformuler comme une relation entre un quantificateur et ce qu'on appellera plus tard une variable prédicative liée. Pour la logique, la syntaxe relationnelle inaugurera ce qui sera la théorie des ensembles.

Sur un plan strictement grammatical, mais dans lequel l'impact de la logique est considérable, le *modèle génératif applicatif* reprend à sa façon la conception relationnelle de la syntaxe. Sans vouloir trouver des prédécesseurs nécessaires à des démarches scientifiques nouvelles (ce que Canguilhem appelle « créer un artefact »), disons que, si la grammaire générative de Chomsky descend de Port-Royal, la grammaire générative applicative de Saumjan-Soboleva reprend les possibilités, à l'époque irréalisées, de la conception syntaxique de Du Marsais et de l'*Encyclopédie* [3]. La syntaxe est considérée comme un réseau de relateurs ou,

1. *Collected Papers,* 1931-1935, Harvard University Press, § 458 (« Logic of Relatives »).
2. *Ibid.,* § 467.
3. Cf. P. A. Soboleva, *la Grammaire applicative et le Modèle de la formation lexi-*

mieux, comme un réseau de *relations* à valeurs sémantiques qui correspondent aux classes logiques de base, telles que les avait reprises la morphologie. Le canon sujet-prédicat n'est pas le noyau de la signification auquel se surajouteraient des compléments. En quelque sorte, c'est la complémentation, l'application ou, si l'on veut, la mise en relation *précise* de deux termes (autrement dit, les divers types d'identification et/ou de détermination) qui donne le germe du processus génératif, lequel, de relation en relation, finit par générer le sens complet où vont se retrouver, bien sûr, le sujet et le prédicat avec leurs adjuvants. Donc, la véritable génération de l'acte de l'entendement (génotype) dans quelque langue que ce soit (phénotype) n'est pas une complémentation du canon sujet-prédicat jusqu'à sa saturation, mais, au contraire — et nous ne sommes pas loin de la logique relationnelle —, une mise en relation successive qui, à un moment du parcours, peut se saturer (se compléter) en constituant le noyau sujet/prédicat, sans pour autant se clore, car d'autres relations sont possibles. La cellule de la signification est une relation (identification, détermination) de termes, et non plus une affirmation d'un prédicat pour un sujet. La *phrase* au sens de *jugement* (comme on l'entend généralement) n'est qu'une saturation de cette cellule de la signification lorsque celle-ci se boucle par un *cas particulier* de la *relation* d'identité, à savoir par la relation sujet/prédicat. Formulation apparemment extrême qui réduit la construction linguistique à une mathématique fonctionnant autour du concept d'*identité* (détermination, relation) et qui efface même la différence entre les termes que maintenait la relation privilégiée sujet/prédicat. Mais — et c'est un point commun avec l'*Encyclopédie* — le modèle applicatif reprend, pour être valable dans la grammaire d'une langue concrète, tout l'appareil sémantique-morphologique avec lequel opéraient la grammaire et la logique classique.

C'est ici précisément, au lieu même où la logique et la grammaire présentent la langue comme une mise en rapport, comme une détermination réciproque de termes, que l'intervention hégélienne pourra s'agencer pour creuser la génération de ce qui se présente comme

---

cale, thèse de doctorat, Moscou, Institut de langues étrangères M. Thorez, Moscou, 1970; sur la grammaire applicative, cf. S. K. Saumjan et P. A. Soboleva, *Fondements de la grammaire générative de la langue russe,* 1968 (les deux en russe). Rappelons le fondement logique de ces modèles : Curry et Feys, *Combinatory Logic,* Amsterdam, 1958.

« rapport »; pour creuser la génération du concept : « ...c'est seulement dans le jugement que [le sujet et le prédicat] reçoivent leur détermination proprement dite [...] Mais c'est, à proprement parler, l'identité indifférenciée qui constitue le véritable rapport entre le sujet et le prédicat. La détermination conceptuelle est essentiellement elle-même rapport [1]. » Et Hegel de démontrer que la vérité de ce rapport, sa génération, c'est la *contradiction* : contradiction dans la sphère subjective, contradiction dans l'objective, contradiction entre les deux.

Sans intervention dialectique, la syntaxe est-elle désormais une mise en relation, une identification, de catégories sémantiques? La « génération » ratiocinante serait alors une détermination d'éléments (catégories sémantiques) dont on a suspendu la véritable génération (la dialectique comme cause) en coupant, d'une part, le lien du sujet articulant dans l'acte de l'entendement à ce qu'il *n'est pas,* et en évitant, d'autre part, de penser la contradiction dans le rapport des termes mêmes. Enfermement de l'identité dans l'articulation d'une homogénéité qui se détermine parce qu'elle s'identifie, tautologie de l'identité, toujours *plus dans Un,* sans issue : la génération formelle est rendue à sa vérité détaillée et complète par ce dénuement de la relation d'identité qui gît à son fondement. Génération formelle au prix d'une suspension : celle de la génération de la signification comme *pratique du sujet* dans un espace *hétérogène* (qui garantit et conditionne une position matérialiste), génération, donc, à partir d'une *dualité* dont les termes sont en *contradiction* (non pas différence dans un champ homogène) et qui, pour une théorie de la signification, envisagerait à la fois l' « objectif » et le « subjectif », dans une refonte de la sémantique, la syntaxe et la « logique du signifiant », compte tenu de la *pratique signifiante* spécifique du sujet dans le transfert à *l'autre.*

Il ne semble pas, aujourd'hui, que la théorie linguistique puisse faire autre chose que raffiner le cadre épistémologique que nous venons d'esquisser [2]. Au sommet de la saturation, pourtant, elle montre sa

---

1. Hegel, *Science de la logique,* t. II, p. 306.
2. « En nous, le XVIIIᵉ siècle continue sa vie sourde; il peut — hélas! — réapparaître. Nous n'y voyons pas, comme Meyerson, une preuve de la permanence et de la fixité de la raison humaine, mais bien plutôt une preuve de la somnolence du savoir, une preuve de cette avarice de l'homme cultivé ruminant sans cesse le même acquis... », écrivait Bachelard, dans sa manière mythique (*la Formation de l'esprit scientifique,* Vrin, 1969), mais dont l'écho concerne jusqu'aux développements les plus récents de la grammaire générative ou applicative.

base (la relation de détermination identifiante) à une *analyse :* critique, déplacement, reformulation. C'est dire que du lieu de non-retour de la linguistique et sous la pression des textes modernes critico-pratiques s'esquisse la nécessité d'un rappel de ce que Hegel a défini comme une *logique dialectique*[1] à reformuler sur la base des sciences nouvelles de la signification : psychanalyse, logique du signifiant, sémiotique, etc. Sur le terrain de la réalité langagière que le long développement de la linguistique a imposée à l'entendement en réduisant la langue à un jeu de *relations,* la conclusion de Cavaillès reprend toute son actualité : la génération de la signification n'est pas celle de l'acte de l'entendement, mais de la dialectique. A l'écoute de Hegel, cette conclusion montrera les bornes de la science moderne du langage, pour l'ouvrir à quoi? à une pratique théorique ayant retrouvé et assumé la négativité — l'hétérogénéité forclose dans l'acte de l'entendement et dans sa science — pour en donner la contradiction tout en s'élaborant elle-même en contradiction avec la pensée formelle. Pratique théorique dont l' « indifférence » apparente n'a pourtant aucune justification ni portée dialectique sans cette science linguistique dont — et à laquelle — elle porte la contradiction en la suivant de près, c'est-à-dire en lui étant inhérente, en la connaissant. Comme l'écrivait Bataille : « Ce n'est qu'après être passé de ces limites extérieures d'une autre existence à leur contenu mythologiquement vécu qu'il devient possible de traiter la science avec l'indifférence exigée par sa nature spécifique, mais cela a lieu à la condition seulement qu'on l'ait d'abord asservie à l'aide d'armes qui lui sont empruntées, en la faisant produire elle-même les paralogismes qui la limitent[2]. »

1. Cf. *infra,* p. 263-286.
2. G. Bataille, « Condition de la représentation mythologique », *Œuvres complètes,* Gallimard, t. II, p. 23.

Matière, sens, dialectique *
Préliminaires

> L'aspect paradoxal et bizarre sous lequel beaucoup de ce qui constitue la philosophie moderne se présente à ceux qui ne sont pas familiarisés avec la pensée spéculative tient en grande partie à ce qu'on utilise la forme du jugement simple pour exprimer des résultats spéculatifs.
>
> Hegel, *Science de la logique.*

O. « On ne peut appliquer telle quelle la logique de Hegel... »

Si une reprise de Hegel est nécessaire pour soutirer de l'édifice idéaliste son point le plus fort, ce retour se fera à l'écoute de Lénine : « On ne peut appliquer telle quelle la logique de Hegel ni la considérer comme un donné. Il faut en extraire les aspects logiques (gnoséologiques) après les avoir débarrassés de la mystique des idées : c'est encore un grand travail » *(Cahiers sur la dialectique).*

C'est dire que la logique dialectique matérialiste est la logique d'un processus historique objectif : elle se réalise de tout temps dans le devenir historique des sociétés, mais notre époque a l'avantage de voir surgir la force sociale qui en possède le secret, et donc l'énonce.

C'est sous la pression de la *pratique* de cette logique que nous sommes amenés ici, sous le poids de toute la tradition culturelle qui nous constitue, à rechercher en elle ce qui peut nous faire comprendre le procès que cette logique expose, pour y participer à notre tour et selon notre lieu spécifique.

La logique dialectique dont nous parlerons sera donc située dans le matérialisme dialectique défini comme :

* Ce texte suit un exposé fait au groupe d'études théoriques de *Tel Quel* en décembre 1970. Première publication : *Tel Quel*, 44, hiver 1971.

1. *cause* de l'affrontement matérialisme/idéalisme : « Il y a deux matérialismes ou, mieux, le matérialisme ne peut être exposé que comme unité duelle (dans la tradition marxiste : matérialisme historique/matérialisme dialectique). C'est ainsi qu'une instance du matérialisme serait *représentée* dans l'opposition idéalisme/matérialisme, tandis que l'autre serait la *cause* de cet affrontement [1]. »

2. *méthode,* au sens de sujet d'un processus sans sujet : « Il y a donc un procès objectif sans sujet dont l'*exposition* est la méthode absolue comme sujet [2]. »

La logique dialectique matérialiste est donc la logique du matérialisme dialectique, c'est-à-dire la logique de la *cause* de l'affrontement matérialisme/idéalisme, aussi bien que la logique de la *méthode* comme sujet d'un processus sans sujet [3].

1. Cf. Ph. Sollers, « Lénine et le matérialisme philosophique », *Sur le matérialisme,* Éd. du Seuil, 1974, p. 97.

2. *Ibid.,* p. 102.

3. La tradition marxiste confond aisément logique dialectique, gnoséologie matérialiste et matérialisme dialectique. Elle s'appuie, pour justifier cette confusion, sur quelques thèses de Lénine : « Si Marx ne laissa pas de Logique (avec une majuscule), il laissa néanmoins la logique du *Capital...* Dans *le Capital* sont appliquées à une seule science la logique, la dialectique et la théorie de la connaissance (les trois mots ne sont pas nécessaires, c'est une seule et même chose) du matérialisme, qui a pris tout ce qu'il y a de précieux chez Hegel et l'a mis en valeur » (*Œuvres complètes,* Éd. soviétique, t. 29, p. 301). « La dialectique, dans la conception de Marx en accord avec Hegel, inclut ce que d'autres appellent théorie de la connaissance, gnoséologie... » (Lénine précise que celle-ci doit examiner le « passage de l'inconnu au connu » (O.C., t. 26, p. 54). Et enfin : « ... chaque science est une logique appliquée » (O.C., t. 29, p. 183).
On voit qu'une telle conception de la logique dialectique suppose et provoque : *a)* l'élargissement du concept de « logique » : la logique dialectique est une logique, mais non pas dans le sens qu'elle aurait pour objet la « pensée »; elle est une méthode d'analyse de la *production* de la pensée, menant à la découverte de la nature objective de la pensée; *b)* une position anti-kantienne : « Chez Kant la connaissance sépare la nature de l'homme; en fait, elle les réunit » (Lénine, O.C., t. 28, p. 83). La logique dialectique montre l'« objectivité de la pensée » « pressentie de manière géniale par Hegel » (Lénine, O.C., t. 29, p. 162); *c)* une adéquation logique dialectique avec les lois du développement de « toutes choses issues de la matière, de la nature et de l'esprit... bilan, somme, conclusion de l'histoire de la connaissance du monde » (Lénine, O.C., t. 29, p. 84).
Dans son article « De l'importance du matérialisme militant » (1922), Lénine insiste sur la nécessité d'élaborer la logique dialectique à partir de « toute la vie naturelle et spirituelle »; il indique en même temps et nettement que cette tâche ne serait réalisée qu'à condition d'introduire de *nouvelles catégories.* Tel était aussi le projet non réalisé de Marx, comme en témoigne sa célèbre lettre à Dietzgen du 9 mai 1868 : « Quand je me serai acquitté du fardeau économique, j'écrirai la Dialectique. Les véritables lois

Cela implique qu'elle est une logique qualitativement différente et de la logique formelle et de la logique dialectique idéaliste (hégélienne).

Différente de la logique formelle, car la logique dialectique matérialiste (LDM) n'est pas une logique de la langue en tant que forme de l'expression. Lukasiewicz délimitait ainsi le champ de la logique formelle : « La logique formelle n'étudie pas la pensée, mais la langue comme une de ses formes. »

Différente de la logique dialectique idéaliste, car la LDM n'est pas une dialectique de l'Idée : celle-ci aboutit immanquablement à l'achèvement (fin) de la dialectique dans le Système (de l'Idée).

La LDM n'est pas non plus une logique du pluralisme métaphysique, logique des différences au sens de morcellement de l'Extra-Être : voix par laquelle la philosophie bourgeoise officielle (pareille, en sa nostalgie, au pluralisme de F. von Baader de l'époque hégélienne) revendique aujourd'hui la Métaphysique comme envers complémentaire du positivisme logique.

La logique dialectique matérialiste comme logique du matérialisme dialectique pose les lois générales de production des systèmes signifiants

---

de la dialectique sont présentes chez Hegel, à vrai dire sous une forme mystique. Il faut absolument les libérer de cette forme. »

Pourtant, on a pu longuement lire les thèses de Lénine et de Marx comme une liquidation de fait de la logique dialectique. Le dogmatisme (ici solidaire du positivisme, car une même ignorance du sujet et de sa place dans le signifiant détermine ces deux tendances) écrase la logique dialectique entre la gnoséologie matérialiste et la logique formelle : le matérialisme dialectique est la méthode du marxisme, la gnoséologie matérialiste expose les lois générales de la connaissance, la logique dialectique la redouble en donnant la méthode de pensée scientifique et théorique, tandis que la logique formelle est un champ à part, science neutre autonome (quand elle n'est pas exclue) du matérialisme dialectique.

Que, tout au contraire, la logique formelle comme logique de l'expression verbale ou mathématique, *et* la logique dialectique comme logique de la *production des systèmes signifiants* avec le sujet et dans l'histoire (donc, logique « psychanalytique » et « historique ») soient deux systèmes autonomes mais complémentaires qui fondent la gnoséologie matérialiste, laquelle (sans se réduire à une théorie de la *connaissance*) pose les lois générales des *pratiques signifiantes* à l'intérieur du matérialisme dialectique — c'est ce que nous voulons suggérer. Donc, comme condition préalable à l'élaboration de la logique dialectique matérialiste, la thèse : Toute signification est une production, une pratique signifiante qui suppose la composition-décomposition du sujet et qui, par conséquent, nécessite l'intervention constituante de sa science, la psychanalyse.

depuis une hétérogénéité matérielle et dans la pratique historique. Cette définition implique quelques conséquences pour la logique dialectique matérialiste :

1. *La logique dialectique est une logique de l'hétérogénéité.* Elle saisit le scindé, l'hétérogène : *heteros* (ἕτερος) : « un de deux », « de différente espèce », et, par extension, connoté négativement : « gauche », « mauvais ».

Logique de la production de sens à partir d'un dédoublement où les « termes » sont *qualitativement* différents, c'est-à-dire ne s'enlisent jamais dans l'homogénéité qui est le lieu même de la logique formelle (formalisable, structurable). Ces « termes » en contradiction, puisque d' « espèces différentes », restent inconciliables, de qualité opposée. L'ἕτερος, l' « un de deux » engendrant l'autre de deux mais ne se structurant pas avec lui, étant précisément la *matière* comme négatif du *logique* qui est toujours *homologique* dans le sens qu'il procède par homologation : recherche du « homos » (ὁμός), du « semblable », du « pareil », du « même partout », du « commun à deux »...

La matière, donc, comme hétérogénéité, négatif du logique, un de deux qualitativement différents [1], *engendrement de l'Un.* Si la logique dialectique/matérialiste est celle qui pose l'hétérogénéité, elle l'expose dans une *dialectique : « dia »* (διά ≤ i.-e. « dis ») désigne la séparation (comme ἕτερος), mais aussi la « pénétration », la « traversée ». Ainsi, la LDM comme logique de l'engendrement par une traversée de l'hétérogénéité est une logique par définition non axiomatisable.

Que la LDM ne soit pas axiomatisable signifie que :

1. les opérations de production de la signification à partir du clivage du sujet qu'implique l'inconscient peuvent être décrites par une topologie et, en général, par les mathématiques [2];

2. si de telles formalisations topologiques ou généralement mathématiques écrivent une logique dialectique, elles n'écrivent pas une logique dialectique *matérialiste* qui est celle de l'hétérogénéité. Car elles laissent intouchée l'instance matérielle : *a)* l'histoire qui prend le sujet

---

1. La distinction entre « différence quantitative » et « différence qualitative » ayant été posée par Hegel, la logique spécifique du passage de l'une à l'autre est une question de science, propre au domaine de chaque science concrète. Tout autre traitement de cette problématique relève du stéréotype, c'est-à-dire du dogmatisme.

2. D'une telle tentative relèvent les études comme « Pour une sémiologie des paragrammes », « Poésie et négativité », Σημειωτικὴ, *Recherches pour une sémanalyse,* Éd. du Seuil, 1969; cf. aussi « A propos de l'idéologie scientifique », *Promesse,* n° 27, printemps 1970.

dans la lutte des classes; *b)* pour ce qui est de la pratique textuelle : la « corruption » du symbolique qui s'y opère; or, c'est bien du symbolique que relève la topologie.

Ces tentatives de formalisation impliquent une conception somme toute husserlienne de la théorie : « *complément* philosophique de la mathesis pure, entendu au sens le plus large possible, qui rassemble toute connaissance catégoriale apriorique sous la forme de théorie systématique [1] ». Par ailleurs, Lacan signale « la fonction de la hâte en logique... Elle n'est correcte qu'à produire ce temps : le moment de conclure [2] ».

De s'être aperçu d'une telle carence, certaines consciences, malheureuses d'avoir atteint les plus hauts niveaux du savoir universitaire, accolent des précis marxistes à des considérations mathématiques ou topologiques, les accolades laissant d'ailleurs intactes les topologisations idéales. Un domaine composite s'établit à la suite d'une telle procédure, domaine qui sauvegarde la pertinence du formalisme, mais aussi son idéalisme en lui attribuant en appendice un alibi qui ne le regarde pas, ne le refond pas, ne le redistribue pas : le *matérialisme historique*. La refonte est manquée car manque le *matérialisme dialectique* et sa logique propre pour modeler en dernière instance le statut de la topologisation.

2. La LDM ne saurait exister sans l' « intervention constituante » de la *psychanalyse*. Elle est une « logique psychanalytique » au sens où Freud a entendu parler le corps de l'hystérique, donc au sens où la psychanalyse pose la production du sens à partir de son hétérogène : la matière. Manquer la psychanalyse reviendrait donc à manquer la logique dialectique et c'est précisément ce qui arrive au marxisme dogmatisé qui confond — pour les effacer — logique dialectique et gnoséologie matérialiste (au sens de théorie de la *connaissance*).

3. La LDM est une « logique historique », puisqu'elle pose les lois générales de la production du sens dans l'histoire de la matière et dans l'histoire matérielle.

Les réflexions qui suivent ne prétendent pas cerner l'ensemble du problème que pose la LDM aujourd'hui à la philosophie, mais aussi aux sciences et théories de la signification. Ces réflexions abordent le

---

1. Cf. Husserl, *Recherches logiques,* PUF, 1961, t. II, 1re partie, p. 183.
2. Cf. « Radiophonie », *Scilicet,* 2-3, 1970, p. 86.

problème de la logique dialectique sous un angle particulier dont voici les coordonnées :

1. L'analyse dont il s'agira fait partie d'un travail qui se situe à l'extérieur de la spéculation philosophique proprement dite, mais qui part d'une théorie du fonctionnement du langage. Précisément : pourquoi la logique dialectique de Hegel ne fut possible qu'après l'accomplissement de la *syntaxe* comme métalangue totalisant les opérations de la signification dans le *langage* comme objet de la linguistique? Autrement dit : pourquoi Hegel vient-il après Port-Royal et l'Encyclopédie [1]?

2. Chez Hegel même, quoique de façon discrète et qu'on retrouve récursivement à partir de Freud, l'indication existe que la véritable pratique de la logique dialectique dans le langage serait celle du langage poétique. A preuve cette phrase de Hegel qui semble réclamer un remaniement syntaxique — sinon une poéticité — du langage philosophique lui-même pour le soustraire à la pensée ratiocinante et le rendre isomorphe à la dialectique : « ... l'exposition philosophique obtiendra une valeur plastique seulement quand elle exclura rigoureusement le genre de relation ordinaire entre les parties d'une proposition [2] » (nous y reviendrons).

Le discours qui essaiera de s'élaborer dans cet espace ne saurait produire les méandres gratifiants d'un didactisme (discours du Père) ou d'un esthétisme (discours du Fils qui jouit d'une pseudo-pluralité dans la sphère du Même).

Il devrait être un discours du *concept :* donc d'une universalité froide, frustrante pour le Moi car faisant échec à son *désir* (de reconnaissance) et à ses *fantasmes,* par l'analyse, précisément, de leur engendrement. Discours du concept ou discours théorique, qui est à distinguer de son temps faible — le dogme, la redondance (le « catéchisme » dont parle Barthes), car c'est un discours en production, en engendrement, lequel n'est autre que dialectique. Barthes a montré que le propre du discours non dogmatique est justement d'incorporer le négatif, au sens de lui rendre corps, c'est-à-dire de s'incorporer à sa propre production. Au lieu de chercher le négatif dans une dispersion du signifiant ou dans une imbrication non close de strates narratives, le discours pro-

---

1. Cf., sur la constitution de la syntaxe comme métalangue, « Objet ou complément », *supra,* p. 225-262.
2. *La Phénoménologie de l'esprit,* Aubier, t. I, p. 55.

ducteur de concept incorpore le négatif au lieu même de la formation du concept; c'est dans la mesure où il exhibe la négativité — l'hétérogénéité — le produisant à travers le sujet et dans l'histoire que le concept est dialectique. Pour le discours du concept, *il existe du métalangage,* mais *il n'y a pas* de métalangage au sens où le métalangage pourrait dire le vrai sur le vrai, car la vérité se forme du rapport entre le discours et son négatif hétérogène.

Ainsi, étant une théorie de l'hétérogénéité maintenue, l'énoncé de la dialectique est non seulement celui de l'engendrement du concept (Hegel), mais il est aussi capable d'éviter aussi bien le dogme que la simple dérive de l'énonciation. L'énoncé de la LDM est donc marquage et nécessité de finition, contrainte, structure et loi — donc logique; mais tout ceci ouvert par son engendrement depuis l'hétérogénéité (matérialité inconsciente historique et sociale) pénétrant, traversant la sphère du Logos.

Il n'est peut-être pas indifférent que revienne à un « sujet femme » de maintenir ici — et ailleurs — ce discours frustrant, ni père ni fils, le discours de l'hétérogénéité. Car la femme, dont chacun sait qu'on ne peut savoir ce qu'elle veut puisqu'elle veut un maître, représente le négatif dans l'homogénéité de la communauté : « éternelle ironie de la communauté ». Ce par quoi elle ironise l'homonymie communautaire, c'est que, « dans sa destination pour la singularité et dans son plaisir, elle reste immédiatement universelle et étrangère à la singularité du désir [1] ». Ce qui veut dire, pour parler comme la psychanalyse, qu'elle a affaire à la *jouissance* (« universelle » — impossible) qu'elle distingue du *corps* (« singulier », lieu du « désir » et du « plaisir ») tout en sachant qu'il n'y a de jouissance que du corps (« singulier »). Autrement dit, que son savoir est un savoir de la jouissance (« immédiatement universel ») au-delà du principe de plaisir (du plaisir du corps, fût-il pervers). En conséquence, son problème à elle n'est pas l'angoisse devant la mort — car elle n'a pas à être castrée —, mais : comment maintenir cette jouissance comme *plus-de-jouir,* ou *manque à jouir,* avant qu'elle ne devienne une *valeur* ou un *objet,* c'est-à-dire avant qu'elle ne s'arrête? Il semble qu'il n'y ait rien d'autre à faire sinon, tel l'esclave, à traverser la petite perversion du morcellement [2] pour rechercher le signi-

1. *La Phénoménologie de l'esprit, op. cit.,* t. I, p. 25.
2. Σημειωτικὴ, *op. cit.,* p. 288.

fiant maître, immédiatement universel : le concept. Si alors, elle était amenée à parler, si elle était amenée à se situer dans le Logos, elle construirait un discours qui dirait la *négation* de ce signifiant maître comme un *engendrement* du concept, sans détour par le morcellement (didactique, esthétique), mais en l'exposant comme un engendrement à partir d'un ailleurs : le négatif hétérogène, la *matière.* Cette matière, dans une topologie des lieux, se noue au lieu de sa jouissance « immédiatement universelle » : elle est aussi bien « le champ de l'Un que le lieu de l'Autre [1] ».

Si cela est vrai, et pour nous en tenir à la psychanalyse, celle-ci aura à déchiffrer dans le discours des sujets non plus seulement le « corps parlant de l'hystérique », mais la frange psychotique infligée par la loi du Père, et notamment sa fonction de susciter, voire aujourd'hui de produire, le savoir et la théorie.

Une analyse de la constitution de la grammaire et, plus particulièrement, de la *syntaxe,* démontre que l'objet « langage » en linguistique, de même que l'étude de cet objet, repose sur deux fondements essentiels à nos yeux : *1)* la forclusion de l'instance matérielle, de la matière en tant que dehors négatif et/ou déterminant du sujet; *2)* l'utilisation de la catégorie *détermination* comme base du *rapport* qui se joue entre les termes dans l'agencement syntaxique : détermination entre le sujet et le prédicat, détermination entre le verbe et le complément, etc. « La syntaxe d'une langue ne consiste que dans les signes de ses différentes déterminations », écrit Du Marsais. Les autres grammairiens de l'Encyclopédie, par l'introduction de la notion de *complément* (comme détermination), achèvent la construction de l'appareil conceptuel de la syntaxe que la modernité utilise encore en le soumettant à une formalisation rigoureuse.

La logique dialectique de Hegel, venant après l'Encyclopédie, dissout ce que cette dernière, à la suite de Port-Royal, avait explicité comme étant le fondement de la raison syntaxique, donc de la raison formelle. La *dialectique* se présente comme la *génération* irreprésentable de la raison syntaxique et, dans cette mesure seulement, comme sa vérité.

---

1. « Pour une logique du fantasme », *Scilicet* 2-3, p. 266.

C'est dire, avec Cavaillès, que la véritable nécessité générative n'est pas celle d'un acte (de l'acte de l'entendement, donc de la syntaxe), mais celle d'une dialectique [1].

La logique spécifique que développent les textes d'avant-garde — dans leur sémantique et dans leur syntaxe, mais aussi dans leur rapport au négatif, à l'hétérogène matériel — impose un rappel de cette logique hégélienne : seule analyse en connaissance de cause de la raison syntaxique que les textes modernes, précisément, subvertissent et ruinent. Logique hégélienne qui sera donc ici *reprise* et *déplacée,* confrontée avec ce qui nous semble être exigé en premier lieu par une position matérialiste, et, en conséquence, par la « scission » (freudienne) du sujet dans le signifiant.

La *matrice* engendrant le sens sera dès lors conçue non plus comme celle d'une phrase (d'une syntaxe), ainsi que le maintient encore la psychanalyse assujettie au sujet, même si celui-ci apparaît comme scindé par l'Autre, mais dans une *contradiction se présentant comme un rapport* (rapport simultané : dans le domaine du sens — subjectif —, dans ce qui le produit du dehors — matérialité objective —, et entre les deux).

Notre raisonnement suivra donc le parcours suivant : *1)* dégagement de la contradiction comme production irreprésentable de la syntaxe et/ou de la pensée formelle; *2)* réalisation de cette contradiction dans le texte moderne en tant que *maintien de la contradiction,* sans recherche de sa solution/suppression; *3)* ex-position de cette contradiction en dehors de la « sphère du sens », et quelques propositions initiales sur le concept de *matière* en tant que dehors hétérogène au sujet signifiant; celui-ci, *par* l'inconscient et *dans* l'histoire, se déterminant en tant que contradiction matérielle.

1. *La production de la détermination : la contradiction*

La logique hégélienne, dans sa partie *objective,* mais aussi subjective, étant un *exposé génétique du concept* et posant celui-ci, d'une part, comme un *devenir* (dont l'Être et l'Essence ne sont que des moments)

1. J. Cavaillès, *Sur la logique et la théorie de la science,* PUF, 1947.

et, d'autre part, « non seulement comme une présupposition subjective, mais comme base absolue » (pour autant qu'*il s'est fait base*), nous intéressera donc ici d'abord en deux points :

1. pour analyser la production de la *détermination* dont nous avons souligné le rôle stratégique dans la syntaxe;

2. pour questionner le statut de l'*objet* et, plus généralement, de l'*objectivité* dans l'isolement de l'objet « langage » comme grille formelle, syntaxique. Rappelons que la pensée formelle conçoit la *détermination* comme rapport élémentaire et fondamental pour la constitution de la signification et/ou de la syntaxe et la considère en cette perspective dans le seul cadre de l'identité et de la position du même. Or, reprenant la définition spinoziste, Hegel restitue à la *détermination* son essence *négative* et, sans hypostasier le négatif pur ou la différence seule [1], conçoit la genèse ou la production de la détermination comme étant l'*affirmation* d'une *négation* qui attire (l'individuel) dans le *mouvement négatif* de l'entendement. La détermination est donc une *précision affirmative* de l'être en soi mis en *rapport* avec *l'autre* qui le détermine, donc le *nie* en lui restant conforme : il s'agit d'une *identité* posée comme telle dans la seule mesure où elle est (et l'est) pour l'autre, donc en raison « de la multiplication et de la diversification de ses rapports avec l'autre ». Le « quelque chose » et l' « autre » étant la *même chose* sont pourtant *posés* avec précision, donc déjà déterminés (par une négation), ce qui constitue la *limite* les différenciant l'un de l'autre. Pourtant, enfermé dans sa *limite,* le « quelque chose » déterminé est poussé par la *contradiction* à l'inquiétude et au dépassement de la limite, pour former son unité (zéro) avec l'autre — le « quelque chose » est poussé au mouvement, disons à la lutte.

Ce qui revient à dire que « quelque chose résulte du mouvement de l'autre », ou que la détermination est un mouvement en même temps qu'elle est ou parce qu'elle est une limitation. La détermination fait de « quelque chose » un être-là « affirmatif et calme » et, en somme,

---

1. « On aurait tort de prétendre que, pour la philosophie, la négation ou le Néant est le dernier terme » (*Science de la logique,* Aubier, t. I p. 109)... Ou encore : « La pensée qui se maintient dans la réflexion extérieure ne parvient pas à concevoir l'identité telle que nous venons de la définir [...] Une pensée pareille ne travaille que sur l'identité abstraite, en dehors et à côté d'elle, sur la différence [...] l'identité extérieure à la différence et la différence extérieure à l'identité sont des produits de la réflexion extérieure et de l'abstraction qui n'envisage abstraitement que la diversité indifférente » (*ibid.,* t., II p. 32).

pose le *fini,* lui-même défini par son impossibilité de s'unir avec son affirmatif, l'Infini : elle pose le fini comme contradiction.

Conçue comme une *contradiction,* la détermination extrait le raisonnement qui la pose comme telle du principe d'identité comme affirmation *(être)* du même [1] et implique le *néant* dans l'identité : par suite, on peut dire que l' « identité ne nous apprend *rien* » et que, si la détermination (la contradiction) affirme, elle *n'affirme* pas (un) *être,* mais bien (sa) *négation. Affirmer la négation* par la détermination en tant que contradiction : voilà qui donne précisément sa valeur révolutionnaire, destructive *et* constructive à la logique dialectique et, par là même, « horrifie » la représentation, « car elle ne va pas au-delà de la résolution de la contradiction dans le néant, sans que soit reconnu son côté positif, celui par lequel elle se présente comme activité absolue et fond ou raison absolue [2] ».

Insistons sur deux moments de la conception hégélienne de la détermination :

1. « Toute *détermination* [...] est une unité de moments différents et différenciables, qui deviennent *contradictoires* du fait de la différence précise, essentielle, qui les sépare [3]. » Cette contradiction se résout en zéro (unité négative) qu'est la chose, le sujet, le concept.

2. Pour qu'une détermination puisse exister, il faut que la différence entre « quelque chose » et « autre » ne soit pas trop grande; autrement dit, il faut qu'une finitude subsiste où quelque chose s'inclut, sans quoi les « sphères » se détruisent, le sens se perd et l'infinité s'ouvre comme un « crime » : « Le crime est le jugement infini qui crée non seulement le droit particulier, mais la sphère générale, c'est-à-dire le droit en tant que droit [4]. »

Ces deux moments de la réflexion hégélienne indiquent nettement ce que sa philosophie explicite : en tant qu'intériorité, c'est-à-dire *moi,* ou bien en tant que détermination ou vérité de la substance, plongée dans la chose, c'est *le concept* qui est l'architecture dynamique du système. D'autre part, c'est la série finitude-unité-sphéricité-totalité qui *sature ce système* en dépit de sa mouvance fondamentale, en lui

---

1. Si, pour la scolastique, *être* est un *esse verum,* pour Port-Royal, *être* est seulement une *affirmation.*
2. *Science de la logique, op. cit.,* t. II, p. 71.
3. *Ibid.*
4. *Ibid.,* p. 322. Remarquons la métaphore juridique et morale de l'énoncé hégélien.

assignant sa puissance (et non pas la lutte) et ses bornes (ici, en ce qui concerne l'acte signifiant).

Mais revenons à la détermination. La confrontation des déterminations détermine le concept, or, l'acte qui pose des concepts déterminés n'est rien d'autre que le *jugement* réalisé par le concept lui-même. Se réfléchissant sur soi, le concept dégage que ses *moments* sont des *totalités indépendantes,* mais que son *unité* est constituée par le rapport entre elles. Ceci étant une totalité, « cette totalité qu'est la détermination constitue le *jugement* ».

Composé d'un sujet et d'un *prédicat,* le jugement ne les contient qu'en tant que *termes,* dont seulement le *prédicat* exprime le concept. « C'est pourquoi le rôle attribué au sujet n'existe que dans la représentation [1]. » Unité faite de deux termes opposés, identiques dans la mesure où ils *s'appliquent,* mais fondamentalement différents, indépendants et en *contradiction* [2], le jugement — énonce Hegel — c'est la *scission du concept par lui-même.*

Une telle définition dialectique du jugement l'extrait de sa subordination au *sujet* et à l'*identité,* et lui confère une mobilité radicale où la *contradiction* des termes remplace le point central du sujet et rend superflue toute notion de complémentarité qui agence la pensée formelle. Car, s'il est nécessaire de déterminer les termes du jugement (rôle tenu en syntaxe formelle par le complément), ces déterminations supplémentaires n'échapperaient pas à l'affirmation négative ou à la négativité affirmative qui constitue toute détermination dialectique. De sorte que chaque mise en rapport de termes, qui est une mise en rapport de différences, constitue une première unité qui se manifeste à travers la disparition des opposés dans la contradiction : « unité » entre guillemets, unité zéro, non-unité, unité niée. Mais cette mise en rapport qui nie en même temps *pose,* légifère : ce zéro n'est pas seulement nul; la contradiction *affirme* l'indépendance des termes qui donc « ne se ruinent qu'en se déterminant comme identiques à soi ».

Sous le voile de la représentation et de la subjectivité, Hegel découvre

---

1. *Science de la logique, op. cit.,* t. II, p. 301.
2. « Le sujet est le prédicat, il est avant tout ce qu'énonce le jugement; mais, comme le prédicat ne doit pas être ce qu'est le sujet, on se trouve en présence d'une *contradiction* qui doit être réduite, pour devenir un *résultat* [...] c'est le rapport des extrêmes » (*ibid.,* p. 307).

donc une logique qui se joue dans la genèse du concept et que le concept lui-même *ne représente pas,* même s'il se constitue en elle.

Pour la linguistique — celle qui s'est donné pour objet la langue comme expression de l'entendement —, la logique dialectique constitue, par conséquent, un coup de sape car elle introduit à une production/*génération* que l'acte de l'entendement ne montre pas. Cette logique est d'autant plus vraie pour le *langage* que Hegel lui-même précise le rapport d'une réalité strictement linguistique à une réalité logique, lorsqu'il sépare la *proposition* du *jugement* : «... la proposition diffère du jugement par le fait surtout que c'est le *rapport* lui-même qui constitue le contenu de la première, ou encore par le fait qu'elle est un *rapport* défini, déterminé. Le jugement a, au contraire, situé le contenu dans le prédicat comme une précision générale, qui est pour soi, et diffère de son rapport représenté par la simple copule [1]. »

Que ce « *rapport* représenté par la simple copule » dans la proposition, rapport subjectif qui « au point de vue grammatical [...] [est] fondé sur l'extériorité indifférente du sujet et du prédicat », soit, donc — dans une *logique de genèse —,* une *contradiction* qui se *présente* comme *détermination :* voilà ce que la génération du concept démontre à la grammaire, suspendant ainsi, ou au moins ouvrant en abîme — pour qui veut penser cette contradiction —, l'articulation syntaxique.

Cette entrée en scène ayant permis au concept d'apparaître non plus seulement comme produit du moi pensant, mais, à sa base et en tant que *fondement* par lui-même, comme *rapport de contradiction,* le « concept » quitte la strate où le maintient la pensée formelle et *devient la contradiction comme loi* objective aussi bien que subjective (gardons pour l'instant ces termes).

2. *Exclure la syntaxe de l'entendement :*
   une logique du signifiant ou le langage comme travail

C'est dans cette mesure, précisément, que la *contradiction* se révèle comme la matrice de base de toute signifiance ou, si l'on veut, de toute pratique signifiante. La spécificité du « langage poétique » à l'intérieur

1. *Science de la logique, op. cit.,* t. II, p. 30.

de ces pratiques signifiantes consiste dans le fait que la contradiction va jusqu'à s'y *représenter* comme loi de son fonctionnement : mise en rapport de contraires sémiques, logiques, syntaxiques. A tel point que l' « unité signifiante » du langage poétique posée par la contradiction se supprime elle-même, et, loin de se clore dans une totalité ou une sphéricité (sujet, concept, chose), s'ouvre dans l'infini [1]. L'impossible (pour le concept qui *s'origine,* malgré tout, de l'entendement, quel qu'en soit le *devenir*) union du fini (déterminé) et de l'infini (son affirmation négative) se réalise dans cette logique que Hegel rend pensable sans pour autant l'aborder et qui est à l'œuvre dans le langage poétique :

---

1. Les analyses des textes modernes démontrent concrètement la logique de la contradiction qui les travaille et les fonde. Cf. Σημειωτική, *op. cit.,* p. 126-132, 183-198, 246-277, 291 s.

Par ailleurs, on a pu poser que le fonctionnement « esthétique », voire certains aspects du fonctionnement strictement verbal, relèvent d'une dialectique. Ainsi, Jan Mukarovsky dit à propos de la structure esthétique : « Selon notre conception, on ne peut qualifier de structure que l'ensemble d'éléments dont l'équilibre intérieur se rompt et se rétablit sans cesse et dont l'unité apparaît, par conséquent, comme un ensemble d'*antinomies dialectiques* [...] Les éléments, dans leurs relations réciproques, s'efforcent d'avoir le dessus les uns sur les autres, chacun d'eux *lutte* pour se faire valoir au préjudice des autres; en d'autres termes, la hiérarchie, c'est-à-dire la prédominance ou la subordination réciproques des éléments (qui n'est autre chose que la manifestation de l'unité intérieure de l'œuvre) se trouve dans un état de *regroupement* constant. Et les éléments qui, dans ce processus de regroupement, passent temporairement au premier plan, acquièrent une importance décisive pour le sens global de la structure artistique, lequel change constamment par suite de leur regroupement (cf. Oldrich Belic, « Les principes méthodologiques du structuralisme esthétique tchécoslovaque », *la Pensée,* n° 154, décembre 1970, p. 58; nous soulignons).

De son côté Ivan Fonagy démontre que certaines métaphores d'intonation impliquent un *changement linguistique,* et continue : « ...la *contradiction* est inhérente à tout changement. Cette thèse qui est l'axe de la dialectique hégélienne et marxiste (« Le mouvement est une contradiction », Engels, *Anti-Dühring,* XII) nous aide à comprendre les rapports entre l'aspect synchronique et diachronique des phénomènes linguistiques. L'étude des changements phonétiques en cours a montré que le changement n'est qu'une *lutte* des variantes et que le phonème mobile se distingue des autres phonèmes relativement stables par des traits phonologiques contradictoires, mutuellement exclusifs (cf. I. Fonagy, « Über den Verlauf des Lautwandels », *Acta Linguistica Hung.* 6, 1956, p. 244-259). *La contradiction serait donc la face synchronique du changement.*

« Tout transfert est nécessairement *contradictoire.* Un signifiant adopte temporairement un autre signifié sans renoncer au signifié qui lui est propre. Cette contradiction déclenche un mouvement oscillatoire : l'attention du décodeur sera attirée tour à tour par le sens propre et le sens actuel (impropre) et tâchera d'établir un lien entre les deux signifiés. Le transfert change un signe stable en signe mobile » (I. Fonagy, « Métaphores d'intonation et changement d'intonation », *Bulletin de la Société linguistique de Paris,* 1969, t. 64, fasc. 1, p. 35; nous soulignons).

la *logique du signifiant*. Les termes (signifiés) déterminés (par le signifié), donc « finis », se mettent en rapport à l'aide du *signifiant* (contiguïté, ressemblance phonique) qui se substitue à la *copule (est)* réalisant
la mise en rapport dans le jugement et, par-là, dans la phrase. C'est dire
que les termes réalisent une *contradiction* qui n'est plus celle d'une
totalité (phrase, sujet, concept, jugement, syllogisme), mais — le signifiant illimité ayant supplanté la copule *(être)* — celle d'une *infinité*.
Le concept revient donc à son fondement et s'y contredit en devenant
texte. *Le texte serait ce retour du concept à la contradiction comme
infinité et/ou fondement.*

Hegel lui-même comparait à une *prosodie*, à une relation harmonieuse entre deux dispositifs du signifiant, cette logique dialectique que
la pensée spéculative découvre sous la pensée représentative, en faisant
sauter ses résistances et son poids. Lourde et freinée, la pensée représentative l'est dans « son cours, quand ce qui, dans la proposition, a la
forme d'un prédicat, est la substance même[1] ». Privant le prédicat de
son poids scolastique (rappelons Duns Scot[2]) d'être la substance
— poids qui se transmet sous le formalisme de Port-Royal — et instaurant un rapport de contradiction dialectique entre le *prédicat* et le
sujet (qui, du même coup, cesse d'être fondement fixe de l'énoncé),
la logique dialectique réintroduit ainsi dans l'énoncé *l'errance,* dans
l'acte le *travail* qui le creuse, qui le produit et l'annule, dans l'entendement le signifiant. La logique de ce signifiant — logique dialectique
effective — ne peut pas *s'exposer* dans les catégories et le mouvement
d'une pensée et d'un discours linéaire : celui-ci n'en indique que la vir-
tualité. Pour la présenter, pour montrer sa « syntaxe » spécifique,
inouïe, déroutant la syntaxe de la phrase, Hegel parlera d'harmonie, de
rythme, de mètre et d'accent : de poésie, de musique, de plastique[3].

1. *La Phénoménologie de l'esprit, op. cit.,* t. I, p. 53.
2. Cf. M. Heidegger, *Traité des catégories et de la signification chez Duns Scot,*
Gallimard, 1970 (1916).
3. « ...la nature du jugement ou de la proposition en général (nature qui implique
en soi la différence du sujet [...] et du prédicat) se trouve détruite par la proposition
spéculative [...] Le conflit de la forme d'une proposition en général et de l'unité du
concept qui détruit cette forme est analogue à ce qui a lieu dans le rythme entre le
mètre et l'accent. Le rythme résulte du balancement entre les deux et de leur unification.
De même aussi, dans la proposition philosophique, l'identité du sujet et du prédicat
ne doit pas anéantir leur différence qu'exprime la forme de la proposition, mais leur
unité doit jaillir comme une harmonie. La forme de la proposition est la manifestation
du sens déterminé, ou est l'accent qui en distingue le contenu; mais le fait que le pré-

Le discours philosophique lui-même, énonçant cette logique-dialectique, devrait en ressentir l'impact en se supprimant : en se formulant selon un mode qui exclurait « la relation ordinaire entre les parties d'une proposition [1] ». Mallarmé voulait *réaliser* cette exclusion par une transformation radicale des lettres où, si la syntaxe restait « la seule garantie », celle-ci ne serait pas celle de la phrase, mais d'une partition : « La séparation. Le vers par flèches jeté moins avec succession que presque simultanément pour l'idée, réduit la durée à une division spirituelle propre au sujet : *diffère de la phrase* ou développement temporaire, dont la prose joue, la dissimulant, selon mille tours [2]. »

Ici, c'est également le Moi qui retourne à son autre — infini, indépendant de lui, son contraire qui l'affirme en le niant. La sphère (de l'entendement, de la subjectivité, de l'objectivité) est, par ce retour, trouée et c'est dans l'hétérogénéité — extériorité radicale du sens — que débouche le texte travaillant la contradiction.

Un tel fonctionnement du langage que nous avons appelé « langage poétique » n'est plus une « opération en acte » *(Tun)*, c'est-à-dire « l'intérieur comme tel » que pouvait représenter la *syntaxe* du jugement et/ou la syntaxe relationnelle. Le langage est ici *travail* et non plus *actus,* c'est dire que « langage et travail sont des extériorisations dans lesquelles l'individu ne se possède plus en lui-même; mais il laisse aller l'intérieur tout à fait en dehors de soi, et l'abandonne à la merci de quelque chose d'Autre [3] ».

Ce langage comme *travail* expose une *logique dialectique* à la fois par les enchaînements spécifiques où il se joue (réseaux sémantiques et syntaxiques n'ayant pas la linéarité et l'achèvement prédicatif de l'*acte* de l'entendement) et par sa position à l'égard de ce qui est extérieur au

---

dicat exprime la substance et que le sujet lui-même tombe dans l'universel, c'est là l'*unité* dans laquelle cet accent expire » (*la Phénoménologie de l'esprit, op. cit.,* t. I, p. 54).

1. « ...l'exposition philosophique obtiendra une valeur plastique seulement quand elle exclura rigoureusement le genre de relation ordinaire entre les parties d'une proposition » (*ibid.,* p. 55). Mais serait-ce une « philosophie »? Et la « plasticité » ne laissera-t-elle pas toujours une place nécessaire à un discours pour la représenter, et qui aurait cette « syntaxe ordinaire » que Port-Royal et l'Encyclopédie avaient déjà posée?

2. Mallarmé, *Œuvres complètes,* Gallimard, Bibl. de la Pléiade, p. 654; nous soulignons. Cf. aussi notre analyse de la phrase elliptique de Mallarmé (*la Révolution du langage poétique,* Éd. du Seuil, 1974).

3. Hegel, *la Phénoménologie de l'Esprit, op. cit.,* t. I, p. 259.

réseau linguistique, vers ce qui est radicalement irréductible au même, vers l'ex-centrique. Le *travail* se substituant à *l'acte* introduit à un fonctionnement linguistique où la mise en rapport de termes contradictoires constitue la *loi* qui se superpose à la *loi syntaxique* articulant *l'acte* signifiant, et arrive (comme dans *Un coup de dés* de Mallarmé [1]) jusqu'à l'empêcher de se *compléter* dans un tout phrastique.

Par le même geste se trouve modifié, pour le *texte,* le statut de ce qui n'est pas sens ou langage : ce « dehors » est maintenu comme « objet » non transcendantal, non pas un au-delà du sujet, mais son contraire, le produisant. Hölderlin recherche une telle hétérogénéité, lorsque, dans sa lettre à Hegel du 26 janvier 1795, il critique la conception de Fichte d'un « Moi absolu » [2].

3. La scission de la sphère : la matière

Quelle que soit la réticence de Freud par rapport à Hegel, la découverte freudienne de l'inconscient nous paraît réaliser ce qu'une logique dialectique rendait possible : à savoir le décentrement du sujet et la position d'un procès générateur de sens qui ne soit pas la pure et simple articulation de *l'actus* de l'entendement, mais qui remonte à ce qui le « précède » en *devenant* en dehors de la conscience (du sujet, du concept).

Rappelons aussi que, si la découverte freudienne « fait rentrer à l'intérieur du cercle de la science cette frontière entre l'objet et l'être qui

---

1. « La fiction affleurera et se dissipera, vite, d'après la mobilité de l'écrit, autour des arrêts fragmentaires d'une phrase capitale, dès le titre introduite et continuée. Tout se passe, par raccourci, en hypothèse; on évite le récit. Ajouter que de cet emploi à nu de la pensée avec retraits, prolongements, fuites, ou son dessin même, résulte, pour qui veut lire à haute voix, une partition » (Préface à *Un coup de dés,* O.C., p. 455).
2. « Mais une conscience sans objet n'est guère concevable et, si je suis moi-même cet objet, je suis, en tant que tel, nécessairement limité, ne serait-ce que dans le temps, donc, je ne suis pas absolu; dans le Moi absolu, la conscience n'est donc pas concevable, en tant que Moi absolu, je n'ai pas de conscience et, dans la mesure où je n'ai pas de conscience, je ne suis (pour moi) rien, par conséquent le Moi absolu n'est (pour moi) rien » (*Œuvres,* Gallimard, p. 341).
En raison précisément de cette recherche et de ce maintien obstiné de la matérialité comme *hétérogène* et *négative* dans certains textes modernes (Lautréamont), ceux-ci peuvent être considérés comme une lutte contre la psychose et comme sa maîtrise. Freud, en effet, a décrit l'état psychotique comme abandon du dehors (et de l'objet en tant qu'hétérogène) et comme expansion du dedans, du Moi englobant (d'où les symptômes de narcissisme et d'homosexualité sublimée).

semblait marquer sa limite [1] », cette « rentrée » de l'objet relève d'une logique dialectique et rappelle la démarche hégélienne : objectivation du processus subjectif, mais, en même temps, introduction d'une légitimité logique dans ce que le sujet n'est pas. Est-ce dire que, par sa parenté avec Hegel, la découverte freudienne est susceptible d'un « renversement » analogue à celui que le matérialisme opère dans le système hégélien, c'est-à-dire d'une scission de la sphère signifiante et d'une affirmation de son dehors hétérogène (dans ce cas, d'une ouverture des procès dits psychanalytiques vers les champs de contradictions socio-historiques)? Question qui ne sera ici que posée.

Nous ne pouvons pourtant pas ne pas remarquer que c'est un psychanalyste, et depuis Freud, qui a le premier posé la nécessité de reconnaître le principe d'*hétérogénéité* comme première étape dans la révision du procès de la causalité, écrivant notamment : « Il est étrange que la pensée matérialiste semble oublier que c'est de ce recours à l'hétérogénéité qu'elle a pris son élan [2]. »

C'est *par* l'inconscient — terrain de la pure contradiction [3] — que le *fondement* hégélien trouve son objectivation et sa réalité, là où l'Idée Absolue peut rencontrer le réseau lui permettant d'être « remise sur ses pieds », selon l'expression si controversée et si précise [4]. Nous reviendrons à cette ponctualité de la contradiction qu'est l'inconscient, déchirant le sujet cartésien et le ramenant à proximité de la contradiction matérielle, disons : à son unité zéro avec son corps et sa mort.

Arrêtons-nous au préalable au coup de force décisif de Hegel qui, après avoir dessiné la genèse logique du concept, le fait revenir au réel, l'unit dialectiquement à lui dans l'Idée pour élever celle-ci au sommet de l'Idée Absolue, où le sujet et l'objet se déplient dans leur contradiction agissante. A ce paroxysme de l'idéalisme, celui-ci se « renverse » en son contraire et c'est là que Marx, Engels, Lénine, le saisissent pour faire de cette ancienne tête : l'Idée Absolue, une base nouvelle : la matière. Le « vieux Hegel » permet en partie ce renversement : posant et traversant la limite du subjectif et de l'objectif, les pensant dans leur identité contradictoire et dans leur mouvement réciproque, il rend possible la

1. Lacan, *Écrits,* Éd. du Seuil, 1966, p. 527.
2. *Ibid.,* p. 415-416.
3. Cf. « Commentaire parlé sur la *Verneinung* de Freud par J. Hyppolite », *ibid.,* p. 879.
4. Cf. Philippe Sollers, « Lénine et le matérialisme philosophique », *Sur le matérialisme, op. cit.,* p. 96-120.

pensée d'un procès à subjectivité pour ainsi dire objective, car se développant en dehors du Je et/ou du concept qui, désormais, n'est qu'un
des moments du devenir.

Comme si, par l'arrivée maîtresse, et sans issue pour l'idéalisme, de
l'Idée absolue, la notion unitaire de *sujet pensant* engendrait, dans sa
dialectique, un contraire où cette notion unitaire se perd elle-même :
la matière comme « sujet ». Non pas la disparition du sujet dans le Néant,
mais l'affirmation, donc le renversement du sujet conscient de sorte
qu'il devienne son contraire : *matière, histoire.* Un opérateur pour ce
renversement : l'inconscient. D'ailleurs, le « sujet » n'étant qu'un terme,
un posé, un nom (*hypokeimenon* ὑποκείμενον) dans la syntaxe,
après Hegel, on ne devrait dire « sujet » qu'en parlant de la représentation, tandis qu'en dehors d'elle le terme d'histoire de la matière (HM)
ou d'*histoire matérielle* désignera ce procès actif hors du sujet que le
sujet pense comme une « objectivation » de sa méthode.

L'objet (matériel ou historique) est donc une contradiction dans l'histoire de la *matière* ou dans l'histoire matérielle et, comme telle, engendre
les différentes déterminations du concept ou du rapport signifiant.

Dans cette dialectique matérialiste, la matière n'est pas un au-delà
du sujet ni sa transcendance : elle est son hétérogène, le contraire de ce
« quelque chose » qu'il est et qui, donc, le détermine tout en se déterminant dans la contradiction qui les pose.

La position de ce devenir *matériel,* c'est-à-dire *hétérogène* au devenir
signifiant, est, dans un premier pas, le résultat de l'« objectivation »
du concept hégélien; mais surtout — et nous ne saurons trop souligner
cette divergence d'avec Hegel — de la scission de la sphéricité (totalité)
hégélienne et de l'ex-position de la contradiction hors du champ homogène (logico-linguistique, signifiant). Ex-position sans laquelle la
démarche hégélienne aboutit à un renfermement à la fois subjectif et
structural, kantisme sous le masque de Hegel. *Renfermement subjectif*
si la réflexion dialectique émanant du « je » n'est pas conduite à sa suppression dans l'hétérogène où « je » trouve son *fond; renfermement structural,* si, dans la sphéricité ainsi bouclée, c'est le « je » qui joue le rôle
totalisant, léguant ses qualités à son « autre », mais le ramenant ainsi
au « même » et ouvrant à ce champ la chance d'une systématicité relationnelle. Il est vrai que ces deux moments jalonnent le parcours hégélien et dessinent toute l'ambiguïté de son trajet où la mystique transparaît à la *séparation* de la négativité pure qui, en effet, frôle la positivité

affirmative du concept. Mais c'est bien la *contradiction* de ces moments qui fait éclater la systématique hégélienne et lui restitue son noyau révolutionnaire : l'hétérogénéité (matière/sens) comme champ de la contradiction. Faut-il préciser qu'hétérogénéité ici veut dire que, si le sujet (le sens) est un moment du devenir de la matière, la matière n'est pas le sens, elle est sans lui, en dehors de lui et malgré lui. C'est bien le sens qui la définit comme telle, donc la détermine, mais en la posant comme un en dehors de sa limite, comme l'infini que sa limite dégage et dont il est *une* des déterminations qu'il est d'ailleurs le seul à déterminer.

Rapport hégélien renversé : non pas retour du sens au réel, mais désignation, par le sens, de l'irréductibilité qui l'oppose à une matière en contradiction d'où, et en opposition à laquelle, il se pose. Deux conséquences immédiates de ce renversement :

1. le sujet conscient (et le concept, mais aussi le sens), loin d'apparaître comme la clé de voûte du système, n'est qu'une des configurations signifiantes possibles — un des rapports et/ou une des contradictions — dans l'infinité matérielle; mais il en détient la théorie (la méthode);

2. pensant la genèse du concept, ce sujet pense la contradiction jusqu'à pouvoir poser la contradiction comme *loi* externe à sa propre sphère, loi *objective* d'une matière et d'une histoire infinie, loi engendrant la position propre au concept lui-même.

C'est l'histoire concrète, série précise de transferts, avec ses conditions précises, qui conduit la contradiction matérielle à devenir une détermination signifiante, un rapport de sens. Disons que la matière devient sens par la flèche de l'histoire en tant que devenir (lutte des contraires) naturel et social : M $\xrightarrow{H}$ S. Mais ce devenir, loin d'être celui de la pure linéarité comme le laisserait supposer une conception mécaniste du sujet, est une *translation* que la théorie peut désormais penser grâce à la coupe dans le sujet qu'introduit l'inconscient. Aussi écrirons-nous M / S en rayant la flèche $\rightarrow$ par une barre $\xrightarrow{H}\!\!\!\!/$. Le rôle de la barre sera tenu ici par l'*inconscient :* charnière qui permet à la méthode (à la théorie) de penser l'engendrement du sujet comme un des moments (déterminations, contradictions) de la matière et/ou comme l'éclipse du sujet dans la matière elle-même posée comme dehors du sujet (conscient) et comme lutte des contraires.

On peut écrire :

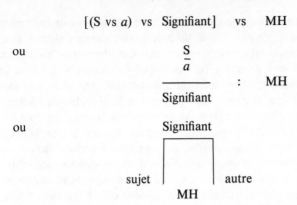

Dans ce dispositif, l'*objet* qui, dans la logique du signifiant, devient « objet *a* » présentifiant la mort, n'est pas absorbé dans la structure du sujet pour qu'elle forme un cercle (celui de la soumission du sujet au signifiant). Il est déporté *ailleurs,* mais dans un *face-à-face* de la structure signifiante et reprend ainsi sa place de MH dont la structure signifiante est une *contre-diction.* Le domaine signifiant est ainsi un centre décalé, un non-centre ouvert sur l'infinité matérielle où l'histoire donne la *contradiction* (non pas la « réplique ») au sujet. Dans ce dispositif, le MH ne signifie rien de *complémentaire* dans l'en-soi du sujet. Il ne représente pas la mort d'où le sujet s'imagine, mais la met en position ex-centrique comme sa détermination. C'est qu'il est l'*hétérogène* pour lequel et dans lequel, donc contre lequel, un système signifiant peut fonctionner avec ses divers étages (symbolique, imaginaire, réel). Il est la *contradiction principale* qui détermine les *contradictions secondaires* jouant à l'intérieur du champ signifiant.

Confronté à cette contradiction principale, le sujet échappe à l'alternative transcendantale que lui laisse, sans cela, le canal de l'investissement objectal[1] : « ou de se réaliser comme objet, de se faire momie

---

1. Freud démontre comment le *dehors* prend la place d'un *objet* introduit dans l'*imaginaire* du sujet par le biais du narcissisme. Lacan : « La fonction imaginaire est celle que Freud a formulée présider à l'investissement de l'objet comme narcissisme. C'est là-dessus que nous sommes revenu nous-même en démontrant que l'image spéculaire est le canal que prend la transfusion de la libido du corps vers l'objet. Mais, pour autant qu'une partie reste préservée de cette immersion, concentrant en elle le plus intime de l'auto-érotisme, sa position " en pointe " dans la forme la prédispose

de telle intuition bouddhique, ou de satisfaire à la volonté de castration inscrite en l'Autre, ce qui aboutit au narcissisme suprême de la Cause perdue (c'est la voie du tragique grec, que Claudel retrouve dans un christianisme de désespoir) [1] ». Telle est, en effet, l'alternative qui s'ouvre devant l'entendement idéal, totalisant, homogène, depuis le surgissement de l'idéalisme hégélien. Sans la position irréductible de l'*hétérogène*, le post-hégélianisme englobe la totalité dans la structure du « *je* » pensant, sans dehors, et pour lequel la matière est une transcendance, un au-delà du sujet (ce qui renvoie à une position préhégélienne); ou bien il la représente comme une *chute* d'un « a-objet », anti-objet, *déchet, reste,* accessoire hasardeux, mais nécessaire pour compléter la structure du « je ». Ainsi, sans l'*hétérogénéité* que la matière impose, le dehors du sujet est réduit au rôle de *complément,* pseudo-altérité de l'Un (qu'est le sujet), « autre » interne et soumis à une structure toujours déjà-là. La raison syntaxique réapparaît dès que l'homogénéité est posée et supplée — par l'*objet* devenu *complément* — à la contradiction qui, depuis la matière, engendre la signification.

Par contre, marqué dans le dispositif hétérogène que nous avons tracé plus haut, le concept avec son sujet ne s'est pas « perdu » dans l'objectivité, tout en y ayant passé tout entier. La matière que la méthode pense comme historique, c'est-à-dire en devenir et, si l'on veut, à « sujet » objectif, produit, en un moment de ses contradictions et à certaines conditions, le sujet conceptuel, disons le sujet à sens. La détermination/ contradiction qui constitue celui-ci est, *pour la représentation,* interne à sa « sphère », autrement dit au système signifiant, et s'opère par *rapport* à (en contradiction avec) un autre (sujet), mais aussi avec l'Autre de la signifiance elle-même [2]. Dans cette systématicité représentant le sujet signifiant, la *matière* est forclose : la structure du sujet est une homogénéité qui n'a pas de dehors hétérogène; toute « objec-

---

au fantasme de caducité où vient s'achever l'exclusion où elle se trouve de l'image spéculaire et du prototype qu'elle constitue pour le monde des objets » (*Écrits, op. cit.,* p. 822; nous soulignons).

Mais il remarque plus loin : « L'arrêt de l'investissement objectal qui ne peut guère outrepasser certaines limites naturelles, prend la *fonction transcendante* d'assurer la jouissance de l'Autre qui me passe cette chaîne dans la Loi » (*ibid.,* p. 826, nous soulignons).

1. *Ibid.,* p. 826-827.
2. Les schémas lacaniens des S et A traduisent cette dialectique.

talité » y est présentée sous forme d' « objet petit *a* » — reste saturant la structure subjective et lui apportant un sens *en plus,* complémentaire à sa plénitude unifiée, qui, sans lui, est inachevée; objet dont l'impact signifiant pour une structure est proportionnel à la forclusion de la *matière,* donc de l'hétérogénéité, dans cette même structure.

Structure, donc, « psychotique » du sujet, dont la psychanalyse, avec Lacan, a eu le mérite de nous donner la vérité comme étant celle d'une civilisation monothéiste (c'est dire « homogénéisante »). Si l'on décale cette « structure » par rapport à son hétérogène qui l'engendre et insiste constamment en elle, on est en présence d'une configuration « subjectale » autre, que certaines pratiques signifiantes mettent en scène. Dans ces « pratiques » où le sujet *dit,* la matière, loin de se « présenter » comme « objet *a* » ou comme complément dans une structure dédoublée, mais homogène, la *contre-dit* comme *dehors infini du double* signifiant (dédoublement du sujet, rapport du sujet au signifiant), et forme la contradiction constante et radicale qui *détermine* ces autres contradictions (ou rapports) internes au domaine homogène du sens.

La question pourtant se pose : si elle n'est pas reste, déchet, objet hasardeux, complément, la *matière* peut-elle être *dite* comme *hétérogénéité dans* le discours? Théoriquement cette hétérogénéité se parle comme dialectique de la nature ou comme matérialisme historique. Pour le « sujet », Freud en a tracé les voies comme « au-delà du principe de plaisir ». Seuls les textes qui les entendent peuvent éprouver *sur un registre supplémentaire,* dit « sacré », mais dont le secret réside dans la logique de la contradiction qui règle leur sémantique et leur syntaxe, les limites inquiétantes qui les définissent comme textes : en mouvement de devenir depuis la matière et l'histoire à travers l'inconscient; donc en contradiction déterminante avec elles, et pratiquant en même temps leurs propres contradictions [1].

La saturation de la raison syntaxique, les particularités des textes modernes, semblent indiquer qu'un rappel de la dialectique est nécessaire pour penser le fonctionnement du sens (avec son sujet) et de son

1. L'expérience de Bataille est sans doute la première et la plus marquante dans cette voie où le sujet signifiant ouvre la sphère de ses relations et des « objets *a* » qui les trahissent, et se nie en affirmant un hétérogène — les contradictions qui déchirent, à chacun de ses mouvements, la matière et l'histoire. On sait que Bataille a longuement travaillé sur un projet de texte théorique à propos de l'hétérogénéité, et le fait qu'il ne l'ait jamais écrit témoigne de la difficulté — encore présente dans notre culture — d'ex-poser la dialectique dans un texte.

rapport à ce dont il porte la contradiction pour le constituer. La phrase de Hegel : « Il faut considérer comme excessivement important le fait que la dialectique vient à nouveau d'être reconnue comme indispensable à la raison, bien qu'on soit obligé d'en tirer des conséquences opposées aux résultats qu'on a obtenus [1] » obtient aujourd'hui une signification nouvelle.

1. Hegel, *Science de la logique, op. cit.*, t. II, p. 558.

Du sujet en linguistique*

> Quel est l'objet, à la fois intégral et concret, de
> la linguistique?
>
> F. de Saussure, *Cours de*
> *linguistique générale.*
>
> ...il y a quelque chose dans le statut de l'objet de
> la science, qui ne nous paraît pas élucidé depuis
> que la science est née.
>
> J. Lacan, *Écrits.*

La question inaugurale de Saussure visant à cerner la linguistique en
définissant son *objet* semble céder aujourd'hui devant des approches où
la rigueur formelle prétend réduire, sinon évincer, l'angoisse saussurienne de s'assurer un terrain « intégral et concret » pour l'exercice du
formalisme. Nous allons essayer de démontrer, dans ce qui suit, que :
1) si la suspension de l'*objet* est de règle dans une théorie logique formelle, elle ne saurait l'être dans une théorie scientifique « factuelle »
(physique, psychologie, etc., mais, aussi et davantage encore, linguistique); *2)* chez Saussure comme chez Chomsky, la position de cet
objet est logiquement antérieure à la théorie et se définit par une certaine représentation implicite du *sujet* parlant; *3)* la cohérence des
théories linguistiques comme ensembles d'une classe dénommée la
« linguistique », apparemment liée à un objet « intégral et concret »,
est en réalité produite par la posture spécifique d'un *sujet* parlant qui
à la fois s'y produit et en expose la théorie. De sorte qu'une épistémologie soucieuse de la *production* des concepts en linguistique pourrait transformer la question saussurienne ainsi : quel est le *sujet*, à la
fois intégral et concret, de la linguistique? Nous appellerons *dispositif*

* Première publication ; *Langages*, n° 24, décembre 1971.

287

épistémologique ce rapport du « sujet » de la théorie à son « objet », en posant qu'il détermine en dernière instance la compactification-décompactification [1] des théories.

Précisons auparavant l'emploi du terme « théorie » en linguistique.

I. LE STATUT DE LA LINGUISTIQUE

Accédant à une formalité contrôlable par la procédure logico-mathématique depuis la linguistique taxinomique et surtout depuis la grammaire générative, la linguistique ne semble pas pouvoir réunir sous l'unité d'une même dénomination les procédures descriptives diverses qui se sont exercées sur le langage à diverses étapes historiques : la grammaire du XVIIIe siècle, la linguistique historique du XIXe siècle et la grammaire générative n'appartiennent pas à la *même Linguistique.* Ce n'est qu'à partir de la grammaire générative que la linguistique devient une *théorie descriptive et explicative* dont on a le moyen logique formel de suivre la production de concepts. Le terme de « théorie linguistique » appliqué aux travaux du XVIIe et du XVIIIe siècle ou aux écrits d'A. Marty n'a pas le sens logique qu'il obtient en grammaire générative [2] : nous appellerons celle-ci Théorie₁

---

1. Si, pour utiliser un langage élaboré par les mathématiciens, on convient d'appeler « compact » un champ théorique tel qu'il soit toujours possible d'en extraire une trame conceptuelle finie, capable de permettre la construction de tout objet susceptible d'être construit dans le champ, alors, le mouvement de manifestation de marques vides peut être nommé « décompactification » du champ. Il serait d'un grand intérêt d'étudier les déplacements qui, à l'intérieur comme à l'extérieur d'un domaine théorique donné, entraînent sa « décompactification » : « ...c'est-à-dire la libération de noyaux opératoires au point de départ enchaînés dans une trame conceptuelle finie appartenant au domaine. Il serait aussi d'un grand intérêt d'étudier la formation des instruments de " compactification ", c'est-à-dire les modalités de remplissement des marques vides et des délimitations, dans le domaine des chaînes conceptuelles finies propres à le fermer » (J.-T. Desanti, *les Idéalités mathématiques,* Éd. du Seuil, 1968, p. 105). Quelques textes d'épistémologie linguistique nous semblent participer à cette stratégie de *compactification* de la linguistique, à condition que soit admise la valeur spécifique d'un tel concept pour son champ (cf. « Épistémologie de la linguistique », *Langages,* n° 24, 1971).

2. Y. Bar-Hillel, « On a Misapprehension of the Status of Theories in Linguistics », *Foundations of Language,* n° 2, 1966.

(T_1), celle-là Théorie$_2$ (T_2) [1], en transposant et en modifiant pour la linguistique les distinctions faites par J.-T. Desanti [2].

Ainsi, le *phonème* de Baudouin-Troubetzkoy appartient à une T_2, les phonologies de Jakobson-Halle et plus encore de Chomsky-Halle sont déjà des T_1; la conception syntaxique de Port-Royal, de Humboldt et de Marty sont des étapes de T_2, la grammaire générative est une T_1. Il est entendu que les T_2 conservent leur vérité dans les T_1.

On peut poser qu'une T_2 est une modélisation primaire d'un domaine, au sens suivant : si un domaine R de données peut être subdivisé en S ensembles homogènes, on peut attribuer à chaque membre *s* de chacune de ces classes équivalentes S certains prédicats P_1, P_2,... P_{n+1}; ceux-ci représentent des propriétés et des relations généralement inobservables des S, peuvent être définis dans S, mais ne sont pas entièrement satisfaisants pour R. $T_2 = (S, P_1, P_2,... P_{n+1})$ est une modélisation conceptuelle de R ou $T_2 \triangleq R$ (selon la notation de Bunge [3]). La T_1 utilise comme base $T_2 \triangleq R$, mais l'insère ou l'emboîte dans un système théorique qui spécifie la nature mathématique des *n* concepts « primitifs » de T_2.

Pour toutes les sciences dites factuelles (physiques, psychologiques, etc.) la relation entre T_1 et T_2 est forte et indispensable, le rôle des T_2 diminuant au fur et à mesure que l'axiomatisation progresse. En linguistique, on voit mal cette perspective de dévalorisation des T_2 au profit d'une construction centrifuge de la science en dehors des T_2. Au contraire, la spécificité du domaine R en linguistique exige précisément l'accentuation du rôle des T_2 qui, soit s'emboîtent dans une T_1 existante, soit se structurent entre elles en générant une nouvelle T_1.

La plupart des catégories linguistiques classiques *n* jouant dans T_2 continuent à fonctionner dans les T_1, et même si ces catégories n'ont de sens que celui que leur confèrent ces T_1, les « vieilles » catégories véhiculent certains éléments (à préciser) de leur signification implicite dans les nouveaux dispositifs. De sorte que la grammaire générative, par exemple, peut être autant une conception nouvelle du langage qu'une *axiomatique* de l'acquis linguistique précédent : une sorte de *Grundla-*

---

1. Nous préférons parler de *Théorie*$_2$ plutôt que de *modèle,* pour distinguer le « modèle théorique », au sens métascientifique d'un *modèle* sémantique, des modèles *ad hoc,* des modèles mathématiques, ceci en raison, par exemple, du fait qu'on ne peut pas assigner une valeur de vérité à toutes les T_2.
2. *Les Idéalités mathématiques, op. cit.,* p. 117-120.
3. Mario Bunge, « Models in Theoretical Science », *Acten des XIV Internationalen Kongress für Philosophie,* Vienne, 1968, p. 210.

gen der Arithmetik pour la linguistique, dégageant la systématicité (compactification/décompactification) de la *tradition* linguistique, de ses acquis et de ses intuitions, de ses présupposés.

Étant donné que les théories linguistiques T_1 et T_2 sont *explicatives* et plus encore *théories* d'un *objet factuel,* le mode de production conceptuel en linguistique participe obligatoirement de deux espaces : *a)* d'une « structure mentaliste » (logique, philosophique, supposée prouvée intuitivement, donc sans preuve extrinsèque)[1]; *b)* d'une « validation », adéquation, évaluation, preuve extrinsèque (confrontation de l'objet « intuitif » qu'est le langage pour la théorie mentaliste, avec les données psychologiques de la « faculté de langage », avec les « changements historiques », etc.). Ce deuxième espace n'étant pas susceptible de définition rigoureuse (étant extrinsèque à T_1 et T_2), et le premier reposant sur la notion méthodologiquement vague d' « intuition » (nous y reviendrons), la théorie linguistique est par définition un domaine ouvert, à « décompactification congénitale ». Celle-ci apparaît clairement lorsqu'on rappelle que le problème du langage est celui de la signification, et que la grammaire générative, par exemple, présente comme une structure syntaxique ce qui est une sémantique. C'est au moment de sa butée contre la sémantique que la décompactification se produit de façon marquée : Saussure soumet la linguistique à une sémiotique qui reste toujours à faire; Chomsky écrit que la faculté de langage ne serait comprise qu'en rapport avec « une psychologie qui commence par le problème de la définition de plusieurs systèmes de connaissance et de croyances humaines[2] ». Le problème réapparaît dans la traduction de textes en certaines langues dont la sémantique utilise comme traits pertinents l'attitude du locuteur par rapport à son discours (position géographique au moment de l'énonciation; statut social : véridicité de l'énoncé; noms des sujets référés, etc.) et qui seront soit à intégrer dans le modèle de la structure profonde, soit à considérer comme un compartiment nouveau de la théorie (par exemple, la « pragmatique » ou, plus généralement, la « sémiologie »)[3].

1. Jerrald J. Katz, « Mentalism in Linguistics », *Language,* vol. 40, 1964, p. 124-137; et Noam Chomsky, *Aspect of the Theory of Syntax* (1965); trad. fr. *Aspects de la théorie syntaxique,* Éd. du Seuil, 1971, p. 58, 68 s.
2. Noam Chomsky, *Language and Mind* (1968); trad. fr. *le Langage et la Pensée,* Payot, 1969, p. 19.
3. H. J. Seiler, *Cahuilla Texts with an Introduction,* Indiana University Publ., 1970, p. 23-35.

Nous sommes ici devant les difficultés que posent la distinction de *niveaux* de l'analyse linguistique et surtout l'universalisation de ces niveaux.

Puisque les imbrications et les lacunes des *niveaux* (phonologique, syntaxique, sémantique) remettent en cause le caractère compact des T_1, c'est aux *environnements* qu'il incombe de produire les concepts et les enchaînements nécessaires à la compactification.

Les recours à des Théories$_2$ paralinguistiques ou les fondations d'environnements spécialisées de la linguistique (socio-linguistique, psycholinguistique, etc.), dont la destination est de compactifier les vides de la (des) théorie(s), peuvent pourtant n'aboutir qu'à souligner les vides, si on cultive ces environnements uniquement comme des sous-ensembles de la (des) théorie(s) et dans le seul but de la (les) confirmer. Pourtant c'est dans de tels *environnements* que la décompactification de la théorie se montre et qu'apparaît la nécessité de nouveaux concepts et enchaînements.

Cette interdépendance des niveaux et des environnements linguistiques n'implique pas un simple « emboîtement » des uns dans les autres[1], mais constitue plutôt un *ensemble d'articulation,* au sens où le terme est employé dans la théorie des graphes (pour désigner le sous-ensemble $A \subset X$, $A \neq O$, si considérant un graphe connexe $G = (X, \bar{U})$, $|X| = n$, le sous-graphe engendré par X-A n'est pas connexe).

Ainsi, une preuve linguistique dite « externe » par l'épistémologie positiviste (par exemple, une preuve prise à la psycholinguistique ou à l'histoire de la langue) ne s'intègre dans la théorie linguistique que si l'on admet d'envisager cette théorie comme un *ensemble d'articulation.* Faute de quoi on ne peut pas justifier le recours à cette preuve extrinsèque.

Au contraire, il semble qu'une conception *dialectique* de l'épistémologie puisse admettre comme satisfaisante une théorie linguistique se présentant comme un *ensemble d'articulation.* Inversement, présenter les théories linguistiques comme un ensemble d'articulation, c'est formaliser une conception dialectique de la linguistique. Dans un tel cadre, précisément, ont pu être traités les rapports diachronie/synchronie. (« L'état actuel [l'aspect synchronique] de la langue n'est pas l'op-

---

1. A. Sechehaye, *Programme et Méthode de la linguistique théorique,* Paris, Leipzig-Genève, 1908, p. 60-63.

posé du développement historique [de l'aspect diachronique], mais une récapitulation de ce développement sous la forme d'une structure », écrit Telegdi [1].) Le précurseur d'une telle conception étant probablement Benveniste [2] qui a interprété dans cette optique le changement des catégories morpho-syntaxiques.

Une théorie linguistique est donc un ensemble *provisoirement compact* au sens où seuls les « niveaux » se présentent comme des ensembles *compacts,* tandis que les mêmes « niveaux » et les « environnements » constituent entre eux des *ensembles d'articulations :* la théorie se décompactifie en raison de cette connexité-déconnexité constitutive. Si une unité des théories linguistiques est possible et subsumable sous le terme de *Linguistique,* elle ne peut être appuyée en dernière instance que sur la *topologie* spécifique et constante que constitue le rapport du sujet parlant au sujet de la métalangue, comme seule clôture et, en ce sens, seule garantie de l'unicité de ce discours particulier.

Le mode de production des concepts et/ou des théories en linguistique est donc doublement articulé : *1)* à la puissance formelle des Théories$_1$, c'est-à-dire *fondamentalement et surtout* à la puissance des formalismes logico-mathématiques qui leur préexistent : faute de concept de « récursivité » en mathématique, Humboldt ou Marty ne pouvaient pas fonder une grammaire de la créativité du langage au sens de la grammaire générative, c'est-à-dire « un système de règles qui assigne une description structurale à des phrases d'une façon explicite et bien définie [3] ». Aussi dira-t-on que la théorie s'organise comme un ensemble compact; *2)* à l'existence de Théories$_2$, hypothèses modélisantes sur l'objet langage, corroborées par des idéologies (retrouvables jusque dans la fameuse « intuition du locuteur ») plus ou moins autonomes de l'histoire et des superstructures dans lesquelles s'élabore la Théorie$_2$ [4]. Cette idéologisation concerne jusqu'aux preuves internes

---

1. Z. Telegdi, « Ueber die Entweinung der Sprachwissenschaft », *Acta Linguistica Hung.,* t. II, p. 95-108.

2. E. Benveniste, *l'Origine de la formation des noms en indo-européen,* A. Maisonneuve, 1935 et « Pour une analyse des fonctions casuelles : le génitif latin », *Lingua,* XI, 1962, p. 10-18 (repris in *Problèmes de linguistique générale,* Gallimard, 1966, p. 140-148).

3. N. Chomsky, *Aspects de la théorie syntaxique, op. cit.,* p. 19.

4. Louis Renou, « Les connections entre le rituel et la grammaire en sanscrit », *Journal asiatique,* 1941.

mentalistes de la théorie : ainsi l'intuition de Chomsky que « de nos jours sous beaucoup de rapports, bien loin d'être superficiels, le climat intellectuel ressemble à celui de l'Europe occidentale au XVIIe siècle [1] ». Aussi dira-t-on que la théorie s'organise comme un ensemble d'articulations.

Les contraintes strictes de *1)* sont constamment bousculées par *2)* et le linguiste a le choix entre la compactification de *1)* au prix d'exclusion d'éléments essentiels de *2)*, et l'élaboration de *2)* en rapport étroit avec les environnements de la théorie au prix de la décompactification de *1)*. Démarche « naturelle » de la connaissance scientifique montrant ce qu'elle a d'éphémère à l'intérieur de son procès. A cette différence près que, dans le cas de la linguistique, il n'est pas sûr que les Théories$_2$ puissent passer au stade de Théories$_1$ — si vaste paraît actuellement le champ « sémantique » qu'informe le langage *avec* le sujet et *dans* l'histoire.

Il reste, évidemment, la solution actuelle de « compartimenter » ce « champ », pour décrire les *niveaux* en *domaines* (phonologie générative, sémantique générative, etc.) à l'intérieur et en fonction de Théories$_1$. Pourtant, cernant ces domaines dans une argumentation qu'il veut de plus en plus rigoureuse, et décidé depuis au moins un siècle à élever la science du langage au niveau d'une scientificité positive normative et universelle, le linguiste ne peut pas ne pas éprouver les manques, les vides, les dehors de telles théories. Il trouve là non seulement la défaillance de la thèse d'une scientificité unique, mais aussi — à l'intérieur d'une pluralité de scientificités — celle, spécifique entre toutes, de la linguistique comme continent particulier du savoir. Un continent où le sujet essaie de se donner comme objet ce qui le constitue et — dans cette imbrication — ne saurait éviter le réductionnisme (la théorie mécaniste) ni le fantasme (l'énigme du langage) sans une explication — en dernier ressort — de son économie subjective *dans* le langage, non pas *face* à lui.

Aussi dirons-nous que la *topologie du sujet parlant de la théorie linguistique* comme un « ensemble d'articulations », est son « dispositif épistémologique » : sa véritable *économie*.

---

1. N. Chomsky, *le Langage et la Pensée, op. cit.*, p. 17.

II. L'ACCEPTION SÉMANTIQUE, PRAGMATIQUE ET ÉPISTÉMOLOGIQUE DE L' « INTENSION »

Le terme d'*intension* semble être la traduction par Sir William Hamilton du terme *compréhension* tel qu'on le trouve dans la *Logique* de Port-Royal [1]; il correspond chez Bolzano à *Inhalt* [2], s'approche de *Sinn* chez Frege [3] et se retrouve jusqu'en la formalisation de Carnap comme *L-content* [4].

Il est employé en *épistémologie* par M. Bunge [5] dans un sens sensiblement différent, c'est-à-dire non pas dans une théorie réglée par la notion de vérité, mais dans une théorie *métascientifique,* « syntaxique », se servant de la théorie des filtres, et — qui plus est — il concerne les sciences dites factuelles, notamment le statut qui y incombe au « contenu », aux objets *sui generis* distingués des référents, des extensions et des formes.

L'argument majeur pour cet emploi est que seule la logique peut opérer avec des « formes pures », tandis que la construction scientifique enchaîne des *contenus.* Pourtant, Bunge écarte l'emploi du terme « *intensional »* au sens de *pragmatique* (impliquant « doute », « croyance », « savoir » et « affirmation » et donnant lieu à la logique *intensionnelle* [6] aussi bien que son sens de *modal)* et étudie l'intension comme un objet purement *sémantique* (au sens de Carnap).

Or, la valeur « pragmatique » (gardons pour l'instant ce terme) nous paraît être non négligeable en épistémologie et devrait s'adjoindre au traitement « sémantique ». Ainsi, si nous avons deux énoncés :

p = le langage est donné dans la conscience des sujets parlants
q = le linguiste pense que p

1. Arnauld et Nicole, *la Logique ou l'Art de penser* (1662), PUF, 1965, p. 59.
2. B. Bolzano, *Wissenschaftslehre,* Sulzbach, 1837, 4 vol.
3. G. Frege, « Ueber Sinn und Bedeutung » (1892), *Kleine Schriften,* Angehlli, Hildesheim, Georg Olms, 1967.
4. R. Carnap, *Introduction to Logic,* Cambridge, Harvard University Press, 1942.
5. M. Bunge, « Intension », *Foundation and Philosophy of Science Unit,* McGill University, Canada, miméographié.
6. Whitehead and Russell, *Principia Mathematica* (1927), 2e éd., Cambridge, p. 72 s., 659 s.

q peut être considéré comme une construction intensionnelle au sens où sa vérité ne dépend pas uniquement de la vérité de l'énoncé subordonné à p, mais aussi du sujet, ici le « linguiste » : q = F (sujet, p), F désignant la relation « pragmatique » « penser ». F est un ensemble de la classe des fonctions « ne préservant pas la vérité », elle est dite « pragmatique » ou « oblique » (Frege), ou « référentiellement opaque » (Quine).

La même réflexion s'applique aux deux énoncés suivants :

$$p' = \text{Phrase} \to \text{SN} + \text{SV}$$
$$q' = \text{le locuteur natif } (= \text{ le linguiste}) \text{ pense que } p'$$
$$\therefore q' = F \text{ (sujet, } p')$$

F est la fonction qui relie « le locuteur natif » au « prédicat », c'est-à-dire aux énoncés de la théorie, et correspond à l'énigmatique et « évidente » « intuition » des générativistes.

On comprend que l'épistémologie d'une science « factuelle » ne saurait écarter F pour se contenter de la solution étroitement sémantique de l'*intension*. L'épistémologie se servira aussi de la logique modale et de la « pragmatique » pour préciser la fonction F (sujet, p) qui semble nécessaire pour l'articulation d'une théorie scientifique « factuelle » (au sens de T_2) à ses « contenus ». Nous irons plus loin : il est indispensable d'*analyser* cette *opacité* ou cette *oblicité* de la fonction F (sujet, p), et d'en préciser la spécificité pour les diverses sciences « factuelles », et particulièrement pour la linguistique où l'on peut supposer que F possède des caractéristiques introuvables ailleurs et d'une importance capitale pour les résultats de la théorie. L'*analyse* dont il s'agit ne saurait se tenir à la pragmatique et à la logique modale, mais fera nécessairement recours à une théorie topologique du sujet. C'est ce dernier aspect qui nous intéressera ici.

D'une autre façon, mais que nous mettrons en parallèle avec ce qui précède, l'épistémologie husserlienne, on le sait, accordait une place importante au « contenu intentionnel [1] » en y voyant le « sens idéal de l'intention objective des vécus d'expression », « l'unité de la signification et l'unité de l'objet », la façon « énigmatique » par laquelle un « vécu » à « contenu réel » peut avoir un « contenu idéal ». La solution de l' « énigme » est soit recherchée par une voie somme toute psycho-

---

1. E. Husserl, *Recherches logiques* (1901), PUF, 1961, t. II, p. 19.

logique, soit rejetée comme extériorité de l'enchaînement systématique, donc comme *métaphysique*. S'il est important aujourd'hui de reprendre ce noyau fondamental de toute théorie scientifique, il n'est pas sûr que ce geste doive se faire par une revendication de la métaphysique — corrélat de la phénoménologie. Car la démarche qui s'impose ici nous semble ne pas relever de la « philosophie première d'Aristote » cherchant les présuppositions d'ordre métaphysique qui fondent la connaissance, ni de l'*évidence pure* de la phénoménologie. Mais elle exige un remaniement du dispositif théorique lui-même, qui poserait l' « intension » au-dedans de la théorie en la liant au lieu de son sujet, et en essayant d'en tracer non pas le « contenu », mais le *topos, comme fondement* de la procédure théorique « formelle ».

Dans la mesure où la brèche freudienne ouverte dans le sujet cartésien permet que s'y dessinent diverses topologies articulant la position du sujet à celle de l'objet dans les discours, les *topologies* prennent la place de l' « intension ». Évidemment, un tel remaniement est impliqué par une épistémologie qu'on pourrait dire matérialiste et dialectique au sens de Cavaillès : elle n'est pas une théorie phénoménologique de la connaissance, mais saisit les sciences dans leur *procès*, c'est-à-dire dans les conditions *réelles* de leur fonctionnement et de leur développement.

Chercher les conditions réelles de la production d'une théorie ne signifie pas élucider ses évidences comme telles, mais les analyser, les dissoudre, démontrer l'engendrement dialectique de ce qui se présente comme « évidence ». Un tel traitement découle du fait qu'on posera une théorie comme un espace *hétérogène* dont font partie l'économie de son sujet aussi bien que la base économico-sociale où se déploie sa pratique.

Dans une telle acception, le terme « intension » peut être abandonné : partie de lui, notre réflexion débouche sur un domaine plus large et autrement articulé. La relation F (sujet, p), où p représente les énoncés-prédicats dans la théorie, se maintient dans le procès de la signifiance (n'implique pas des référents), mais ne se construit ni comme « classiquement logique » (préservant la vérité) ni comme « intensionnelle ». Elle traverse l' « intension » aussi bien que la modalité parce qu'elle en déplie le sujet. Infrastructure de l'intension, elle demande une topologie pour que s'y représente le *dispositif épistémologique* où le sujet-producteur se noue aux prédicats de la théorie pour délimiter le « contenu » ou, comme dit Saussure, l' « objet » de la théorie.

Contemporaines de la phénoménologie husserlienne, les formulations explicites de Saussure, exposées dans le *Cours,* héritent des courants scientifiques et théoriques ayant préparé l'avènement phénoménologique, et partagent ses positions quant à l'*objet* (signe) et à la *méthode* (systématique) de la connaissance. Toute la linguistique moderne obéit aux fondements saussuriens et, par conséquent, poursuit la veine phénoménologique, aussi bien qu'elle relève de la topologie du sujet scientifique propre à la construction saussurienne du *Cours* dans sa version connue.

Notre démonstration suivra le fil suivant : nous allons rappeler quelques propositions qui, chez Saussure et chez Chomsky, fonctionnent comme prédicats des théories T_2 du langage; seront écartés de notre intérêt les formalismes qui spécifient les T_2 en T_1; nous dégagerons l'économie du sujet dans la métalangue comme indice du champ de la théorie; notre conclusion suggérera la nécessité d'une « articulation plurielle » de la linguistique.

III. SAUSSURE : LA BARRE ET LE DÉPLACEMENT

1. La loi : le signe

C'est en envisageant la langue comme un « produit social », « institution sémiologique [1] », que Saussure en fait l'objet *intégral* de la linguistique. C'est en la situant dans la « conscience des sujets parlants » (Godel, 68) qu'il en fait un objet *concret*. Remarquons le caractère ambigu de cette définition : « Le concret, c'est ce qui est ressenti, c'est-à-dire ce qui est significatif à un degré *quelconque* et qui se traduit par une différenciation d'unités » (*ibid.,* nous soulignons). « Rien ne peut être abstrait dans la langue si l'on déclare concret tout ce qui est présent à la conscience du sujet parlant » (Godel, 84). « En grammaire, la méthode est de considérer comme réel ce que la conscience de la langue ratifie » (Godel, 74).

Intégral veut dire *contraignant :* « hors de tout choix » (Godel, 50),

---

1. R. Godel, *les Sources manuscrites du « Cours de linguistique générale » de Ferdinand de Saussure,* Genève, Droz, 1957, p. 77. Cet ouvrage sera désormais signalé par le nom de l'auteur suivi de la page de référence.

imposant un *système* tout en y permettant des variations, légiférant, vérifiant, classant. Le *signe* qui assure cette intégralité sera, par conséquent, considéré comme déjà donné, *produit* du contrat social, représentant de sa loi : « le moyen de production du signe est indifférent » (Godel, 66). La *conscience* du sujet parlant scelle cette intégralité en devenant le critère de sa vérifiabilité. Porte d'entrée de la linguistique dans la sociologie et la psychologie, la « conscience de la langue », en tant qu'elle concrétise le signe, représente la véritable « intension » de la métalangue saussurienne et, partant, de la « linguistique statique ». Doctrine stoïcienne, reprise exacte du signe stoïcien et de son corrélat du côté du sujet, le *sage stoïcien* qui boucle le temps dans le moment présent[1] où s'agence le système : tel semble être le fondement de la linguistique saussurienne.

Jusqu'ici la conception saussurienne de la linguistique ne se distingue pas d'une *logique :* l' « objet » langage est mis en face de la métalangue qui y projette ses propres structures; comme si le langage était scindé en deux, langue « objet » et langue « instrument », la seconde pouvant rendre compte de la première par un procédé paradoxal : en la concevant comme un ensemble dont elle n'est qu'une partie et en recouvrant pourtant cet ensemble. La partie pour le tout, la métalangue du sujet scientifique est le modèle qui recoupe le domaine de la linguistique. En ce point, le projet saussurien rappelle celui de Husserl mettant en parallèle l'analyse grammaticale et l'analyse de la signification : pour fonder la scientificité de la linguistique, Saussure a besoin de former son *objet* à l'instar de celui de la logique qui fournit les normes de la scientificité, une logique entendue au sens large de *sémio-logie*. Aussi peut-on dire que l'objet sémio-logique de la linguistique est le résultat des mêmes préoccupations épistémologiques de *normativité logique* qui président aux fondements de la sociologie, et probablement de toute science « humaine » positive qui ait pu s'esquisser à la même époque : Doroszewski[2] signale la dette saussurienne vis-à-vis de Durkheim et de son « hyperspiritualité », pour conclure que Saussure « s'appuie essentiellement sur une conception philosophique étrangère au fond à la linguistique » et que la démarche saussurienne

---

1. V. Goldschmidt, *le Système stoïcien et l'Idée de temps,* Vrin, 1969. Cf. aussi J. Kristeva, « La mutation sémiotique », *Annales,* n° 6, 1970, p. 1497-1522.
2. W. Doroszewski, « Quelques remarques sur les rapports de la sociologie et de la linguistique : Durkheim et F. de Saussure », *Journal de psychologie,* 1933, p. 82-91.

est une « curieuse tentative entreprise par un linguiste de génie pour concilier les doctrines opposées de Durkheim et de Tarde ».

Pourtant, ce geste fondateur étant accompli, il sera nécessaire de circonscrire le « fait linguistique » en « lui-même » : d'extraire de l'ensemble sémio-logique l'ensemble *propre* à la linguistique. « Car la seule idée suffisante serait de poser le fait grammatical en lui-même et dans ce qui le distingue de tout autre acte psychologique ou en outre logique » (Godel, 52). Ainsi la théorie saussurienne entame son décollement de l' « évidence » logique, sémio-logique et psycho-logique vers l' « évidence » grammaticale et plus loin, jusqu'à reculer de plus en plus vers les spécificités de l'acte du langage différentes des enchaînements évidents de la métalangue. Recul qui, loin de préconiser un abandon de la science, déplace sa frontière au fur et à mesure qu'il creuse dans l' « objet langage » ce qui « le distingue de tout autre acte psychologique ou en outre logique ». Recul qui est en fait un *déplacement* de la barre métalangue/langue « objet », sans que jamais cette barre soit levée, car elle conditionne la posture de la *connaissance* linguistique et préserve son sujet sous l'abri de la normativité logique, mais en se portant de plus en plus *près* de ce *procès* où la langue *fonctionne* avec le corps, le référent, le signifiant, le signifié, et que nous avons appelé « génotexte » pour le distinguer aussi bien de la langue « objet » que du « signifiant » psychanalytique. *Procès* dont la métalangue et son sujet ne sont que des parties prenantes. Avant de préciser comment s'accomplit chez Saussure cette proximité du procès qui le mène au cœur d'un non-savoir dans les *Anagrammes,* soulignons que la scission même du domaine du langage n'est jamais mise en doute dans la procédure linguistique : la métalangue se maintient fermement comme doublure de son « objet »; le sujet parlant se coupe en deux pour s'agripper à son versant « méta- », « norme », « loi » et pour essayer ainsi de *théoriser* (d'expliquer par un enchaînement systématique) l'autre — le procès. De plus en plus près du procès, mais à jamais dissocié de lui, en deçà de lui et en s'y rattachant, pourtant, parce que la théorie, la norme, la loi, le « méta- » fait partie du même « autre », comme par une application injective. Et pourtant le surplombe, le voit en face, l'enchaîne, l'engage dans un système construit.

ÉTHIQUE DE LA LINGUISTIQUE

2. Le caractère inconscient : les deux axes

C'est le *signifiant* — empreinte phonique et réseau d'agencements, matérialité du sémiologique — qui devient le fil conducteur d'après lequel la métalangue repère les particularités du procès qui la conditionne — à condition d'être dominé. D'abord, les *catégories* logiques seront jugées inadéquates pour la théorie linguistique et remplacées par la conception du caractère discret du signifiant qui se morcelle en *unités* de « lui-même » : « les parties du discours (catégories logiques ou linguistiques?). Ne pourrait-on pas parler de catégories plutôt que d'unités? *Non, car le caractère linéaire de la matière phonique oblige d'abord à découper celle-ci pour avoir des unités* » (Godel, 68). La linguistique recoupe la logique en quelques points seulement, que représente la *grammaire générale* : celle-ci « comprend totalement les points où la linguistique touche de près à la logique : catégorie comme substantif, verbe, etc. » (Godel, 182). Mais *la grammaire ne peut pas se substituer à la linguistique (ibid.)* — mise en garde qu'on oubliera facilement de nos jours.

Ensuite, la *psychologie,* critiquée et refusée, guidera en cachette la théorie vers des relations signifiantes invisibles à partir d'un autre point de vue. Saussure s'intéresse aux localisations de Broca, aux aphasies, etc., « lesquelles sont du plus haut intérêt pour régir non seulement des rapports de la psychologie avec (le langage?), mais (ce qui a une autre portée) avec la grammaire elle-même » (Godel, 52). Les travaux de Wundt, via Sechehaye au moins [1], ont dû être d'un recours non négligeable ici. La thèse de Wundt [2] que la fonction primordiale, d'où la langue découle, est constituée par des *Ausdrucksbewegungen* où l'on distingue *Triebbewungen* et *willkürliche Bewegungen,* semble se retrouver dans la double approche de la langue : d'une part, elle est donnée dans la conscience du sujet, d'autre part, elle échappe à sa volonté, elle est « inconsciente » et opère par des processus que Freud appellera « primaires » — similarité et contiguïté. Ces deux derniers axes fondamentaux dans l'agencement du

---

1. A. Sechehaye, *Programme et Méthode de la linguistique théorique, op. cit.*
2. W. Wundt, *Völkerpsychologie,* t. I, *Die Sprache,* Leipzig, Engelmann, 1900.

DU SUJET EN LINGUISTIQUE

signifiant, Saussure a dû les retrouver chez Kruszewski, seul linguiste
européen auquel il rende hommage (Godel, 51), et qui écrit : « Je ne
sais ce qui m'entraîne aussi, comme magnétiquement, vers la linguistique, si ce n'est le caractère *inconscient* des forces de la langue; c'est
seulement à présent, en effet, que je me suis aperçu qu'en énumérant
ces forces, vous [il s'agit de Baudoin de Courtenay] ajoutiez toujours
le terme *inconscient*[1]. » La doctrine des deux axes linguistiques, « née
en lui sous l'impulsion de la classification des associations psychiques
des psychologues anglais, classification violemment défendue par
Troickij[2] », le mène à centrer son attention sur les *mots* (en négligeant
évidemment la *syntaxe*), leurs connexions phoniques et leur contenu
dans l'ordre temporel et dans l'état présent, à envisager la créativité
de la langue comme une capacité de produire des mots par similarité
et par contiguïté, et à accentuer la *contradiction* au sein du procès P
générateur du langage : « l'éternel antagonisme entre une force progres-
sive conditionnée par les associations par similarité et une force
conservatrice conditionnée par les associations par contiguïté[3] ».
Cette visée, logique et systématisante, cerne une scène signifiante que
Freud nommera « inconscient », mais qui, là-bas, dans le va-et-vient
entre Saussure-Kruszewski-Baudouin, ravit à la psychologie de Wundt
son terrain et lui substitue un domaine du langage (nous verrons plus
tard lequel) comme seul terrain possible pour la science linguistique,
conçue dans la lignée phénoménologique. Or, ce faisant, on subit
plutôt qu'on n'entrevoit déjà cette autre scène comme dehors agissant sur le sujet (parlant, logique, psychologique) et constituant le
véritable objet de la linguistique : « L'objet du problème grammatical,
ce n'est plus l'homme parlant agissant sur le langage, mais le langage
lui-même comme organisme linguistique ou, si l'on aime mieux, c'est
l'homme parlant en tant qu'il subit les lois de son langage[4]. »

La « langue » sera ainsi pour Saussure une « activité *inconsciente* »,
« non créatrice » : « l'activité de classement » (Godel, 58). Mais, en
même temps, Saussure pose que la langue objet concret de la linguistique est « tout ce qui est présent à la *conscience* du sujet parlant »

1. Baudouin de Courtenay, *Szkice jezykosnawcze*, Varsovie, 1904, p. 134.
2. R. Jakobson, « L'importenza di Kruszewski per lo sviluppo della linguistica generale », *Ricerche Slavistiche*, V, XIII, p. 9.
3. M. Kruszewski, *Wybor Pism*, Varsovie, 1966.
4. A. Sechehaye, *Problème et Méthode de la linguistique théorique, op. cit.*, p. 18.

(Godel, 84). S'agit-il d'un paradoxe de Saussure, d'une évolution de la théorie dans le temps, ou — comme nous le croyons — d'un dispositif constitutif de la linguistique même?

Le fonctionnement linguistique est inconscient; « je », sujet de la métalangue, suis conscient de cet inconscient; donc, la langue est donnée à la conscience des sujets (ou à l'« intuition »). La charnière de ce raisonnement, qui nous donne l'« intension » linguistique F (sujet, p), semble être ici ce « je » forclos (dans la métalangue), suspendu (dans l'« inconscience » saussurienne), scindé (entre les deux); « je » exclusif et totalisant, privilégié et omniprésent, bouclant le cercle du savoir et se posant comme son centre, mais en dehors : totalité et zéro, mais jamais sujet psychologique plein, ni anonymat facile, ni pur imaginaire, ni pur symbolique. Car le terme « inconscient » chez Saussure, on le sait, n'a rien à voir avec le concept freudien, mais désigne « extraconscient » et/ou « extra-subjectif ». Ne pouvant donc pas y voir une « autre scène », le sujet forclos de la théorie construit la notion de *langue* comme un système monolithique et y met un sujet, nous dirons, *suspendu* comme projection substitutive de sa propre forclusion. Au bord de la théorie de l'inconscient, car ayant dégagé des processus qui s'y jouent (contiguïté, similarité), la théorie saussurienne ne l'aperçoit pas; fortement appuyée sur la logique et le système, elle réduira le langage sans sujet à un pur classement et lui enlèvera toute productivité. La première de ces positions mènera Saussure à scruter, comme jamais avant, la relation signifiant/signifié et la « valeur » qui s'y condense; la seconde posera et négligera dans le même temps la linguistique de la « parole », et, parce que celle-ci relève du sujet, la théorie négligera la syntaxe.

Forclusion du sujet dans la métalangue assurant la position scientifique-logique; spécification du domaine du langage comme domaine du *signifiant* dont la logique n'est qu'un sous-ensemble qui pourtant le pense; formulation d'enchaînements logiques soutenus d'aucun sujet car le sujet n'est que le sujet forclos de la métalangue, c'est-à-dire *système*. Voilà le dispositif par lequel la théorie saussurienne bute sur l'inconscient et enchaîne un signifiant dont elle ne se doute pas qu'il est d'un sujet (l'axe Destinateur-Destinataire étant pourtant posé).

Relevons deux symptômes de cette avancée et de cet aveuglement qui fondent la théorie linguistique :

1. Le *trait* qui sépare le signifiant du signifié, loin de rester intact, est soumis à une *économie* que consacre le terme de *valeur*.

↑ $\dfrac{\text{concept}}{\text{image auditive}}$

D'abord, le mouvement de production du sens — de la valeur — part du signifiant pour retrouver le signifié : « la flèche marque la signification comme contrepartie de l'image auditive » (Godel, 238). Parallèlement, la signification est une « valeur » dont le *système* est une des sources, « mais le signifié n'est que le résumé de la valeur linguistique supposant le jeu des termes entre eux » (Godel, 237). En dernière instance, c'est la « force sociale » — le contrat social — qui « sanctionne » la valeur (Godel, 238). L'attention de la théorie se portera sur les deux dernières contraintes pour la formation de la valeur : le *système*, le *social*. Il restera pourtant cette flèche qui traverse le trait ↑ $\dfrac{\text{Se}}{\text{Sa}}$ et que la théorie saussurienne est la première à scruter : les allusions à l'*ellipse* — propre à tout mot dans le sens où tout mot, c'est-à-dire tout signifié, est *valeur,* tandis que « l'ellipse n'est autre chose que le surplus de valeur » (Godel, 50) —, et les *Anagrammes* [1] en sont la preuve. Dans les textes poétiques analysés dans les *Anagrammes,* le signifiant produit une valeur surajoutée à la valeur du signifié linéaire explicite, de sorte que le vers excède la ligne; la « flèche » du schéma précédent se multiplie, une « image acoustique » ouvre vers plusieurs « concepts », et la « langue » cernée par le signe apparaît être un « compromis » sur le fond d'un réseau générateur, puisque ce réseau se résout (mais quand? comment?) en valeur de symbole : « le langage est un compromis — le dernier compromis — qu'accepte l'esprit avec certains symboles; sinon il n'y aurait pas de langage » (Godel, 45).

2. Entre l'*économie du signifiant* et le *système,* la *« parole »* semble être un troisième terme que la théorie pose, mais en même temps néglige. Entre une région du langage où le sujet n'est pas encore (cf. les *Anagrammes)* et une autre où le sujet est forclos (le système), il y a la région de la *parole* où le sujet exécute le système en passant par l'économie du signifiant : « Les formes génératives sont seulement pensées, restent *subconscientes;* seule la forme engendrée est exécutée par la parole » (Godel, 57).

1. J. Starobinski, « Les *Anagrammes* de F. de Saussure », *Mercure de France,* février 1964, p. 243-263; « Les *Anagrammes* de F. de Saussure », *To Honour R. Jakobson,* La Haye-Paris, Mouton, 1967; « Le texte dans le texte », *Tel Quel,* 37, printemps 1969, p. 3-34.

En même temps, Saussure semble suggérer que c'est dans la *phrase* qu'apparaît la marque du sujet. C'est là qu'une créativité autre, différente de *l'économie* (du signifiant) et du *classement* (propre à la langue), se déploie grâce au *sujet*. Mais, puisque le concept de *sujet* semble avoir disparu du champ théorique (est-ce un calque de la situation du sujet forclos dans la métalangue?), quand on dit « sujet » pour la *parole,* on pense à l'individu, qui, évidemment, précipite le projet scientifique dans l'indéterminisme, et pour que le système soit sauf, se voit *immédiatement éliminé*. Du coup, le « sujet » n'étant pas, la syntaxe n'est pas non plus : la phrase se réduit au syntagme. Il est frappant que les seules préoccupations syntaxiques dans ces débuts de la linguistique moderne soient celles des théoriciens intrigués par la psychologie [1]. Pourtant, on peut lire certaines remarques de Saussure comme des pré-notions qui pointent vers une conception de la *syntaxe* soutenue par le *sujet*-concept manquant, mais se profilant comme « frontière » entre l'universel et l'individuel, comme un « certain degré de combinaison entre eux » : « Dans la syntaxe, la frontière entre la langue et la parole s'estompe » (Godel, 82); « toute phrase est un syntagme. Or, la phrase appartient à la parole, non à la langue [...] la frontière de la parole et de la langue est un degré de combinaison » (Godel, 90).

3. *Langue, métalangue, procès de la signifiance*

A côté de l'apport, maintes fois relevé, de Saussure à la fondation de la linguistique (invention du syntagme, du paradigme; de la linguistique statique; du couple « langue »/« parole », etc.), il nous semble important d'en rappeler un autre moins remarqué : la division qu'il opère dans le procès P générateur du langage en instituant : *1)* une métalangue; *2)* un objet-système (la *langue*) qui se construit *comme* une métalangue; *3)* une économie signifiante qu'il échoue à expliquer (les *Anagrammes*) et donc à intégrer dans la théorie; et *4)* une allusion au sujet (la *parole*) qui se dissout faute de concept et qui produit une lacune dans la théorie : la syntaxe absente. Les positions subjectives de ces opérations sont, dans l'ordre : *1)* S forclos; *2)* S suspendu; *3)* $ — reconnu comme clivé par le signifiant; *4)* une inconnue X à la place du

---

1. A. Sechehaye, *Programme et Méthode de la linguistique théorique, op. cit., Essai sur la structure logique de la phrase*, 1926.

S cartésien. Autant de parties dans l'ensemble qu'on pourrait dire être celui de P et dont l'ensemble des parties constitue le dispositif épistémologique de la théorie. Le sujet de la métalangue, le S forclos, étant une partie, s'approprie en même temps toutes les autres : dans sa forclusion, il énonce des *rapports* au procès du langage qui ne sont pas ceux de la forclusion et qu'il « connaît » au sens qu'« il » (mais ce n'est plus le même) peut s'y placer en quittant évidemment sa position de sujet forclos, et qu'il ramène aussitôt au lieu de sa forclusion. *C'est donc une condition de la linguistique que son sujet soit forclos et multiplié.* Et qu'il fasse de sa multiplication des « objets » pour sa forclusion. Ainsi, il a pour « objet » ce qui reste topologique en dehors des bords du « trou » que sa forclusion opère dans le signifiant. C'est dire que ce « trou » n'est pas un abîme, mais qu'il se fait dans le signifiant pour le révéler en deux temps conjoints. — « D'abord », surgissant sur la barre qui sépare le signifiant du signifié, le « trou » (non borné) la creuse pour que s'y perde le sujet plein et se déclenche la série infinie des S, donc des structures subjectives dans le langage, les divers rapports du « je » au langage (on pense au moment psychotique). « Ensuite », par un recouvrement du « trou » par la chaîne qu'il avait déclenchée en son extérieur, la coupe signifiant/signifié se ressoude, et le « trou » subsume les voisinages qu'il avait révélés, se remplissant d'eux, devenant ainsi compact : métalangue systématique, C_0, base de l'espace topologique P (on pense au mécanisme du refoulement).

A la fois raturé par la loi et lui donnant appui par le désir qui le noue au signifiant, le sujet en linguistique subit une double condition : sujet sous la loi et sujet cristallisant dans le « trésor du signifiant » (Lacan) ou, plus généralement, dans le procès générateur du langage.

L'un *et* l'autre, ce dédoublement produit un espace topologique qui s'adjoint une série infinie de points (S', S'', S''', etc.) convergeant vers ∞. Mais, par un retournement qui accentue la *contradiction* de cet espace, il revient de ∞ à la base C_0 de l'espace topologique, à la forclusion où le signifiant rentre dans le signifié pour s'énoncer en système. Or, lorsqu'il essaie de s'adjoindre ∞, l'Autre (celui des *Anagrammes* par exemple), où convergent les séries de S, peut échouer à trouver le système s'il ne possède pas le dispositif épistémologique suggéré ci-dessus et qui donne à cet infini ∞ la place d'un point rassemblant et/ou rejetant la métalangue. L'immense bloc des *Anagrammes* de Saussure, pesant d'un poids écrasant sur le *Cours* qu'ils contestent, est la preuve la plus frappante de cette contradiction qui semble pointer vers une des limites de la connaissance que le sujet parlant atteint en s'attaquant à la matière signifiante qui le fait. Si, comme l'écrit Lacan, « rien ne dit que [le] destin [du savant] s'inscrit dans le mythe d'Œdipe », et qu'« il ne saurait ici s'inclure lui-même dans l'Œdipe, sauf à le mettre en cause »[1], le cas du sujet de la linguistique provoque davantage ce doute.

Il est *Loi* par lui-même, *maître* puisque se faisant fort de ramener les structures mobiles et plurielles du sujet dans le Procès générateur, à une place où il n'y a plus de sujet, car cette place est prise par un système ne se soutenant de rien que de la loi du Maître. Et, en même temps, il est négation de cette loi, car elle existe *à condition* que s'effectue — par son désir du signifiant — la traversée des structures signifiantes, des effets de langage. Lieu d'une loi qui connaît sa condition comme intenable, car cette condition, c'est l'inconscient même : « l'inconscient est la condition de la linguistique[2]. » Dialectisation du refoulement, retrait de l'inconscient dans le symbolique : ils ne lancent pas, comme chez le poète, un « je » mobile *pratiquant* dans une *opération* risquée le réseau signifiant et occupant librement les divers sommets des structures signifiantes; au contraire, de cette percée de l'inconscient, le linguiste forme un « objet », un « prédicat » du système qui, d'ailleurs, ne veut rien savoir de la percée.

Savoir conditionné par ce dont le savoir ne veut rien savoir — le lieu de la linguistique est celui où se rencontrent le refoulement le plus fort et la lucidité la plus momentanée et la plus perçante. Un anti-Œdipe qui aurait été toujours aveugle et par moments voyant, père et mère mais aussi ni l'un ni l'autre, double et — pour cela — pluriel.

Comment séparer la « réalité linguistique » de ce qu'en pense le sujet-linguiste, de ce qu'il en *sait,* puisqu'il est dedans? Saussure semble avoir éprouvé la difficulté de ce dedans/dehors : « car il y a aussi des fantômes créés par les linguistes » (Godel, 68); « absolument incompréhensible si je n'étais obligé de vous avouer que j'ai une horreur maladive de la plume et que cette rédaction me procure un supplice inimaginable, tout à fait disproportionné avec l'importance du travail. Quand il s'agit de linguistique, cela est augmenté pour moi du fait que

1. J. Lacan, *Écrits,* Éd. du Seuil, 1966, p. 870.
2. J. Lacan, « Radiophonie », *Scilicet,* 2-3, 1971, p. 62.

toute théorie claire, plus elle est claire, est inexprimable en linguistique; parce que je mets en fait qu'il n'existe pas un seul terme quelconque dans cette science qui ait jamais reposé sur une idée claire et qu'aussi, entre le commencement et la fin d'une phrase, on est cinq ou six fois tenté de refaire [1]. » Difficulté due évidemment à l'instabilité de la linguistique débutante, mais peut-être propre à toute formulation linguistique puisque, dans le topos du sujet suggéré ci-dessus, toute « unité » qu'elle désigne est déjà un « ensemble d'articulations ».

Lieu intenable que celui qui se profile dans l'ombre de la théorie saussurienne et que l'avancée de quelques linguistes seulement a pu atteindre. Car, prudemment, la science de la langue se retire du vaste projet saussurien dont le *Cours* et les *Anagrammes* dessinent les butées et, tout en en gardant le dispositif (et donc dans une certaine mesure, les fondements et les risques), se contente de *régions*. La postérité saussurienne cultivera la *sémantique* et la *phonologie :* domaines privilégiés du *sujet dédoublé* que Bréal avait déjà entrevu comme pierre angulaire de toute sémantique [2] et qu'il spécifiait ainsi dans cette période qui semble décrire la procédure même du linguiste :

« S'il est vrai, comme on l'a prétendu quelquefois, que le langage soit un drame où les mots figurent comme auteurs et où l'agencement grammatical reproduit les mouvements des personnages, il faut au moins corriger cette comparaison par une circonstance spéciale : l'imprésario intervient fréquemment dans l'action pour y mêler ses réflexions et son sentiment personnel, non pas à la façon d'Hamlet qui, bien qu'interrompant ses comédiens, reste étranger à la pièce, mais comme nous faisons nous-mêmes en rêve, quand nous sommes tout à la fois spectateur intéressé et auteur des événements. Cette intervention c'est ce que je propose d'appeler le côté subjectif du langage. »

L'actualité linguistique découvrira un autre sujet différent de celui, dédoublé (« dédoublement de la personnalité humaine », écrit Bréal [3]), qui apparut aux pionniers, et va fonder sur lui la syntaxe.

---

1. J. Starobinski, « Le texte dans le texte », *op. cit.*, p. 3.
2. M. Bréal, *Essais de sémantique,* Hachette, 1897, p. 254.
3. *Ibid.*, p. 262.

IV. CHOMSKY : LE LOCUTEUR IDÉAL

Dans l'optique de cet article, nous n'aborderons que certains aspects de la théorie chomskienne qui ont trait au *sujet* parlant, à la *justification interne et externe* de la théorie, et à *l'intuition* du locuteur.

1. *L'échec de la « parole »*

Si Chomsky rejette la notion saussurienne de *langue* car elle n'est qu'« une suite amorphe de concepts [1] », il en garde le critère pour constituer l'objet de la linguistique, à savoir la « conscience des sujets parlants », qu'il nomme l'« intuition linguistique du locuteur [2] ». Si son modèle génératif n'est pas un modèle du *locuteur* et de l'*auditeur* ni un modèle de *production de la parole,* il se préoccupe de la *créativité* du langage au sens de *mécanisme de production de phrases* et, par conséquent, émerge sur une partie des traces mêmes où a échoué la « parole » saussurienne, faute de disposer de *sujet.*

En effet, la « performance » ne remplace pas l'ensemble de ce qui a pu être esquissé, très sommairement, par la notion de « parole ». Celle-ci suppose au moins deux acceptions : « parole organisée » qui se rapproche de la « performance » et que Saussure a probablement eue en vue, et « parole pré-grammaticale » (Sechehaye) qui rappelle de loin le « signifiant » psychanalytique.

Dans la théorie générative, la problématique signifiant/signifié est écartée; la grammaire générale, que Saussure classait parmi les disciplines logiques, se voit réhabilitée pour faire apparaître un domaine négligé du langage : la syntaxe; « les composants sémantique et phonétique n'ont qu'une fonction d'interprétation [3] »; à partir de données linguistiques primaires, données à *l'intuition* du sujet, et grâce à cette

1. N. Chomsky, *Aspects de la théorie de la syntaxe, op. cit.,* p. 18.
2. N. Chomsky, « The Logical Basis of Linguistic Theory », *Proceedings of the IXth International Congress of Linguistics,* 1962, p. 923.
3. N. Chomsky, *Aspect de la théorie syntaxique, op. cit.,* p. 31.

théorie, on construit une grammaire générative supposée donnée dans la « faculté du langage », donc innée.

Rappelons les deux matrices de base qui, selon Chomsky, doivent être spécifiées par la théorie linguistique.

« *a) énoncé* → $\boxed{A}$ → description structurale

« *b)* données linguistiques primaires → $\boxed{B}$ → grammaire générative.

« Le modèle perceptuel A est un mécanisme qui affecte une description structurale D à un énoncé U donné, utilisant dans ce procès sa grammaire générative G intériorisée; cette grammaire générative G engendre une représentation phonétique R de U avec la description structurale D. En termes saussuriens, U est un spécimen de *parole* interprété par le mécanisme A comme une " performance " particulière de la représentation R qui a la description structurale D et qui appartient à la langue engendrée par G. Le modèle d'apprentissage B est un dispositif qui construit une théorie G (c'est-à-dire une grammaire générative d'une certaine *langue*) comme son *output,* à partir de données linguistiques premières (par exemple, les spécimens de *parole*), comme *input*. Pour accomplir cette tâche, ce modèle d'apprentissage utilise sa *" faculté de langage "* donnée, sa caractérisation innée de certains procédés heuristiques et de certaines contraintes préétablies concernant la nature de la tâche à accomplir. On peut considérer la théorie linguistique générale comme une tentative pour préciser le caractère du dispositif B. On peut envisager une grammaire particulière comme, pour une part, une tentative de spécifier l'information disponible en principe (c'est-à-dire, compte non tenu des limitations qui tiennent à l'attention, à la mémoire, etc.) à A qui lui permet de comprendre un énoncé arbitraire, dans la mesure — et déterminer cette mesure pose des problèmes très particuliers — où cette compréhension est déterminée par la description structurale que fournit la grammaire générative. Pour évaluer une grammaire générative particulière, nous nous demandons si l'information qu'elle nous donne sur une langue est correcte, c'est-à-dire si elle décrit correctement l'intuition linguistique du locuteur (la " conscience des sujets parlants " de Saussure, qui, pour lui comme pour Sapir, fournit le critère d'adéquation ultime pour une description linguistique) [1]... »

C'est donc l'intuition qui sélectionne pour la théorie son objet (les

1. N. Chomsky, « The Logical Basis of Linguistic Theory », *op. cit.,* p. 923.

« faits » linguistiques), détermine les enchaînements du mécanisme B et en même temps sert de « preuve externe [1] » de sa vérité : « Pour le grammairien, le problème est de construire une *description* et quand cela est possible, une *explication* de l'énorme masse de données indubitables dont il dispose touchant l'intuition linguistique du sujet parlant (souvent lui-même) »; « la connaissance implicite du sujet parlant doit orienter leur convergence (des théories) [2] ». Contrairement à certains objecteurs de Chomsky, nous ne pensons pas que ce recours nécessaire à l' « intuition » soit de nature à poser la question de l'exclusion de la linguistique de la science. Il ne nous semble pas être non plus de nature simplement « terminologique », encore moins poser l'alternative entre sciences de l' « objectivité » et sciences de la « compréhension ». Mais il pose la question du rapport du sujet de la métalangue au « langage » qu'il se donne comme « objet » et, plus précisément, la question de la position spécifique à partir de laquelle il sélectionne, couvert du terme « intuition », telle autre topologie reconnue comme essentielle pour fournir l' « objet » de la théorie.

2. *Le « Je » spéculaire et le sujet de la syntaxe*

Il est frappant, par exemple, que, quelque synonymiques que soient l' « intuition » du lecteur chez Chomsky et la « conscience du sujet parlant » chez Saussure et Sapir, elles ne livrent pas la même « portion » de langage. La seule chose, même, qu'elles aient en commun, c'est qu'elles en font un « objet » que le « trou » dans le signifiant du sujet de la métalangue s'adjoint et s'approprie pour s'en recouvrir. Mais le rapport entre le dedans de la forclusion et le procès de la signifiance (que nous avons marqué par « ∞ ») n'est pas celui que laissait supposer l'ensemble saussurien, les *Anagrammes* y compris. La différence est à chercher, nous semble-t-il, à partir de cette constatation de Chomsky, héritée des cartésiens et de Humboldt, que « l'utilisation normale du langage est novatrice », « d'une étendue potentiellement infinie », « cohérente et adéquate à la situation [3] ». S'il est vrai que, du temps des cartésiens comme aujourd'hui, « ni la physique, ni la biologie, ni la psychologie ne nous donnent d'indication sur la manière de

1. N. Chomsky, *Aspects de la théorie syntaxique, op. cit.,* p. 45.
2. *Ibid.,* p. 37.
3. N. Chomsky, *le Langage et la Pensée, op. cit.,* p. 263.

traiter ces problèmes », il est moins sûr que « nous ne pouvons pas dire de façon claire et définitive en quoi cette " adéquation " et cette " cohérence " consistent exactement », et encore moins sûr que l'utilisation normale du langage « est aussi libre de tout contrôle par des stimuli décelables, qu'ils soient externes ou internes ».

Un exemple qui nous semble infirmer ces affirmations : la grammaire générative montre que le mécanisme d'innovation (de créativité) du langage obéit à quelques séries universelles de règles parmi lesquelles la *récursivité* (à titre surdéterminant) et plus spécifiquement l'*enchâssement*, la *répétition*, la *suppression* (Rosenbaum), l'*application cyclique* des règles [1]. Par ailleurs, on a pu constater que l'apprentissage du langage occupe la période de deux à treize ans [2] — du « stade du miroir » à la « puberté ». Particulièrement intéressante est ici la limite inférieure de cette période, où l'on observe une *inhibition* dans l'acquisition du langage coïncidant avec le « stade du miroir » et un *redéclenchement* de l'acquisition juste après ce stade, dans lequel non seulement la latérisation du cerveau est irréversiblement effectuée, mais le sujet déjà *accompli* comme clivé, aliéné, dédoublé dans et par son *image* et/ou son autre spéculaire. « Le terme de narcissisme primaire, par quoi la doctrine désigne l'investissement libidinal propre à ce moment, révèle chez ses inventeurs, au jour de notre conception, le plus profond sentiment des latences de la sémantique. Mais elle éclaire aussi l'opposition dynamique qu'ils ont cherché à définir de cette libido à la libido sexuelle, quand ils ont révoqué des instincts de destruction, voire de mort, pour expliquer la relation évidente de la libido narcissique à la fonction aliénante du *je*, à l'agressivité qui s'en dégage dans toute relation à l'autre, fût-ce celle de l'aide la plus samaritaine [3]. »

L'acquisition de la syntaxe [4] et de la possibilité de son innovation présuppose donc la position d'un tel « je » clivé et ayant de telles « latences sémantiques ». La syntaxe *consolide* le clivage du sujet dans le signifiant (c'est peut-être une des raisons pour lesquelles elle a été

---

1. N. Chomsky, *le Langage et la Pensée, op. cit.*, p. 43-99.
2. E. H. Lenneberg, *Biological Foundations of Language*, New York, Wiley, 1967, p. 168, 376.
3. J. Lacan, *Écrits, op. cit.*, p. 98.
4. N. Chomsky, *The Acquisition of Syntax in Children from 5 to 10*, Cambridge, Mass., MIT Press, 1970.

longuement interprétée comme un « automatisme »). On peut supposer que les règles universelles, « abstraites », du mécanisme syntaxique (que nous avons mentionnées plus haut) sont le relais entre ces « latences sémantiques », et leur « neutralisation » dans l'usage normatif du langage. Que ce soit là un domaine de recherche où le mécanisme de clôture-innovation syntaxique est à examiner en rapport avec la formation du « je » spéculaire et de son espace (destinataire, objets, désir, pulsion), c'est à cette suggestion que nous voulons ici nous limiter. Cela n'invalide peut-être pas l'hypothèse selon laquelle l'animal humain serait « un organisme " prédoté " d'une restriction sévère sur la forme de la grammaire. Cette restriction innée est une précondition, au sens kantien du terme, à l'expérience linguistique [1] ». Mais la relation que nous avons posée entre formation du « je » spéculaire et formation à l'usage normatif du langage accorde à cette précondition la condition *réelle* où elle peut s'accomplir. Par ailleurs, elle relie la capacité syntaxique à telle posture du « je » et laisse se détacher à côté d'elle d'autres « postures » et d'autres opérations signifiantes. Les « deux axes » de Kruszewski-Saussure-Jakobson, les axes de la « métaphore » et de la « métonymie », se profilent dans ce domaine de la signifiance P que la « syntaxe » et son « je » n'épuisent pas. Jouant sur la barre signifiant/signifié, ils sont probablement plus archaïques dans le procès de mise en place du sujet, de sorte que Freud les retrouve dans le rêve et dans des pratiques du langage « non normatives » (dirait Chomsky), de la « folie » à la « poésie ». Ayant pourtant mis entre parenthèses les opérations sur ces deux axes-là, la grammaire générative dégage des processus jusque-là invisibles : la théorie analytique du sujet, à son tour, pourrait prêter oreille à ces « récursivité », « enchâssement », « répétition », « suppression », « applications cycliques », pour perfectionner ses topologies du sujet.

L' « intuition » livrant la langue comme une innovation syntaxique repose donc sur un des topos essentiels (mais méconnus par la linguistique structurale) du sujet dans le procès générateur. Il s'agit du sujet libre d'enchaînement à l'ordre matériel aussi bien qu'au « trésor du signifiant », quoique subissant les contraintes universelles-logiques, « transformées » par les contraintes particulières de sa langue. Un tel sujet — le sujet de la syntaxe — se constitue en effet « pour la méta-

---

1. N. Chomsky, *le Langage et la Pensée, op. cit.*, p. 131.

langue » au XVIIᵉ siècle, par la forclusion de l'instance matérielle que représente la forclusion de l'énonciation. Ayant suspendu l'axe du signifiant et, par conséquent, tous les effets de sens qu'il produit, le sujet de la syntaxe est en effet le sujet « normal » des cartésiens. C'est un sujet qui *est* dans la *pensée,* au sens d'une cogitation logique. Les enchaînements qui président à sa créativité sont syntagmatiques, de type logique, articulant les catégories du jugement, et sont susceptibles d'être convertis en calcul des propositions [1]. La *grammaire* adjoint pourtant les règles de *transformation* en même temps que la *récursivité,* permettant de réaliser le principe d'innovation. Ces deux paliers (grammaire : logique), dans leur formulation abstraite, présentent donc des articulations du *signifiant* qui porte le sujet et donnent la forme définitive de son clivage dans le signifiant : comme tels, ils sont à ajouter aux « deux axes » (métonymie/métaphore) pour compléter le topos où le « je » émerge du signifiant et, toujours soumis à lui (subissant les règles de la « créativité » syntaxiques), le forclôt (s'évade de ses règles). Pourtant, on peut penser aussi que le type d'opérations articulant la syntaxe se situe à un niveau différent de celui des « deux axes » et correspond en gros au « processus secondaire » de Freud. Car, dans les opérations syntaxiques succédant au stade du miroir, le sujet est déjà assuré de son unicité : sa fuite vers le « point ∞ » dans la signifiance est stoppée. On pense par exemple à un ensemble C_0 sur un espace usuel R^3 où pour toute fonction F continue dans R^3 et tout entier $n > O$, l'ensemble des points X où F (X) dépasse n, soit *borné,* les fonctions de C_0 tendent vers O quand la variable X recule vers l' « autre scène ». Dans ce topos, le sujet placé en C_0 n'atteint pas ce « centre extérieur du langage » dont parle Lacan et où il se perd comme sujet, situation que traduirait le groupe relationnel que la topologie désigne comme *anneau* [2]. Au contraire, porté par le « signifiant syntaxique », le sujet y préserve sa position ponctuelle, solide, parce qu'il forclôt le signifiant syntaxique aussi bien que le signifiant des processus primaires. Si, ce faisant, il paie le prix de se perdre comme autre en s'y retrouvant comme objet, il a aussi l'avantage de ne pas se perdre comme *sujet* puisque, précisément, c'est dans la syntaxe qu'il s'iden-

1. M. Bierwish, « On the Relation between Natural and Artifical Languages », *Conférence internationale de sémiotique,* Varsovie, 1966.
2. J. Lacan, *Écrits, op. cit.,* p. 320.

tifie comme tel. Mallarmé le savait, écrivant : « une seule garantie : la syntaxe ».

Bouclant l'infinité du procès P, générateur du langage, dans la finitude, le sujet de la syntaxe constitue les bornes de l'ensemble signifiant S où il se produit et, par là même, se constitue lui-même, sans fuite. Cette position est analogue à celle du sujet de la métalangue : constitué par la brèche qu'ouvre en lui le signifiant (cf. l' « aliénation » dans le stade du miroir), mais la suturant et écartant ainsi le sujet de l'*énonciation* pour se poser en sujet de *l'énoncé*.

Par conséquent, dire que les processus syntaxiques sont donnés dans l'*intuition* du locuteur signifie qu'ils sont valables pour une certaine topologie du sujet sur laquelle s'appuie le sujet de la métalangue : la théorie décrit donc cette topologie.

3. La triple suture du sujet de la métalangue grammaticale : trois fonctions de l'intuition

L' « intension » F (sujet, p) se résorbe dans cette topologie que recouvre le terme d' « intuition » pour lequel on ne saura trouver de justification méthodologique explicite en grammaire générative.

Il ne s'agit pas de l'emploi du terme « intuition » en théorie générale des sciences empiriques, quoique Botha trouve certaines ressemblances entre celui-ci et son usage en grammaire générative [1].

L' « intuition » désigne en grammaire générative : *1)* les données primaires; *2)* le « mécanisme heuristique » utilisé pour la construction de la théorie transformationnelle : « On peut arriver à la grammaire par intuition » [2]. *3)* l' « évidence » utilisée pour tester la théorie. On a remarqué que *1)* et *2)* ne peuvent pas être fondés méthodologiquement : d'ailleurs, Chomsky lui-même a souvent insisté sur le fait que l'intuition du locuteur natif peut être *« irrelevant »* sinon fausse [3], tandis que d'autres chercheurs proposent certains critères

1. R. Botha, *The function of Lexicon in Transformational Generative Grammar,* Paris-La Haye, Mouton, 1968.
2. N. Chomsky, *Syntactic Structures,* Janua Linguarum, IV, La Haye, Mouton, 1957, p. 56 (trad. fr. *Structures syntaxiques,* Éd. du Seuil, 1969); J.J. Katz et J. A. Fodor, *The Structure of Language. Readings in the Philosophy of Language,* New York, Englewood Cliffs, 1964, p. 17.
3. N. Chomsky, *The Logical Structure of Linguistic Theory,* Cambridge, Mass., MIT Press, 1955, p. 59; *Current Issues in Linguistic Theory,* Janua Linguarum, Series minor, XXXVIII, La Haye, Mouton, p. 56.

« pratiques » pour établir la « vraie » intuition, c'est-à-dire celle qui est « *relevant* » pour la théorie [1]. Cette impossibilité de justifier *1)* et *2)* dans les cadres de l'épistémologie positiviste est sans doute une des spécifités essentielles de la démonstration linguistique et souligne, à rebours, les limitations de l'appareil épistémologique lui-même. Par ailleurs, si *3)* est admissible dans cette épistémologie positiviste, il ne l'est que comme postulat phénoménologique et reste inexplicité, puisque la question du sujet de la science reste ouverte.

On ne peut pas admettre que c'est l'endoctrinement culturel ou idéologique qui détermine cette intuition-pierre de touche de la théorie linguistique, lieu de sa suture. L' « intuition » traverse l'idéologie et constitue une détermination du sujet parlant commune à tous les sujets idéologiques, puisqu'elle les interpelle en tant que sujets *à travers* l'idéologie, comme son infrastructure. Ce n'est pas non plus le fait que « l'intuition linguistique du locuteur natif » se retrouve être celle du linguiste, qui fait problème. Prendre appui sur de telles constatations pour critiquer le « mentalisme » de la grammaire générative fondé sur l' « introspection » (« La linguistique mentaliste n'est autre que la linguistique théorique qui prend la performance comme donnée (jointe à d'autres données : par exemple, celles que fournit l'introspection) pour la détermination de la compétence, cette dernière étant l'objet premier de la recherche [2] »), en l'opposant au mécanisme, peut être en effet « oiseux ». Le questionnement du « mentalisme » s'impose pourtant à une épistémologie préoccupée de la *production dialectique* d'une théorie et, à plus forte raison, d'une théorie linguistique. Car celle-ci : *1)* ayant un « objet », ne saura éviter le problème « langue objet »/ métalangue; *2)* étant en expansion, actuellement, comme « pilote » des « sciences humaines », nécessite la précision de son « dispositif épistémologique »; ainsi : peut-on « modéliser » le « mythe » ou la « poésie » à partir de l' « intuition grammaticale » ou « structurale »? La topologie du sujet y est-elle la même?

Cette triple suture de la grammaire générative démontre le topos spécifique du sujet de la métalangue grammaticale, mais aussi, plus généralement, linguistique, qui se donne pour objet sa propre forclusion, c'est-à-dire sa forclusion comme sujet de l'énonciation. Précisons :

1. E. B. Coleman, « Responses to a Scale of Grammaticalness », *J. Verbal Lear. Verbal Beh.*, vol. 4, 1965, p. 525.
2. N. Chomsky, *Aspects de la théorie syntaxique, op. cit.*, p. 13.

Les statistiques semblent démontrer que les « locuteurs natifs » se reconnaissent plus aisément une « intuition commune » quant à la structure *syntaxique* d'une phrase que quant à son aspect « sémantique » ou « phonétique ». On pourra penser que les « intuitions » syntaxique, sémantique et phonétique n'ont pas la même valeur pour le sujet, et que la contrainte la plus générale est celle de la *syntaxe*. C'est d'ailleurs elle, nous l'avons rappelé plus haut, qui, dans la genèse du « sujet », l'interpelle définitivement comme tel en le faisant « émerger » du procès de la signifiance. Inversement, dans les « troubles du langage » (aphasie, schizophrénie), la perturbation de la syntaxe semble révéler les ébranlements les plus radicaux de l'unicité du sujet [1]... On peut supposer donc différents *topos* du sujet présentant ses diverses « intuitions » (syntaxique, sémantique, phonétique) et devant articuler une théorie linguistique complexe.

Par ailleurs, on peut constater que les deux premières acceptions de l'intuition (cf. ci-dessus *1)* et *2))* n'impliquent pas la même démarche du sujet parlant : on distingue l'intuition produisant la métalangue (le « commentaire ») de l'intuition « introspection [2] ». Il semble pourtant que l'intuition métalinguistique se distingue de l'introspection par l' « ajout » des fragments idéologiques, voire scientifiques (et, en ceci, historiquement et sociologiquement révélateurs), pour justifier l'intuition « introspective » dans laquelle le sujet de la métalangue se saisit comme sujet. En supposant que le sujet dans une *théorie* linguistique (et non pas dans une interprétation naïve) « contrôle » ces ajouts puisqu'il les postule et les enchaîne selon les fondements épistémologiques qu'il s'est donnés, il apparaît que ceux-ci s'adjoignent à « l'intuition » au sens défini ci-dessus. Autrement dit, ils se superposent à la saisie du sujet en tant qu'unité maîtrisant son discours, débarrassée d'énonciation et de signifiant; c'est-à-dire en tant que sujet forclos.

S'il est vrai que le sujet est soumis au signifiant, la syntaxe l'engage dans le métalangage. Le fondement de la métalangue est un sujet forclos dont la syntaxe est le domaine de base et/ou de production fon-

---

1. A. R. Luria, « Factors and Forms of Aphasia », *Disorders of Language, Ciba Foundation Symposium,* Londres, 1964; E. Weigl et M. Bierwiesch, « Neuropsychology and Linguistics : Topics of Common Research », *Foundation of Language,* vol. 6, nº 1, 1970, p. 1-17.
2. A. A. Hill, « Grammaticality », *Word,* vol. 17, 1961, p. 1-10; J. J. Katz et J. A. Fodor, *The Structure of Language, op. cit.,* p. 17.

damentale : le sujet de la métalangue n'y ajoute qu'un renforcement de la loi et un renforcement de la forclusion. Le sujet de la métalangue grammaticale se suture par ce qui entame sa forclusion : la syntaxe.

Or, au topos du sujet dans la syntaxe s'en ajoutent d'autres : la variation de ses désirs et de ses « latences sémantiques » que peuvent représenter les modalités logiques; sa percée comme sujet de l'énonciation, y compris son rapport à son corps et au destinataire, dans tel accident de la chaîne phonique; des distorsions des processus syntaxiques eux-mêmes, dus sans doute à des modifications des règles générales de transformation et qui provoquent les ellipse, syllepse, régression, répétition, opposition, pléonasme, hyperbole.

Mais, depuis sa forclusion métalinguistique que sa forclusion syntaxique à la fois conditionne et consolide, le sujet de la métalangue s'autorise à éliminer ces topos complémentaires et à ne relever en eux que ce qui correspond à la même forclusion : à ne relever donc qu'une « sémantique » ou une « phonologie » *normatives* livrant un objet « langage » qui n'est que la projection de cette forclusion. Telle semble être la situation du sujet en une linguistique dont Chomsky a le mérite d'expliciter le projet (décrire ou expliquer « l'essence » du langage; « intelligence humaine normale », « miroir de l'esprit dans ses aspects à la fois particuliers et universels »). La béance que la métalangue ouvre dans le signifiant en en évacuant le sujet est *bornée,* c'est un espace qui comprend ses frontières et produit une théorie se compactifiant de l'adjonction de tout voisinage, quel qu'il soit. C'est là une « neutralisation du signifiant » qui, si elle n'est pas le tout du procès de la signifiance, l'est sûrement de la métalangue.

On voit comment, ainsi suturé, le sujet de la théorie linguistique actuelle évite la fuite dans le procès générateur et dialectique qu'avait entrevue la recherche saussurienne. Il en sort solidifié, mais aussi manquant un procès complexe qu'articulent plusieurs topos du sujet produisant la complexité de la signifiance. Car le procès signifiant, qui pose le sujet de l'énonciation dans l'enchaînement infini des S, n'est évidemment pas donné dans l' « intuition » opérant en grammaire générative. Le critère de la vérité pour ce sujet de l'énonciation ne pourra apparaître que dans une autre « intuition » — dans une autre « topologie », que certaines avancées de la sémiologie saussurienne laissaient prévoir, et que le rêve, la poésie ou la pratique analytique mettent au jour.

4. « *Expliquer* » *le langage : la théorie topologique du sujet*

Cette constatation a une double conséquence : pour la visée *descriptive* et pour la visée *explicative* de la théorie générative. Faute de tenir compte des topologies différentes du sujet dans la signifiance, la grammaire générative ne saura *décrire,* tout en restant conforme à sa clôture méthodologique, les « niveaux » linguistiques importants comme le « phonétique » et le « sémantique ». Il est évidemment possible de formuler des séries de règles concernant la composante *phonologique* en élargissant le domaine synchronique jusqu'à la diachronie, et en faisant intervenir le paradigme dans le syntagme : mais, alors, ce serait une liste de règles que l' « intuition » ne justifie plus et que la cohérence méthodologique de la théorie rejette puisque, fondamentalement, elles relèvent d'une autre topologie du sujet dans le langage (« logique du signifiant », jeu pulsionnel, sanction historico-sociale, etc.[1]). La question sémantique est encore plus complexe, et sans doute insoluble sans la prise en considération de ses topologies multiples.

En deuxième lieu et pour autant que la théorie linguistique garde un *objectif explicatif,* elle ne saurait se contenter de donner la description la plus « explicite » de ce que l'intuition — saisie du sujet forclos par lui-même — peut lui fournir. Si elle veut être *explicative* et dans ce seul sens être une *théorie,* elle ne saurait le faire qu'en dépliant le lieu ponctuel du sujet cartésien (clivé, mais forclos) pour chercher les topologies qui le produisent dans la signifiance. L'articulation de ces topologies productrices constituerait la base *explicative* pour la *description* que la théorie propose à partir de l'intuition. Leur mise au jour suppose donc une autre conception du sujet dans le langage comme procès dialectique, conception attentive aux tâtonnements saussuriens autour de la barre signifiant/signifié, de même qu'aux découvertes chomskiennes du mécanisme syntaxique, mais surtout à ce que la psychanalyse dans son développement lacanien en dit. Le critère pour la vérifiabilité de cette théorie explicative ne sera pas seulement l' « intuition » — calque de la métalangue —, mais ce qu'une théorie *des* topologies du sujet dans le langage pose à partir de pra-

---

1. I. Fonagy, « Les bases pulsionnelles de la phonation », *Revue française de psychanalyse,* 1970, p. 101-136.

tiques signifiantes complexes qui les réalisent. Une théorie linguistique *explicative* a donc besoin d'un statut de la vérité qui s'apparente à celui de la psychanalyse et ne peut se réduire ni à une preuve physico-biologique ni à la démarche des sciences dites naturelles. Pourtant, le préjugé est ancien et solide : « l'acquisition de la " connaissance commune " — connaissance d'une langue, par exemple — n'est pas différente de la construction théorique la plus abstraite[1] »; Botha, tout en précisant qu'il ne « force pas des solutions méthodologiques sur des problèmes linguistiques purs[2] », préconise une linguistique obéissante aux règles des « sciences empiriques »; Saussure lui-même voulait égaler la géométrie, la zoologie, la géologie, l'astronomie, l'histoire politique[3]. Face à l'intérêt croissant pour la langue comme *pratique*[4], mais surtout à la dialectisation psychanalytique du sujet, il s'agira de construire une linguistique *descriptive* en obéissant aux règles de la cohérence théorique (compactification/décompactification) et *explicative* parce que utilisant des topologies diverses (sutures et articulations) comme fondements des significations de langage.

Le recours épistémologique à une série de sujets S dont chacun est une configuration spécifique, mais qui tous participent à une *unité* que garantit le concept même de *sujet* tel que le pose (consécutivement à la dialectique hégélienne, mais surtout à la découverte freudienne) la théorie analytique de Lacan, nous semble répondre à deux exigences fondamentales :

1) il *représente* le principe de la *contradiction hétérogène* au sein même du projet métascientifique (théorique) : unité, mais aussi *non-clôture* de son domaine; c'est là une exigence *matérialiste* pour la conception de l'engendrement des systèmes signifiants, quels qu'ils soient.

2. il « rend compte » du procès d'élaboration d'une *science* non pas en l' « *expliquant* » au sens phénoménologique, mais *en décrivant* le fondement de ce qui, dans l'édifice scientifique, se présente comme *spécifique* pour lui : l'articulation de systèmes.

1. N. Chomsky, *le Langage et la Pensée, op. cit.*, p. 129.
2. R. Botha, *The Function of the Lexicon..., op. cit.*, p. 49.
3. R. Wells, « De Saussure's System of Linguistics », *Word*, vol. 3, 1-2, 1947, p. 1-31.
4. John R. Searle, *Speech act, an Essay in the Philosophy of Language*, Cambridge University Press, 1969.

On dira donc que la mise en place de cette pluralité de S n'est pas un pluralisme philosophique (temps faible de la philosophie totalisante), mais relève d'une *conception matérialiste* de la production d'une pratique signifiante spécifique : les sciences, au sein d'une épistémologie matérialiste. L'intérêt de notre démarche n'est évidemment que circonscrit, pour autant que le sont cette pratique précisément (les sciences) et sa théorie (l'épistémologie), dans le procès des pratiques historiques. Car on peut penser que, dans le développement historique actuel, la place de cette pratique est délimitée : cette délimitation est la condition même de l'épistémologie rendue théoriquement possible par l' « achèvement » hégélien, quoique s'écartant de son projet. En effet, d'autres participations du sujet au « réel » se font remarquer : pour ce qui est du « langage », la psychanalyse et, parallèlement, le texte comme « expérience des limites » pratiquent ce dont il s'agit.

V. LA SÉMANTIQUE OUVERTE

Pour en revenir à la théorie linguistique, l' « objet langage » qu'elle peut dégager apparaît comme un effet des articulations de différentes topologies.

C'est dire que, sans perdre sa spécificité, sans devenir une psychologie, une histoire, une biologie, mais en théorisant le procès du sujet dans le signifiant, la linguistique tend à se construire comme un ensemble d'*articulations* de sutures, non connexes, voire antinomiques, chacune saisissant un topos du sujet dans le procès de la signifiance. C'est ainsi qu'elle avoue sa dette envers, et son impact sur, les sciences du sujet, que tout linguiste aujourd'hui est d'accord pour lui reconnaître : « ...l'étude du langage devrait occuper une place centrale dans la psychologie générale [1] », « Il faut noter que le postulat aprioriste, selon lequel la linguistique comme branche de la science doit être complètement indépendante, a deux aspects inacceptables. D'abord, c'est un postulat non empirique. Le plus souvent, il est présenté comme un dogme et ceux qui le proposent ne donnent pas de

---

1. N. Chomsky, *le Langage et la Pensée, op. cit.,* p. 140.

considérations sur les implications factuelles. Ensuite, ce postulat implique une approche compartimentaliste de la science en général. De tels compartimentalistes ont tendance à oublier que les frontières entre les différentes branches de la science empirique sont souvent déterminées par des considérations accidentelles [1]... » Qui plus est, une théorie du sujet dans ses *topoi* variables pourra donner un fondement solide aux aspects dits mentalistes des théories linguistiques : de leurs justifications méthodologiquement injustifiables qui seront désormais un « dedans » de la théorie étendue.

Enfin, une telle théorie et la conception du langage qu'elle implique posent le problème *sémantique* comme ouvert par définition, puisque déterminé par les articulations mêmes des topologies. On sait que le concept de « langue » a pu céder devant celui de *« discours »* [2] pour permettre d'introduire d'une part des relations modales, d'autre part le sujet de l'énonciation et l'antinomie langue-discours. Dans les deux cas, il s'agit de viser la sémantique dans les joints du *sujet* au signifiant. A supposer qu'on développe cette tendance, la « structure profonde » ne saura garder sa monovalence syntaxique. Pour qu'elle rende compte du fonctionnement sémantique du langage, il faudrait lui adjoindre des composantes nouvelles, capables de préciser l'économie du sujet dans le signifiant : Bierwisch avait aussi proposé qu'on ajoute à la grammaire d'une langue le composant rendant compte des « effets poétiques » [3]. On peut poser que, pour une description et une explication sémantique satisfaisantes, il faudrait probablement ajouter à la structure profonde grammaticale et aux règles de sa transformation un mécanisme M rendant compte des opérations modales; un mécanisme S repérant les « condensations » et les « déplacements » dans le signifiant; un mécanisme φ précisant (à l'aide des mécanismes précédents, mais aussi d'observations psychanalytiques) le topos du sujet parlant dans le procès générateur du discours; un mécanisme I spécifiant les contraintes idéologiques qui présentent les effets de sens comme des fonctions historico-politiques.

Une telle théorie peut être fondée sur un dispositif épistémolo-

---

1. R. Botha, *The Function of the Lexicon...*, *op. cit.*, p. 103.
2. E. Buyssens, *Langages et Discours*, Bruxelles, 1943; E. Benveniste, *Problèmes de linguistique générale*, Gallimard, 1966, p. 75 s., 238 s., 265-266.
3. M. Bierwisch, « Poetik und Linguisik », *in* H. Kreuzer et R. Grunzenhaüser (éd.), *Mathematik und Dichtung*, 1965, p. 56 s.

gique, où le sujet (de la métalangue) « traverse » les sutures de sa forclusion par des *pratiques signifiantes* diverses [1], pour les ressouder immédiatement dans la cohérence systématique d'une métalangue structurée comme l'ensemble des articulations de *topoi* divers. Est-ce dire qu'elle décrira le « langage » : « langue »? « discours »? « énonciation »? « jeu de différences »? « écriture »? ou bien un réseau où ces appellations ne sont que des coupes parmi d'autres; un « ordre sémantique [2] » trans-signe, *producteur* du message et prenant en charge le « référent », l' « énonciation », le « discours »? « Le particulier de la langue est ce par quoi la structure tombe sous l'effet de cristal [3]. » C'est dire que l'épistémologie d'une telle linguistique aura des problèmes communs avec l'épistémologie de la psychanalyse.

1. Cf., sur la pluralité des pratiques signifiantes et la position du sujet en elles, notre Σημειωτική, Éd. du Seuil, 1969.
2. E. Benveniste, « Sémiologique de la langue », *Semiotica,* I, 2, 1969, p. 133.
3. J. Lacan, « Radiophonie », *op. cit.,* p. 63.

La fonction prédicative
et le sujet parlant *

So, with the throttling hands of Death at strife,
　　Ground he at grammar;
Still, thro' the rattle, parts of speech w~re rife.
　　While he could stammer
He settled *Hoti's* business—let it be!—
　　Properly based *Oun*—
Gave us the doctrine of the enclitic *De,*
　　Dead from the waist down.
Well, here's the platform, here's the proper place.
　　Hail to your purlieus
All you highfliers of the feathered race,
　　Swallows ans curlews!
Here's the top peak! the multitude below
　　Live, for they can there.
This man decided not to Live but Know—
　　Bury this man there?
Here—here's his place, where meteors shoot, clouds form,
　　Lightnings are loosened,
Stars come and go! let joy break with the storm—
　　Peace let the dew send!
Lofty designs must close in like effects :
　　Loftly lying,
Leave him—still loftier than the world suspects,
　　Living and dying.

> R. Browning, « A Grammarian's Funeral »,
> *Men and Women.*

> Notre tentative est à juger d'ensemble et c'est
> comme un tout qu'elle pourrait éventuellement
> se justifier, s'il était permis d'évoquer à son béné-
> fice le principe de Hegel : « *Das Wahre ist das
> Ganze.* »

> Émile Benveniste,
> *Origines de la formation des noms
> en indo-européen.*

* Première publication in *Langue, Discours, Société,* Hommage à Émile Benveniste,
Éd. du Seuil, 1975.

En marge des grands systèmes linguistiques modernes ou en avance sur eux, le travail d'Émile Benveniste annonce ce bouleversement encore peu visible de la conception du langage qui est en train de produire une véritable révolution dans l'épistémé occidentale. Parti de la linguistique comparée, passant par Saussure et la logique, attentif au structuralisme linguistique aussi bien qu'aux descriptions plus récentes de la langue, sans jamais perdre de vue l'horizon philosophique ni socio-historique, l'œuvre de Benveniste ne se laisse pas situer dans une « École » ni résumer comme une simple synthèse des courants linguistiques du xxᵉ siècle. La systématicité de la langue, minutieusement étudiée dans sa dimension diachronique ou synchronique, n'est jamais ici qu'un prétexte dont se dégage — plus ou moins explicitement — l'analyse d'un sujet parlant dans des institutions sociales précises. De sorte que, à une époque où la science linguistique tend à se constituer en éliminant de son champ tout ce qui n'est pas formalité systématisable, structurable ou logifiable, Benveniste, dans le même courant, ouvre pourtant cet « objet langage » à des pratiques où il se réalise, qui l'excèdent et depuis lesquelles son existence même en tant qu'objet monolithique se relativise ou apparaît problématique. La linguistique, ce fameux « pilote » des sciences humaines, n'en continue pas moins de garder sa cohérence, appuyée sur la *langue*-contrat social fondamental; mais elle s'ouvre à l'étude des mythes, des institutions et de l'inconscient, pour suggérer que leur isolement en « disciplines » séparées est injustifiable et sujet à refonte. La langue-objet de la linguistique reste donc fermement posée pour l'étude qui se constituera comme une *métalangue* et ne mettra jamais en cause sa légitimité. Mais le « linguiste », dans une errance qui l'isole de toute communauté constituée une fois pour toutes, situe cette « langue » dans des pratiques discursives multiples, où elle cesse d'être simple contrat universel, où elle obtient des spécificités *structurales* (c'est la cohérence proprement linguistique de chaque *langue* dans la famille indo-européenne), *subjectives* (c'est le *discours*) et *historiques* (c'est l'*idéologie* dans la langue). De même que, et inversement, une langue concrète, un discours subjectif, une idéologie sociale donnée, trouvent non pas une explication ultime, mais une matérialité propre, où ils se constituent, vivent et meurent dans une logique d'influences mutuelles et de contradictions permanentes. La découverte de Benveniste est la découverte du procès signifiant en tant que matérialité hétérogène, multivalente : c'est une totalité, pour reprendre le terme hégélien qu'il emploie dans la préface de sa thèse en 1935, mais une totalité infinie, contradictoire et qui n'oublie jamais qu'elle se constitue d'une *limite interne :* la langue. Il y a quelque chose d'extrêmement ambitieux dans ce geste qui saute des infinitifs avestiques[1] aux textes sogdiens[2], d'un manifeste surréaliste[3] au destin indo-européen, arabe et chinois du mythe sur l'autocastration[4], de l' « être » à la sémiologie du code animal, ou musical et pictural[5], et à cette unique étude de linguiste sur le langage dans la découverte freudienne[6]. Ambition que soutient, d'une impossible modestie, une adhérence à la limite interne du procès signifiant infiniment structurable. C'est par cette modestie — par cette limite — que le travail de Benveniste déroge à la métalangue qu'il ne quitte pourtant pas : il ne produit pas de système, mais, dans chaque système signifiant, il scrute la *limite* (la langue) qui le constitue et suggère, en passant, le *discours* qui l'excède pour déboucher, pour qui veut lire au-delà, vers une pratique de sujet et vers les processus sociaux qui ne sont plus de l'ordre de la langue. Un linguiste pour lequel le « langage » n'existe pas : il y a le système de la langue et, à partir de lui et avec lui, des variations multiples qui donnent lieu à des langues nationales (contrats infranchissables, dépositaires de pratiques subjectives et sociales multiples et une fois pour toutes ordonnées), à des discours à sujet (rythmes, mythes, poésies) et à des institutions socio-historiques qui s'y réfléchissent.

Benveniste soutient que ce système de la langue n'est pas seulement une *structure de signes,* mais surtout une *synthèse prédicative,* ce qui est une tout autre conception de l'acte linguistique; et cette insistance, sans faire de lui un prédécesseur de la grammaire générative, lui permet de préciser ce que nous venons d'appeler une limite du procès signifiant depuis laquelle se pose le sujet parlant. On a beaucoup empha-

1. *Les Infinitifs avectiques,* Maisonneuve, 1935.
2. *Textes sogdiens,* édités, traduits et commentés par E. Benveniste, Éd. P. Geuthner, 1940, et 1946 *(Vassatara Jataka).*
3. « La révolution d'abord et toujours! » (1925), cf. M. Nadeau, *Documents surréalistes,* Éd. du Seuil, 1948, p. 40.
4. « La légende du Kombabos », *Mélanges syriens offerts à M. R. Dussand,* Gembloux (Belgique).
5. Cf. surtout « Sémiologique de la langue », *Semiotica,* I, n⁰ˢ 1 et 2, 1969.
6. « Remarques sur la fonction du langage dans la découverte freudienne », *la Psychanalyse* I, 1956, repris in *Problèmes de linguistique générale,* Gallimard, 1966, p. 258-266.

tisé la coupure signifiant/signifié et l'altération qu'elle induit dans le sujet parlant. Benveniste a souligné, en outre, deux caractères de cette coupure en l'examinant à partir de ce qu'elle permet du côté du sujet parlant : l'*assertion* (posant un *référent*) et la *cohésion* (constituant la formalité *syntaxique*)[1].

La première, l'assertion, lie, de manière anaphorique, l'énoncé à une extériorité éventuellement réelle, à travers la position d'énonciation du sujet parlant : il y a énoncé (ou phrase) dès qu'un sujet pose qu'une émission sonore indique une extériorité référentielle : « c'est ». La fonction prédicative est une fonction anaphorique; avant de signifier un « être » ou un « étant », comme elle a fini par le faire en grec et dans les langues indo-européennes, la copule (« est ») avait une fonction anaphorique qui asserte, du même geste, un sujet et un « référent ». Le sujet énonçant et le référent sont coextensifs à l'acte prédicatif et n'existent pas sans lui. Il est bien évident que, si la fonction assertive propre à la prédication concerne aussi bien l' « objet » asserté que le « sujet » parlant assertant, elle porte implicitement en elle-même la possibilité de toutes les modalités de l'énonciation. Il n'en reste pas moins que, définissant la fonction prédicative, ce n'est pas sur cet aspect-là de l'assertion que Benveniste insiste, mais avant tout sur la position (la localisation) du référent-objet.

D'autre part, et en même temps, la prédication constitue une finitude en soudant deux termes en un ensemble : l'acte prédicatif est nécessairement l'articulation d'une complétude constituée par deux termes (leurs caractéristiques morphologiques sont spécifiques des différentes langues, et en aucun cas universelles) dont l'un identifie suffisamment l'autre; cette identification constitue une complétude qui ne tiendrait pas seule si elle ne s'appuyait sur la fonction assertive de la prédication, toutes deux étayées sur la position d'un sujet parlant et d'un objet réel ou vraisemblable. On dira que la cohésion, ou la complétude identifiante que constitue l'articulation des deux termes (ou l'énonciation d'un seul), est due en même temps à la fonction assertive de la prédication : on ne saurait comprendre la finitude linguistique donnée dans un énoncé (phrase) sans la considérer du point de vue de cette fonction assertive (ou référentielle) qui excentre la formalité syntaxique

---

1. « La phrase nominale », *Bulletin de la société linguistique de Paris,* XLVI, 1950, fasc. I, nº 132, repris in *Problèmes de linguistique générale, op. cit.,* p. 151-167.

vers ce qu'on a eu tendance à penser comme étant extérieur à la langue. Les deux fonctions de la prédication signalées par Benveniste (assertion référentielle, cohésion identifiante) introduisent l' « extériorité » dans la formalité et, inversement, elles extériorisent la formalité du système linguistique [1].

Que tout énoncé (fût-il « terme », « particulier » ou « quantificateur », par exemple) est une marque de la fonction de prédication, c'est, on le sait, le postulat de la logique proportionnelle moderne. Parmi ses conséquences, bornons-nous à citer Russell qui explique la quantification en termes de prédicat de vérité pour proposition ouverte : x (Fx) signifie « Fx est toujours vrai »; ($\exists$x) Fx signifie « Il est faux que " Fx est faux " soit toujours vrai [2] »; ou bien Quine, pour qui la prédication doit s'exprimer dans le langage formel de la logique, tandis que la quantification existentielle s'exprime dans une écriture logique réglementée par l'idiome *« there is* [3] *» :* ceci entraîne la nécessité d'exprimer tous les *« particulars »* par des variables liées de quantification existentielle [4].

Certaines positions de la sémantique générative ne sont pas étrangères à ce point de vue logique. Ainsi, lorsque E. Bach propose de considérer les *noms* non pas comme une catégorie de la structure profonde, mais comme provenant d'une structure enchâssée, où ils sont sous le nœud du prédicat [5]. D'une autre façon, Fillmore récuse la légitimité de la catégorie grammaticale *sujet* dans la structure profonde, et la déclare phénomène de surface; il n'en reste pas moins que la structure profonde comprend, selon lui, différentes relations de cas (agentif, instrumental, etc.) qui présupposent la dichotomie sujet/prédicat et donc la fonction prédicative [6].

---

1. Le terme « assertion », plus large, renvoie à une extériorité toujours déjà anaphoriquement donnée à l'énoncé par et pour le sujet de l'énonciation; tandis que le terme « référence », plus spécifique, semble surtout présumer de l'existence de l'objet sur lequel porte l'énoncé. Benveniste semble mettre ici l'accent sur la valeur référentielle de l'assertion.

2. B. Russell, « On Denoting », *in* H. Feigl and W. Sellars (éds), *Readings in Philosophical Analysis,* New York, 1949.

3. W. Quine, *Ontological Relativity and Other Essays,* New York, 1969.

4. Cette disparition des « particulars » apparaissait déjà dans *Methods of Logic* et *From a Logical Point of View.*

5. E. Bach, « Nouns and Noun Phrases », *in* E. Bach et R. Harms, *Universals in Linguistic Theory,* Holt, Rinehart and Wiston, 1968, p. 90-112.

6. Ch. Fillmore, « The Case for Case », *in* E. Bach et R. Harms (éds), *op. cit.,* p. 1-90.

L'autonomie de la catégorie « nom », ainsi mise en cause, provient donc d'une conception de l'acte langagier comme acte prédicatif par excellence, sans aucune restriction morphologique, bien entendu, pour les termes assumant la fonction prédicative. La théorie linguistique s'achemine ainsi vers une explication satisfaisante de langues telles que le nootka et le kwakiutl (rendues célèbres par les études de Sapir et de Boas), qui ont tendance à neutraliser la distinction sujet/prédicat, en formant des énoncés constitués de radicaux et de suffixes « verbaux » ou « nominaux » : comme s'il s'agissait de la constitution d'une unité logique et/ou énonciative où s'articulent des « traits sémantiques », la nature de l'articulation étant précisément l'inévitable fonction prédicative, qui n'a donc pas nécessairement besoin d'opérer entre des lexèmes ou des catégories isolées.

Il n'en reste pas moins qu'une sorte de catégorialité grammaticale, supposant un type de dichotomie entre deux « termes » articulables (nous verrons plus loin de quel type il s'agit), est obligatoire pour tout métalangage de linguiste qui veut penser la *finitude* de l'énoncé. Évidemment, l'énonciation et le procès signifiant en général ne comportent pas que de la finitude : nous y reviendrons à la fin de cet article.

Strawson a riposté aux conceptions de la logique formelle concernant la prédication, tout en développant leurs présupposés philosophiques par une théorie, qui se veut métaphysique, de l'acte d'énonciation [1]. Disons, pour la résumer grossièrement, qu'elle se fonde sur ce qu'on peut appeler un réalisme empiriste : reconnaissance de l'existence de faits réels-support des termes et des opérations logiques, et qui sont désignés comme « particuliers » ou « individuels ». Or, énoncés dans le *sujet* logique ou grammatical d'une proposition (le cadre de la *proposition* est pris comme général et valable pour le *commandement* ou l'*engagement*), ces *particuliers* ou *individuels* sont tels si et seulement si le langage possède la possibilité d'introduire en même temps des *universaux* qui sont, par leur incomplétude, les véritables porteurs du symbolisme propositionnel. Une dissymétrie se dégage entre les *particuliers-sujets* et des *universaux-prédicats* : les *particuliers-sujets* ne sont complets qu'à condition d'être adjoints à des *universaux-prédicats,* qui sont incomplets. Cette réflexion conduit à l'isolement (logique, mais peut-être aussi génétique) d'un « niveau »

1. P. F. Strawson, *les Individus,* Éd. du Seuil, 1973.

328

des universaux qui ne se rapporte pas au monde, mais au seul acte du langage. D'autre part, ce niveau, en lui-même, sans être articulé en une structure sujet-prédicat pour former des particuliers, ne se « dispose » pas moins en « traits » ou « concepts-traits » — une sorte d'idée mesurée et mesurable, un *pattern* occupant l'espace et le temps, et qui s'articule immanquablement à un « genre de particuliers » sans que ces derniers soient forcément des « sujets » logiques ou grammaticaux. Ce type d'articulations, dits « énoncés qui placent des traits » *(feature-placing statements),* se retrouve dans des propositions impersonnelles de langues à structure sujet/prédicat (« il neige »), ou bien dans d'autres langues qui n'ont pas cette structure dichotomique. Il n'en reste pas moins que ces deux derniers cas sont considérés comme des extensions du cas initial (dichotomie sujet/prédicat) et donc que le principe de la complétude propositionnelle (rapport de dissymétrie et de soudure identifiante entre le sujet et le prédicat) est pensé comme coextensif à la fonction assertive de Benveniste posant une *existence* particulière ou individuelle. Notons, dans l'analyse de Strawson, la complicité entre un point de vue *réaliste-empiriste,* qui considère que les particuliers sont toujours déjà existants pour la conscience des locuteurs avant le fait du langage, et un point de vue *métaphysique* qui présuppose l'existence d'un niveau universel, ou de concepts-traits inhérents au langage configurant l'espace et le temps. Si l'un ne va pas sans l'autre, leur support (que Strawson n'étudie pas) est à chercher dans ce que Husserl a désigné comme étant le fondement de toute synthèse prédicative : l'*ego transcendental.* Pour autant qu'il soit vrai qu'un domaine considérable de l'activité langagière se soutient de cet *ego* transcendental, toute la question est de savoir si ce domaine-là est le seul. Dans l'hypothèse où d'autres articulations signifiantes ne relèveraient pas de cet *ego* ni de la synthèse prédicative, nous serons conduits à dégager des opérations qui, dans l'exercice du langage, ne se réduisent pas exhaustivement à la fonction prédicative (c'est-à-dire à l'assertion et à la cohésion identifiante). Mais, avant d'y arriver, nous devrons expliciter davantage cette fonction en elle-même.

« Être » — un archi-prédicat

Si l'on admet que ce n'est pas le verbe, mais la fonction prédicative qui est une catégorie fondamentale et universelle, et que tout prédicat (verbal) peut être exprimé par la copule + un prédicat nominal, on est amené à deux conclusions :

1. Toute prédication comporte une valeur « profonde » qui est sa valeur « locative » déictique. Cette dernière est propre à la copule, comme nous le verrons tout à l'heure par un aperçu de sa fonction étymologique et syntaxique dans diverses langues. Par ailleurs, la valeur « profonde » locative et déictique a été constatée dans l'analyse des constructions existentielles aussi bien que possessives, dérivant synchroniquement ou diachroniquement de constructions locatives [1]. Si le fait est clair pour la prédication existentielle, il apparaît aussi, dans certaines langues, comme le russe, lorsqu'il s'agit de possessives en position prédicative, par exemple. *Kniga moja* (livre moi), « le livre est à moi », *U menja kniga* (sur moi livre), « j'ai un livre ».

Loin d'être une dérivation secondaire de la prédication, la copule en explicite (sémantiquement et syntaxiquement) une des valeurs essentielles : *référentielle,* elle asserte, plus précisément, la *position* de l'objet de l'énoncé.

2. La copule tient ensemble deux termes, pour en faire désormais une unité énoncée. De ce fait, elle manifeste, syntaxiquement et sémantiquement, la fonction de *cohésion* propre à tout prédicat.

On sera donc en droit de voir dans la copule le « résumé » des deux aspects essentiels de la fonction prédicative selon Benveniste ou, si l'on veut, un *archi-prédicat.* (Nous verrons plus loin que, la fonction prédicative ne se limitant pas à l'assertion localisante et à la cohésion identifiante, mais assumant aussi le rôle d'altération et d'infinitisation, la valorisation de l'archi-prédicat s'en trouve limitée et réduite à une certaine position du sujet parlant dans le discours. Mais n'anticipons pas.)

Un bref aperçu de l'usage de cet archi-prédicat dans différentes langues, choisies en raison de leurs particularités ou « anomalies » quant à ce point, nous permettra de préciser les deux aspects de la fonction prédicative (assertion, cohésion identifiante) manifestés par la copule et leur impact sur l'économie du sujet parlant.

Dans les langues indo-européennes, le verbe « être » s'est arrogé la capacité d'exprimer en même temps et nettement les deux aspects

---

1. John Lyons, « A Note on Possessive, Existential and Locative Sentences », *Foundations of Language,* 1967 (3), p. 390-396.

de cette fonction prédicative, ce qui lui a valu, peut-être [1], de devenir le support de ce qui s'est, par ailleurs et parallèlement, développé depuis la philosophie grecque comme une théorie de l' « être ». Comme il a été démontré [2], le verbe εἰμὶ possède en grec, et dès les périodes les plus reculées, non seulement une valeur de copule, mais trois valeurs sémantiques :

a) *prédicative* (« X est Y »);
b) *existentielle* (« Il est un X tel que... »);
c) *aléthique* ou *véridique* (« ...est ainsi »).

La fonction prédicative étant primordiale, logiquement aussi bien que statistiquement, mais les trois ensembles formant néanmoins une unité conceptuelle. La connotation corporelle et vitale de εἰμὶ (qu'on reconstitue jusqu'à la racine *weid, *Gen) se trouve chez Homère, mais la valeur sémantique désignant le statisme, la position, l'implantation, prévaut dans l'usage grec : le sens vital de εἰμὶ est attesté hors du grec, tandis que, dans cette langue, εἰμὶ s'oppose à γίγνομαι, comme le statisme au dynamisme. On peut supposer que le développement spécifique de la société et de la pensée grecques a sélectionné et imposé, à partir des connotations « fluides » et « vitales » de la racine indo-européenne, un usage strictement *positionnel,* qui résume l'ensemble de la fonction prédicative : d'une part, cet usage assemble par une copule deux termes, pour identifier le premier à travers le second; d'autre part et en même temps, il asserte l' « existence », voire la « vérité » de ce qui est ainsi identifié. Le sujet parlant qui étaye pareille énonciation n'est pas encore le sujet statique du cartésianisme : on dira, avec Ch. Kahn, qu'il est une troisième personne, donc, selon Benveniste, une non-personne, qui s'extrait de l'acte (mieux : du procès) de l'énonciation pour se mettre en dehors de lui; mais qu'en même temps et à travers la valeur existentielle et véridique de cet archi-prédicat qu'est εἰμὶ le sujet de l'énonciation s'objective, en se confondant avec le flux extra-discursif qu'il asserte. Tout en étant donc déjà une position soutenant l'assertion de l'individualité et la cohésion de la phrase, le sujet de l'énonciation qui parle à travers cet archi-prédicat grec reste « objectif », « fluide », moins légiférant que soumis à des

---

1. Charles Kahn, « The Verb " Be " in Ancient Greek », *in* W. M. Verhaar (éd.), *The Verb « Be » and its synonyms,* Foundations of Language, Supplementary Series, vol. 16, 1973.
2. *Ibid.*

mutations et à un devenir où se conjuguent deux ordres hétérogènes (le logique et l'extra-logique). La théorie de l' « être », depuis Platon, se ressent sans doute de cette ambiguïté, mais elle n'en explore pas le conflit immanent ni l'impact de ce conflit sur le sujet parlant. La grammaire et la philosophie grecques, forcluant l'hétérogène et le devenir, se désintéressent du sujet de l'énonciation ou bien, quand elles le posent (par exemple, chez les stoïciens), l'abritent dans l'articulation du signe et du syllogisme sans possibilité d'atomisation, d'écart ni de perte. Une ontologie impersonnelle, sans sujet, enveloppe ou induit cette matrice d'énonciation : il faudra attendre Descartes pour poser que cette impersonnalité qui se réfugie dans un archi-prédicat est celle de l'ego qui, dans pareille énonciation et rivé comme il l'est au prédicat, ne peut qu'être impersonnel, c'est-à-dire : *ne se pensant pas en train d'énoncer.* Est-ce dire que toute énonciation prédicative exige nécessairement la forclusion ou, du moins, l'impersonnalisation du sujet de l'énonciation, qui se démettrait au profit de l'assertion et de la cohésion identifiante? Nous nous contenterons de formuler ici la question, pour la reprendre, ailleurs, à propos de l'acquisition du langage. On peut supposer néanmoins que cet *effacement* du sujet de l'énonciation sous la fonction prédicative ou, mieux, sa *réduction* à un point aveugle qui étaye cette fonction, tout en étant logiquement donnée dans la structure de la proposition, et donc tout en étant, en ce sens, universellement valable pour tout un aspect du sujet de l'énonciation, a été favorisée par le développement des forces productives et des institutions sociales en Grèce classique.

Une autre langue et une autre société fournissent, toujours à partir de l'emploi de ce qu'on peut considérer comme un synonyme du verbe « être » (c'est-à-dire comme un tenant lieu d'archi-prédicat), l'exemple de la coïncidence entre la fonction prédicative et une instance extra-discursive, impersonnelle, légiférante par rapport à l'acte de la locution. Il s'agit de l'*arabe* qui, on le sait, ne possède pas le verbe « être », mais qui, lorsqu'il s'agit par exemple de traduire ce verbe à partir de langues indo-européennes, utilise une série de morphèmes : le verbe *kana* qui signifie, d'une part, « exister » et, d'autre part, « être quelque chose », et qui désigne un processus plutôt qu'un état statique; la particule assertive *inna,* « effectivement », qui explicite ce que nous avons posé comme étant le propre de la fonction prédicative, à savoir son aspect assertif, au sens de posant non pas seulement l'emplacement de l'objet de l'énoncé, mais, simultanément et même avant tout, la prise de position de l'énonciateur vis-à-vis de l'énoncé; le verbe incomplet *laysa*, qui est une copule négative; et la troisième personne du pronom personnel *huwa*, qui renvoie à une instance extra-locutoire en même temps que garante de l'unité discursive, de sa cohésion identifiante, et qui est interprété comme Dieu par la métaphysique arabe; la racine verbale *wjd*, « trouver », qui d'abord localise et, par extension, désigne la vérité. Tous ces morphèmes connotent des particularités sémantiques, parce que fonctionnelles, de la fonction prédicative, condensées dans l'archi-prédicat « être ». Insistons sur l'assertion qui énonce la reconnaissance, par le locuteur, de l'énoncé *(inna);* sur la localisation ou la position de l'objet de l'énoncé (mais sans doute aussi du sujet de l'énonciation) morphologiquement et sémantiquement équivalente à l'affirmation de la vérité *(wjd);* et enfin sur l'instance impersonnelle, extra-discursive, qui résume une des fonctions de l'archi-prédicat et qui indique la nécessité d'une posture transcendantale pour le sujet de l'énonciation se subordonnant à l'effet (assertif et cohésif, identifiant) de la prédication *(huwa)* [1].

Nous pouvons maintenant énoncer deux nouvelles propriétés de la prédication, implicitement contenues dans les deux premières, et explicitées par les synonymes de l'archi-prédicat :

3. La fonction de prédication situe le sujet de l'énonciation comme tel et implique qu'il prend parti à l'égard de l'énoncé (de soi-même ou d'un autre) : elle amorce l'attitude métalinguistique, sui-référentielle.

4. La fonction prédicative confère au sujet une position transcendante à l'égard de l'énonciation. Cette position transcendante est explicitement prise en charge par la troisième personne extra-locutoire, garantie externe de la maîtrise de la prédication par les deux ego transcendantaux dialoguant. Le célèbre énoncé biblique : « Je suis ce que je est », avoue ce fait que le « je » (comme le « tu ») parlant est étayé sur la position extra- ou supra-locutoire, sans laquelle rien ne serait dit sur un particulier dans une proposition.

Il apparaît ainsi que la prédication n'est propositionnelle, au sens de clôturant un énoncé, qu'à condition d'avoir les propriétés 3 et 4. Sans celles-ci, nous sommes dans un état, qu'on pourrait dire *faible,* de la

---

1. Fadlou Shehadi, « Arabic and " to be " », *The Verb « Be » and its Synonyms, op. cit.,* 4e partie, p. 112-125.

prédication qui exerce ses propriétés d'assertion et de cohésion identi-fiante et constitue un *syntagme,* mais ne constitue pas une *phrase* qui, elle, est finie si et seulement si un sujet de l'énonciation l'assume expli-citement ou implicitement. Nous retrouvons les quatre propriétés de la prédication dans l'usage de l'archi-prédicat en d'autres langues. Ainsi le chinois leur fait-il subir diverses variations.

En chinois archaïque, nous constatons trois états ou trois modalités de la fonction prédicative qui illustrent, d'une part, son caractère néces-saire pour tout acte fini d'énonciation quelles qu'en soient les réalisations morphémiques, et d'autre part, sa possibilité de variation selon le type d'énonciation. Ces modalités sont le *syntagme,* la *proposition verbale* et la *proposition déterminative* [1].

Les unités ou « mots » faisant partie d'un *syntagme chinois* s'y articulent comme un mot composé, à cette différence près que le syn-tagme n'est ni habituel, ni institutionnalisé comme l'est le mot composé. Si l'un des termes du syntagme sert de modifiant à l'autre, ils restent tous les deux dans une *imprécision catégorielle :* « Beaucoup de traits gram-maticaux peuvent être introduits dans le syntagme, mais ils ne le sont pas obligatoirement, de même que des particules destinées aux syn-tagmes peuvent (quoique pas toujours) être présentés [2]. » En consé-quence, même si des relations de détermination très précises inter-viennent entre les deux termes, par le moyen de la parataxe ou de l'hypotaxe (avec deux modalités de celle-ci, détermination et dérivation), le syntagme se caractérise par une indétermination aussi bien du champ sémantique qu'il recouvre que des qualités grammaticales des mots utilisés, cette indétermination étant *intermédiaire* entre l'indétermination habituelle d'un mot plein, hors contexte en chinois classique, et la déter-mination propositionnelle. La prédication qui lie les deux termes du syn-tagme possède les deux propriétés établies par Benveniste, mais non pas les propriétés 3 et 4 suggérées plus haut.

Le niveau proprement *propositionnel* se distingue par le fait qu'un mot est utilisé avec sa valeur *verbale* constatable par la présence d'un agent, d'un instrument ou d'une proposition subordonnée complète,

---

1. Cf. **W.A.C.H. Dobson,** *Late Archaic Chinese.* A grammatical study, University of Toronto Press, 1959. Il s'agit du chinois classique en Chine du Nord, entre le IIIe et le IVe siècle avant notre ère.
2. *Ibid.,* p. 19-20.

placés devant lui. Mais il est important de constater que le prédicat verbal constituant un énoncé fini, apparaît accompagné de *particules* (乎 *hu,* 哉 *zai,* 而已 *er-yi* ou 已 *yi) placées en position finale et désignant le mode propositionnel* lui-même. Fait remarquable, ces particules qui apparaissent aussi dans les *propositions détermi- natives,* n'ont pas de rapport avec la signification référentielle de la proposition, mais indiquent *le mode* (la modalité logique) *selon laquelle le sujet utilise* la proposition [1], c'est-à-dire notre propriété prédica- tive 3. Ces particules renvoient donc à la position du sujet de l'énoncia- tion à l'égard de l'ensemble de l'énoncé : surprise, inquiétude, hési- tation, etc., et ont la valeur d'une *intonation* ou d'une voie verbale. Soulignons ce fait qu'une particule se charge à marquer du même coup la finitude phrastique *et* la posture du sujet de l'énonciation, établissant entre ces deux propriétés une complicité indispensable à l'acte de l'énonciation propositionnelle. On pourra formuler l'hypothèse que le syntagme est une détermination incomplète, pas encore pleine- ment prédicative, dans la mesure où ne s'y marque pas la position du sujet de l'énonciation, qui seule clôture l'énoncé propositionnel (verbal ou déterminatif). Il lui manque nos propriétés 3 et 4. Il faut d'ailleurs signaler que la clôture de l'énoncé dans la *proposition verbale* elle- même reste incertaine, car pareille proposition prend couramment place dans une *séquence* («*piece*», selon la terminologie de Dobson), et ce sont alors d'autres particules ou bien une accentuation de certains constituants qui signalent l'incomplétude de la proposition à prédicat plein (verbal), insérée dans la séquence.

Enfin, les *propositions déterminatives* peuvent être classées comme intermédiaires entre les *syntagmes* et les *propositions à prédicat verbal.* Une proposition déterminative est une apposition ou une coordination de deux termes à valeur *nominale,* dont le premier, ou le *déterminé,* marque un spécimen ou une instance, tandis que le second, ou le *déterminant,* marque une catégorie, attribue une classe ou des concepts spatiaux ou temporels. Lorsqu'une qualification du rapport ou une emphase s'introduisent, elles sont explicitées par l'apparition d'un « foncteur » liant, qu'on peut appeler « copule ». Sans cela, la propo- sition déterminative est donc construite selon une logique de la prédi-

1. Cf., sur le mode proportionnel et le sujet de l'énonciation, Dobson, *Late Archaic Chinese, op. cit.,* p. 97.

cation, mais la valeur de celle-ci reste ce que nous avons appelé les deux « valeurs très-profondes » de la fonction prédicative : assertion et identification cohésive (selon Benveniste), sans précision d'aucun autre mode grammatical propre au verbe, donc apparemment sans recours aux propriétés 3 et 4 de la prédication. Nous sommes ici dans un état « nu » de la prédication, où quelque chose de *nouveau* (le déterminant) est asserté *pour* et identifié *avec* quelque chose de *donné* (le déterminé)[1]. Le déterminant a la fonction d'un prédicat : c'est lui qui comporte la valeur du nouvel acte signifiant, comme c'est lui qui porte l'accent après une pause entre les deux termes. Ce fait est à comparer avec l'articulation du syntagme, lui-même constitué de deux termes nominaux, avec cette différence que le nouveau est placé en tête tandis que le donné suit : ce qui veut dire que, dans le syntagme, le déterminant est donné comme suspendu dans son incomplétude, il n'est pas encore revenu sur un déterminé pour le compléter, pour le rendre individuel et pour se réaliser lui-même en une finitude propositionnelle. La proposition déterminative comporte, nous l'avons dit, les valeurs assertive et identifiante de la prédication et, apparemment, rien d'autre qu'elles. La propriété 3 de la prédication n'apparaît explicitement dans ce cas que si l'on prête attention à l'emphase sous-jacente à la *copule* qui lie les deux termes : la signification de cette « copule », quelle que soit sa valeur sémantique précise, est *emphatique*. L'emphase porte sur la réalité, la véridicité, la nécessité de l'énoncé et, par là, elle pointe vers la position du sujet de l'énonciation : on dira qu'en fin de compte l'emphase porte sur l'acte de l'énonciation. Cela est visible dans l'emploi de mots à valeur rhétorique dans les propositions déterminatives (誠 *cheng,* « vrai » [« vraiment »], « sincère », [« sincèrement »] 必 *bi,* « devoir » [« nécessairement »], etc.). Mais l'explicitation de la propriété 3 de la prédication est nettement apparente dans l'usage de 是 *shi* et 非 *fei,* dans ces mêmes propositions. Outre leur valeur positive *(shi)* et négative *(fei),* ces mots fonctionnent comme des substituts à la fois du déterminé (du « sujet ») et de la « copule » : ils cumulent la fonction démonstrative-assertive, la fonction cohésive et la fonction métalinguis-

1. Cf., sur le rapport donné-nouveau dans la phrase chinoise, M.A.K. Halliday, « Grammatical Categories in Modern Chinese », *Transactions of the Philological Society,* Londres, 1956, p. 157-224.

tique de l'énonciation finie. A ces emplois de *shi* et de *fei* s'ajoutent des valeurs de « bien » et de « mal », de « faire bien » et « faire mal », d' « accepter » et de « rejeter », qui témoignent de la position du sujet de l'énonciation à l'égard de l'énoncé entier et, par extension, de l'acte d'énonciation lui-même. On voit se dégager ici une accumulation de toutes les valeurs prédicatives (assertive, cohésive, métalinguistique, aléthique), dans un même terme : la *copule* qui, en grec, et par un procédé analogue de cumul des fonctions, a obtenu l'autonomie et l'impact qu'on connaît.

Pourtant, le chinois archaïque ne réalise pas l'hypostase grecque de l'archi-prédicat. Plusieurs termes prennent en charge la fonction de « copule » et lui confèrent explicitement non seulement les qualités d'assertion et de cohésion, mais aussi de prise de parti par le sujet de l'énonciation. D'autre part, les variantes (syntagme, proposition verbale, proposition déterminative) de la prédication, connues d'ailleurs dans d'autres langues, fonctionnent, dans le chinois archaïque, mais aussi classique, sans privilégier les énoncés finis, porteurs de signification délimitée : on connaît la difficulté du chinois archaïque et classique à isoler des énoncés finis. Cette ambiguïté de la fonction prédicative et cette difficulté à la prédication propositionnelle clôturante rendent le chinois archaïque et classique particulièrement apte à une pratique poétique : tout texte chinois archaïque et classique a un certain degré de « poéticité », les textes poétiques eux-mêmes comportant des ambiguïtés syntaxiques encore plus accentuées, en raison (entre autres) de la prépondérance des syntagmes sur les propositions; ils offrent, en conséquence, de multiples possibilités d'interprétation. On dira que les variantes de la prédication, grammaticalisées dans divers usages du discours ou par un usage polyvalent du discours, empêchent la constitution d'*une* signification et ouvrent de *nombreuses* possibilités d'interpréter l'énoncé ambigu, comme s'il dépendait de positions multiples du sujet de l'énonciation à l'égard de celle-ci. Il en résulte une instabilité ou une polyvalence du sujet de l'énonciation, dues aux variantes de la prédication (faible = syntagme, pleines = propositions verbale et déterminative). Seuls certains textes modernes (Faulkner, Sollers) que nous aborderons à la fin de cet article s'apparentent à ce fonctionnement et témoignent probablement de positions comparables des sujets parlants.

On peut considérer qu'en chinois moderne l'actuel verbe « être »

(是 *shi*) dérive d'un démonstratif[1] ou d'une « copule » démonstrative : en effet, il n'a pas été utilisé comme verbe jusqu'au VIᵉ siècle de notre ère (jusqu'au IIᵉ, selon certains auteurs qui trouvent des occurrences de *shi* comme verbe, mais seulement dans les traductions de sutra bouddhistes, ce qui peut laisser supposer une influence des structures de la phrase sanscrite et même du système métaphysique de référence). Cette occurrence relativement tardive de l'archi-prédicat *comme tel* témoigne-t-elle d'une hésitation, dans l'énonciation chinoise classique, en ce qui concerne le dégagement précis de la fonction prédicative et, par conséquent, d'une hésitation vis-à-vis de la complétude phrastique comme de l'assertion d'un particulier extra-discursif et d'un sujet fixé de l'énonciation? Les textes en chinois classique peuvent le laisser supposer par l'ambiguïté des limites phrastiques, par le rôle dominant du contexte pour l'identification du sujet logique et grammatical de l'énoncé, etc. Mais nos connaissances de l'économie subjective dans le langage, aussi bien que celles relatives à la philosophie chinoise ancienne, sont encore trop insuffisantes ou trop imprégnées d'européo-centrisme pour nous permettre d'aller au-delà de la simple formulation d'une interrogation. Remarquons aussi que l'usage de l'archi-prédicat en chinois moderne, qui n'est jamais utilisé avec des adjectifs et qui est élidé dans des expressions d'existence et de localisation, connaît par ailleurs quelques cas « spéciaux » qui soulignent les quatre propriétés de la fonction prédicative que nous venons de dégager. Ainsi, *shi* est utilisé pour tenir lieu d'une proposition-copule dont le SN_1 est réduit (par exemple : *renjia shi fengnian* = « (pour ces) gens (c') est une année d'abondance », ou bien pour remplacer un verbe entre SN_1 et SN_2 (par exemple : *nimen jiao le shenmo cai a* [« quel plat voulez-vous? »] — *wo shi jifan, ta shi...* (« je [suis] poulet au riz, il [est]... »). Dans tous ces cas qu'A. Hashimoto décrit comme un emploi de *shi* en tant que pro-verbe, l'archi-prédicat assume la fonction prédicative de cohésion propositionnelle, sans aucune valeur sémantique spéciale autre que la position d'une appartenance entre le sujet de l'énoncé et l'attribut nominal ou phrase nominale. *Shi* n'est pourtant pas seulement simple copule, mais tient lieu d'un

---

1. Cf. Li Wang, Zhongguo Xiandai Yufa, *Grammaire du chinois moderne*, Commercial Press, Chungking, 1943-1944; Hong Kong 1959. Cité par Anne Hashimoto, « The Verb " to be " in Modern Chinese », in *The Verb « Be » and its Synonyms, op. cit.*, vol. 9, 1969, p. 72-112.

prédicat complet reconstituable dans le contexte : il a une propriété métalinguistique. Par ailleurs, dans sa fonction de copule, *shi* a toujours une certaine valeur d'emphase et, par conséquent, se trouve couramment élidé lorsque l'emphase n'est pas de mise. On distingue de cet emploi emphatique de la copule un emploi spécial de *shi* à « accent tonique » (″) destiné exprès à l'emphase. Exemple : *ta″ shi hen lei* (« il est [c'est-à-dire il est effectivement] très fatigué »); ou, dans le cas de contraste emphatique : *ni‴ shi xiansheng, ta shi xuesheng* qu'on pourrait traduire par une « thématisation » du sujet de l'énoncé : (« toi, tu es professeur, lui, il est élève »). Cet emploi explicitement emphatique de l'archi-prédicat rejoint, nous semble-t-il, la valeur sémantique initiale de *shi* comme anaphorique : avant de poser (logiquement) l'appartenance d'un sujet à un prédicat, l'énoncé fini est un acte d'accentuation, celle, disons, d'un découpage ou d'un rythme qui fonctionne en deux dimensions. Il marque une prise de position du sujet de l'énonciation à l'égard d'une extériorité qu'il désigne comme par un geste et vis-à-vis de laquelle, par conséquent, il n'est pas radicalement séparé une fois pour toutes; bien plutôt, chaque énonciation (prédicative) comporte, comme valeur illocutoire, le processus de séparation (identité et différence) par rapport au désigné.

Cette immersion du sujet parlant dans le désigné serait telle qu'aucun terme particulier ne se charge de devenir le porteur de la séparation réel/symbolique et de la position statique du sujet énonçant (comme ce fut le cas de l' « être » grec). Une telle position n'existerait pas, à proprement parler, en chinois, sauf lorsqu'on emphatise l'attitude du sujet parlant, aussi bien que dans des emplois du « verbe » ou de la « copule » de type métalinguistique (*shi* comme pro-verbe). Alors, c'est seulement une intonation conclusive marquée qui fait apparaître (comme le fait l'anaphorique devenu archi-prédicat ou bien proverbe) l'existence de la coupure entre sujet parlant et référent, entre sujet et objet grammaticaux, instaurant ainsi la synthèse prédicative propositionnelle.

La mutation de l'anaphorique en archi-prédicat et les fonctions d'emphase et de pro-verbe que ce dernier assume en chinois moderne, témoignent de la complicité entre la fonction assertive et la fonction métalinguistique de la prédication. Le fait que la prédication (donc tout énoncé) renvoie à une *extériorité* par rapport au discours du sujet parlant, celle-ci pouvant être le réel ou un autre discours, entraîne immanquablement cet autre fait : la prédication marque la relation du sujet parlant lui-même vis-à-vis de cette extériorité. Mais, loin d'être fixé une fois pour toutes dans un archi-prédicat, ce processus de séparation d'avec un objet ou d'avec un autre énoncé est fluide : la séparation se résorbe dans le geste (anaphorique) liant et/ou différenciant le réel et le symbolique. Ce statut de la prédication en chinois confère au sujet parlant des positions multiples dans et à l'égard du dire, allant jusqu'à rendre problématique, dans des textes poétiques anciens, la coupure énoncé/référent dont se constitue l'énonciation prédicative.

S'il est vrai que l'archi-prédicat ou d'autres éléments de la surface phrastique peuvent expliciter la fonction métalinguistique de la prédication (fonction 3), on peut considérer que cette même fonction a été mise en valeur, parce que prise en considération par la conception générativiste de la syntaxe comme un processus récursif. Que la prédication soit un processus infini susceptible de s'auto-limiter, c'est-à-dire de s'auto-décrire, de s'auto-interpréter et de s' « orienter » en soi-même selon les règles de l' « environnement » fournies par une langue donnée : voilà ce qui se dégage de la conception générativiste de la syntaxe[1]. Nous considérerons que pareille conception explicite à un niveau général ce que nous avons défini comme une fonction sui-référentielle, et en ce sens « métalinguistique », de toute prédication.

Division du jugement et division du sujet

Nous avons examiné jusqu'à présent la fonction prédicative comme fonction d'assertion référentielle et de cohésion identifiante, aussi bien que comme fonction déjà métalinguistique, assurant une position transcendentale du sujet de l'énonciation. Ces caractéristiques font de cette fonction ce qui assure la *limite* dans le procès signifiant : l'univocité du signe, sa valeur de référence individuelle, son usage communicatif. Tels sont, en effet, les traits de la langue comme système assurant et/ou recouvrant le contrat social.

Il reste qu'à travers la systématicité limitative de la langue comme énonciation prédicative s'exercent aussi des processus qui mettent en cause la limite structurant le système de communication sociale, avant

---

1. Cf., sur la récursivité considérée essentielle dans tout processus de connaissance et de « conscience », Humberto Maturana, « Neurology of Cognition » *in* Paul L. Garvin (éd.), *Cognition : A multiple View,* New York, Washington, Spartan Books, p. 19.

de le restructurer autrement. Nous dirons que cette possibilité de destructuration et de restructuration de la limite (de la prédication) est donnée dans le fonctionnement même de cette limite (de cette prédication); *que la prédication est non seulement assertive et cohésive, mais aussi altérante* (fonction 5 de la prédication) *et infinitisante* (fonction 6 de la prédication); que ces dernières particularités apparaissent à une analyse de la prédication faite du point de vue non plus de son fonctionnement phénoménal, mais de la production de celui-ci par et dans le sujet parlant; qu'un sujet irréductible à son apparence phénoménologique est indiqué pour la première fois par la philosophie hégélienne, car elle est la première à entrevoir ces *autres* traits de la prédication (infinitisation, altération) dans le mouvement du Concept; que Freud les a analysés lorsqu'il a vu qu'un repoussement *(Ausstossung)* ou une négation sont inhérents à toute affirmation. Et qu'enfin c'est le sujet du langage dit poétique qui explicite, dans le phénomène même de la structure phrastique, cette valeur altérante et infinitisante de la prédication, par ellipses non recouvrables et emboîtements indéfinis. Que, par là même, ces textes se situent au bord de l'extinction de la communication sous la pression de ce que Freud a appelé une pulsion de mort porteuse de la signifiance, mais dont le grammairien ne peut rien savoir.

Pour mieux observer comment le langage poétique est travaillé, il faut donc risquer de quitter les limites de l'observation linguistique et de prendre appui sur l'expérience du sujet parlant, comme mise à mort de l'ego transcendental-support de l'objet « langue ».

La logique dialectique de Hegel avait développé, sur une base spéculative, la conception de l'inséparabilité du sujet et du prédicat dans le jugement, pour autant que ce dernier soit la réalisation du Concept. Nous insisterons sur ce développement de Hegel, car il nous semble être la seule démonstration logique qui sorte du cadre strict des rapports formels à l'intérieur du jugement, pour en chercher le fondement (nous avons dit : l'étayage) dans un processus signifiant à sujet, qui porte, chez Hegel, le nom de Concept.

Pré-supposition subjective et base absolue de la démarche logique, mais en même temps *troisième* élément à côté de l'Être et de l'Essence (l'immédiat et la réflexion), le Concept hégélien est une *position* ou une détermination, mais il est aussi le *procès,* à la fois totalisant et diversifié, qui embrasse dans un devenir l'objectivité (genèse du concept) et la subjectivité. Le Concept est donc un devenir qui, donné déjà dans la substance et en étant sa causalité dynamique, passe à travers sa réflexion avant de se poser comme tel, c'est-à-dire avant de se déterminer. Nous relèverons deux moments de la définition du Concept dans la *Logique subjective* [1].

Il participe d'un mouvement triple qui suppose deux stades antérieurs à la réalisation du concept dans le jugement ou le langage. Cette antériorité au langage est pensée dans l'optique spéculative et idéaliste comme toujours-déjà logique, contenant en germe le développement ultérieur. Il faudra redonner à l'antériorité en question son statut matériel au sens d'hétérogène au logique (qui, lui, relève de l'activité du sujet parlant), pour extraire la logique dialectique de son idéalisme. Il n'en reste pas moins que la complicité des trois paliers (Être, Essence, Concept) permet une conception de l'activité signifiante du sujet qui ne se borne pas à l'articulation des termes dans le jugement, mais qui pose la nécessité d'une causalité transversale aux finitudes logiques, objective et subjective : la *négativité*. Ni terme ni jeu entre les termes, la négativité est la possibilité même de scission et de position de tout terme : moteur du passage entre les termes, comme du passage d'un niveau logique à un autre, mais aussi du passage hors de la charpente logique. Ce qui permettra à Hegel d'écrire, contre la conception de Kant sur le Concept comme propriété du Moi : « ... le Concept ne doit pas être considéré comme un *Actus* de l'entendement conscient, comme le produit de l'entendement subjectif, mais en-et-pour-soi, comme représentant un degré aussi bien de la nature que de l'esprit » *(Ebenso ist hier auch der Begriff nicht als Actus des Selbstbewussten Verstandes, nicht der* subjective Verstand *zu bertrachten, sondern der Begriff an und für sich, welcher ebenso wohl eine* Stufe *der* Natur *als des* Geistes *ausmacht)* [2]. Traversant la synthèse des termes logiques, sous-tendue par la psychologie d'un Moi posé et présupposé, le mouvement conceptuel, bien qu'il soit subjectif, n'est pas moïque, mais se fonde sur une absence de fond, autrement dit sur une négativité qui ouvre la synthèse (assertion et cohésion identifiante) à l'infini; et cela concerne ce qui s'articule dans le système logique, aussi bien dans l'Être que dans l'Essence. Lisons : « La détermination propre et nécessaire de la substance consiste

---

1. G. W. Hegel, *Werke*, 6, *Wissenschaft der Logik*, t. II, Theorie Werkausgabe Suhrkamp Verlag, 1969; le texte français est cité d'après la traduction de Jankélévitch, « La subjectivité », *Science de la logique*, t. IV, livre III, Aubier, 1949.
2. *Ibid.*, p. 255 (p. 257).

à poser ce qui est en-soi-et-pour-soi; or, le Concept représente cette unité absolue de l'Être et de la réflexion, de sorte que l'être-en-soi-et-pour-soi n'est tel que parce qu'il est en même temps réflexion ou être posé, et que l'être-posé est en même temps être-en-soi-et-pour-soi » *(Die eigene, notwendige Fortbestimmung der Substanz ist das* Setzen *dessen, was* an und für sich ist; *der* Begriff *nun ist diese absolute Einheit des* Seins *und der* Reflexion, *dass das* Anundfürsichsein *erst dadurch ist, dass est ebensosehr* Reflexion *oder* Gesetzsein *ist und dass* Gesetzsein *das* Anundfürsichsein *ist)* [1].

La phénoménologie, notamment husserlienne, accentue, on le sait, la positionnalité de l'acte logique dont nous avons vu plus haut la réalisation par et dans la fonction prédicative. Mais ce que la logique dialectique suggère, c'est que pareille positionnalité, si fondamentale soit-elle pour l'articulation logique, est sujette à une dissolution toujours préalable à sa reprise ou à sa reconstitution sur un autre plan. Cette *négativité* dissolvant la position, aussi bien que tout phénomène et par conséquent tout sens, est pensée, dans l'édifice hégélien, comme subordonnée au mouvement logique de la *position* prédicative : Hegel ne prend pas en considération des pratiques signifiantes (art, folie, etc.) où la négativité représente un risque pour la cohésion comme pour l'assertion prédicative. Soulignons pourtant que cette insistance sur la négativité inhérente et sous-jacente à la synthèse prédicative modifie fondamentalement la conception même de cette synthèse héritée de la logique formelle.

Le jugement est la position du Concept, et il ne le pose qu'en articulant deux « termes » *(Namen),* le sujet et le prédicat, qui se rapportent l'un à l'autre comme l'individuel ou le particulier au général, ou bien comme l'étant à l'essence. Chaque terme est déjà un concept : il suppose donc un jugement où il s'accomplirait en tánt que tel. Mais l'asymétrie est essentielle dans cette articulation à deux : le *nom* ne satisfait qu'après qu'on a énoncé ce qu'il *est :* « C'est seulement le prédicat qui donne le Concept ou tout simplement le général, et c'est au prédicat qu'on s'intéresse à travers le jugement » *(Aber der* Begriff *oder wenigstens das Wesen und das Allgemeine überhaupt gibt erst das Prädikat, und nach diesem wird im Sinne des Urteils gefragt)* [2]. Le

1. *Wissenschaft der Logik, op. cit.,* p. 244 (p. 246).
2. *Ibid.,* p. 301 (p. 303).

343

nom-sujet n'est en somme que le résultat du procès logique qui s'accomplit à travers l'articulation des deux termes et dont la généralité est portée par le prédicat; aussi Hegel dira-t-il que « le rôle attribué au sujet n'existe que dans la représentation; c'est elle qui est la source de l'explication verbale par un nom; quant à ce qu'il faut entendre par ce nom, cela dépend de circonstances fortuites ou de faits historiques » *(Es ist deswegen eigentlich die blosse* Vorstellung, *welche die vorausgesetzte Bedeutung des Subjekts ausmacht und die zu einer Namenerklärung führt, wobei es zufällig und ein historisches Faktum ist, was unter einer Namen verstanden werde oder nicht)* [1].

Si le nom, et plus généralement le terme-sujet, ne relève que de la représentation et ne se définit concrètement que selon la situation historique, le processus logique qui sous-tend cette nomination est à examiner dans le jugement considéré non plus comme simple formalité, mais comme réalisation du Concept. C'est alors que Hegel nous met en face d'un processus logique double : d'une part, le jugement constitue l'unité (nous avons dit : la cohésion) du Concept; d'autre part et en même temps, cette unité est divisée et sa division prend l'apparence des deux termes sujet/prédicat. Notre attention est ainsi attirée sur un aspect de la synthèse prédicative que nous n'avons pas encore abordé : l'*unité de l'énonciation prédicative se réalise à travers une division* (sujet/prédicat) et ne peut se passer d'elle. Si on se rappelle que le support du Concept et du jugement en tant que phénomènes était le Moi, on comprend que la division que nous venons de constater ne pourrait pas ne pas le toucher. Les rapports entre le sujet et le prédicat, selon la logique de la division que Hegel suggère, nous éclaireront sur la division du sujet parlant qui lui correspond.

D'abord, le sujet et le prédicat s'opposent comme l'être-là et l'être-autre du Concept *(das Dasein, das Anderssein des Begriffs)*. Le sujet étant l'individuel et le prédicat le général, la fonction de prédication est définie avant tout comme une fonction d'*altération* : c'est dans le prédicat que se pose le fait que le Concept est avant tout une séparation d'avec la perception immédiate, voire d'avec la substance en soi. Un processus de séparation et d'altération est entamé, grâce auquel ce qui est immédiatement posé ou perçu change et devient : ce processus est précisément le Concept que le jugement réalise. Deux termes sont à

---

1. *Wissenschaft der Logik, op. cit.*, p. 301 (p. 303).

distinguer provisoirement en lui : le sujet représentant l'étant et le fini, et le prédicat représentant la spécificité même du processus d'altération, c'est-à-dire le changement et l'infini. L'altération qui s'opère par la fonction prédicative est donc une ouverture à l'infini d'un procès (que nous appellerons le procès signifiant) : l'altération signifiante est nécessairement infinie par rapport à ce qui est posé comme substance individuelle dans le terme-sujet, parce qu'elle est réflexive par rapport à ce posé.

Pourtant et en même temps, un mouvement inverse s'amorce. Le prédicat porteur de la généralité, de la réflexivité, de l'altération et de l'infini n'exerce toutes ces fonctions qu'en revenant à la position et à la finitude du sujet : « *L'étant devient et change,* le fini se *perd* dans l'infini; l'existant sort de son fond pour devenir apparence phénoménale et s'abîme; l'accidence manifeste la richesse de la substance, ainsi que sa puissance; dans l'être, il y a une transformation en un *autre (im Sein ist Übergang in Anderes),* dans l'essence manifestation apparente dans l'*autre (im Wesen Scheinen ean einem Anderen),* par laquelle se révèle aussi le rapport nécessaire *(wodurch die* notwendige *Beziehung sich offenbart).* » Et c'est seulement après ce retour du prédicat infiniment altérant sur le fini posé que la généralité inhérente à la fonction signifiante rejoint le réel *(ebensosehr das Allgemeine als* Werkliches *bestimmt)* [1].

C'est ici que devient possible une mise en cause de la dichotomie sujet/prédicat. Cette dichotomie est logiquement nécessaire, dans la mesure où elle est la marque de l'altération infinitisante que le procès signifiant d'un sujet parlant introduit vis-à-vis de la perception immédiate et de la substance présente. Mais cette marque est simplement phénoménale, elle relève de la représentation. Du point de vue du procès signifiant ou, en d'autres termes, du procès de l'énonciation, les termes qui se sont formellement spécialisés comme représentants d'*un* pôle de l'altération infinitisante peuvent échanger leurs rôles. En contact avec le prédicat, le sujet sort de son indétermination; inversement, le prédicat en contact avec le sujet précise sa généralité; le résultat de l'opération est que le sujet « se trouve mis en contact avec l'extérieur, devient accessible à l'action et à l'influence d'autres choses et à exercer sur elles sa propre activité. Ce qui est là *(Was da ist)* sort

1. *Wissenschaft der Logik, op. cit.,* p. 304-305 (p. 307).

de son être-en-soi, pour entrer dans l'élément général de l'ensemble des circonstances et des conditions, dans les rapports négatifs et les jeux réciproques de la réalité *(in die Negativen Beziehungen und das Wechselspiel der Wirklichkeit),* ce qui équivaut à une continuation de l'individuel dans un *autre* et, par conséquent, est généralité [1] ».

Cette interdépendance entre le sujet et le prédicat, loin d'effacer leur opposition, introduit l'altération infinitisante dans chacun des termes, en suggérant que l'énonciation de tout terme suppose déjà cette *position altérée et infinitisée* du sujet pour autant qu'il est partant, et que Hegel appelle un Concept.

Pareille interprétation de la fonction prédicative ouvre la formalité de l'énoncé vers le processus de sa production et de ses conditions concrètes, réelles. Mais ce n'est qu'en dégageant l'*opposition* entre les termes du jugement aussi bien que leur *identité* et, partant, en dégageant la fonction de *séparation* et d'*altération* propre à la prédication que Hegel oriente la réflexion logique vers l'élucidation de sa production par le sujet parlant, dans des conditions naturelles et historiques. Le sujet qui se profile alors, à la suite de cette conception de la prédication, ne peut plus être le sujet cartésien ni le Moi kantien : la réflexion de Hegel est fondamentalement étayée par un autre statut du sujet parlant — à la fois fermement *posé* dans la synthèse prédicative et radicalement *divisé* par elle, cette position divisée le branche précisément sur un réel extra-linguistique (extra-logique, extra-prédicatif) qui, pourtant, n'est saisi que grâce à l'énonciation prédicative (généralisante, précisante, altérante, infinitisante).

Cette conception du sujet ne pouvait pas découler d'une réflexion sur la langue comme système de signes : le signe, depuis les stoïciens, s'appuie sur un sujet ponctuel et indivisible. Elle ne pouvait pas se soutenir non plus de la syntaxe élaborée à Port-Royal, solidaire de l'ego cartésien. On peut évoquer, comme condition de la révolution logique opérée par Hegel, la pratique du langage des romantiques allemands, voire, dans un contexte général, les répercussions de la Révolution française... Ce qui compte, c'est d'insister sur le fait que la nouvelle conception de la prédication, comme altération et infinitisation, s'appuie sur un « nouveau sujet », pour lequel il n'est plus possible de s'abriter dans la formalité de la synthèse prédicative de termes, mais

---

1. *Wissenschaft der Logik, op. cit.,* p. 305 (p. 308).

qui scrute la *coupure* productrice de cette synthèse. Cette coupure (qui, pour la phénoménologie, se cicatrise pour se définir comme la *position* d'un *être* que Husserl appellera une *thèse prédicative*), Hegel la voit comme telle, mais, plus encore et en même temps, comme *mouvement excédant la thèse, comme négativité sous-jacente.*

Assertion, cohésion, amorce métalinguistique et transcendentale — la prédication est tout cela. Mais elle est en même temps scission et négation à l'égard de l'asserté et de l'identique, si l'on veut l'observer dans le mouvement de sa production par le sujet parlant. L'acte d'énonciation pose et identifie, *parce qu'*il détache et altère celui qui parle vis-à-vis d'un dehors qui, pour Hegel, reste pris dans l'idéalité du concept, mais que le concept pourrait poser comme hétérogène à sa logique : c'est *l'autre comme matérialité* naturelle et sociale et *l'autre comme destinataire* du discours. La prédication, et/ou l'énonciation, apparaît alors comme une pratique essentiellement contradictoire, et cette contradiction est coextensive à la contradiction qu'est un sujet parlant depuis et contre un corps, dans et contre un réel. La totalité que constitue la prédication — cet abri où se réfugie un ego se référant à une identité enfin identifiée — est fondamentalement brisée, intotalisable, opérante sur l'infini. La prédication est une finitude simplement représentative, opérant sur le procès, infini, qu'elle est en même temps. Réduire ce procès à la finitude référentielle ou formelle est un acte syntaxique qui suture les fuites possibles du procès signifiant; mais cette réduction réduit en même temps les contradictions qui sous-tendent la prédication, et/ou l'énonciation, et son sujet. — « Le sujet est le prédicat, il est avant tout ce qu'énonce le jugement; mais, comme le prédicat ne doit pas être ce qu'est le sujet, on se trouve en présence d'une *contradiction* qui doit être réduite, pour devenir un résultat » *(...so ist ein* Wiederspruch *vorhanden, der sich* auflösen, *in ein Resultat* übergehen *muss)* [1].

La logique formelle et, avec elle, la grammaire à la fois réduisent la contradiction dont il s'agit et ne veulent rien savoir de cette réduction. La représentation que la grammaire générative donne de la synthèse prédicative opère avec l'infini et des fonctions récursives qui le ramènent à la finitude concrète d'une langue donnée; mais cet infini, bien qu'il soit plus proche de l'opération psychologique effectuée par le sujet

---

1. *Wissenschaft der Logik, op. cit.,* p. 307 (p. 310).

parlant [1] que ne le sont d'autres théories, ne concerne pas la contradiction infinitisante qui joue entre les « termes » de la prédication et qui constitue l'économie même de l'énonciation. La contradiction dialectique qui se trouve réduite pour constituer la formalisation terme à terme de la prédication, n'est pensable qu'à partir d'une conception du sujet parlant, non comme point-support de la logique (à la Descartes, à la Kant ou à la Husserl), mais comme procès stratifié. Hegel avait exposé la logique de cette stratification dans sa grande *Logique,* et précisé ses modalités naturelles et historiques dans *la Phénoménologie de l'esprit* et dans l'*Encyclopédie des sciences.* Mais c'est l'intervention freudienne qui permet de renverser cette stratification idéelle, soumise en dernière instance à une réduction de la contradiction dans la totalité logique unifiée. Ce renversement freudien restitue à la contradiction constitutive de la prédication sa réalité psychosomatique et sociale : c'est la pulsion, et plus particulièrement la pulsion de mort, agissant dans le rapport signifiant à l'Autre, qui apparaît, à l'écoute de l'analysant, comme ce qui à la fois porte, enchaîne et menace la synthèse prédicative.

Il est possible, désormais, d'envisager l'énonciation (prédicative) dans sa genèse (acquisition du langage) et dans son exercice chez l'adulte, comme tributaire à la fois de la constitution d'une *identité subjective* (séparation du moi du corps de la mère, stade du miroir, position de l'autre comme objet et comme destinataire) et d'une mise en cause de celle-ci par des processus *pulsionnels sémiotiques* (antérieurs et transversaux au signe-syntaxe) préalables et sous-jacents à l'identification. Nous appellerons *thétique* la séparation du sujet d'avec le continuum perceptif et pulsionnel où le met sa dépendance du corps de la mère; cette séparation altérante et infinitisante est coextensive à la capacité d'asserter, par une émission signifiante, la position d'un objet-référent identifiable. L'ambivalence entre cette coupure et la nomination (prédicative : assertie et cohésive) qu'elle ouvre contient précisément la logique brisée de la prédication; mais la représentation logique phénoménologique n'en garde que la positionnalité (l'opposition des deux termes sujet/prédicat, relative à l'assertion d'un référent extra-linguistique) et l'opération d'identification (la complétion des

---

1. Le modèle génératif est, bien sûr, avant tout un modèle descriptif appartenant à une théorie; mais on peut accepter qu'il soit aussi, et pour cette théorie même, la représentation d'un mécanisme psychique.

deux termes en un énoncé fini). *C'est le prédicat qui symbolise la coupure thétique :* porteur de l'incomplétude du procès signifiant qui demande, pour se poser, à rencontrer, sous forme de sujet de la phrase, le référent immédiat dont il s'est détaché.

La langue comme système de communication se contente de la valeur positionnelle et identifiante propre à la coupure thétique qui pose le sujet parlant. *La langue comme système de communication ne retient de la coupure thétique que sa valeur de refoulement.* La linguistique, qui suit une épistémé phénoménologique, décrit cette langue du refoulement : pour elle, l'énonciation et/ou la prédication ne peut être qu'assertive, cohésive, métalinguistique et transcendentale. La grammaire se détourne de la fonction altérante 5 et de la fonction infinitisante 6 de la prédication : elle se détourne de la pulsion (de mort) qui porte et menace le procès signifiant — cette pulsion qui finit par séparer le parlant du continuum logico-syntaxique dans lequel il agit à travers les termes du jugement et de la phrase, pour qu'un *sujet* signifie le *discontinu* pour l'*autre,* mais toujours à travers la coupure thétique sans laquelle il n'y a ni signe ni prédication; pulsion qui, si elle revenait dans la coupure thétique prédicative, risquerait d'emporter l'assertion, la cohésion, la métalangue et la transcendance, et donc l'énonciation elle-même. Le grammairien ne veut pas la savoir, il n'en scrute que le résultat phénoménal, ayant réduit la contradiction.

*Un nouveau statut de la « langue »
dans les pratiques signifiantes*

Cette contradiction, inhérente à la prédication comme coupure altérante et infinitisante, est-elle autre chose qu'un produit de la spéculation? Quel acte du langage atteste l'exercice de la contradiction en question, ou la transgression de la coupure thétique (c'est-à-dire des dichotomies sujet/prédicat et référent/énoncé)?

On peut évoquer les opérations de déplacement et de condensation (métonymie et métaphore), jouant au niveau phonologique comme au niveau lexical et sémantique; on peut rappeler la valeur sémantique des rythmes et des intonations qui véhiculent les pulsions dans l'énonciation, supplémentaires à l'intonation syntaxique. Mais tous ces phénomènes se surajoutent à la syntaxe, ils ne la détruisent pas. On a remarqué la solidité de la fonction prédicative dans les troubles du langage : dans les cas de démence, de schizophrénie ou d'aphasie partielle, il semble que la compétence syntaxique soit la dernière à être dissoute. Les textes littéraires modernes qui s'attaquent aux lexèmes (rappelons les mots-valises de Joyce) préservent généralement la syntaxe et, quand ils témoignent d' « anomalies » syntaxiques, celles-ci peuvent être interprétées comme une sur-compétence syntaxique plutôt que comme une défaillance (ainsi, les enchâssements indéfinis, dans le *Coup de dés* de Mallarmé). Nous supposerons que les processus présyntaxiques interviennent dans la coupure thétique prédicative pour signifier ce que cette coupure a d'altérant et d'infinitisant : c'est par des procédés dits rhétoriques ou stylistiques que s'introduit, dans l'assertion et la cohésion prédicative, une errance du sens qui témoigne de ce que le refoulement prédicatif n'a pas arrêté. Outre ces processus primaires, des procédés proprement syntaxiques font apparaître ce qui, dans la prédication, est non seulement assertion et cohésion identifiante, mais aussi altération et infinitisation.

Soulignons que l'altération et l'infinité hégéliennes sont comprises à l'intérieur d'un système homogène idéel. *Par contre,* en dehors de la spéculation dialectique, la fonction altérante et infinitisante propre à toute énonciation toujours déjà prédicative n'apparaît que si cette énonciation prend en charge des opérations qui lui sont hétérogènes. Ces opérations (processus primaires, rythmes, intonations, pulsionnalité) que nous appelons *sémiotiques* (pour les différencier des processus proprement prédicatifs, *symboliques*) informent la prédication tout en préservant son fonctionnement, mais en le modifiant. La fonction infinitisante et la fonction altérante que Hegel a signalées ne s'actualisent réellement que comme résultat de l'interaction de *stratégies hétérogènes* (sémiotique et symbolique, pour ce qui est du langage). La récursivité dégagée par la grammaire générative ne suffit plus ici pour rendre compte des particularités 5 et 6 de la prédication. Il nous faut envisager un « sujet en procès » (et non pas un « ego transcendental »), trans-linguistique et trans-contextuel, qui peut étayer pareilles infinité et altération, en plus de la récursivité indispensable. La description rigoureuse de cette hétérogénéité (sémiotique/symbolique) qui informe les processus récursifs de la génération prédicative reste à faire. Nous nous bornerons ici à quelques indications élémentaires de ce qui peut être sujet à une formalisation [1]. Soulignons pourtant, une fois de plus, qu'avec les particularités 5 et 6 de la prédication nous sommes dans un domaine qui n'est pas pris en considération par les grammaires génératives, même si l'on peut penser qu'il est sous-jacent aux processus qu'elles décrivent (ainsi, on peut considérer une ellipse comme le résultat d'une amputation des opérations de transformation ou d'une élision à la base, ou comme le résultat d'une règle supplémentaire; mais cette description ne spécifierait aucunement quel processus hétérogène à la transformation syntaxique provoque l'amputation ou la règle supplémentaire).

Deux exemples nous sont offerts par des « textes littéraires » modernes. Ils nous semblent illustrer les fonctions 5 et 6 de la prédication, qui agissent par ailleurs dans l'économie de toute énonciation, mais qui n'arrivent pas à s'actualiser en raison de contraintes d'ordre socio-culturel (nécessité d'un discours à sens et significations pleins, communicationnels).

William Faulkner, dans *The Sound and the Fury* (1931), fait recours à une énonciation qui se détache, ne serait-ce que typographiquement, de l'énonciation romanesque courante utilisée dans le même livre. Cette énonciation se présente parfois en des phrases courtes et ponctuées, parfois — et c'est là que se révèle sa fonction d'infinitiser la cohésion syntaxique — en des phrases longues, avec emboîtements indéfinis et, du coup, non ponctuées, laissant ainsi des ambiguïtés de signification ou suspendant la cohésion phrastique et brouillant cette coupure prédicative qui localise, asserte et identifie. Ainsi : « *I had forgotten the glass, but I could* hands can see cooling fingers invisible swan-throat where less than Moses rod the glass touch tentative not to drumming lean cool throat drumming cooling the metal the glass full overfull cooling the glass the fingers flushing sleeps leaving the taste of dampened sleep in the long silence of the throat *I returned up the corridor, waking the lost feet in the whispering battalions in the silence to the gasoline, the wath telling its furious lie on the dark table* [2]. [J'avais

---

1. Sur un plan logique, Gothard Günther a suggéré une logique de transclasses pour rendre compte de fonctionnements hétérogènes propres aux organismes vivants ou à la pensée, mais on voit difficilement quelle utilisation cette logique peut avoir dans les pratiques trans-linguistiques. Cf. G. Günther, « Natural numbers in trans-classic systems », *Journal of Cybernetics* I, 2, 1971, p. 23-33 et I, 3, 1971, p. 50-62.
2. W. Faulkner, *The Sound and the Fury*, Penguin Books, 1964, p. 157.

oublié le verre mais je pouvais *mains peuvent voir doigts rafraîchis par le col de cygne invisible où point n'est besoin du bâton de Moïse le verre chercher à tâtons attention à ne pas martèlement dans le col frais et lisse martèlement fraîcheur dans le métal de verre plein débordant fraîcheur sur les doigts sommeil déversé avec le goût de sommeil dans le long silence de la forge* Je revins dans le couloir, réveillant tous les pieds perdus en bataillons bruissant dans le silence, je pénétrai de nouveau dans l'essence, la montre sur la table noire disait son mensonge furieux [1].] »

La phrase se rompt initialement, à partir d'une incertitude du sujet *(I could hands can)*, et c'est la reconstitution de « je » qui met fin à l'hésitation syntaxique *(I returned up the corridor)*.

Des suppressions non recouvrables interviennent et provoquent des ambiguïtés qui, dans les structures de surface, apparaissent dues essentiellement à la difficulté d'identifier les deux termes de la prédication syntagmatique ou syntaxique, aussi bien que du syntagme nominal-objet. Ainsi :

I can see/ou : *hands can see*

can see cooling fingers/ou : *I can see invisible swanthroat*/ou : *I can see, cooling, fingers*

I can see where less than Moses rod/ou : *swan-throat where less than Moses rod*

where + [2] *less than Moses rod*

can see (...) the glass touch/ou : *less than Moses rod the glass touch tentative*/ou : *tentative not to drum* + (drumming)

lean cool throat peut s'attacher à *see*, ou à *touch*, ou *drumming*

drumming, cooling peut s'attacher à *throat*, ou à *the metal*

the glass full overfull n'a pas d'ambiguïté en soi, mais il est difficile de préciser si *is* est omis ou bien si l'ensemble se rattache à l'un des verbes précédents

cooling the glass/mais plus haut : *cooling fingers the fingers flushing*/ou : *flushing sleep*/ou : *the fingers (are) flushing sleep*

sleep leaving the taste of dampened/ou (?) *leaving the taste of dampened sleep* [etc.]

1. *Le Bruit et la Fureur,* trad. fr. par M. E. Coindreau, Gallimard, 1949, p. 174-175.

2. Le signe + indique une agrammaticalité due à des omissions non recouvrables.

On constate l'absence de particules de subordination, mais surtout l'évitement de formes verbales complètes au profit de la forme du participe *-ing,* qui obtient une fonction nominale. On peut isoler des sujets et leur trouver des prédicats, mais un sujet tolère plusieurs prédicats et inversement, de sorte que chaque terme a tendance à se détacher, comme indépendant, de la suite, sans pour autant perdre sa valeur d'énoncé fini, comme s'il était à lui-même son sujet et son prédicat. La cohésion syntaxique est relâchée, le référent asserté est flou; il n'empêche qu'une relation, sous-jacente à la juxtaposition de déterminant à déterminé, se reconstitue, relation réversible, le déterminant pouvant être le déterminé et vice versa. Nous sommes ici dans une modalité de la signifiance où la relation syntaxique, toujours présente, passe de la prédication phrastique pleine à la prédication syntagmatique incomplète et semble retrouver le procès de son devenir ou de sa dissolution que la spéculation hégélienne avait entrevue. En fait, on peut poser que la cause des suppressions non recouvrables et des ambiguïtés des termes de la prédication réside dans la modification des particularités 3 et 4 de la prédication qui ont tendance à s'estomper : une brèche s'effectue dans la posture métalinguistique et transcendentale du sujet; et, même si la prédication syntagmatique (propriétés 1 et 2) perdure, ses caractéristiques s'en trouvent, en raison de la première modification, affaiblies. Il est remarquable que cette dissolution — ce devenir — s'effectue à travers un matériau sémantique qui connote une défaillance : *swan-throat, less than Moses rod, lean cool throat, fingers, sleep, silence* — autant de sémèmes surdéterminés par la problématique de la castration : défaillance par rapport à la fixité du sujet parlant, par rapport à la loi symbolique (Moïse), par rapport à la coupure thétique qui instaure la signification (prédicative); resurgissement de l'angoisse de castration, de la pulsion de mort que véhicule, entre autres, et de façon insistante, l'*inversion* (see/invisible) et la *répétition* phonémique (*th*roat — *th*an — *t*ouch — *t*entative — *n*ot to, etc. / *f*ingers-*f*ull — over*f*ull — *f*ingers — *f*lushing, etc. / *less* — g*lass* — *l*ean — coo*l*ing, meta*l* — g*lass* — fu*ll* — overfu*ll*... *sl*eep — *l*ong — si*l*ence, etc.); et, enfin menace d'extinction de la voix (silence de la gorge), de toute énonciation; avant qu'un « je » ne revienne...

Ce qui, chez Faulkner, est un procédé restreint, devient, chez Sollers, dans son roman *H,* un mode courant d'énonciation. Tout le livre [1] est un ensemble de phrases complètes ou suspendues mais enchaînées les unes aux autres sans ponctuation, ce qui préserve la cohésion et l'assertion propositionnelle, mais, en même temps, y introduit un certain jeu puisque, souvent, plusieurs reconstitutions propositionnelles sont possibles. On constate à la lecture qu'un principe organisationnel *supplémentaire* au principe de la propositionnalité s'ajoute, et qu'il règle le jeu des reconstitutions propositionnelles : c'est un rythme ou une intonation précise, adoptés par l'écrivain, mais que le lecteur doit réinventer à sa mesure, qui permettent de restructurer une, deux ou plusieurs variantes propositionnelles et donc une multiplicité de « sujets d'énonciation ». Le sujet de l'énonciation retrouve des régulateurs de son énonciation, très antérieurs à l'acquisition de la maîtrise syntaxique : les premières compétences holophrastiques apparaissent autour du dix-huitième mois et coïncident avec le stade dit du miroir, tandis que des *patterns* rythmiques et intonationnels règlent les émissions sonores très tôt et avant ce moment.

Porteurs d'une pulsionnalité — d'une négativité — qui n'a pas été saisie par la symbolisation (par l'acquisition de la maîtrise syntaxique), le rythme et l'intonation font donc retour dans la prédication même et ne se contentent pas de produire des « figures stylistiques », ni des allitérations, ni des « mots-valises », mais transforment la fonction prédicative elle-même. Celle-ci n'est plus la limite supérieure de l'énonciation (le bord auquel s'arrête le procès signifiant), mais devient une limite inférieure à travers laquelle un rythme transphrastique et transfini enchaîne une totalité — une pluralité — ouverte. Contrairement au passage cité de Faulkner, la limite propositionnelle ne s'effrite pas, on peut dire qu'elle se multiplie. Chaque syntagme attaché de manière ambiguë à droite ou à gauche est une proposition parfaitement reconstituable. Mais, en même temps, des « termes » propositionnels peuvent être apposés sans subordination précise, de sorte qu'ils jouent, indifféremment, l'un pour l'autre, comme sujet ou comme prédicat. Ainsi :

« alors quoi vas-y dis-nous le rappel le matin dix nuits pair impair obscur écoulé les coursiers d'airain ici-bas raconte après c'est l'étendue de toujours avec profondeur effet qui viendra qui ça moi qui mais qui donc cicatrisé oh qui propulsé sur ces flancs rugueux [2] *».* Ou bien,

1. Cf. Philippe Sollers, *H,* Éd. du Seuil, 1973.
2. *Ibid.,* p. 12.

lorsque la subordination phrastique et l'univocité des catégories propositionnelles est rétablie, le rythme de l'énonciation continue à prendre en écharpe l'énoncé phrastique et à ouvrir sa finitude non pas vers une signification supérieure (il n'y a pas de signification autre que celle de la phrase), mais vers une position fluide du sujet de l'énonciation qui ne se limite pas à l'assertion et à la cohésion ni à la posture métalinguistique et transcendantale; au-delà d'elles, un sujet qui énonce même la perte du sens et du référent (psychose relevée) signifie, à partir de cette relève, sa possibilité de prendre de multiples positions dans le procès signifiant *avec* ses limites prédicatives et *à travers* elles : « *j'avais du dehors une perception interrompue circulaire je n'arrivais pas à savoir si l'eau avait un horizon végétal la couleur verte était peut-être un simple reflet du volet l'existence du jardin n'était pas non plus assurée je sentais seulement que le vent devenait là ralenti sourd m'y voici de nouveau ça monte apprenons à la langue à chanter et elle aura honte de vouloir autre chose que ce qu'elle chante la limite supérieure est appelée qui mais il y a une autre limite en bas nommée quoi* » [1].

Nous laissons ici en suspens la question des modalités proprement linguistiques (grammaticales, lexicales, rythmiques) que revêt cette infinitisation de la prédication dans ce type de textes. Nous avons pu constater ailleurs [2] que la prise de position métalinguistique par rapport à l'énonciation courante, l' « ambiguïsation » des instances pronominales du discours, de même que les processus primaires, sont à envisager parmi ces modalités proprement linguistiques qui permettent le maintien et l'infinitisation de la prédication. Alors, seul le rythme de la respiration scande une finitude d'énoncé, toute relative, dans l'infinité ainsi manifestement ouverte du procès de la signifiance.

La syntaxe, comme assertion et cohésion identifiante, et la métalangue linguistique, qui la justifie, refoulent précisément ce retour de la négativité pulsionnelle dans l'instance même de l'énonciation prédicative : le grammairien refoule la mort qui rythme l'énonciation et qui, sans détruire la finitude prédicative, la multiplie jusqu'à l'indéfini; il fait métier de justifier la communication, la finitude, la position thétique, pour que la mort ne passe pas dans la langue, mais se réserve en deçà de la gorge. Serviteur de la censure thétique, le grammairien peut en

---

1. *Ibid.*, p. 11. Cf., pour une analyse plus détaillée de la phrase dans *H*, « Polylogue », *supra*, p. 173-222.
2. Cf. « Polylogue ».

devenir le symptôme souffrant si, sachant que la métalangue linguistique ne décrit que le phénomène et non pas le procès du langage, il n'en a pas moins continué de s'y soumettre.

Nous touchons ici au drame qui rend, à nos yeux, la linguistique muette devant la formidable transformation du statut de la langue dans la pratique des sujets parlants d'aujourd'hui, transformation dont témoignent, entre autres, les explorations de la littérature moderne, le discours des analysants, les expériences aux limites de la socialité (« folie », « drogue », « violence »).

Ou bien la linguistique continue à servir la langue thétique positionnelle, assertive et identifiante, au prix du refoulement de la pulsion altérante et infinitisante qui traverse de plus en plus violemment le discours des sociétés modernes. Ou bien le linguiste se met à l'écoute de cette négativité, mais, soumis tout de même à la métalangue, recule d'effroi devant le gouffre entrevu. Ce drame met en cause la capacité même de la science linguistique de pouvoir dire sur le procès signifiant autre chose que ce qui en lui relève de l'assertion, de l'identification et de la posture métalinguistique. Une évolution de cette situation est éventuellement possible si la « linguistique » s'oriente vers des pratiques signifiantes — des textes — modernes et vers l'écoute que la psychanalyse y ouvre.

L'éthique de la linguistique *

S'il lui arrive de s'interroger sur l'éthique de son discours, le linguiste moderne répond en se détournant (il s'engage dans une activité politique) ou bien en la réduisant à la naïveté de la bonne conscience (il cherche la motivation socio-historique des catégories et des relations qui vont jouer dans son modèle). On obtient ainsi le clivage qui définit tel illustre grammairien moderne, proposant dans ses théories la base logique et normative du sujet parlant, tout en se proclamant anarchiste en politique. Ou bien, le cas moins illustre, mais non moins répandu, des chercheurs qui introduisent dans la théorie moderne quelques notions supplémentaires définissant les relations idéologiques, quand ils ne se bornent pas à prendre leurs exemples de phrases dans les journaux de gauche.

Or, depuis la fin du XIXᵉ, les aventures intellectuelles, politiques ou généralement sociales qui marquent l'irruption d'une nouveauté dans les règles de la société et du discours occidental, et qu'on désigne habituellement par les noms de Marx, de Nietzsche, de Freud, opèrent surtout en vue d'une nouvelle formulation de l'éthique. N'étant plus une habitude coercitive assurant la cohérence d'un groupe à travers la répétition d'un code, d'un discours plus ou moins accepté, la question de l'éthique surgit désormais au lieu où le code (les mœurs, le contrat social) doit se briser pour laisser place au jeu de la négativité, du besoin, du désir, du plaisir, de la jouissance, avant de se refaire, mais provisoirement et en connaissance de cause. Fascisme et stalinisme représentent les limites sur lesquelles échoue ce nouveau réglage entre le code et sa transgression.

Pendant ce temps, la linguistique se développe selon l'exigence de *système* qui présida à ses débuts, et découvre les règles selon lesquelles

* Première publication : *Critique,* mars 1974.

357

se constitue la cohérence du code social fondamental : la langue — système de signe ou stratégie de transformation de suites logiques. Le support éthique d'une telle démarche appartient à une phase antérieure à l'époque moderne dont nous venons de parler : le linguiste moderne pense, dans son métier, en homme du xviie siècle, tandis que l'usage que le structuralisme a pu trouver de sa logique concerne les sociétés primitives ou leurs survivances. Gardiens du refoulement, rationalisateurs du contrat social dans ses assises les plus solides (le discours), les linguistes conduisent la tradition stoïcienne à son achèvement : barrière devant la destruction irrationaliste aussi bien que devant le dogmatisme sociologisant, l'épistémologie qui sous-tend la linguistique, ainsi que les procédures de connaissance qui en découlent (par exemple, la méthode structuraliste) apparaissent frappées d'anachronisme devant les mutations modernes des sujets et des sociétés. Que le « formalisme » ait raison devant Jdanov n'empêche pas que ni l'un ni l'autre ne savent penser le rythme de Maïakovski vers son suicide ou les glossolalies de Khlebnikov vers sa décomposition, avec, comme toile de fond, le jeune État soviétique.

C'est que, lorsqu'elle s'est constituée comme science, mettons avec Saussure, la linguistique a ainsi suturé son champ, que le problème de la *vérité* de son discours s'est vu détaché du *sujet parlant* et réduit à la recherche de la cohérence interne de l'énoncé-objet, déterminée d'avance par celle de la théorie métalinguistique qui l'observe. Qu'on réintroduise ce fameux « sujet parlant », sous l'aspect du sujet cartésien ou de tel autre sujet de l'énonciation plus ou moins proche de l'ego transcendantal, dans l'usage qu'en font les linguistes, ne résout aucun problème tant que le sujet en question n'est pas pensé comme le lieu non seulement de la structure et de sa transformation réglée, mais surtout de sa perte, de sa dépense.

C'est dire que poser le problème éthique de la linguistique, c'est avant tout obliger cette dernière à changer d'objet; lui donner comme objet une pratique de discours pour laquelle la structure signifiée (signe, syntaxe, signification) est une limite que déplace l'avènement d'un rythme sémiotique non encore capté par le système de la communication linguistique; l'infléchir vers l'observation du langage comme articulation d'un fonctionnement qui lui est hétérogène, le sujet parlant se marquant dans la dialectique entre cette articulation et ce fonctionnement; lui donner, en somme, comme objet pour la recherche de la vérité du langage, le *langage poétique*. Non pas pour dire, comme on le fait aujourd'hui, que le langage poétique obéit à des contraintes *supplémentaires* à celles du « langage courant ». Mais pour analyser ce que le langage courant, *c'est-à-dire la contrainte sociale,* censure de ce fonctionnement complexe où s'inscrit la dialectique du sujet, et qu'on peut appeler, si l'on veut, langage poétique. Il s'agira alors d'autre chose que du langage : *d'une pratique dont la langue est le bord.* Le terme de « poésie » n'a de sens que pour faire accepter ce type de recherche aux différentes institutions d'éducation ou de culture. Mais l'enjeu est tout autre : il opère depuis la conception que la langue et donc la socialité sont des limites susceptibles d'être bouleversées, dissoutes ou transformées. Si l'on situe son discours près de cette limite, on peut penser lui donner un impact éthique actuel. Bref, l'éthique d'un discours linguistique se mesure à la poésie qu'il présuppose.

Un des plus grands linguistes modernes considérait que, depuis cent ans, il n'y avait eu que deux linguistes importants en France : Mallarmé et Artaud. Quant à l'actualité de Heidegger, *malgré tout,* elle réside dans son écoute de la langue en tant qu'elle est « poétique » : éclosion de l'étant, éclaircie qui se réserve et néanmoins advient, combat entre monde et terre; toute création artistique y est pensée à l'image du langage poétique où s'accomplit l' « être » de l' « étant » et où, partant, se fonde l' « Histoire ». Que l'art moderne, post-hégélien, fasse résonner dans le langage un rythme susceptible de mettre en échec toute œuvre et toute logique assujettie ne discrédite la réflexion heideggerienne que dans sa clôture qui fait système de l'être, de l'étant et de leur vérité historiale. Mais un tel discrédit ne touche pas l'enjeu logique de la poésie pour autant qu'elle est une pratique de sujet parlant et qu'elle suppose, en tant que telle, la dialectique entre, d'une part, une limite signifiée et signifiante et, d'autre part, la disposition en elle, et seulement en elle, d'un rythme pré- et trans-logique. De même, l'aventure de l'art moderne n'en continue pas moins à rester le terrain où se joue la possibilité d'une Histoire, d'un combat dialectique (avant qu'ils soient une histoire donnée, un combat concret), puisque cet art est le laboratoire de la structure signifiante minimale, de sa dissolution maximale et de leur reprise.

On peut poser que la découverte freudienne de l'inconscient offre les conditions nécessaires pour une telle lecture du langage poétique. Ce serait vrai pour l'histoire de la *pensée,* non pas pour l'histoire de la *pratique poétique.* Freud lui-même voyait dans des écrivains ses pré-décesseurs. Les avant-gardes du XXe siècle, ignorant plus ou moins la découverte freudienne, proposent une pratique et, parfois même, une connaissance du langage et de son sujet qui accompagnent, voire même devancent, les percées freudiennes. C'est dire qu'il était possible de rester à l'écoute de ce laboratoire d'avant-garde, d'entendre son expérience dans une relation qu'on ne saurait appeler autrement que d' « amour », pour pouvoir, tout en passant à côté de Freud, apercevoir l'enjeu du langage en tant qu'il est *toujours-déjà* poétique. Telle me semble être la démarche de Roman Jakobson. On ne s'étonnera pas, dès lors, que ce soit son discours, et non pas celui d'un autre linguiste, sa linguistique, et non pas une autre, qui ont pu être virés au compte de la théorie de l'inconscient, pour le voir se faire et se défaire — *poiein* (ποιεῖν) — comme le langage d'un sujet.

Quel que soit l'apport de R. Jakobson à la constitution de la phono-logie et de la linguistique structurale en général, aux études slaves ou à l'apprentissage du langage, à l'épistémologie et à l'histoire du dis-cours linguistique dans son rapport avec la philosophie et la société qui lui sont contemporaines ou le précèdent, c'est *avant tout* son écoute du langage poétique qui fait l'unicité de sa recherche, qui en donne la dimension éthique, en même temps qu'elle maintient ouverte la satura-tion même du discours linguistique actuel, en lui suggérant par quelle oblitération il se ferme l'accès à la sémantique, par exemple. De sorte que, par son souci historial en même temps que poétique, la linguistique de Jakobson semble mettre entre parenthèses la technicité de certaines tendances actuelles (la grammaire générative) et sauter d'une époque où la linguistique n'était pas encore fermée (début de notre siècle) à une époque où elle doit nécessairement s'ouvrir (la fin de notre siècle) pour avoir quelque chose à dire sur le sujet parlant. Précurseur et devancier, mais acceptant aussi d'accomplir une descrip-tion concrète, stricte, en maintenant ainsi l'exigence limitative de la science, R. Jakobson définit la fondation et la consumation de cette épistémé linguistique qui s'est prise pour le surplomb de toute réflexion ces dernières années, alors qu'elle n'est, en fait, qu'un symptôme du drame que subit le sujet occidental voulant maîtriser-structurer le logos aussi bien que ses échappées pré- ou trans-logiques. Seule l'*ironie*, perçant dans la métalangue du linguiste, est le témoin timide de ce drame. Il y en a un *autre,* classé pudiquement parmi les « objets » de la recherche, comme pour sauvegarder la souveraineté du savant-gardien de la structure communicative et sociale; un *autre* que l'ironie du savant : le poème. Pour autant qu'il est *rythme, mort* et *futur.* Le linguiste s'y projette, s'identifie à lui et tire, pour finir, d'une part, quelques notions nécessaires à un nouveau modèle de la langue, d'autre part et surtout, le soupçon que le procès de la signifiance ne se limite pas au système de la langue, mais qu'il y a parole, discours et, en eux, une causalité autre que linguistique : hétérogène, destructive.

Il faut entendre R. Jakobson faire son cours sur *la Poésie russe de [sa] génération,* à l'université de Harvard, en 1967 [1]. Il récite Maïakovski et Khlebnikov en imitant leurs voix, accents tambourinants, gorge tendue, militantisme à pleine voix de l'un; ou bien chuchotement doux, chuintantes et sifflantes appuyées, oralisation de ce voyage décomposant vers la mère qu'est la langue « trans-mentale » (« zaoum »), de l'autre. Il faut entendre le récit de leur jeunesse, les luttes esthétiques et toujours politiques de la société russe à la veille de la Révolution et pendant les premières années de sa victoire, les amitiés et les susceptibilités qui ont précipité le travail et la vie des uns et des autres, pour saisir les véritables conditions de la production d'une science : ce qui la lance, ce qu'elle arrête, ce qui chiffre, en double fond, ses modèles. On ne pourra plus lire un seul traité de phonologie sans déchiffrer que chaque phonème dit : « Ci-gît un poète. » Que le prof de linguistique ne le sache pas, c'est une autre affaire, qui lui permet d'avancer tranquillement ses modèles, de ne jamais inventer une autre conception du langage, de préserver l'hygiène de la théorie.

Je ne résumerai donc pas les modèles linguistiques, encore moins les outils d'analyse poétique que Jakobson a proposés. Je rappellerai seulement quelques thèmes, ou mythèmes, inhérents à son écoute de la poésie futuriste, dans la mesure où ils sont le double fond, causalité et éthique tues, de l'opération linguistique.

Le combat du poète avec le soleil

Deux versants semblent dominer le travail poétique de Maïakovski : le transport du *rythme* et l'affirmation simultanée du « *moi* ». Le

1. *La Poésie russe de ma génération,* Cours à l'Université de Harvard, 1967, enregistrement magnétique.

rythme : « Je marche, les bras ballants, *en grognant tout doucement, encore presque sans paroles,* et tantôt je raccourcis le pas pour ne pas déranger le grognement, tantôt je me mets à grognasser plus rapidement, en mesure avec mes pas. / Ainsi est raboté et prend forme le rythme, la base de toute œuvre poétique, qui la traverse d'une rumeur. Peu à peu, on se met à tirer de cette rumeur des mots. / [...] Quand l'essentiel est prêt, voilà qu'on éprouve brusquement la sensation que le rythme est rompu — il manque une petite syllabe, un petit son. On se met de nouveau à refaçonner tous les mots, et le travail finit par *vous mettre dans un état de délire exaspéré.* Comme si on vous essayait *une centaine de fois sur une dent une couronne qui ne veut pas s'adapter;* et, enfin, après cent essayages, voilà qu'on appuie et ça y est! La ressemblance pour moi est aggravée par le fait que, quand, enfin, cette couronne est bien assise, j'en ai *des larmes qui me giclent des yeux (littéralement) de douleur et de soulagement.* / D'où vient ce rythme-rumeur de fond? Impossible à dire. Pour moi, c'est chaque *répétition en moi d'un son,* d'un bruit, d'un balancement, ou même, en général, *la répétition de n'importe quel fait auquel je prête une sonorité.* Le rythme peut être apporté et par le bruit répété de la mer, et par la bonne qui, tous les matins, fait claquer la porte, et ce bruit se répète, traînant la savate, dans ma conscience, et même la *révolution de la terre autour du soleil,* qui, pour moi, comme dans un magasin de matériel pour leçon de choses, alterne et se lie d'une façon caricaturale et inévitable avec le vent qui se lève et se met à siffler [1]. »

D'une part, donc, ce rythme, sonorité répétitive, poussée d'une dent qui s'érige avant d'être coiffée par la couronne de la langue, combat entre le mot et la force qui gicle, dans un délire désespéré, en douleur et soulagement; répétition de cette poussée, de cette giclée, autour de la couronne-mot, comme la terre accomplit sa révolution autour du soleil.

D'autre part, le « moi », placé, lui, au lieu de la langue, de la couronne, du système : non plus rythme, mais signe, mot, structure, contrat, contrainte. Un « moi » qui se proclame unique intérêt de la poésie (cf. le poème « Je suis seul ») et se compare à Napoléon (« Moi et Napoléon » : « Aujourd'hui Napoléon, c'est moi! / Je suis chef

---

1. Maïakovski, « Comment faire des vers », *Vers et Prose,* trad. fr. par E. Triolet, Éditeurs français réunis, 1957, p. 358-359; nous soulignons.

d'armées et davantage. / Comparez- / moi et lui! »). Trotski appelait cette érection du « je » poétique un « maïakomorphisme » qu'il opposait à l'anthropomorphisme (on peut continuer les associations à partir de *maïak* = phare).

C'est alors que, ayant ramassé le rythme dans la position fixe d'un « moi » tout-puissant, le « je » poétique se lance contre le soleil : image paternelle convoitée en même temps que redoutée, meurtrière et à tuer, place légiférante à usurper. Ainsi : « Encore une seconde, / et je vais rencontrer / le monarque des cieux / si je veux, je vous le tue, le soleil! » (« Moi et Napoléon »); « Soleil! / Mon père! / Veux-tu fondre et ne plus me torturer! / Mon sang par toi versé coule le long de la route » (« Quelques mots sur moi-même »). On peut multiplier les références, évoquer Lautréamont, Bataille, Cyrano ou Schreber; le combat du poète avec le soleil, dégagé par Jakobson, traverse les textes. Entendons-le comme un résumé de la condition à la formulation poétique. Le soleil — instance du langage parce que « couronne » de la poussée rythmique, structure limitative, loi paternelle limant le rythme, le tuant en grande partie, mais l'appelant aussi à se faire jour, à sortir des révolutions terriennes, à se dire. Pour autant que le « je » est poétique, c'est-à-dire qu'il veut dire le rythme, le socialiser, le faire passer dans la structure linguistique ne serait-ce que pour la casser, ce « je » a partie liée avec l'instance du soleil : il en fait partie puisqu'il doit maîtriser le rythme, il en est menacé parce que la maîtrise solaire arrête le rythme; donc, il ne reste que le combat éternel avec ce soleil, au cours duquel « je » sera successivement le soleil et son combattant, la langue et son rythme, jamais l'un sans l'autre, et la formulation poétique durera tant que dure le combat. Point essentiel : il n'y aurait pas de combat sans l'instance du soleil; sans elle, le rythme informulable coulerait, grognant, et finirait par se terrer; c'est en se mesurant à l'instance de la langue limitante et structurante que le rythme devient combattant et formule, transforme.

Khlebnikov évoque un autre aspect de ce combat solaire : une mère vient soutenir ses enfants dans leur combat contre le soleil. « Les enfants de la loutre » sont dressés contre trois soleils : un blanc, un rouge-bleu, un noir-vert. Dans « Le Dieu des vierges », le protagoniste principal est « la fille du prince soleil ». Le poème « Ka » évoque « le soleil brachevelu d'Égypte ». Toute la mythologie païenne de Khlebnikov est sous-tendue par un combat contre le soleil appuyé sur la figure féminine, mère toute-puissante ou vierge interdite, qui ramasse en une représentation, et ainsi substantifie, ce qui, chez Maïakovski, cognait en poussées sonores dans et contre le système de la langue : le rythme. La mythologie païenne n'étant probablement pas autre chose qu'une substantification du rythme : cet *autre* du contrat linguistique et/ou social, cet enchaînement ultime et primordial qui tient le corps à proximité de la mère avant qu'il ne devienne sujet social parlant. En tout cas, ce que Tynjanov appelle l' « infantilisme » de Khlebnikov ou son « attitude païenne à l'égard du mot »[1], se marque essentiellement dans la *glossolalie* spécifique du poète : les mots inventés le sont selon le principe de l'onomatopée, avec de nombreuses allitérations, exigeant une attention particulière pour la base articulatoire et la charge pulsionnelle de cette articulation, toute cette stratégie cassant le lexique de la langue russe pour la rapprocher du soliloque enfantin, mais surtout pour tisser, à travers métaphore et métonymie, un réseau de sens supplémentaire à la ligne signifiante, un réseau de phonèmes ou groupes phoniques chargés de pulsion et de sens, constituant ce qui était, pour l'auteur, un code *numérique,* une *chiffration,* sous-jacente aux signes verbaux (par exemple : *« Veterpenie / kovo i o tchom? / net'erpenie — mietcha stat' miatchom. »* — « Vent-chant / de qui et pour quoi? / Impatience / de l'épée pour devenir une balle. » Jakobson remarque le déplacement phonique *mietch-miatch* (épée-balle) qui domine plusieurs vers de Khlebnikov et dont on peut apercevoir par ailleurs la tendance à la régression enfantine et/ou à la baisse de tension aussi bien dans la prononciation que par rapport aux univers sémantiques sexualisés). L'oralisation de la langue devient ainsi un moyen de contourner la censure que représente, pour le rythme, l'instance structurante : devenue alors « transmentale », la langue pulsionnellement chiffrée de Khlebnikov s'imagine prophétique et se cherche des équivalents dans cette tradition (par exemple : « par la bouche d'or de Zarathoustra faisons le serment- / la Perse deviendra pays soviétique, ainsi parle le prophète[2] »).

1. Préface aux *Œuvres* de Khlebnikov en russe, 2 vol., 1927.
2. V. Khlebnikov, *Œuvres,* trad. fr. L. Schnitzer, Oswald, 1967.

Le rythme et la mort

« Mais comment parler de la poésie de Maïakovski maintenant, alors que la dominante n'est pas le rythme, mais la mort du poète...? », écrit Jakobson dans « La génération qui a gaspillé ses poètes [1] ». On a tendance à lire ce texte exclusivement comme une accusation contre la société fondée sur le meurtre de ses poètes. C'est sans doute vrai et, lorsque le texte paraît, en 1931, les psychanalystes même ne savent pas encore que la « société est fondée sur un crime commis en commun » : Freud le dira dans *Moïse et le Monothéisme* en 1939. Que ce crime consiste plus concrètement en un meurtre du langage poétique, Jakobson le formule à propos de Maïakovski; sans doute n'entend-il pas seulement par société la société russe et soviétique, car les allusions plus générales ne manquent pas à la « stabilité d'un présent immuable », à la « vie qui se fige selon des modèles étroits et rigides », à l' « existence quotidienne ». La constatation est dès lors là, à la veille du stalinisme et du fascisme : une (toute) société se fixe à condition d'exclure le langage poétique.

Par contre et en même temps, seul le langage poétique se bat constamment contre cette mort et, par conséquent, la presse, la conjure, l'invoque. Le thème du meurtre et du suicide capte l'attention du linguiste chez les poètes de sa génération et de toute époque. La question ne manque pas de se poser : où est-on, si l'on n'est pas du côté de ceux que la société gaspille pour se reproduire?

Le meurtre, la mort, la société fixe, c'est précisément l'impossibilité d'entendre le signifiant comme tel : comme chiffration, comme rythme, comme antérieur à la signification d'un objet ou d'une émotion. Le poète est tué parce qu'il veut faire du rythme une dominante : parce qu'il veut faire entendre à la langue ce qu'elle ne veut pas dire, lui donner sa substance non assujettie au signe, l'autonomiser de la dénotation, car c'est ce geste, *éminemment parodique,* qui transforme le système. « Le mot est ressenti comme mot et non comme simple substitut de l'objet nommé ni comme explosion de l'émotion [...] à côté de la conscience immédiate de l'identité entre le signe et l'objet (A est A),

---

1. Texte repris dans *Questions de poétique,* Éd. du Seuil, 1973.

la conscience immédiate de l'absence de cette identité (A n'est pas A) est nécessaire : cette antinomie est inévitable, car, sans contradiction, il n'y a pas de jeu des concepts, il n'y a pas de jeu des signes, le rapport entre le concept et le signe devient automatique, le cours des événements s'arrête, la conscience de la réalité se meurt [...] C'est la poésie qui nous protège contre l'automatisation, contre la rouille qui menace notre formule de l'amour, de la haine, de la révolte et de la réconciliation, de la foi et de la négation [1]. »

Aujourd'hui, l'analyste se fait fort d'entendre du « signifiant pur ». L'entend-il dans ce qu'on appelle la « vie privée »? Il y a fort à parier que les « poètes gaspillés » ont été les seuls à tenir le pari. Celui qui les a entendus ne peut « faire de la linguistique » qu'en passant à travers les continents géographiques et discursifs, voyageur impertinent, « faune au logis ».

Le futur des futuristes

D'après Jakobson, Maïakovski s'intéressait à la résurrection. Il est facile, par ailleurs, de constater que ses poèmes, comme ceux de Khlebnikov et autres futuristes, reprennent le thème, cher à la poésie russe médiévale, de la résurrection christique. Il est trop évident que ce thème vient en ligne droite du combat solaire que nous avons déjà rappelé : le fils prendra la relève du père-soleil en accomplissant la dialectique du « moi » et du « rythme » dans le poème. Mais cette irruption du rythme sémiotique dans le système signifiant de la langue ne sera jamais une relève hégélienne : elle n'aura pas vraiment lieu dans le présent. Le présent fixe, impératif, immédiat, tue le poème, l'écarte, le gaspille. Donc, l'irruption de l'antériorité au langage dans l'ordre du langage appelle à plus tard, c'est-à-dire à jamais : le temps du poème est un « futur antérieur » qui n'aura jamais lieu, qui ne s'accomplira pas comme tel, mais uniquement comme bouleversement du lieu et du sens présents. Or, par cette suspension du présent, par cet enjambement de la mémoire antérieure insensée-rythmée et d'un sens annoncé pour plus tard ou jamais, le langage poétique se structure comme le noyau même d'une historicité monumentale. Le futurisme n'a pu expliciter

1. « Qu'est-ce que la poésie », *Questions de poétique, op. cit.,* p. 124-125.

cette loi de la poésie que parce qu'il a approfondi plus que quiconque l'autonomie du signifiant, qu'il lui a rendu sa valeur pulsionnelle, qu'il a visé une « langue trans-mentale ». Branché ainsi sur une scène antérieure à la systématicité logique de la communication, le futurisme l'a fait sans se retirer de son époque, mais en écoutant intensément l'éclatement de la Révolution d'Octobre : il entendait la révolution uniquement parce que son présent était soumis à un lendemain. C'est du non-lieu du futur que venaient à Maïakovski et Khlebnikov les propositions pro-soviétiques ou les sauts dans la mythologie. Antériorité et futur se conjuguent et ouvrent l'axe historique par rapport auquel l'histoire concrète aura toujours tort : meurtrière, limitative, soumise à des nécessités régionales (économiques, tactiques, politiques, besoins familiaux...). Que, par rapport à ces nécessités régionales, le futur antérieur du langage poétique soit une exigence intenable, « aristocratique », « élitiste », n'empêche pas qu'il soit la seule stratégie signifiante qui permet à l'animal parlant de faire bouger ses clôtures. Khlebnikov écrit dans « Quant à soi » : « Les pièces courtes ont de l'importance lorsqu'elles entament le futur, comme l'étoile filante laisse derrière elle un sillage de feu; elles doivent avoir une vitesse suffisante pour transpercer le présent. En attendant, nous ne savons pas encore définir la cause de cette vitesse. Mais nous savons que la pièce est bonne quand, comme une pièce du futur, elle enflamme le présent. [...] la patrie de la création est le futur. De là souffle le vent des dieux du verbe [1]. »

Parce qu'il mesure le rythme au sens structurel et, du même coup, est toujours déçu du sens présent mais ne cesse de le déplacer dans un à-venir impossible, le discours poétique est le discours *historique* par excellence. A condition de redonner à ce terme sa résonance neuve : ni fuite devant la prétendue métaphysique de la notion d' « histoire », ni enfermement mécaniste de cette notion dans un projet qui oublie la violence du contrat social et le fait que l'évolution est, avant tout, un raffinement des formes de gaspillage de cette tension qu'on appelle « langage poétique ».

Il n'est pas étonnant qu'une révolution qui s'est voulue à la fois anti-féodale et anti-bourgeoise, comme l'a été la Révolution d'Octobre, ait éveillé les mythèmes qui ont présidé au féodalisme et que la bourgeoisie a refoulés pour n'en exploiter que la dynamique productrice de

1. *Œuvres, op. cit.*

valeurs d'échange. Mais, sous ces mythèmes, le futurisme marque aussi bien son appartenance à l'anamnèse d'une culture qu'une propriété fondamentale du discours occidental. « Il faut mener le vers jusqu'à la limite de l'expressivité » (Maïakovski, « Comment faire des vers »). C'est alors que le code s'ouvre au corps rythmé pour formuler, contre le sens présent, un autre sens, mais à venir, impossible. L'élément de ce « futur-antérieur » de la langue est le « mot ressenti comme mot », phénomène lui-même induit par le combat entre le rythme et le système des signes.

Que ce combat puisse être empêché, le suicide de Maïakovski, la décomposition de Khlebnikov, l'enfermement d'Artaud le prouvent. Est-ce dire qu'il n'y a plus de futur (plus d'histoire) pour ce discours qui, dans l'expérience dite poétique du XXe siècle, a trouvé son « antérieur »? L'éthique de la linguistique, telle qu'on peut la lire avec Jakobson, consiste à suivre la résurgence d'un « je » qui revient pour refaire une structure éphémère dans laquelle s'énonce le combat constitutif du langage et de la société.

Est-ce que la linguistique moderne peut entendre cette conception du langage dont l'œuvre de Jakobson est l'indice majeur?

La voie actuellement dominante, celle de la grammaire générative, s'appuie sûrement sur de nombreuses positions de Jakobson dans l'étude du système, notamment phonologique, de la langue. Il n'en reste pas moins qu'on voit mal s'insérer dans l'appareil génératif, y compris celui de la sémantique, les ellipses, les métaphores, les métonymies, les parallélismes (cf. son étude sur le vers biblique et sur le vers chinois), sinon au titre de « règles supplémentaires », exigeant un *cut-off point* dans la génération propre de la langue. Mais la vision dramatique du langage comme pratique risquée, ouverture de l'animal parlant au rythme du corps en même temps qu'aux bouleversements de l'histoire, semble appartenir à une vision du procès signifiant que les théories modernes n'affrontent pas. Aussi l'éthique linguistique de Jakobson fait-elle immanquablement appel, d'une part, à une *épistémologie historique de la linguistique* (quelles théories occidentales ou orientales liées à quels corpus idéologiques de l'Antiquité, du Moyen Age ou de la Renaissance, ont pu se poser la question du langage comme lieu de la structure aussi bien que de sa dépense corporelle, subjective, sociale?), d'autre part, à une *sémiologie,* comprise comme un dépassement des études proprement linguistiques vers une typologie des systèmes signifiants à matériau sémiotique et à fonctions sociales diverses. Ce maintien de l'exigence sémiologique saussurienne en pleine grammaire générative, loin d'être un archaïsme, renoue avec une tradition où la linguistique est inséparable d'une conception du sujet et de la société. En résumant l'expérience de la langue et de la linguistique de tout notre siècle européen, elle laisse prévoir ce que sera le discours sur le procès signifiant dans les temps à venir.

FRONTIÈRES DU REFOULEMENT

E   la frayeur
et l   spéculaire*

                              s'inquiète en vain cependant
                              ge.

                                        Saint Augustin.

Ce que je vois n'a rien à   qui me fascine. Le
regard par lequel j'identifie   mien, l'autre, me
livre une identité qui me rassu   des frayages, des
frayeurs innommables, bruits   l'image — pulsations, vagues somatiques, ondes   rythm s, tons. La spéculation intellectuelle dérive de   t, accrocheur :
l'hystérique en sait quelque chose, jamais trouver
de miroir suffisamment satisfaisant dans la théorie
— point de mire de toutes les intent   ensées, abri où
l'on peut savoir sans se voir, car on a   tre (la contemplation philosophique) le soin de repré   ) identité aussi
rassurante que trompe-l'œil, parce que   ur les frayages,
sur les frayages. La spéculation me s   sure les autres
de mes bonnes intentions de sens et de   de mon corps
rêvé, ne leur propose que ce qu'en retient   du médecin :
une surface désérotisée que je lui lègue da   œil par lequel
je lui fais croire qu'il n'est pas un *autre*, m   qu'à regarder
comme je l'aurais fait si j'étais lui — compli   age à ce qui
opère en deçà de la rétine, panneau dans leque   lus que moi.

Pourtant, il suffit que le frayage, la frayeur, assent irruption dans
le vu, pour que celui-ci cesse d'être simplement rassurant, trompe-
l'œil ou incitation à la spéculation, et qu'il devienne, mettons, du *spé-*

* Première publication : *Communications,* 23, 1975.

culaire fascinant. Le cinéma nous saisit en ce lieu, précisément. Il fait sans doute plus que ça. Toute image et les autres arts visuels sont assurément et autrement sur la même voie. Je retiendrai, pourtant, dans cette note, non pas tel trait de l'histoire de l'art cinématographique, mais seulement cet impact particulier de l'image projetée sur l'écran — qu'on regarde en la voyant tout autrement qu'on ne voit les objets intervenant dans une action ou l'entourant. A l'intersection entre la vision d'un objet réel et l'hallucination, l'image cinématographique fait passer dans de l'identifiable (et rien de plus sûrement identifiable que le visible) ce qui reste en deçà de l'identification : la pulsion non symbolisée, non prise dans l'objet-le signe-le langage ou, en des termes plus brutaux, elle fait passer l'agressivité. Et appelle le fantasme à s'y reconnaître : à se perpétuer ou à se vider, selon la capacité qu'elle a de se distancer d'elle-même.

Tout spéculaire est fascinant parce qu'il porte la trace, dans le visible, de cette agressivité, de cette pulsion, non symbolisée : non verbalisée et donc non représentée. Nommons donc *spéculaire* le signe visible qui appelle au fantasme parce qu'il comporte un excédent de traces visuelles, inutiles à l'identification des objets, parce que chronologiquement et logiquement antérieur au fameux « stade du miroir ». Cette information n'a plus trait au « référent » (ou à l'objet), mais à l'attitude du sujet vis-à-vis de l'objet, donc déjà à ce contrat désirant qu'est l'exprimable (le *lekton* des stoïciens), dont l'existence fait d'un signe (qu'est l'image) un symptôme (qu'est le spéculaire). Appelons ces informations supplémentaires des « traces lektoniques » : il s'agira toujours d'une distribution bien réglée de ce qui apparaît comme une relève des processus dits par Freud « primaires », ou des processus préverbaux, « sémiotiques », dans le fonctionnement « symbolique » complet d'un sujet parlant, fait de langage en même temps que de représentation : déplacements, condensations, tons, rythmes, couleurs, figures — toujours en excès par rapport au représenté, au signifié.

Que l'art moderne — peinture, sculpture, musique — ait trouvé son domaine privilégié dans la distribution de ces traces lektoniques, au détriment de l'image-signe d'un référent, Matisse, Klee, Rothko, Schönberg, Webern, sont là pour nous le rappeler. Que leurs productions se laissent penser, disons : qu'elles se laissent spéculariser, par tel formalisme pris à la géométrie euclidienne ou à la topologie, ne saurait laisser l'impression d'une tendance à l' « abstraction mathématique » dans l'art moderne qu'à celui qui supprime la valeur « lektonique » d'une pratique signifiante : qui supprime cette dimension où le sujet choisit de tracer, pour les autres et donc dans de l'exprimable (image ou verbe), son agressivité et/ou sa terreur. A moins de les voir, ces dernières, comme sous-jacentes aussi à l'écriture mathématique traçant le désir et l'innommable. « Écrire relève de la terreur [1]. »

Dès ses débuts, le cinéma semble suivre cette tendance de l'art moderne en général, lorsqu'il poursuit, avec Eisenstein notamment, un projet obstiné de faire passer, avec et par-dessus l'image-signe référentiel, un réseau de « traces lektoniques ». Organisation minutieuse de l'espace, placement rigoureux de chaque objet, intervention calculée de chaque son et de chaque réplique, devaient adjoindre, au trop visible, une dimension « rythmique », « plastique », énigme à ne pas faire sauter immédiatement aux yeux, et dans laquelle se chiffre l'angoisse du cinéaste qui doit susciter celle du spectateur plus profondément que ne le fait l'image-signe référentiel. Tel ce cours devant des élèves cinéastes où Eisenstein met en scène cette situation exemplaire quant au spéculaire puisqu'elle appelle au fantasme de l'invisible fondamental — la scène primitive : « Le retour d'un soldat du front qui trouve sa femme enceinte. » Il y déploie un art de la distribution des objets, des acteurs et des répliques, digne du plus savant des topologues, et destiné à provoquer ou à étayer la conflictualité du désir de savoir d'où est venu l'enfant. « Sur la scène, tous les éléments doivent exprimer de manière spatiale et temporelle le contenu interne du drame. Notre solution (dans l'épisode en question) consiste dans la nette confrontation des deux tendances que représentent deux complexes spatiaux différemment caractérisés — une tendance droite, frontale, et une tendance oblique, diagonale. » Eisenstein propose une série de schémas pour traduire graphiquement cette rythmique (voir page suivante).

Le cours, on le sait, abonde en ce type de schémas. Même recherche de « traces lektoniques », d'éléments non pris en charge par le signe trop visible ou trop signifiant, lorsqu'il s'agit du *discours* dans un film : « C'est seulement lorsqu'on peut entendre le signifiant *(Oboznacenije)* non pas comme des signes refroidis des phénomènes, mais lorsqu'on l'appréhende dynamiquement, dans les multiplicités innom-

_____

1. Ph. Sollers, *Paradis.*

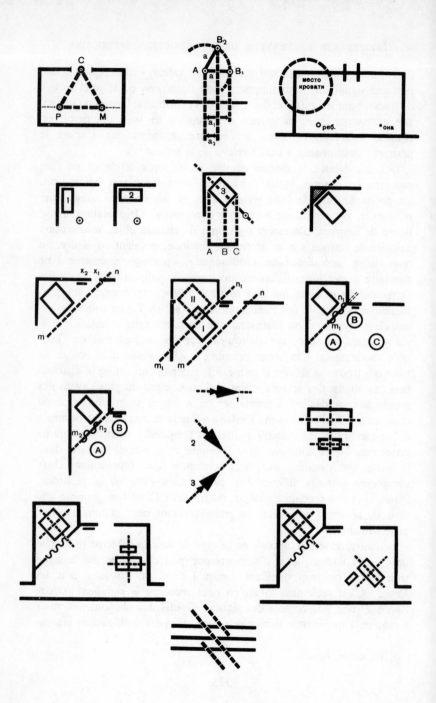

место
кровати

реб.   она

brables de ses manifestations particulières éternellement variables, que le signifiant perd son caractère indirect de jeux de mots lourds ou de symbole mortel[1]. » Ces positions se retrouvent également dans les considérations d'Eisenstein sur l'image cinématographique et le rythme : « organique » chez lui, « métrique » chez Poudovkine, « mélodique » chez Walt Disney, le rythme est toujours une nécessité interne indispensable à ce qui est pour lui la représentation au cinéma[2].

Le frayage présymbolique, qui est la marque de l'agressivité et/ou de l'angoisse suscitées par le contrat désirant avec quelqu'un d'autre, se dépose donc de la manière la plus archaïque et, partant, la plus prégnante, dans ce chiffrage qu'est, pour le visible, le « rythme » de l'espace et de la couleur, pour servir, dès ce niveau-là, à inciter et à consumer l'agressivité et/ou l'angoisse du spectateur. Pourtant, cet effet s'obtient, sans doute de façon maximale, lorsque l'image elle-même signifie cette agressivité. L'horreur représentée est le spéculaire par excellence : Hitchcock, joignant le rythme eisensteinien à la vision de la terreur, serait-il le cinéaste par excellence? Le public moderne l'enregistre bien : du plus « sophistiqué » au plus « vulgaire », nous ne résistons pas aux vampires ou aux massacres du Far West. La catharsis, réglage nécessaire à toute société, passe aujourd'hui non plus par *Œdipe, Electre* ou *Oreste,* mais par *les Oiseaux* et *Psychose,* quand ce n'est pas simplement par les coups de fusils de n'importe quel western ou par l'alternance d'horreur et d'enjolivement dans les pornos. Et d'ailleurs, plus c'est bête, mieux c'est, car ce qui compte n'est pas là : ce qui compte, c'est que le spéculaire présente par son signifié direct (l'objet ou la situation représentée) et qu'il chiffre par son rythme plastique (ce réseau d'éléments lektoniques, son, ton, couleur, espace, figure) la pulsion — qui nous est revenue de l'autre sans réponse et qui est, en conséquence, restée non captée, non symbolisée, non consumée.

F... a un an et ne parle que par écholalies : rythmes, intonations, intensités variables; et il semble qu'il ne voit pas les objets autrement que comme des prolongations embarrassantes et accidentelles de son corps encore dispersé. Le micro peut enregistrer sa voix sans qu'il proteste : ce sont des enregistrements du drame entre l'émission sonore

---

1. *S. M. Eisenstein,* Moscou, 1966, t. IV, p. 58, 60.
2. *Au-delà des étoiles,* UGE, « 10/18 », 1974, p. 276 s.

et la respiration, des étouffements, des réglages pénibles entre intensités et fréquences, mais déjà en train de s'organiser par le premier ordonnateur : le rythme. Quelques mois après, les objets se mettent à exister : F... les voit, les cache, les perd. Il voit aussi le magnétophone et, quel que soit notre stratagème pour que l'appareil ne gêne en rien ses mouvements, sa simple apparition provoque les pleurs. Comme si les drames vocaliques antérieurs s'étaient projetés sur l'objet visible; l'insupportable de l'apprentissage vocalique demandé par l'adulte, donc le rejet de l'adulte, a déteint sur un objet visible qui se charge de représenter la pulsion sous-jacente à la fonction verbale. Au moment même où la simple écholalie devient une fonction symbolique, commençant à désigner des objets séparés vus comme tels, la pulsion, qui se consumait auparavant dans les écholalies, se voit représentée maintenant par un objet en rapport métonymique avec elles, qui devient le « mauvais objet ». Mais c'est aussi parce que cet objet vu est devenu possible, parce que l'image est désormais là, support et captation de l'agressivité et de l'angoisse, que l'apprentissage du langage comme système de signes à fonction communicative est assuré.

Dans le courant des amitiés, des amours, les rêves n'attendent pas le divan de l'analyste : ils circulent comme des dons. A... fait souvent le même cauchemar : il a quatre ans, il est dans la salle de bains sur son pot. Quand les excréments débordent du vase et se transforment en une « grosse bête », quelque chose entre la grenouille et le crocodile, mais à peau transparente, comme si c'était la membrane de l'œil, brusquement entre le père d'A..., qui voit la bête et menace de punir. Montage exemplaire entre la pulsion *anale,* la subordination au père pour un coït anal (fantasme de pénis anal et de naissance cloacale) et une greffe, sur le même vecteur désirant, du regard qui est toujours un œil de l'autre, menaçant et séducteur, œil paternel. Remarquons l'indissociation entre l'objet en tant que déchet, lui-même non encore séparé du corps propre, et l'œil paternel, qui figure l'instance première de représentation visuelle et/ou symbolique. L'indistinction objet-déchet/œil-instance symbolique s'accompagne immanquablement d'une autre : l'hésitation autour de la différence sexuelle : actif ou passif, voyant ou vu, mon œil ou son œil, « homme » ou objet-érotique-sadisé par le père (« femme »). Si la séparation nette de ces deux ordres, aux deux niveaux, assure le refoulement et la position de maîtrise du sujet sur son corps, sur le signifiant et sur les autres, rien ne garantit que cette séparation soit jamais nette et définitive. Le rêve, ce cinéma privé de public, est là pour rappeler combien dramatique et jamais achevé est l'apprentissage du symbolisme (image ou langage), comme l'est en même temps l'acceptation de la différence sexuelle. Il le rappelle déjà par son économie (processus primaires + représentation et processus secondaires), même lorsqu'il ne l'explicite pas aussi spectaculairement, si l'on peut dire, que ne le fait l'obsession d'A... Rêve cauchemar ou rêve de délices, mais toujours séducteur : le spéculaire sera prime d'un plaisir refusé, greffe d'une jouissance qui n'a pas pu avoir lieu, n'aura jamais assez lieu, dans l'ordre éveillé.

Tout matériau sémiotique (couleur, masse malléable, son, etc.) se prête à cette rythmisation et à cette représentation cathartique. Le spéculaire n'en reste pas moins le maître absolu. Pourquoi? Parce que c'est par le regard, d'abord et avant tout, que le corps découpé par les rythmes et les intonations des écholalies, multiplié, morcelé, ni homme ni femme, se constitue comme un et identifiable : l'image, avant le verbe dont elle ouvre la voie, nous figure une identité qui ne sera désormais qu'imaginaire. Conséquences : non seulement le spéculaire absorbe les frayages pulsionnels archaïques, les agressivités non symbolisées; mais il les pourvoit et, pour cela même, séduit. Le spéculaire : dépositaire final et le plus efficace des agressions et des angoisses, et fourvoyeur-séducteur magistral. Séducteur : c'est-à-dire dérivateur des frayages (rythmes, ondes somatiques, vagues de couleurs) vers ce point de mire impossible où doivent converger les séries jamais achevées des images dans lesquelles « je » se constituerait enfin identique à soi-même, débarrassé de ce territoire antérieur au stade du miroir où « je » dépendait de la mère, plus ou moins indistinct d'elle. Désormais, « je » pourrait leurrer les autres en leur adressant la pulsion (agressive) comme un appel (désirant). C'est au spéculaire qu'aboutit donc la dérivation de la pulsion, et c'est de lui que commence le leurre identificatoire, avec sa danse narcissique. Chronologiquement dans le développement de l'enfant, et logiquement dans le fonctionnement de l'adulte, le spéculaire demeure le support le plus avancé pour l'inscription de la pulsion (par rapport au son ou au matériau tactile, par exemple). Le spéculaire est aussi, en conséquence, le départ le plus précoce des signes, des identifications narcissiques et de la transe fantasmatique d'une identité parlante à une autre. Frayeur et séduction. Que l'un ait trait à la dépendance de la mère et l'autre à l'appel adressé au père, l'homme doit l'éprouver aussi bien que la femme. Dans ce que le spéculaire leur propose comme nœud entre la frayeur et la séduction (la trace pulsionnelle *et* la dérivation signifiante, imagée, contractuelle, désirante, socialisante), ils s'y retrouvent différemment, l'homme et la femme. Mais s'ils entraient dans le jeu, ils seraient amenés, l'un et l'autre sexe, à traverser les deux zones et à tenter les deux identifications — la maternelle, la paternelle. Épreuve de la différence sexuelle — de l'homosexualité, du heurt avec la psychose —, ils n'arrêtent pas de le laisser entendre, quand ils ne le laissent pas voir : Eisenstein, Hitchcock.

Ce nœud frayeur/séduction, qui aurait pu avoir (et qui sans doute a) des effets analytiques (cf. les crises psychologiques ou bien les circuits de capitalisation que déclenche toute innovation picturale), devient, par le commerce cinématographique, de la séduction bon marché : on tire vite le voile sur la frayeur, reste le soulagement cathartique; ou bien, dans les « navets » et pour être à la portée du goût petit-bourgeois, on flatte les identifications narcissiques, on se contente de la séduction à cinq ou dix francs.

Mais la grande séduction spéculaire n'a rien à voir avec ça. On la rêve avec ou sans image : corps éclaté, soulevé par des portées tonales, œil qui radiographie l'intérieur des viscères, caméra qui suit le fil tordu des cavités, ou bien bleu-rouge-vert qui s'élèvent sur ailes, à chevaux... On l'écoute : Mozart, Schönberg. On fantasme : Don Juan, le héros spéculaire idéal, séducteur parce que maître qui défie les pères et connaisseur des femmes, mais, sans compter jamais avec une, transformant la passion pour une mère tue en une série de maîtresses, et son amour pour le père en meurtre réciproque; toujours ambivalent, loi et transgression, terreur et fascination. S'il fallait un blason au spéculaire : ce serait Don Juan. C'est pourquoi aucun art visuel n'ose s'y mesurer : rivalité intenable.

Je rêve d'un film impossible : *Don Juan* par Eisenstein et Hitchcock, avec la musique de Schönberg. Invisible. Salle vide. Mais quel sacre de frayeur et de séduction. De plus, Schönberg aurait pu y trouver la solution de ce débat qu'il dit lui-même faux, entre son Moïse et son Aaron : entre la menace (divine) qui éclate avec le tonnerre sans image et la liesse des idolâtres séduits par le « veau d'or ».

Saint Augustin, une fois de plus, dit et consolide la vérité de l'ordre symbolique et fantasmatique pour deux mille ans de christianisme, lorsqu'il spécifie l'*image* comme constitutive de la *mens,* comme

« immascible ». L'ordre symbolique est assuré dès qu'il y a des images, auxquelles on croit immanquablement, car la croyance est elle-même image : elles se constituent toutes les deux par les mêmes procédés et à partir des mêmes termes : *mémoire, vue* et *amour* ou volonté. N'entrons pas dans les implications théologiques de ce constat pour la foi chrétienne. Remarquons seulement que, pour saint Augustin, quelque déformée ou viciée que puisse être une image, du moment où elle est, elle soutient la quête transcendantale, même et encore plus si elle n'est pas l'image d'un objet identifiable. De le savoir lui permet ce geste merveilleux d'inversion de l'Écriture : au lieu de : *« Quanquam in imagine ambulat homo, tamen vane conturbatur : thesaurisat et nescit cui congregabitea »* (Bien que l'homme marche dans l'image, cependant il s'inquiète en vain, il accumule et il ignore pour qui il amasse) [1], saint Augustin propose : « Bien que l'homme s'inquiète en vain, cependant il marche dans l'image [2]. » La fascination spéculaire capte la frayeur et la restitue à l'ordre symbolique. L'art chrétien, dans la pénombre des églises, plus que quoi que ce soit d'autre, connaît, multiplie et exploite cette fascination. Le calme règne devant l'enfer mis en image.

Avec le cinéma, l'efficace sémiotique du monothéisme atteint son comble : rien de mieux que le film pour accomplir le constat augustinien : « Bien que l'homme s'inquiète en vain, cependant il marche dans l'image. » Car, dans la fascination filmique, le spectateur accumule, plus qu'il ne saurait le faire ailleurs, des signes multiples (dégorgeurs d'angoisse), et il « ignore pour qui il amasse » (se croit à l'abri du pouvoir qui lui projette ces supports identificatoires).

Alors, pas d'antifilm possible? Tout spectaculaire serait-il d'avance réglé et versé sur le compte de l'ordre? — Il reste, ici comme ailleurs, l'éclat de rire : mais, lorsque c'est l'image qui rit, l'identité s'écroule et le « Dictateur » est scié. *Chaplin ou la sidération spéculaire :* le vers dans l'ordre réussi de la psychose incarnée, qui la travaille avec ses propres moyens et en rit en connaissance de cause. *Le « Dictateur »,* une nouvelle ère dans l'imagerie occidentale : « Bien que l'homme marche dans l'image, il ne marche plus. » L'acteur cinématographique, chez Chaplin, mais aussi le décalage entre son et image, discours et représentation, ou le « démontage impie de la projection » par le mou-

1. Ps. XXXVIII, 7.
2. « Les images », *De la Trinité,* XIV, IV, 6.

vement même de la caméra (Godard, Bresson), tiennent le spectateur, toujours dans le fantasme, à distance de sa fascination. Il fallait sans doute que la fascination spéculaire arrive à son accomplissement parfait, total, par le cinéma, pour que sa frayeur et sa séduction éclatent de rire et de distances. S'il n'est pas cette démystification, le cinéma ne sera rien d'autre qu'une autre Église.

La joie de Giotto *

Franchir ce qui sépare les mots de ce qui est sans nom et plus qu'un nom : le tableau. Franchir quoi? L'espace de la nomination elle-même? En tout cas, pas de la « première nomination », pas de la nomination naissante de l'*infans,* pas de celle qui ordonne en signe ce qui apparaîtra comme étant le réel séparé pour un sujet. Ici, il y a déjà le tableau : un certain « signe » a déjà eu lieu : il a organisé en tableau « quelque chose » qui n'a pas de référent irrémédiablement *séparé,* ou plutôt qui est son propre réel. Il y a aussi « je » qui parle, tous les « je »-s qui parlent différemment devant le « même » tableau. Il s'agit donc d'introduire les signes de la langue dans ce signe-réel déjà produit qu'est le tableau, de déplier-décoller-juxtaposer ce qui est ici compact, condensé, imbriqué. Franchir, donc, la distance entre le lieu où « je » parle, raisonne, comprends, et celui où fonctionne quelque chose en plus de ma parole : une plus-que-parole, un sens-plus espace-plus couleur. Produire, donc, une nomination de second degré pour nommer un excédent des noms, un plus-que-nom devenu espace et couleur : le tableau. Redescendre le fil du parler, reprendre en mots ce dont les mots ont pu s'abstraire.

Le choix de Giotto (1267-1336) est un désir que justifient, s'il y a lieu, aussi bien l'expérience architecturale et colorée du peintre (traduction de l'espace pulsionnel en surface colorée) que sa place dans l'histoire de la peinture occidentale (l'époque où tout n'est pas encore joué, où il n'est pas sûr que la route aille vers le point central et unifiant de la perspective [1]). Essayer de dire cette expérience, cette traduction, cette charnière historique, sans aucun appui verbal issu d'elles-mêmes,

---

* Première publication : *Peinture,* nos 2-3, janvier 1972.
1. « [La peinture de Giotto] représente en effet un pas vers la perspective artificielle du xve siècle. En même temps, la construction oblique utilisée dans la majorité de ses dessins témoigne d'un mouvement vers une *autre direction* », écrit John White (*Birth and Rebirth of Pictorial Space,* Londres, Faber & Faber, 1973, p. 75).

sauf quelques détails venant pour la plupart de Vasari qui, pour être anecdotiques, ne sont pas insignifiants [1] : un tel projet situe notre position entre le déchiffrement (immédiat, subjectif) et un dispositif théorique encore incohérent, hétéroclite, à produire. Qu'un tel discours implique son sujet plutôt qu'il ne le forclôt à l'abri d'un code scientifique, c'est ce que nous devons souligner avant tout, non pas en guise de justification mais pour désigner la nécessité et la difficulté dialectiques dans laquelle se trouve aujourd'hui la théorie de la peinture visant à proposer une connaissance de sa *pratique*.

Le récit et la norme

Le récit pictural de Giotto suit le canon biblique et évangélique aussi bien à Assise qu'à Padoue, et ne s'en écarte que pour introduire le peuple. Histoire de saint François, histoire de la Vierge, histoire du Christ : les personnages mythiques prennent les allures des paysans contemporains de Giotto. Ce n'est pas cet aspect sociologique, d'une importance capitale pour l'histoire de la peinture, qui nous intéressera ici : il va d'ailleurs de pair avec le bouleversement de l'espace et de la couleur, il est impossible sans lui et, dans ce sens, on peut dire qu'il en résulte.

La légende chrétienne propose donc le signifié pictural : il est l'élément normatif de la peinture, assure son appartenance au code social, sa

1. On rappellera, par exemple, que les fresques de Padoue sont abritées dans la Capella degli Scrovegni; le père de Scrovegni, Reginald, fut placé par Dante dans le septième cercle de l'enfer; le fils, mécène de Giotto, représenté dans les fresques, est membre de l'ordre Cavalieri Godendi dit « Les Joyeux Frères » pour leur richesse et leurs mœurs : il défend l'existence et la dignité de la Vierge. Quant à Giotto lui-même, patronné par les franciscains et travaillant pour eux, il semble être en contradiction avec la doctrine de saint François, à moins qu'il ne soit en accord avec sa décadence spécifiquement florentine, lorsqu'il écrit un poème contre la pauvreté : « Molti son quei che laudan povertade » (mais les historiens ne sont pas d'accord pour lui attribuer la paternité de ce poème); il apparaît, en outre, comme le seul artiste florentin du début du XIVe siècle qui ait atteint une réelle fortune (cf. Frederick Antal, *Florentine Painting and its Social Background*, Harper, 1947). Rappelons aussi une anecdote ayant trait à la pratique picturale de Giotto : en réponse au pape Benoît IX cherchant un peintre pour l'église Saint-Pierre, Giotto aurait envoyé comme seule preuve de sa maîtrise un cercle parfait tracé au pinceau imbibé de couleur rouge, d'où le dicton : « Un art plus accompli que le O de Giotto » (cf. Ruskin, *Giotto and his Work in Padua*, Allen & Unwin, 1854).

Giotto, *le Jugement dernier*, détail.
(Capella degli Scrovegni, Padoue. Photo Giraudon.)

fidélité au dogme idéologique. La norme s'est retirée dans le *signifié* qui est un *récit* : la peinture proprement dite sera possible pourvu qu'elle desserve le récit; dans le cadre du récit, son jeu est libre. Or, un signifié de récit ne peut constituer une contrainte pour un signifiant (gardons pour l'instant ces termes) qu'en lui imposant la *représentation continue*. La peinture chrétienne, contrairement à une certaine peinture bouddhiste ou taoïste, verra l'arrivée en masse des personnages avec leur itinéraire, leur destin, leur histoire : leur épopée. L'avènement des « histoires des sujets », des « biographies », symbolisant des mutations philo- et ontogénétiques, l'introduction du principe du *récit* dans l'idéologie et dans l'art chrétiens, trouveront leur justification théorique avec saint François et son exégète saint Bonaventure. *L'Itinéraire de l'âme vers Dieu* de ce dernier est l'énonciation philosophique d'un itinéraire de sujet, de la série d'épreuves, de la biographie, du *récit*. Si le principe même de l'*itinéraire* n'est pas neuf (on le retrouve dans l'épopée grecque, la tradition populaire orale, la légende biblique, etc.), sa formulation par saint Bonaventure est récente et favorise — ou simplement justifie — son éclosion dans l'art pictural chrétien de cette époque, en rompant le canon déjà sclérosé de douze siècles de christianisme. Ce phénomène théorique et artistique correspond à la nouvelle société européenne s'acheminant vers la Renaissance, et tranche avec la tradition que représente l'art byzantin (portraits, scènes détaillées, mais isolées, sans suite d'images articulées dans une continuité totalisante) conservé par la branche orthodoxe du christianisme qui ne connaîtra pas de Renaissance.

Il semble que le Cycle narratif le plus ancien de l'Ancien Testament soit représenté dans l'église Saint-Apollinaire-le-Neuf à Thessalonique, et date de l'époque de Théodoric. Dans les manuscrits illustrés (IVᵉ siècle), les enluminures suivent la logique des épisodes narratifs (cf. le *Livre de la Genèse* à Vienne). Mais les mosaïques byzantines, y compris celles de Saint-Marc à Venise, représentent des scènes détaillées et des suites de scènes à caractère dramatique, pathétique, sans qu'un récit exhaustif totalise l'ensemble d'un destin centré sur *un* personnage.

Tout au contraire, par sa logique simple, dépouillée et restreinte aux épisodes essentiels de la vie de Marie et de Jésus, le signifié narratif de Giotto à Padoue signale que la démocratisation de la religion chrétienne se traduit par sa mise en biographie. L'itinéraire personnel remplaçant le pathétique byzantin trouvera une expression magistrale sur les murs de Padoue. Dans le récit pictural de Giotto, le principe d'une histoire individuelle est en effet plus accompli à Padoue qu'à Assise : les sièges vides suspendus dans un espace bleu (la *Vision des sièges* à Assise) sont impensables dans la narration laïcisée de Padoue.

Pourtant, ce signifié en récit qui étaye le symbolisme du dogme téléologique (garant de la communauté mythique chrétienne), et qui se déroule en trois couches superposées de gauche à droite en suivant le mouvement des Écritures saintes, sur les deux murs parallèles de la Capella degli Scrovegni, est factice. Brusquement, le rouleau se déchire et s'enroule sur lui-même, des deux côtés en haut du mur du fond, regardant l'autel, pour laisser voir le mur nu, dévoilant ainsi que le récit n'est qu'une couche mince de couleur. Et là, juste au-dessous des deux enroulements, en face de l'autel, s'étale une autre scène, hors du récit : l'*enfer*. Envers de la suite symbolique du récit, c'est la scène dans laquelle cohabitent trois éléments : les personnages historiques (Scrovegni et le peintre lui-même), le Jugement dernier et le châtiment. Ici, la suite narrative s'arrête : elle se coupe devant la réalité historique, la Loi et le fantasme (les corps nus, la violence, le sexe, la mort); autant dire devant l'espace humain — envers de la continuité divine exposée dans le récit. Dans le coin bas à droite, au cœur même de l'enfer, les contours des personnages s'estompent à leur tour, les couleurs s'éclipsent, s'atténuent, s'assombrissent : bleu phosphorescent, noir, rouge sombre. Ici, plus d'architecture : les bâtisses obliques et les montagnes angulaires qui heurtaient leurs flancs dans les scènes du récit, cèdent sur ce mur de fond devant l'ellipse, la suspension, les courbes et le chaos.

Comme si le signifié narratif de la peinture chrétienne se soutenait du fait de pouvoir montrer sa dissolution : le déroulement du récit (de la transcendance) doit se rompre pour faire apparaître ce qui est hors-récit et anti-récit : l'espace non linéaire des hommes historiques, de la Loi et du fantasme.

La représentation de l'enfer serait la représentation de la dissolution du récit en même temps que l'effondrement de l'architecture et l'évanouissement de la couleur. Même à ce point d'arrêt de la suite épique, la *représentation* reste toujours de règle : elle est le seul vestige de la norme transcendentale, du signifié, dans l'art chrétien. Privé de récit, la représentation seule — en tant que procédé de la signifiance — sera la garante de la communauté mythique (ici chrétienne), le symptôme que ce travail pictural appartient à une idéologie. Mais, privée de récit, elle représente l'envers de la norme, l'antinorme, ce qui est interdit, l'anomalie, l'excès, le refoulé : l'enfer.

Ainsi seulement, le *signifiant* du récit, c'est-à-dire ce dispositif de formes et de couleurs qui faisait du récit un *tableau,* sera lâché ici, au terme du récit, et trouvera son signe pour être symbolisé comme l'envers, le négatif, l'autre inséparable de la transcendance. L'histoire des sujets, le Jugement, l'enfer captent dans une transcendance non plus récitative, mais ponctuelle, sans durée mais spatiale, cette « force travaillant la forme » qui s'enchaînait auparavant en récit. Dans l'enfer, le tableau se déchaîne, il est à sa limite; le pas suivant serait l'abandon de la représentation dans la couleur et la forme seules, ou rien. Chez Giotto, couleur et forme ne seront jamais libérées « en soi ». Mais, dès Giotto, c'est-à-dire dès le début de la grande peinture chrétienne renaissante, l'indépendance de la couleur et de la forme apparaît *par rapport* au signifié (à la norme théologique) : par rapport au *récit* et par rapport à la *représentation.* Elle apparaît comme indépendante précisément parce qu'elle se *mesure* constamment à la norme toujours présente, s'arrache à elle, la contourne, s'en détourne, l'absorbe, passe outre, fait autre chose : par rapport à elle.

Contrairement à certaines peintures bouddhistes et extrême-orientales qui excluent le signifié de la représentation et qui se consument en se disposant (carrés tantriques) ou en s'inscrivant (les idéogrammes dans la peinture chinoise), la pratique de Giotto et la tradition chrétienne de l'art en général font montre de leur indépendance par rapport à la Loi symbolique *en se mesurant* aussi bien au récit représenté (parabole du dogme chrétien) qu'à l'économie même de la symbolisation (couleur-forme-représentation). C'est ainsi que la pratique picturale s'accomplit comme une liberté, un procès de libération *à travers la norme :* il s'agit, bien entendu, d'une liberté du sujet à travers un ordre (un signifié) devenu *plastique* tout en permettant et intégrant ses transgressions. Car la liberté du sujet, comme la dialectique en énonce la vérité, consisterait précisément à se soustraire *relativement* à l'ordre symbolique. Mais, puisque cette liberté ne semble pas exister en dehors de ce qu'il est convenu d'appeler un « artiste », elle se réalise en modifiant la distribution des ordres référent-signifiant-signifié et leur répercussion sur l'organisation de la signifiance en réel-imaginaire-symbolique, calquées toutes les deux sur la fonction de la communication verbale — clé de la voûte religieuse. Pour les organiser *autrement.* Deux éléments nous aideront à suivre cette prise d'indépendance relative, dans la peinture de Giotto, par rapport à une pratique signifiante modelée sur la communication verbale : ces éléments seront la *couleur* et l'organisation de l'*espace* pictural.

Le triple registre de la couleur

On a souvent prêté attention à l'organisation géométrique, à la composition des fresques de Giotto, pour y chercher l'indice d'un renouvellement de l'art. On a moins souvent souligné l'importance de la couleur dans le « langage » pictural de Giotto lui-même et de la peinture en général. La raison en est probablement que l'élément « couleur » se laisse difficilement *situer* aussi bien dans le *système formel* de la peinture que dans la peinture considérée comme une *pratique,* donc par rapport au peintre. L'approche sémiologique de la peinture, qui voit en elle un langage, ne trouve pas, parmi les éléments de la langue identifiés par la linguistique, l'équivalent de la couleur : serait-elle de l'ordre du phonème, du morphème, du syntagme, de la lexie? Pour peu qu'elle ait été opérante, l'analogie langage/peinture devient, face à la couleur, impossible. La recherche devra partir alors d'une autre hypothèse, non plus structurale, mais *économique,* au sens freudien du terme.

« Nous voyons maintenant ce que nous pouvons appeler la représentation d'objet consciente se scinder en *représentation de mot* et *représentation de chose,* écrit Freud [...] Le système *Ics* contient les investissements de chose des objets, les premiers et véritables investissements d'objets; le système *Pcs* apparaît quand cette représentation de chose est surinvestie du fait qu'elle est reliée aux représentations de mot qui lui correspondent. Ce sont, nous pouvons le résumer, ces surinvestissements qui introduisent une organisation psychique plus élevée et qui rendent possible le remplacement du processus primaire par le processus secondaire qui règne dans le *Pcs*[1]. » Ce surinvestissement des représentations de chose par les représentations de mot permet aux représentations de chose de devenir conscientes : elles ne

---

1. *Métapsychologie,* Gallimard, 1968, p. 118.

pourraient le faire sans ce surinvestissement des représentations de mot, car « la pensée fonctionne dans des systèmes qui sont si éloignés des restes perceptifs originaires qu'ils n'ont rien conservé des qualités de ceux-ci et ont besoin pour devenir conscients d'un renfoncement par de nouvelles qualités[1] ». Freud constate donc une scission entre perception et processus de pensée, et, en supposant la disparition qualitative des perceptions archaïques (supposition qui nous paraît fausse lorsqu'il s'agit des sujets dits « artistes », mais nous ne la discuterons pas ici), il situe les *représentations* de mot en position de relation jouant sur les deux ordres : perceptif et verbal. Cette économie est particulièrement nette dans les cas de schizophrénie où les représentations de mot subissent un investissement plus intense pour permettre de récupérer les « objets perdus », séparés du moi (ce que Freud appelle « prendre le chemin de l'objet en passant par l'élément mot de celui-ci »).

Si l'on essayait d'interpréter la terminologie freudienne, on remarquerait que « représentation de chose » désigne principalement la charge pulsionnelle *inconsciente* liée à (sinon provoquée par) des objets; « pensée » dénote les processus *conscients,* dont les processus secondaires, les diverses opérations syntaxiques et logiques : résultats de l'imposition du refoulement, ils tiennent à l'écart les « représentations de chose » et leurs charges pulsionnelles correspondantes. Le terme « représentation de mot » pose plus de problèmes : il semble désigner un état complexe de la charge pulsionnelle qui investit le niveau symbolique[2] où elle sera remplacée, ultérieurement et grâce au refoulement, par le signe la représentant (l'effaçant) dans le système de la communication. Dans les « représentations de mot », la charge pulsionnelle à la fois : *1)* vise un objet extérieur; *2)* est signe dans un système; *3)* procède de l'organe biologique qui articule la base physique de ce signe (l'appareil vocal, le corps en général). Freud écrit en effet : « Les représentations de mot, de leur côté, proviennent de la perception sensorielle de la même manière que les représentations de chose[3]. » Les

---

1. *Métapsychologie, op. cit.,* p. 120.
2. Freud explique ce passage de la perception à la fonction symbolique par l'économie d'*unification* et de *rejet* qui engendre la fonction symbolique, la séparation entre sujet et objet, et l'imposition du refoulement, et que consacre la création du symbole de la négation (cf. « Die Verneinung », *Imago*, II, 1925, p. 217-221).
3. *Métapsychologie, op. cit.,* p. 119.

représentations de mot seraient donc doublement liées au corps : *1)* en tant que représentation d'un objet « extérieur » que le mot dénomme, aussi bien que de la charge pulsionnelle elle-même qui, pour être intra-organique, ne rapporte pas moins le sujet parlant à cet objet; *2)* en tant que représentation d'un « objet » « intérieur », perception interne, érotisation du corps propre durant l'acte de la formation du mot comme élément symbolique. Ce « duel » corporel qui condense donc le dedans et le dehors aussi bien que les deux charges pulsionnelles liées à l'un et à l'autre, est le matériau dans lequel opère l'imposition du refoulement qui transformera cette charge pulsionnelle complexe et hétéronome en *signe* adressé à un autre dans un système de communication : en langage.

Le triple registre : charge pulsionnelle indiquant un dehors/charge pulsionnelle liée au corps propre/signe (signifiant et processus primaires), sert alors l'état fragile, éphémère et compact de la genèse de la fonction symbolique : il est la véritable condition de cette fonction. C'est ce triple registre, précisément, qui se trouve pulsionnellement investi lors de ce qu'on a pu appeler des « névroses narcissiques » où l'on observe cette « fuite du moi qui se manifeste dans le retrait de l'investissement conscient », c'est-à-dire dans l'abandon de l'écart qui maintient à distance « pensée » d'une part, « pulsion » et « représentation de chose », d'autre part, et qui, par là même, aboutit à l'isolation du moi.

Cette triade semble être également surinvestie dans la fonction artistique dont l'économie apparaît ainsi nettement distincte de celle de la communication. En effet, si le triangle signifiant-signifié-référent paraît méthodologiquement suffisant pour décrire la fonction communicative, la pratique artistique y ajoute ce que Freud appelle « représentation de mot », ce qui induit le triple registre *pulsion au-dehors/pulsion du dedans/signifiant,* ne correspondant en rien au triangle du signe, mais se surimposant à son architecture. La fonction artistique introduit donc dans l'ordre symbolique (de la « pensée » selon la terminologie de Freud) un ordre charnière, à la fois « charge énergétique » (pulsion) et « empreinte » (signifiant), qui modifie aussi bien le symbolique (puisqu'elle l'investit de pulsion et de représentations de chose) que les représentations de chose (puisqu'elle les investit de relations signifiantes que les perceptions elles-mêmes ne pouvaient avoir, dans la mesure où leurs investissements « correspondent seulement à des relations entre les représentations d'objet ») [1].

Cette triade métapsychologique freudienne déjoue aussi bien la « représentation » (il s'agit plutôt d'un enregistrement des charges pulsionnelles) que le « mot ». Elle propose un *dispositif formel* élémentaire qui pourrait faire fonctionner l'ordre phonématique, un stock de lexèmes, des stratégies syntaxiques (à établir pour chaque sujet dans le procès d'apprentissage du langage) et des processus primaires de déplacement, condensation, répétition, présyntaxiques et prélogiques. Ce dispositif formel, qui subsume les charges pulsionnelles, est une sorte de *code* verbal dominé par les deux axes métaphore-métonymie mais utilisant singulièrement selon chaque sujet les possibilités générales et limitées d'une langue donnée.

La couleur peut être définie, eu égard à ce qui précède, comme s'articulant sur un tel triple registre pour le domaine de la perception visuelle : charge pulsionnelle liée aux objets visibles externes/même charge pulsionnelle occasionnant l'érotisation du corps propre *via* la perception visuelle et la gestualité/insertion de cette charge pulsionnelle sous l'impact de la censure, en tant que signe dans un système de représentation.

Matisse fait allusion à cette base pulsionnelle de la couleur lorsqu'il parle d'une « *sensation rétinienne...* qui détruit la tranquillité de la surface et du contour »; il la compare d'ailleurs à celle de la voix et de l'ouïe : « Il n'y a, en fin de compte, qu'une *animation tactile* comparable au " vibrato " du violon et de la voix [2]. » Mais en même temps, et pour être subjective et pulsionnelle, cette arrivée de la couleur (aussi bien que de tout autre « procédé artistique ») est nécessairement, donc *objectivement,* exigée et déterminée par le système formel historiquement produit dans lequel elle opère : « Nos sens ont un âge de développement qui ne vient pas de l'ambiance immédiate, mais d'un moment de la civilisation. Nous naissons avec la sensibilité d'une époque de civilisation. Et cela compte beaucoup plus que tout ce que nous pourrons apprendre d'une époque. Les arts ont un développement qui ne vient pas seulement de l'individu, mais aussi de toute une force acquise, la civilisation qui nous précède. On ne peut pas faire n'importe quoi. Un artiste doué ne peut pas faire quoi que ce soit. S'il

1. *Métapsychologie, op. cit.,* p. 120.
2. *L'Intransigeant,* 14 janvier 1929.

n'employait que ses dons, il n'existerait pas. Nous ne sommes pas maîtres de notre production. Elle nous est imposée[1]. »

On pourrait envisager, par conséquent, la couleur comme une économie complexe condensant : une excitation allant au référent, une pulsion physiologiquement étayée, et des « valeurs idéologiques » propres à une culture (celles-ci pouvant être considérées comme la décantation historiquement nécessaire des deux premières composantes). Ceci implique que la couleur est à déchiffrer à chaque fois selon : *1)* la gamme des couleurs « naturelles »; *2)* la psychologie de la perception colorée et, surtout, de l'investissement pulsionnel de chaque perception dépendant des phases que traverse le sujet concret selon son histoire propre à l'intérieur du processus général d'imposition du refoulement; *3)* le système pictural en vigueur ou en cours de formation. Élément composite par excellence, elle condense l' « objectivité », la « subjectivité » et l'organisation intra-systématique de la pratique picturale. Elle se dégage ainsi comme une grille (*différences* de lumière, de charge énergétique, de valeur systématique) dont chaque élément est connecté à plusieurs registres imbriqués les uns sur les autres. Par le fait qu'elle appartient au système du tableau, donc dans la mesure où elle a un rôle structural dans un *dispositif* construit par un sujet, la couleur comme valeur indicielle (d'un référent objectif) et comme charge pulsionnelle (implication érotique du sujet) se trouve dotée de fonctions nouvelles qu'elle n'a pas en dehors de ce système (qu'elle n'a donc pas en dehors de la pratique picturale). Ici, dans le tableau, la couleur est tirée de l'inconscient dans un ordre symbolique auquel s'agrippe l'unité du « moi », ainsi seulement rassemblée. Mais, le triple registre étant constamment présent, cette valeur diacritique de la couleur à l'intérieur du système du tableau est du même coup retirée vers l'inconscient, de sorte que la couleur compacte (dans sa triple dimension) se soustrait à la censure et que l'inconscient fait irruption dans le dispositif pictural culturellement codé.

C'est dire que l'expérience chromatique est celle d'une menace du « moi », mais aussi et à rebours celle de sa reconstitution tentée. Elle opère sur la trace de la formation-dissolution du moi spéculaire-imaginaire : liée, donc, au narcissisme primaire et à l'indistinction du sujet et de l'objet, elle porte la trace de la pulsion unificatrice *(Ich-Lust)*

1. Matisse à Tériade, *le Minotaure,* 1926.

du sujet avec son dehors, sous l'impact du principe de plaisir [1] en train de devenir principe de réalité par l'imposition du rejet, de la fonction symbolique et du refoulement. Mais elle se constitue comme une charnière entre les tendances de conservation et les tendances de destruction du « moi », lieu de l'érotisme narcissique (auto-érotisme) et de la pulsion de mort, et jamais l'un sans l'autre. On peut dire que, si l'expérience chromatique est une reconstitution du « moi » à travers et au-delà du principe de plaisir, cette reconstitution n'est jamais réussie au sens où elle constituerait un sujet *de* (ou *sous*) la loi symbolique. Car la nécessité symbolique ou l'interdit qu'impose la couleur ne sont jamais absolus : contrairement à la *forme* et à l'*espace* délimités, au *dessin* et à la *composition* assujettis à des codes stricts de la représentation et du vraisemblable, la couleur jouit d'une liberté considérable. Sa gamme, apparemment restreinte par rapport aux infinies variations des formes et des figures, est reconnue comme le domaine même du caprice, du goût, de la trouvaille, aussi bien dans la vie quotidienne qu'en peinture. Si, pourtant, le jeu des couleurs obéit à une nécessité historique (le code chromatique admis en peinture byzantine n'est pas le même qu'à la Renaissance) aussi bien qu'aux règles internes d'un tableau (ou dispositif quelconque), cette nécessité est mince et comporte sa transgression (impact pulsionnel) au moment même de son imposition et de son application.

La couleur serait donc le lieu où l'interdit prévoit et suscite sa transgression immédiate. Elle réalise la dialectique momentanée de la loi; l'imposition d'Un Sens pour qu'il soit pulvérisé sur-le-champ, multiplié en sens pluriels; elle est l'éclatement de l'unité. Aussi voit-on que c'est par la couleur — les couleurs — que le sujet se soustrait à son aliénation dans un code (représentatif, idéologique, symbolique, etc.) qu'il admet en tant que sujet conscient. De même, c'est par la couleur que la peinture occidentale a commencé d'échapper aux contraintes de

---

1. M. Pleynet a démontré, pour Matisse, la relation entre l'expérience chromatique, le rapport à la mère et *surtout* la phase orale de l'érotisme enfantin qui domine l'expérience préœdipienne, mais aussi celle antérieure au « stade du miroir » (et donc à la constitution du « je » spéculaire) et dont l'importance s'avère capitale non seulement pour l'élucidation de la genèse de la fonction symbolique, mais à plus forte raison, pour la structuration de la « fonction artistique ». Cf. M. Pleynet, « Le système de Matisse », *l'Enseignement de la peinture,* Éd. du Seuil, 1971, p. 67-74; repris in *Système de la peinture,* Éd. du Seuil, « Points », p. 66-75.

la norme récitative et perspective (comme le fait voir Giotto) aussi bien que de la représentation elle-même (comme le font voir Cézanne, Matisse, Rothko, Mondrian). Matisse le dit en toutes lettres : c'est par la couleur, « procédé » fondamental en peinture, au sens large de « langage humain », que se produisent les révolutions plastiques : « Quand les moyens se sont tellement affinés, tellement amenuisés que leur pouvoir d'expression s'épuise, il faut revenir aux *principes essentiels qui ont formé le langage humain.* Ce sont, alors, les principes qui " remontent ", qui reprennent vie, qui vont donner la vie. Les tableaux qui sont des raffinements, des dégradations subtiles, des fondus sans énergies, appellent des *beaux bleus,* des *beaux rouges,* des *beaux jaunes,* des matières qui remuent le *fond sensuel des hommes* [1]. »

Le dispositif coloré, comme le rythme pour le langage, implique ainsi un éclatement du sens et de son sujet en une gamme de différences. Mais ces différences s'articulent dans un hors-sens qui est un surplus de sens. La couleur n'est pas le sens nul : elle est l'excès du sens par la pulsion, c'est-à-dire par la mort qui, en détruisant le sens unique-normatif, y ajoute sa force négative pour affirmer le passage du sujet. Négativité affirmée et différenciante, la couleur picturale (qui se superpose à la pratique d'un sujet simplement parlant-communiquant) n'efface pas le sens : elle le maintient en le multipliant et montre qu'il s'engendre comme le sens d'un être singulier. Espace dialectique de l'équilibre psycho-plastique, la couleur traduit donc une logique sursignifiante puisqu'elle inscrit des « restes » pulsionnels non symbolisés par le sujet de l'entendement [2]. On comprend que sa logique ait pu être comprise comme « vide de sens », grille mobile (parce que subjective), mais hors sémantique, donc comme loi dynamique [3], rythme, intervalle [4], geste. Qu'au contraire cette grille « formelle » chroma-

1. Matisse à Tériade, *le Minotaure,* 1926; nous soulignons.
2. En ceci, sa fonction s'apparente (sur le registre visuel) à la fonction du rythme et, en général, de la musicalité du texte littéraire qui, de cette façon précisément, introduit la pulsion dans la langue.
3. La théorie *physique* de la couleur a connu de telles positions. Selon la conception ondulatoire, chaque atome matériel est formé d'un sous-atome de couleur ou de son dont les rapports sont immatériels, des *dharmas,* des *lois.* Pour Anaxagore, les couleurs représentent les jeux des semences infinies qui correspondent à l'infinité des sensations lumineuses.
4. Pour Platon (*Théétète,* 154), chaque couleur « n'est ni ce qui se projette ni ce qui est projeté, mais quelque chose qui se produit dans l'intervalle de l'un et de l'autre et qui est propre à chaque sujet, individuellement ». Épicure, par la théorie des simulacres,

tique, loin d'être vide, ne soit vide que d'un « signifié unique » ou « ultime », et qu'elle soit lourde de « latences sémantiques » liées à l'économie de la constitution du sujet dans la signifiance, c'est ce que nous voulons ici suggérer.

La couleur n'est donc ni le noir de la forme — figure inviolable, interdite ou simplement déformable —, ni le blanc de l'éblouissement — lumière transparente d'un sens coupé du corps, conceptuel, à pulsion forclose. La couleur ne supprime pas la lumière, mais la détaille puisqu'elle brise son unicité indifférenciée en une multiplicité spectrale et provoque les heurts de surfaces à intensité différente. Dans le dispositif des couleurs, le blanc et le noir, quand ils y sont, sont des couleurs, c'est-à-dire des condensations pulsionnelles/diacritiques/représentatives.

Après avoir décelé et analysé le « mystère » de la lumière et de la production chimique des couleurs, l'enquête scientifique établira sans doute de façon précise la base objective (bio-physique et bio-chimique) de la perception des couleurs, comme aujourd'hui la linguistique, ayant découvert le phonème, cherche son fondement corporel, physiologique et peut-être biologique. L'étude psychanalytique pourra établir alors, à partir de cette base et des phases que traverse le sujet dans l'acquisition chromatique parallèlement à l'acquisition linguistique (perception de telle couleur à tel stade; état des investissements pulsionnels correspondant à cette période; rapport au stade du miroir : la formation du « je » spéculaire; relation à la mère; etc.), les équivalents psychanalytiques plus ou moins exacts de la gamme colorée pour tel sujet concret. Dans l'état actuel de la recherche, nous ne pourrons qu'esquisser des hypothèses générales telles que nous les permettent les observations de la peinture dans son rapport au fonctionnement signifiant du sujet : hypothèses qui impliquent sans doute davantage l'observateur qu'elles ne prétendent à une quelconque objectivité.

---

semble suggérer une relation entre la couleur et ce que nous appelons aujourd'hui l' « inconscient » : l'esprit oppose une barrière à la masse de simulacres qui l'assaillent et sélectionne ceux qui éveillent son intérêt (cf. M. A. Tonnelat, *Évolution des idées sur la nature des couleurs*, Conférence au Palais de la découverte, 1956).

Forma lucis : le burlesque

> Pero parla con esse, ed odi, e credi; ché la
> verace luce che le appaga da sé non lascia lor
> torcer li piedi.
>
> Dante, *le Paradis.*

Cette économie spécifique de la couleur explique peut-être le fait que les spéculations métaphysiques sur la lumière et ses variations remontent aux plus vieilles croyances. Ne serait-ce que pour le monde indo-européen, on les retrouve au fondement du mazdéisme; ensuite, à travers la Grèce tardive [1] et le plotinisme [2], ces spéculations se placent au cœur de la doctrine chrétienne (avec saint Augustin par exemple) et ouvrent en elle la possibilité d'un art plastique — d'une floraison d'images — jamais atteinte ailleurs. Le XIIᵉ siècle est, de toute évidence, capital dans cette voie, par la réforme humaniste qu'il apporte au christianisme : la métaphysique de la couleur s'en ressent lorsque, chez saint Bonaventure, elle situe la *lumière* en rapport avec le *corps*. Celle-là étant l'autre de celui-ci, elle le met en *forme* et devient ainsi l'intermédiaire privilégié entre la substance et son action, ou l'élément essentiel de l'imaginaire : « Les interprétateurs se trompent en regardant la lumière comme un corps; la lumière est forme; elle est la première des formes. Elle ne peut donc être le corps, mais elle ne peut être qu'un *aliquid* du corps. La lumière est la plus noble entre les formes corporelles, comme l'affirment les philosophes et les saints : *forma lucis* [3]. »

Cette proposition, dont on a du mal aujourd'hui à apprécier la portée libératrice, vise à contester l'*unicité lumineuse* de l'idée et à ouvrir en elle le *spectre* — lieu de l'imaginaire — de l'expérience « artistique »

---

1. « La meilleure de toutes les essences est la lumière. Des myriades de rayons partent de Lui, qui frappent non point les sens, mais l'intellect; la lumière sensible n'est qu'une pâle image d'un intelligible, le divin », écrit Philon d'Alexandrie, *De mundi officio,* 17,53; *De Cherubine* 28,97.
2. « D'un Centre (l'Un) irradie un cercle lumineux (le *Nous*); et de celui-ci un autre, lumière issue de la lumière, qui est le monde des âmes. L'intellect et l'œil ne voient pas seulement ce qui reluit du dehors, mais ont en eux une lumière », écrit Plotin, *Ennéades,* IV,3,17.
3. *Deuxième Livre des sentences.*

du sujet. Car la lumière formatrice n'est rien d'autre que la lumière éclatée en couleurs, ouverture des surfaces colorées, déluge de représentations.

Mais on se doit d'insister en même temps sur l'ambiguïté d'une telle proposition : si elle conteste une théologie rigide, unitaire, figée dans l'éblouissement blanc du sens, par le même geste elle récupère dans l'espace théologal la gamme chromatique avec le fondement pulsionnel traversant le sujet que nous avons suggéré plus haut.

C'est dans cette ambiguïté et en jouant de cette contradiction que la peinture occidentale fera semblant de servir la théologie catholique tout en la trahissant, pour sortir un jour d'abord de ses thèmes (avec la Renaissance), puis de sa norme — la représentation (avec l'impressionnisme et les courants qui vont suivre). Plusieurs témoignages théologiques attestent d'ailleurs la méfiance de la haute spiritualité par rapport à la peinture ressentie comme « peu élevée » du point de vue spirituel, sinon comme « burlesque ». Hegel fait preuve d'une telle attitude lorsque, après avoir reconnu l'originalité de Giotto dans l'emploi des couleurs, et en continuant sa pensée dans le même paragraphe, il constate que le peintre abandonne les hautes sphères de la spiritualité : « Giotto changea la manière de préparer les couleurs dont on avait usé jusqu'à ce temps-là, et changea l'idée et les directives de la représentation picturale [...] selon l'esprit du temps, Giotto, à côté du pathétique, accueillit le *burlesque;* à force de tendre au naturel et à l'humain, Giotto finit par se circonscrire dans une sphère moins élevée [1]. »

Ce serait donc en changeant la manière des couleurs que Giotto donne une réalité plastique à la tendance « naturelle » et « humaine » de l'idéologie de son temps. La couleur de Giotto serait l'équivalent « formel » du burlesque, le précurseur visuel de ce rire paysan que Rabelais traduira en langage seulement quelques siècles plus tard. La joie de Giotto — jouissance sublimée d'un sujet se libérant de l'emprise transcendantale d'Un Sens (blanc) par l'avènement de ses pulsions de nouveau articulées dans un dispositif complexe et réglé — éclate dans les heurts et les harmonies chromatiques qui guident et dominent l'architectonique des trente-huit fresques de Padoue. Cette joie chromatique, indice d'une transformation idéologique et subjective profonde,

---

1. Hegel, *Vorlesungen über die Aesthetik,* 1829; nous soulignons.

discrètement introduite dans le signifié théologique qu'elle distord et force sans le quitter, rejoint les excès carnavalesques du peuple mais devance leurs traductions verbales ou idéologiques, qui verront le jour plus tard dans l'art littéraire (le roman ou, en philosophie, les hérésies). Que cette expérience chromatique ait été possible sous le patronage de la Joyeuse Confrérie célébrant la Vierge est peut-être plus qu'un hasard (la jouissance sublimée s'ordonnant autour de la mère interdite à côté du Nom-du-père).

Le bleu de Padoue

Le bleu est la première couleur qui frappe le visiteur lorsqu'il pénètre dans la pénombre de la Capella degli Scrovegni. Inhabituel par sa vivacité pour l'époque, il tranche avec le coloris sombre des mosaïques byzantines et les couleurs des fresques siennoises ou de Cimabue [1]. Les nuances fines du chromatisme de Padoue se détachent à peine sur ce bleu lumineux. La première impression de la peinture de Giotto est celle de la substance colorante, non de la forme ni de l'architecture, mais de la lumière formulée qui saute aux yeux par le bleu. Ce bleu saisit le spectateur à l'extrême limite de sa perception lumineuse.

De fait, la loi de Purkinje constate qu'en faible lumière les courtes longueurs d'ondes sont favorisées par rapport aux grandes : ainsi, avant le lever du soleil, le bleu est la première couleur qu'on peut distinguer. Dans ces conditions, la perception de la couleur bleue est due à la périphérie de la rétine (les bâtonnets), tandis que c'est la partie centrale contenant des cônes (la fovea) qui fixe l'image de l'objet, identifie sa forme. On pourrait risquer l'hypothèse, en suivant le paradoxe d'André

1. Ruskin signale qu'avant Giotto « dans toute l'Europe du Nord, la coloration durant le XIe siècle et le début du XIIe siècle a été pâle : dans les manuscrits, principalement composés de rouge pâle, vert et jaune, le bleu a été introduit avec parcimonie (auparavant, aux VIIIe et IXe siècles, les lettres étaient colorées en noir et jaune seulement). Après, à la fin du XIIe et durant le XIIIe siècle, le grand système des couleurs parfait est en usage : solennel et profond; composé strictement dans toutes les masses prépondérantes des couleurs révélées par Dieu au Sinaï comme étant les plus nobles : le bleu, le pourpre, le rose avec l'or (d'autres teintes, principalement le vert, avec du blanc et du noir, étant utilisées en points ou en petites masses, pour libérer les couleurs principales). A l'aube du XIVe siècle, les couleurs commencent à devenir plus pâles; vers 1330, le style est déjà complètement modifié; et, jusqu'à la fin du XIVe siècle, la couleur est assez pâle et délicate » (Ruskin, *Giotto and his Work in Padua, op. cit.*, p. 21-22).

Broca [1], que la perception du bleu exige une non-identification de l'objet, que le bleu est justement en deçà ou au-delà de la forme fixe de l'objet, qu'il est la zone où s'échappe l'identité phénoménale. On a pu constater, par ailleurs, que la fovea est précisément la partie la plus tardivement constituée de l'œil chez l'homme (seize mois après la naissance [2]). Ce fait indique probablement que la vision centrée, l'identification des objets, y compris l'identification de sa propre image (le « moi » aperçu du stade du miroir se déroulant entre le sixième et le dix-huitième mois), serait une donnée postérieure aux perceptions colorées dont les plus archaïques semblent être celles des courtes longueurs d'ondes (donc du bleu). Il y aurait ainsi un effet non centré, ou dé-centrant de la couleur et à plus forte raison du bleu, qui déroge à l'identification objectale et à la fixation phénoménale, et qui par conséquent ramène le sujet à une époque archaïque de sa dialectique où il n'est pas encore le « je » spéculaire fixé, mais où il est en train de le devenir en s'arrachant à sa dépendance pulsionnelle, biologique mais aussi maternelle. A rebours, l'expérience chromatique pourra être interprétée alors comme le retour de cette émergence du sujet spéculaire, dans l'espace déjà construit du sujet de l'entendement (du sujet parlant) : comme un rappel de sa constitution conflictuelle non encore aliénée dans l'image fixe d'en face, n'identifiant pas encore les contours des autres et de son autre en miroir, mais en contradiction aiguë entre les pulsions de conservation et de destruction, dans un pseudo-moi sans dehors, scène conflictuelle du narcissisme primaire et de l'auto-érotisme [3] dont les heurts peuvent suivre tout enchaînement de différences (phoniques ou visuelles, spectrales).

Les cubes obliques et l'harmonie chromatique

L'irruption massive de la couleur claire dans les fresques de Scrovegni, disposées en teintes douces mais contrastantes, donne un *volume* sculptural aux figures de Giotto : on a même pu faire un rapprochement

1. Selon lequel « pour voir un phare bleu, il faut ne pas le regarder ».
2. I. C. Mann, *The Development of the Human Eye,* Cambridge University Press, 1928, p. 68.
3. Il apparaît ici que les notions de « narcissisme », fût-il primaire, et d'auto-érotisme suggèrent trop une identité déjà existante pour pouvoir s'appliquer avec rigueur à cet état conflictuel et imprécis de la subjectivité.

avec Pisano. C'est dire que la couleur arrache ces figures à la surface du mur et leur donne une profondeur qui s'adjoint à la recherche de la perspective, mais qui aussi s'en passe. Moment essentiel de l'architectonique des fresques à Padoue que celui où le traitement des masses colorées et leur juxtaposition transforment la surface en volume, la découpent en prismes dont les arêtes se heurtent et, en évitant le point axial de la perspective, s'articulent en cubes suspendus et présentés en oblique. Cet aspect conflictuel de l'espace pictural chez Giotto a déjà été signalé [1]. En effet, 75 % des fresques de Padoue représentent des cubes obliques : une pièce vue de biais, un immeuble vu de dehors sous un certain angle, un profil de montagne, la disposition diagonale des personnages, etc., confirment une recherche géométrique sur les propriétés du carré ou du rectangle. Relativement peu nombreuses sont les scènes de présentation frontale, tandis que l'obliquité des constructions spatiales reste dominante dans tout le cycle narratif, quoique à des degrés différents et avec des tendances fréquentes de réduction à la surface du mur (cf. la *Cène*).

Giotto évite, en somme, la présentation frontale, mais aussi le point où converge le tableau : le heurt des lignes obliques indique que le point central n'est pas dans le tableau, mais dans l'espace de l'édifice où se trouvent le peintre ou le spectateur. Ainsi articulée par les *agressive patterns* des orthogonaux, la fresque à centre évanescent, ou à centre extérieur, pointe vers une organisation spatiale qui n'est pas celle adoptée par l'art « réaliste » à perspective. Selon John White, on rencontre cette organisation conflictuelle de l'espace pictural seulement dans l'art islamique et dans l'art chinois, et encore très rarement : sous forme de « tapis » et de « boîtes » vus à vol d'oiseau, le point de vue normal étant évité dans de telles structurations « cubiques » [2]. Par contre, la composition oblique, chez Giotto, est soutenue par le point axial du sujet hors de l'image : la fresque est ainsi sans autonomie, il est impossible de l'isoler de la série narrative, mais aussi de la détacher de l'espace cubique du bâtiment ou de la couper de la main qui la trace. Chaque fresque, par conséquent, est la transposition de ce volume et de ce sujet en acte, non encore aliéné en face, dans l'image en perspective.

1. John White, *Birth and Rebirth of Pictorial Space, op. cit.*
2. *Ibid.,* p. 68.

Cette conflictualité de l'espace pictural est sans doute plus nette encore à Assise. Espaces cassés, cubes décalés, redoublés, placés côte à côte en sens différents (l'*Éloignement des démons d'Arezzo*). Le cadre peut être un carré de face; à l'intérieur de lui : deux cubes en quart de tour, côte à côte, transparents, la surface rectangulaire étant des deux côtés de nouveau découpée pour engendrer des parallélépipèdes et des colonnes étagées (le *Rêve d'un palais plein d'armes*). Le cube se présente de biais par rapport au cadre, se casse et explose sur le mur latéral du fond : il culmine ainsi vers le triangle du sommet (pyramide) ou la coupole (verte), ou bien, inversement, la pyramide et la coupole s'articulent en cubes emboîtés, cassés *(Saint François priant saint Damien)*. Cubes ouverts, collés les uns sur les autres, avec un léger déplacement de l'axe : une autre imbrication, en diagonale, leur donne la réplique à l'intérieur du carré (le *Renoncement aux biens*). Écroulement d'un cube soulevé, sans équilibre, sur un autre en face, à l'intérieur du carré (le *Rêve d'Innocent III*). Cube ouvert du fond vers la surface, presque en perspective, si les frises et les ogives sur la partie supérieure ne multipliaient pas les surfaces en profondeur et n'empêchaient pas les lignes de se fixer en un point (l'*Apparition aux frères d'Arles*). Cubes ouverts à droite, volant sur un grand cube orienté en sens inverse, donc à gauche, auquel s'adjoint, dans le même sens, un triptyque de cubes à fond troué par des ellipses bleues (l'*Apparition à l'Évêque et au frère Augustin*).

On retrouvera des traitements analogues sur la surface carrée à Florence *(Santa Croce)*. Une variante intéressante de l'exploration géométrique du rectangle est donnée dans la *Prédication devant Honorius III* (à Assise) : la surface du carré découpé par le cadre est mise en deux volumes superposés (le siège); mais ce traitement conflictuel de l'espace est adouci par les courbes des trois voûtes avec leurs ogives; comme si le carré confronté au cercle produisait alors là doublure elliptique, une profondeur décalée du cadre, un fond incurvé, mais qui évite le point de la perspective. Ce traitement de l'espace est à relever, car il revient à Padoue, dans les deux fresques vides de personnages, au-dessus de l'autel, qui inaugurent la série narrative et en donnent le programme, la matrice plastique, en trois temps : *1)* un socle solide rectangulaire; *2)* au-dessus de lui apparaît l'angle (gauche sur une fresque, droit sur l'autre) : confrontation des surfaces découpées en carrés, module conflictuel de l'espace; *3)* pourtant, le conflit est harmonisé dans la partie supérieure de la fresque où les ogives, arcs croisés, se rencontrent dans trois foyers de la coupole à arêtes. Une spirale est clouée devant la fenêtre, comme pour marquer le mouvement inarrêtable et inépuisable du carré au cercle.

Comment les couleurs participent-elles à cet espace conflictuel et harmonisé à la fois?

On distingue aisément deux traitements de la couleur à Padoue : d'une part, dans le décor (fond, paysage, architecture); d'autre part, dans la réalisation des personnages et des intérieurs.

Dans le décor, le fond bleu prédomine. Les surfaces obliques ou frontales des cubes s'en détachent soit en des teintes proches du bleu (vert, gris-vert : dans l'*Annonciation à sainte Anne*), soit en des teintes contrastantes (rose-gris-rose : dans la *Rencontre à la Porte dorée;* ou or-rose doré, dans le *Mariage de Marie*). Les intérieurs présentés de façon frontale sont cernés de plans carrés ou latéraux roses ou jaunes (la *Flagellation de Jésus*). Le rapport bleu-vert prédomine dans les fresques supérieures, le rapport bleu-rose ou doré devient plus fréquent dans la partie basse. Encore une fois, Giotto semble désireux de faciliter la perception naturelle du spectateur placé au centre de l'église ténébreuse : la partie supérieure moins visible est traitée en conséquence en des teintes bleu-vert; celle d'en bas, plus accessible à la clarté du jour, accentue les rose-doré qui sont en effet les premières couleurs perçues sous éclairage renforcé.

Dans tous les cas, pourtant, l'espace conflictuel des cubes imbriqués, démembrés, est obtenu grâce à la confrontation des surfaces colorées : soit dans la même gamme avec des suppléments de tons complémentaires (exemple : le toit rose dans l'*Annonciation à sainte Anne*), soit directement dans des gammes complémentaires.

Il est important de souligner qu'à part le bleu fondamental, toutes les autres teintes sont *très pâles,* d'un raffinement particulièrement recherché. Les différences sont minimes à l'intérieur d'une même teinte. On dirait que la disposition des masses colorées révèle la recherche de *la plus petite différence* susceptible de casser un fond homogène. Cette différence fait que, précisément, la conflictualité spatiale est ressentie sans brutalité, comme une harmonie, une transition.

Ceci est plus évident encore dans le traitement des figures humaines.

D'une part, chaque masse de couleur (vêtement) est dépliée (par le truchement réaliste des draperies) en ses variantes : un rose pâle absorbe le gris, le blanc, le vert, pour modeler les draperies d'une cape. Ces variantes sont des différentielles infinitésimales à l'intérieur de la différence en elle-même déjà subtile entre les teintes pâles de la palette de Giotto. Par endroits, elles rappellent les coloris éteints des gravures chinoises où un texte porte le signifié, tandis que la couleur cherche la différence à peine décelable, l'infime sensation rétinienne la moins chargée de « latences sémantiques ». Ces « plis de couleurs » sont en fait la confrontation d'une teinte avec la gamme complète, de façon que la teinte reste dominante lors de ses mélanges multiples, mais qu'elle soit aussi *différemment et indéfiniment atténuée*. La conflictualité d'une couleur à l'intérieur d'elle-même, allant jusqu'au blanc — effet de luminosité pure —, produit une mise en volume de la couleur, et par là, de la surface carrée. Cet aspect arrondi, sculptural, des personnages de Giotto frappe d'emblée. Les courbes du dessin — ovale des têtes, voûtes des corps remplis — rejoignent les masses colorées ovoïdes : des sphères et des cylindres déformés, tirés. La sphéricité est chromatique, indépendante du dessin arrondi lui-même qui semble guidé par la couleur dépliée et ne fait que la suivre, l'accentuer, la fixer, l'identifier lorsqu'elle défie l'objet fixe, la distinguer en somme d'une autre sphéricité, d'une autre couleur, à côté. Disposées à l'intérieur d'un espace angulaire de cubes et de carrés, ces masses devenues sphériques à force de se différencier elles-mêmes, servent de transition entre les heurts des surfaces et, en fait, produisent, mieux que ces heurts mêmes, la mise en volume de la surface peinte. On dira donc que les couleurs des carrés entrechoqués marquent les bords de l'espace cubé, tandis que les couleurs des figures donnent du volume à ce conflit cubique, l'arrondissent. La couleur réussit ainsi à former un espace de conflits et de transitions non centré, non borné, non fixé, mais se retournant sur lui-même.

D'autant plus que, par ailleurs et en même temps, ces couleurs volumineuses, à force de se produire en se mélangeant et en se détachant de la totalité du spectre, s'articulent l'une à l'autre en contrastes rapprochés (du même côté du spectre) ou carrément divergeant (des couleurs complémentaires). Ainsi, le *Massacre des innocents* : rouge brique-rose pâle - bordeaux - vert - blanc - violet - blanc - vert - rouge - rose - violet - bleu (= fond)-rouge-or. Si l'on marquait, en simplifiant : rouge A, bleu B, jaune C, on aurait le dispositif suivant :

Différences relativement restreintes au début (rouge-rose) : A; saut de l'autre côté du spectre (vert) : B; rappel du début (violet) : A_1; de nouveau, retour au contraire (vert) : B_1; qui s'oppose à son tour à son contraire (rouge) : A_2, qui sera varié jusqu'à pouvoir atteindre une différence infime de teinte (rose-violet) : $A_3 = B_3$ avant un nouveau rappel de l'opposé (bleu) : B_4 (= fond), auquel s'opposera le rouge : A_4, avant la finale en C.

Ainsi : $A - B - A_1 - B_1 - A_2 - A_3 = B_3 - B_4 - A_4 - C$.

On obtient un dispositif de conflit aussi bien que de sériation dont le « modèle » pourrait bien être un joyau à facettes différentes. D'ailleurs, la géométrie représentée dans la même fresque montre deux tours prismatiques à facettes obliques.

Le traitement chromatique des personnages produit un effet plastique qui confirme cette géométrie. Mais il ajoute quelque chose d'autre : l'harmonisation des surfaces délimitées et la mise en volume des surfaces colorées en elles-mêmes, par les moyens propres de la couleur, sans recours à la fixation géométrique. Le volume est obtenu par la juxtaposition des différences chromatiques dépliées en elles-mêmes, sans la rigidité du contour : le peintre se sert du dessin, de la ligne, mais en les enrobant, en les étoffant en matière colorée, en les faisant émerger de la différenciation proprement chromatique.

Débordant les lignes, les assouplissant, les dialectisant, la couleur est ainsi nécessairement le « procédé » par lequel la peinture échappe à l'identification des objets et, par conséquent, au réalisme. De ce fait, l'expérience chromatique de Giotto préfigure une pratique picturale que la postérité immédiate ne suivra pas : cette pratique ne vise pas la représentation figurale, mais seules les ressources de la gamme chromatique qui extrapolent, nous l'avons suggéré, les ressources pulsionnelles et signifiantes du sujet parlant. Car ce dispositif coloré, si chargé de figures, de paysages, de scènes mythiques, apparaîtra au regard attentif et prolongé comme vide de figuration : comme une juxtaposition de différences chromatiques rythmées en volume. Un tel travail chromatique produit donc l'effacement des angles, contours, limites, fixations, figurations, mais reproduit le *mouvement* de leur confrontation.

En étant un élément compact et plurifonctionnel et en dérogeant à la localisation-identification-fixation des phénomènes et/ou du (de leur) sens ultime, la couleur ainsi agencée agit sur le lieu focal du sujet en dehors du tableau plutôt qu'elle ne le projette dedans. Cette peinture s'achève donc dans celui qui la regarde : déclenchement, à partir des « sensations rétiniennes », de leur base pulsionnelle et du dispositif signifiant qui s'y superpose, elle met le sujet sur la voie d'une traversée ordonnée de sa forclusion. N'est-ce pas le « mécanisme » de la jouissance dont Freud trouvera l'économie dans la levée de l'interdit à travers l'interdit (lorsqu'il étudiera un autre phénomène de « sidération » : le mot d'esprit)?

Insistons, en résumant, sur le fait que cette traversée est rigoureusement ordonnée par une juxtaposition de différences en volume qui empruntent deux voies convergentes : d'une part, exploiter les possibilités géométriques du carré et du cube (leurs conflits); d'autre part, explorer la différence chromatique infime produisant la mise en volume de la surface colorée et l'alternance oppositionnelle ou sérielle de ses volumes, grâce à cet « élément » déjà volumineux qu'est le triple registre de la couleur (évoqué plus haut) par rapport au signe.

Cette économie signifiante est investie dans une *fonction idéologique* : celle de la peinture de Giotto comme élément de la « superstructure » dans la société du début du xive siècle. Nous sommes ici devant une question fondamentale : l'inclusion d'une économie signifiante dans un fonctionnement social. C'est le propre de la pratique artistique d'être précisément ainsi doublement articulée : d'inclure une économie signifiante « subjective » dans un fonctionnement idéologique « objectif », de produire le sens avec son sujet en fonction (et selon les contraintes) des contradictions sociales concrètes. C'est dire qu'une économie signifiante (subjective) ne devient pratique signifiante artistique que dans la mesure où elle s'articule aux luttes sociales d'une époque donnée. On peut suggérer, dans ce sens, que la position sociale politique et idéologique du peintre à l'intérieur des contradictions sociales de son temps sélectionne en dernière instance une économie signifiante concrète pour en faire une pratique artistique qui joue un rôle social et historique donné. Ainsi, l'économie signifiante à l'intérieur d'une pratique artistique est non seulement transversale à l'individu (sujet biographique) qui l'exerce, mais le transforme en *sujet historique* en ce sens qu'elle fait correspondre le procès de la signifiance qui le traverse à l'attente idéologique et politique des classes montantes de l'époque.

Ainsi, le travail-jouissance spécifique de Giotto sur la couleur et l'espace et le rôle singulier qui y incombe au sujet rencontrent l'idéologie de son temps : le renouveau subjectiviste et humaniste du christianisme;

la morale libertaire, « sécularisante », moderne, voire « matérialiste » (sous les formes de l'averroïsme et du nominalisme). Cette idéologie correspond à ce que F. Antal appelle *« securely established florentine upper middle class* [1] *»,* laquelle se trouve être la base financière, mais aussi le patron idéologique de Giotto aussi bien que, plus généralement, du renouveau pictural qui va suivre. Nous renvoyons à F. Antal pour une analyse détaillée des fondements économiques et idéologiques sur lesquels se déroulera l'expérience picturale qui nous intéresse ici; en insistant, en ce qui nous concerne, sur le fait que l'intelligibilité de cette pratique est impossible si l'on ne tient pas compte de ces fondements socio-économiques; mais qu'elle est aussi impossible si l'on veut la réduire à ces fondements seuls, en éludant l'économie signifiante du sujet en cause.

Nous avons commencé par parler de la couleur en termes de lumière, donc de fréquence. Mais, appliquée à un objet, la notion de couleur ne peut avoir qu'une valeur topologique : elle traduit des structures précises d'atomes ou de molécules. Ainsi, ce qui se laisse décrire en terme de fréquence (lumière) ne peut être analysé qu'en termes géométriques (la matière colorante).

Pourtant, pour la signification du tableau, ces différences topologiques ou fréquentielles n'importent pas dans leurs spécificités et leurs précisions : elles importent uniquement en tant que différences structurelles qui permettent une disposition spatiale. En tant que marques diacritiques, donc, à l'intérieur d'un système (le dispositif d'un tableau), elles offrent la contrainte structurale, le schéma général, qui saisira la signifiance et son sujet précis en face du tableau. Mais, outre le seuil de nécessité structurale, la couleur joue, nous l'avons dit, sur un registre complexe : l'investissement pulsionnel du chromatisme et les valeurs idéologiques qu'une époque donnée attache au chromatisme. La marge de la contrainte structurale est pourtant assez grande, et c'est là que travaille la sémiologie actuelle, en introduisant l'apport de la psychanalyse.

Nous nous sommes servi de certains éléments de la peinture de Giotto pour poser quelques problèmes relatifs à la peinture comme pratique signifiante. Ni l'ensemble de l'œuvre de Giotto ni la complexité des questions soulevées à son propos ne se trouvent concernés par ces

1. Frederick Antal, *Florentine Painting and its Social Backgroung, op. cit.*

réflexions. Leur destination ne peut être que de faire revenir à l'histoire (« formelle » et idéologique) du sujet de la peinture à l'intérieur de sa production actuelle : de proposer à l'avant-garde une réflexion génétique-dialectique de ce qui l'a produite et/ou de ce dont elle se sépare. Comme le dit Walter Benjamin pour la littérature, « il ne s'agit pas de présenter les œuvres [...] en corrélation avec leur temps, mais bien, dans le temps où elles sont nées, de présenter le temps qui les connaît, c'est-à-dire le nôtre [1] ».

---

1. Walter Benjamin, « Histoire littéraire et science de la littérature », *Poésie et Révolution,* Denoël, 1971.

Maternité selon Giovanni Bellini *

Le corps maternel

Les cellules fusionnent, se dédoublent, prolifèrent; les volumes augmentent, les tissus se distendent, les humeurs changent de rythme — s'accélèrent, se ralentissent : dans un corps se greffe, immaîtrisable, un autre. Et personne n'est là, dans cet espace à la fois double et étranger, pour le signifier. « Ça se passe, or, je n'y suis pas »; « Je ne peux le penser mais ça a lieu ». — Impossible syllogisme de la maternité.

Le devenir-mère, la gestation, n'a pu trouver que deux discours pour se marquer : la *science,* mais, objective, elle ne se préoccupe pas du sujet, de la mère terrain de ses opérations; la *théologie chrétienne* (surtout l'orthodoxe), mais elle ne la signifie que comme ailleurs impossible, au-delà sacré, réceptacle de la divinité, esprit liant l'homme à l'ineffable divin, appui ultime (nécessairement vierge et voué à l'assomption) de la transcendance. Ruses de la raison chrétienne (on s'aperçoit enfin de la puissance rationalisante sinon du rationalisme encore imbattable de la chrétienté) qui érige ainsi, à travers le corps maternel (en virginité et en « dormition ») un certain sujet, là où le sujet et sa parole se scindent, se morcellent, s'éclipsent. Et l'humanisme laïque de reprendre cette érection : culte de la mère — tendresse, amour, foyer du conservatisme social.

Pourtant, imaginer que *quelqu'un* existe dans le procès où des cellules, des molécules, des atomes s'additionnent, se divisent se multiplient sans qu'aucune *identité* ne soit encore formée — ni biologique ni socio-symbolique — n'est-ce pas un animisme où se projette la psychose inhérente à l'être parlant? Ainsi donc, imaginer une *mère* comme sujet de la gestation, c'est-à-dire comme *maître* de ce processus (que la

* Première publication : *Peinture,* nᵒˢ 10-11, décembre 1975.

science, pourtant forte dans ses artifices, avoue aujourd'hui ne pouvoir pas encore ni peut-être jamais lui ravir) en deçà du contrat social-symbolique-linguistique du groupe, c'est à la fois reconnaître le risque de perte d'identité et le conjurer. Constater que la biologie nous secoue par des pulsions non symbolisées et que ça échappe à l'échange social, à la représentation d'objet déjà-là, au contrat désirant. Dénier immédiatement ce constat : ça ne saurait échapper, car maman est là, l'incarne et assure que *tout est,* représentable. Double geste par lequel la tendance psychotique est reconnue et du même coup casée, calmée, placée dans la mère pour maintenir ainsi, garantie ultime, la cohérence symbolique.

Mais il révèle aussi mieux qu'aucune mère n'a su le dire que le corps maternel est le lieu d'un clivage qui, pour être hypostasié par le christianisme, n'en est pas moins une constante du fait social. Par son corps voué à assurer la reproduction de l'espèce, le sujet-femme, soumis néanmoins (en tant que sujet symbolisant-parlant et comme tous les autres) à la fonction paternelle, est plus que d'autres un *filtre :* un lieu de passage, un seuil où s'affrontent « nature » et « culture ». Imaginer *quelqu'un* en ce filtre-là : voilà le noyau d'où partent les mystifications religieuses et où s'amorce leur sol nourricier — le fantasme de la mère dite phallique. Car si, au contraire, en ce seuil il n'y avait personne, si la mère n'était pas, c'est-à-dire si elle n'était pas phallique, tout parlant serait conduit à penser son être par rapport à quelque vide, néant asymétrique à l'être, menace permanente contre sa maîtrise, d'abord, contre sa solidité, pour finir.

Le discours analysant le prouve : le *désir* de maternité est immanquablement un désir d'avoir un enfant du père (de son père à elle) souvent assimilé, en conséquence, au bébé lui-même et remis ainsi à sa place d'*homme dévalorisé,* juste appelé pour accomplir sa *fonction* d'originer et de légitimer le désir de reproduction. Ce n'est que par ces noces fantasmatiques que s'accomplit l'inceste de la fille avec son père pour donner lieu au bébé : inceste à trop de distance, qui n'amène l'apaisement qu'à celles qui adhèrent fermement à l'axe symbolique paternel. Sans cela, une fois l'objet produit, le fruit détaché, la cérémonie perd son effet, à moins d'être recommencée indéfiniment.

Pourtant, à travers ce désir et avec lui, la maternité semble agie *aussi* par une causalité autre que la symbolique, ou la paternelle. Ferenczi et Freud devant Marie Bonaparte ont été les seuls à en par-

410

ler, évoquant le destin biologique des sexes différenciés. Compulsion de la matière, spasme de la mémoire de l'espèce qui s'agglutine ou se divise pour se perpétuer, série de marques sans signification autre que l'éternel retour du cycle biologique vie-mort. Comment parler cette mémoire antérieure au langage, irreprésentable? Les flux d'Héraclite, les atomes d'Épicure, la poudre tourbillonnante des mystiques kabbalistes, arabes, indiens, les tracés pointillés des psychédéliques semblent en être de meilleures métaphores que les théories de l'être, le logos et ses lois.

Cette échappée aux limites du refoulement originaire peut se vivre fantasmatiquement comme les retrouvailles d'une femme-mère avec le corps de *sa* mère : avec toujours la même Mère-Maître de la pulsion, dominatrice de la psychose, sujet de la biologie, mais à laquelle une femme aspire avec d'autant plus de passion que, dépourvue de pénis, elle n'a pas la possibilité de la pénétrer comme un homme peut le faire en possédant sa femme. En enfantant, elle touche à sa mère, elle la devient, elle est elle, elles sont une même continuité se différenciant : ainsi se réalise le versant homosexuel de la maternité, par quoi une femme est à la fois plus proche de sa mémoire pulsionnelle, plus ouverte à sa psychose et, par conséquent, plus dénégatrice du lien symbolique social.

Versant paternel-symbolique : relève de l'aphasie féminine dans le désir de faire un enfant du père; apaisement; et mélancolie dès que l'enfant devient un objet — don aux autres, ni moi ni partie de moi, un objet à destin de sujet, un autre. La mélancolie corrige la paranoïa qui pousse à l'action (souvent violente) et au discours (essentiellement parental et objectal-pragmatique) la disette verbale féminine si courante dans notre culture.

Versant maternel-homosexuel : vertige des mots, plus de sens ni de vision, toucher, déplacements, rythmes, sons, lueurs et l'étreinte fantasmée avec le corps maternel comme paravent devant la plongée. La perversion freine la schizophrénie que frôlent aussi bien l'effondrement de l'identité que le délice de la fameuse fusion panthéiste revendiquée par certaines femmes.

Ceux qui ont été frappés ou happés par la psychose ont édifié, à sa place, l'image de la Mère; paradis perdu des femmes, mais comme à portée de la main, dieu caché des hommes, mais constamment présent en fantasmes occultes. Et jusqu'aux psychanalystes d'y croire.

411

Pourtant, l'oscillation entre les deux versants n'a d'existence pour celle qui en est l'enjeu que comme une enceinte qui la sépare solidement du monde des autres. Emmurée dans cet ailleurs, une femme enceinte perd le sens communautaire qui lui apparaît soudain nul, absurde ou, au mieux, comique : agitation d'une surface coupée de son fond impossible. Le néant des Orientaux résume sans doute mieux ce qui ne peut, aux yeux de l'Occident, être qu'une régression. Jouissance, pourtant, mais comme un négatif de celle, d'objet, que porte la libido toujours immanquablement masculine. Ici, l'altérité devient nuance, la contradiction variante, la tension passage, la décharge paix. Cette tendance à l'égalisation qu'on prend pour une extinction régressive des capacités symboliques ne réduit pourtant pas les différences, mais se loge aux plus petites, aux plus archaïques, aux plus incertaines : sublimation puissante, immanence du symbolique aux pulsions. Une atteinte à cette série de « petites différences-ressemblances » (diraient les anciens logiciens chinois) qui, avant de fonder la société en même temps que les signes et la communication, sont la précondition de leur existence, puisqu'elles constituent le vivant dans son espèce, avec ses besoins, ses reconnaissances et communications élémentaires, distinguant entre les pulsions de vie et de mort : c'est une atteinte au refoulement originaire. Risque ultime pour l'identité, mais aussi puissance suprême de l'instance symbolique qui revient ainsi à sa cause. Sublimation : érotisation sans reste et éclipse de l'érotisme à rebours de lui-même.

Le parlant n'atteint cette limite — condition de la socialité — que par une pratique spécifique du discours, dite « art ». Une femme la réalise aussi — et, dans notre société, *surtout* — par cette forme étrange de symbolisation clivée (seuil du langage et de la pulsion, du « symbolique » et du « sémiotique ») qu'est l'enfantement. Procédé archaïque de socialisation, et même de civilisation, l'enfantement fait que sa détentrice, à son insu, investit immédiatement les opérations physiologiques et les pulsions qui la divisent et la multiplient dans une téléologie biologique, d'abord, sociale, enfin. Le corps maternel, dérapant de l'emprise discursive, recèle immédiatement un chiffre qui va compter dans la suite biologique et sociale. Pourtant, ce chiffrage de l'espèce — mémoire pré- et trans-symbolique — ne rend pas la mère maîtresse de l'engendrement ni de la pulsion (fantasme qui sous-tend le culte de toute divinité en dernière instance féminine), mais fait de son corps l'enjeu d'une régulation naturelle, « objective », indépendante de la

412

conscience individuelle, et inscrit les opérations biologiques aussi bien que leurs échos pulsionnels dans ce *programme* nécessaire et hasardeux qui constitue toute espèce. Le corps maternel : module d'un programme bio-social. Sa jouissance, muette, n'est autre chose que l'enregistrement sur l'écran du préconscient des messages que la conscience, dans son parcours analytique, capte de ce chiffrage, et leur classement comme fond vide, doublure a-subjective de nos échanges sensés en tant qu'êtres sociaux. S'il est vrai que chaque langue nationale a sa langue de rêve et son inconscient spécifiques, chacun des sexes — séparation encore plus archaïque et fondamentale que la linguistique — aurait son inconscient où se chiffrent, face au langage et exposés à son emprise, mais indépendamment de lui, le programme biologique et social de l'espèce. Or, le destin symbolique essentiel quoique second, superposé, de l'animal parlant *obture* — et chez les femmes *censure,* pour sauvegarder l'homologie du groupe — cette base archaïque et la jouissance particulière qu'elle procure à être virée au compte du symbolique. Il faudra, par conséquent, des moments privilégiés, « psychotiques » ou ce qui les induit « naturellement » : la maternité, par exemple, pour que cette modalité sexuelle affleure, fragile, secrètement gardée, incommunicable et vite étouffée par les palliatifs classiques (par la censure virile dite rationnelle, ou par la sensiblerie de la tendresse dite maternelle pour l'objet-substitut de tout). On le prend, à juste titre, pour une revendication du pénis : le fantasme ne dispose pas, en effet, d'un autre signe pour imaginer que le parlant puisse atteindre la Mère et ainsi toucher à sa propre frontière. Et, tant qu'il y aura du langage-symbolisme-paternité, il ne saurait en être autrement lorsqu'il s'agira de représenter, d'objectiver, d'expliquer ce chavirement de la nappe symbolique, ce seuil nature/culture, cette infusion du programme biologique sans sujet dans le corps même d'un sujet symbolisant, qu'est la maternité.

Autrement dit, du côté de la cohérence sociale, là où se placent le législateur, le grammairien et même le psychanalyste et où tout corps devient l'homologue du corps mâle parlant, la maternité ne serait rien d'autre qu'une revendication phallique pour atteindre la Mère supposée exister là où l'identité (sociale, biologique) fuit. S'il est vrai que les idéologies idéalistes s'édifient dans cette voie, poussant les femmes à réaliser cette présumée revendication et à assurer l'ordre qui s'ensuit, par contre, toute dénégation de cet aspect utilitaire, social et symbolique de la maternité plonge dans une régression dont les réalisations actuellement connues conduisent à l'hypostase d'une substance aveugle, à la dénégation de la position symbolique et à l'apologie de la régression sous les auspices de la même mère-écran phallique.

Le langage de l'art suit aussi, autrement et de beaucoup plus près, l'autre aspect de la jouissance maternelle : cette sublimation à même le refoulement originaire qui s'opère dans le corps de la mère à cause de sa situation frontalière et fût-ce à son insu. Au carrefour du signe et du rythme, de la représentation et de la lumière, du symbolique et du sémiotique, l'artiste parle à la place où elle n'est pas, où elle ne sait pas. Il marque ce qui, en elle, est corps jouissant. C'est même l'existence des pratiques esthétiques qui rend évident le fait que la Mère en tant que sujet est un leurre; comme la dénégation de la dimension dite poétique du langage fait croire à l'existence de la Mère et, partant, d'une transcendance. Car, par la symbiose de sens et de non-sens, de représentation et de jeu de différences, l'artiste dépose dans le langage et à travers son identification avec la mère (fétichisme ou inceste, nous y reviendrons), sa jouissance spécifique — traversée du signe, de l'objet — témoignant ainsi, parmi les parlants, de ce que, à travers l'écran de la mère, l'inconscient enregistre du heurt entre les programmes biologique et social de l'espèce. C'est dire qu'au travers du refoulement secondaire instaurateur du signe la pratique esthétique touche au refoulement originaire instaurateur de la série biologique et des lois de l'espèce. Là où ça réussit sourdement dans le corps maternel, tout artiste s'essaie, mais rarement avec le même succès.

Toutefois, l'homme de l'art occidental explicite mieux que quiconque cette dette de l'artiste au corps maternel et/ou cette arrivée à l'existence symbolique de la maternité — c'est-à-dire la jouissance trans-libidinale, la relève de l'érotisme par le langage de l'art. Non seulement une partie considérable de l'art plastique est consacrée à la maternité, mais, dans cette représentation même, des icônes byzantines à la Renaissance humaniste et au culte du corps qu'elle entame, se profilent deux attitudes à l'égard du corps maternel, qui préfigurent deux destins dans l'économie même de la représentation en Occident. Léonard de Vinci et Giovanni Bellini nous semblent exemplifier au mieux la polarité de ces deux attitudes. D'un côté, le basculement vers le corps-fétiche. De l'autre, la dominance des différences chromatiques lumineuses au-delà et malgré la représentation corporelle. Florence et Venise. Culte de l'homme figurable, représentable; ou intégration de l'image accomplie dans sa véricité dans la sérénité lumineuse de l'irreprésentable. Il fallait sans doute un parcours biographique particulier et un carrefour historique rare (orient païen-matriarcal, chrétienté sacrée, humanisme naissant) pour que le pinceau de Bellini retienne les traces d'une expérience frontière, à travers lesquelles un corps maternel peut reconnaître la sienne, par ailleurs inexprimable dans notre culture.

Léonard et Bellini. Fétiche et refoulement originaire

Giovanni Bellini : 1430?-1516. Attribués au peintre ou à son école : deux cent vingt tableaux environ, essentiellement à sujets sacrés. Maître de Giorgione et de Titien. Fondateur de la Renaissance vénitienne, plus tardive que la florentine, mais plus organiquement liée à sa source byzantine et plus attirée par le faste du corps féminin que par la beauté grecque des jeunes garçons. Synthèse du paysage flamand, de l'icône, de la facture architecturale méditerranéenne, et de cette particularité toute neuve : la densité lumineuse de la couleur (technique initiale, mais déjà maîtrisée de la peinture à l'huile), de l'ombre et de la clarté, qui, plus que la découverte de la perspective, introduit le volume dans le corps et dans le tableau. L'histoire de l'art retient de la manière de Bellini l'effet réaliste; on néglige souvent ce qu'elle implique quant à l'expérience picturale, mais on néglige aussi de l'observer en la suivant dans l'intimité de sa trace.

Presque pas de détails biographiques. Discrétion quasi parfaite. Fils du peintre Jacopo Bellini. Frère du peintre Gentile Bellini. Beau-frère du peintre Andrea Mantegna. Peintre officiel du Palais des Doges — mais les tableaux exécutés dans le cadre de cette fonction sont aujourd'hui détruits. Marié — mais sa femme, Ginevra Bocheta, meurt tôt, de même que son fils, et l'existence d'une seconde femme semble incertaine. Sollicité par Isabella d'Este de faire de la peinture païenne — mais s'y dérobe, s'y refuse et ne s'exécute finalement qu'aidé par ses disciples. Loué par Dürer en 1506 d'être le meilleur. Les traces biographiques se posent discrètes et s'effacent. Bellini ne lègue aucun mot, aucun écrit subjectif. Il faut le déchiffrer à travers sa peinture.

Cette discrétion contraste avec la profusion de renseignements et de notes biographiques que laisse son jeune contemporain Léonard de Vinci (1452-1519). Fort des données biographiques et de tableaux

415

aussi *narratifs* que *Sainte Anne, sainte Marie et l'Enfant Jésus,* ou *la Joconde,* Freud a pu soutenir que la « personnalité artistique » de Léonard était formée par la séduction précoce qu'il aurait subie de sa mère (le rêve de queue de vautour serait la langue d'une mère embrassant passionnément l'enfant d'un père illégitime), par une double maternité (enlevé à sa mère, Léonard a été élevé dans la famille de son père par la femme de celui-ci, restée sans enfants) et par l'autorité impressionnante d'un père notable. Le père finit par l'emporter sur l'attraction maternelle qui commandait l'intérêt du jeune homme pour l'art, et il s'oriente à la fin de sa vie vers la science. Configuration typique d'une structure homosexuelle : persuadé par la séduction précoce et par la double maternité de l'existence du phallus maternel, le peintre n'arrêtera pas d'en chercher les équivalents fétiches dans les corps des jeunes gens, dans les amitiés avec eux, dans le culte parcimonieux des objets et de l'argent, dans la fuite de tout contact, de tout accès au corps féminin. Mère interdite parce que séductrice primordiale, horizon d'une jouissance enfantine archaïque à ne plus reproduire : elle constitue le narcissisme farouche de l'enfant et ce culte du corps masculin qu'il ne cessera de peindre, y compris lorsque la mère est au centre du tableau. Regardons ces Vierges de Léonard : *la Vierge à l'œillet,* ou *Sainte Anne, la Vierge et l'Enfant Jésus.* Sourire énigmatique, calque de la Joconde elle-même subrepticement masculine, tendresse naïve, élan du visage et du torse vers l'enfant mâle qui reste le véritable foyer de l'espace pictural et de l'intérêt narratif. La figure maternelle est tout entière dans la relation absorbante avec son bébé, c'est lui qui la fait être : « bébé est mon but, et j'en sais plus » — slogan de la mère maîtresse. Mais Narcisse, ainsi abrité et dominé, peut devenir explorateur privilégié du refoulement secondaire : chasseur des fantasmes qui assurent la cohésion de tout groupe, révélateur de l'emprise phallique sur tous les imaginaires. Position inductrice de plaisir, mais dramatique pour le désir incomblable de gratifications en objets, corps, prestations, qui attisent et déçoivent sans cesse. Pourvu qu'un père existe, seigneur magistral, proche du Pouvoir, Léonard se retournera vers sa puissance symbolique qui éclipsera l'impact maternel, colmatera la brèche dans le refoulement et impulsera une connaissance scientifique plutôt qu'une exploration plastique du plaisir-angoisse dans les formations inconscientes.

En ce qui concerne l'économie de la représentation, une telle structure commande immanquablement un réalisme humaniste : d'abord fétichisme du corps et raffinement extrême de la technique d'une représentation ressemblante; en conséquence, mise en scène d'épisodes psychologiques centrés sur le désir pour un corps — le sien, celui d'un enfant ou un autre; enfin, toute recherche chromatique, lumineuse et architecturale qui, dans la pratique, déplie, menace, torture et gratifie le sujet artiste, est soumise à la figuration où elle se réduit à un simple procédé technique destiné à produire l'effet de formes fétiches représentables désirables.

Les traits fondamentaux de la peinture renaissante sont donnés dans cette vision et étayés par l'histoire de Léonard que Freud a mis en lumière. On les trouve chez d'autres, avant et après lui; mais, chez lui mieux qu'ailleurs, dans sa biographie comme dans sa peinture, les causes et les effets se rassemblent pour déterminer, au-delà des détails du vécu et des thèmes des tableaux, l'*économie* même d'une représentation, indépendamment de son *référent*. Il est significatif que ce soit sur le thème de la maternité, du corps de la femme ou de la mère (la Joconde, la Vierge) que se mettent en place les pièces majeures de cette économie qui déterminera le regard de l'homme occidental pour quatre siècles. Serviteur du phallus maternel, l'artiste déploiera un art, jamais et nulle part atteint, de reproduire le corps et l'espace en tant qu'*objets* saisissables, maîtrisables, à la portée de son œil et de sa main. Œil et main d'enfant, mineur, certes, mais centre universel et néanmoins complexé devant cette autre fonction qui pousse l'appropriation d'objet à fond : la science. Corps-objets, passion d'objets, toile découpée en formes-objets, tableau-objet : la série est ouverte pour des siècles de libido objectale, figurable, qui se complaît en image et se capitalise en marchandise d'art. Parmi les ressources de cette machine : une mère intouchable avec son bébé-objet, tels que vous les voyez chez Léonard, chez Raphaël...

L'énigmatique biographie de Bellini, mais aussi la facture de ses tableaux, invitent à une autre interprétation. S'agit-il en fait d'une projection que rend possible l'incertitude de l'information? Peut-être. Mais elle semble bien étayée par l'œuvre peint qui offre la véritable preuve de nos déductions seulement amorcées par la biographie.

Les commentateurs sont perplexes. Bellini, fils de Jacopo, meurt nonagénaire en 1516 selon Vasari et serait donc né en 1426. Pourtant, c'est en 1429 que la femme de Jacopo, Anna Rinversi, inscrit dans son testament la naissance de son premier-né. Si Giovanni est né avant, il ne peut être qu'un enfant illégitime, ou bien le fils de Jacopo ou d'Anna d'un mariage précédent. D'autres biographes maintiennent que Vasari s'est trompé et que Giovanni est le cadet de la famille, après Nicolosia (la femme de Mantegna) et Gentile. Cette hypothèse, corroborée surtout par la situation sociale de Giovanni par rapport à Gentile (ce dernier occupe le poste de peintre de la Seigneurie avant Giovanni; dans certains tableaux, on voit Giovanni représenté en troisième position après Jacopo et Gentile), n'explique pas pourquoi, en 1459, Giovanni habite seul, en dehors de sa famille paternelle (ce qui ne semble pas avoir été le cas des deux autres enfants), à San Lio à Venise. Ni surtout pourquoi le testament ultime d'Anna Rinversi, le 25 novembre 1471, ne le mentionne pas parmi ses enfants héritiers : Nicolosia et Gentile. Ainsi Anna Riversi ne se reconnaît pas comme la mère de Giovanni, ce qui invite à formuler l'hypothèse d'une naissance illégitime ou d'un autre mariage obscur [1].

Telle est la situation, le canevas biographique qui accueille le spectateur des toiles de ce peintre de la maternité, par excellence. Fils d'un père, oui : il porte le nom de Jacopo, travaille dans son atelier et prolonge sa tradition picturale. Frère, oui : Gentile lui cède sa place à la Seigneurie lorsqu'il part pour Constantinople, Giovanni achève certains de ses tableaux. Mais mère absente — mère perdue. Sevrage précoce d'une génitrice illégitime, abandonnée, morte ou tenue dans l'ombre; désaveu d'un « péché » hors loi dont Giovanni serait le produit? Quelle que soit la vérité, Anna ne semble pas avoir remplacé la « vraie » mère, comme l'épouse du seigneur de Vinci avait remplacé la vraie mère de Léonard : Anna ignore le peintre des Madones. Et même si nous demeurons incrédules devant cette pénurie biographique et l'embarras des commentateurs, regardons plutôt sur les toiles la distance, sinon l'hostilité, qui sépare le corps de l'enfant de celui de la mère. Le lieu maternel est pourtant là — fascinant, attirant, énigmatique. Mais d'accès direct, point. Comme s'il y avait une *fonction* maternelle, mais qui, loin d'être la sollicitude léonardienne de la maman pour le bambin-objet de tous les désirs, n'était qu'une jouissance ineffable, hors discours, hors récit, hors psychologie, hors du vécu et de la biographie, en somme hors figure. Regardez ces visages de Madones détournées absorbées par un ailleurs qui

1. Cf. G. Fiocco, *Giovanni Bellini*, Milan, 1960; R. Longhi, *Viatico per cinque secoli di Pittura veneziana*, Firenze, 1946; L. Coletti, *Pittura veneta del Quattrocento*, Novara, 1953, etc.

tire le regard à côté, en haut, nulle part, mais qui ne le centre jamais sur le bébé. Les mains ont beau serrer l'enfant, les corps ont beau s'étreindre parfois, la mère n'est qu'en partie là (le buste, les mains); car, à commencer par le cou, le corps maternel visible hors de la draperie — tête, visage, yeux — fuit, saisi par autre chose que l'objet. Et cet ailleurs, inaccessible paix teintée de mélancolie, bébé-peintre ne la touchera ni à travers le contact corporel représenté ni par la mise en scène de masses colorées figurant des volumes corporels. On dirait qu'il pressent plutôt un éclatement, perte d'identité, douce jubilation où *elle* n'est pas, mais, sans « elle » — sans yeux, sans vision —, une *division infinitésimale* de la couleur et de l'espace rythme quelque joie sereine. Toucher à la mère, ce sera avoir cette jouissance présumée et la faire voir. Qui détient cette jouissance? Les plis des surfaces colorées, la juxtaposition des tons pleins, le volume sans retenue qui se résout par le contraste des « chauds » et des « froids » en une architecture faite de couleur seulement, la clarté subite qui ouvre à son tour la couleur elle-même, dernier freinage de la vision, au-delà de son épaisseur, vers l'éblouissement. *L'Extase de saint François,* moins par son thème que par l'architectonique de cette montagne à tons aquatiques sur laquelle il s'appuie vacillant — on dirait un tableau taoïste — résume au mieux cette recherche de la jouissance. Mais elle est partout où la couleur, le volume architecturé et la lumière se dégagent du thème (somme toute toujours banal, canonique, sans psychologie, sans individualisation poussée) pour suggérer qu'ils sont le vrai but sans objet de la peinture.

Devant la profusion des images virginales chez Bellini, on est tenté de penser que c'est une mère absente, mère morte, hors la loi et muette qui commande cette fascination non pas devant un « corps » ni un « sujet » -femme, mais devant la fonction même de la jouissance. Pourtant Giovanni Bellini ne saura y accéder que sur les traces du père, lui-même, contrairement à la mère, constamment présent, dans la vie réelle aussi bien que symbolique du peintre, car c'est de lui que Giovanni prendra les premières leçons de libération spatiale et de peinture sacrée. En effet, Jacopo, ni dignitaire ni homme de loi, est le chercheur fervent d'une architecture (cf. au Louvre ses dessins de *Jésus et les Docteurs, le Christ devant Pilate, Funérailles de la Vierge,* etc., monumental déploiement de l'architecture romaine ou gothique) et vénérateur traditionnel de la maternité byzantine (cf. ses *Madones avec l'Enfant* du musée Correr). Le sérieux terne de ses maternités le prouve pourtant aveugle à cette mère qu'il peint comme par inertie selon le canon byzantin (sa véritable passion semble être la nouveauté architecturale sous l'influence de son gendre Mantegna), mais que son fils Giovanni sera le seul à réveiller, donnant ainsi une vie symbolique moins à l'objet sexuel du père qu'à sa jouissance ignorée.

D'abord, faire mieux que le père à la place même de la jouissance perdue-irreprésentable-interdite de la mère cachée qui a séduit l'enfant par son manque à être.

Mais, ensuite et essentiellement, toucher à cette jouissance aussi bien maternelle que paternelle : être le lieu même où père et mère se rencontrent pour disparaître comme figures parentales, psychologiques, sociales. Lieu de l'irreprésentable fondamental vers lequel convergent néanmoins tous les regards : la scène primitive, la génitalité qui dissout les identifications sexuelles au-delà de leur différence posée. Ainsi s'énoncera, dans la trame biographique de l'individu, cette percée du refoulement originaire dont nous avons parlé plus haut et dont témoigne le drame psychologique ou sa sublimation esthétique.

Voilà en tout cas une autre configuration de la pratique artistique qui commande une autre économie de la représentation. Traverser l'être et le langage du père pour se déployer à la place où la mère aurait pu être touchée; faire donc apparaître ce conditionnel toujours déjà passé de la fonction maternelle en tant qu'elle tient lieu de la jouissance des deux sexes : c'est une sorte d'inceste, de possession de la mère, qui donne un langage à la maternité, frontière muette et, si, du coup, il ne lui accorde aucun droit à l'existence réelle (aucun « féminisme » dans le geste de Bellini), il lui donne un statut symbolique. Une image fétiche résulte immanquablement de cette attitude (représentation mère-enfant, tableau vendable, etc.), mais elle flotte sur un fond lumineux qui évoque une « expérience intérieure » plus qu'un « objet » de référence. Cette expérience qu'on décèle dans les tableaux de Bellini exige sans doute la consumation du rapport hétérosexuel, mais, la réciproque n'étant pas vraie, l'hétérosexualité dont il s'agit dans l'économie en question n'est qu'un rapport spécifique entre le sujet et son identité : c'est la possibilité de traverser le signe, l'objet, la libido objectacle, pour capter, pour sémiotiser, les infimes déplacements des charges pulsionnelles qui font crête entre l'espèce et son langage. Il s'agit, en somme, par ce biais d'identification avec la maternité — hétérosexualité ou inceste symbolique — d'atteindre ce seuil du refoulement où se tient,

seule infranchissable, la panoplie de la jouissance maternelle.
A ce seuil-là, si vous le voyez dans le tableau (mais il faut, pour
cela, un autre rapport que la libido objectale fétichiste à la mère : un
travail dans le refoulement originaire, certes infranchissable, mais aussi
risqué que tentant à provoquer), vous n'entendez plus de mots, ni de
sens, ni même de son. Comme dans le ciel saturnien du *Paradis* de
Dante, la voix ici se tait : elle n'éclatera qu'après la traversée des couleurs et des espaces lumineux, à la fin du chant XXI, comme un cri.
Plongée dans la perte des signes, perte de la figure séductrice (mère
attendrie ou rieuse) et délivrance : « Et dis aussi pourquoi se tait, en
cette sphère/Du Paradis, la douce symphonie/Qui sonne si pieuse aux
régions plus basses [...]/C'est que tu as l'ouïe mortelle comme l'œil,/
Répondit l'âme; ici point l'on ne chante/Pour la même raison que ta
Dame ne rit. »
Les toiles de Bellini portent, en général, un dénominateur commun :
sacra conversazione. Là s'est noué, et arrêté, le « sacré » de l'Occident.
L'humanisme et la connaissance rationnelle vont le remplacer, pour le
progrès que l'on sait. Mais avec quelle perte de jouissance! Elle ne
reviendra, telle quelle, qu'avec les modernes — Rothko, Matisse — qui
retrouveront l'éclipse de la figure pour la mise en volume des couleurs.
Bellini aura été un précurseur, coincé dans son époque carrefour.

Le trajet : des Madones à Vénus nue

La célébration de la Mère, de la Nativité et de la « Dormition »
vient à l'Occident chrétien de l'Église orthodoxe qui a su s'annexer
les cultes orientaux de la déesse mère et de la fécondité, et qui a
forcé l'interprétation de la Bible et des Évangiles pour sembler les en
déduire, comme s'ils y étaient depuis toujours inscrits. Des apocryphes
byzantins des VIᵉ-IXᵉ siècles attestent ce courant qui devient officiel
sous la plume de théologiens comme Jean Damascène, par exemple
(fin VIIᵉ siècle-début VIIIᵉ siècle). Marie reprend alors la puissance des
déesses grecques (malgré la dénégation des auteurs), que consacrent les
thèmes de sa « Dormition » ou de son Assomption : seule des humains à
ne pas mourir, elle ressuscite corps ou âme (selon les interprètes) supprimant ainsi la distance entre son fils et elle-même. Plus tard, beaucoup
moins « féministe », Maître Eckhart poussera cette assimilation de la
Vierge au Christ, que consacre l'Assomption, en affirmant que la Vierge

n'est que l'image (le fantasme?) du Christ lui-même, pour autant qu'il appartient, tout en étant homme (mais comme une femme?), au Père. Très significative aussi cette conception de la Vierge orthodoxe comme ἐργαστήριον *(ergasterion)* — *lieu* privilégié, *milieu* vivant, *échelle* (de Jacob) ou *porte* (du Temple, dans la vision d'Ézéchiel), *demeure,* en somme, et, de là, *union, contact sans intervalle, sans séparation,* autant de fonctions qui en font une métaphore du Saint Esprit.

On la voit dans la prolifération d'icônes qui déferlent de l'Orient et qui s'imposent longuement en exemple à l'art italien. Formel, figé, d'une rigueur graphique découpant des masses de couleurs sombres, le canon des icônes n'érige pas une mère ni même une déesse, mais un *style de représentation* qui passe, sans intervalle, sans séparation, de la figure humaine à une idéalisation austère. Il faut attendre la dépression de Byzance vers le XIIe siècle (quatrième croisade, affirmation des Slaves du Sud, invasion de l'Asie Mineure par les Musulmans) pour que ce style fléchisse et perde sa rigidité abstraite — comme trait d'union entre un corps et une exigence ascétique. A la grandeur inaccessible des Mères antérieures succède alors l'attendrissement (*umilenye* en russe; ἐλεουσία, *heleousia* en grec) déjà humaniste de *Notre-Dame de Vladimir* (1125-1130).

Le XIIe siècle remplacera le visage virginal unique par une population de figures et par une composition orientée vers une architecture de plus en plus élaborée (cf. les fresques de Sopocani en Serbie, 1265). Ainsi révolutionné, le byzantinisme envahit l'Italie — la fameuse *maniera greca* pousse Guido da Siena, Duccio, Cimabue, Giotto...

Face à Byzance, la République vénitienne, véritable empire colonial, étend son emprise économique et accumule des influences artistiques d'Europe et d'Orient : style gothique en architecture, héritage flamand dans le paysage, pression musulmane et romane dans l'iconographie, l'ornement, la sculpture, le bâtiment. Le gothique vénitien se forme ainsi, avant l'arrivée humaniste des Florentins. En peinture, le byzantinisme l'emporte, et l'on voit Paolo Veneziano y obéir jusqu'à la deuxième moitié du XIVe siècle.

Des greffes étrangères (Mantegna avec sa rigidité réputée nordique, mais aussi son passé architectural romain, et surtout Antonello da Messina, qui lègue à Giovanni l'art de peindre à l'huile) vont pourtant pousser au réalisme renaissant tous les Vénitiens et, avec eux, la famille de Bellini, notamment Gentile.

D'une part, l'insistance enracinée de l'univers byzantin. De l'autre, l'éveil et l'influence humaniste du continent. Entre les deux, une République vénitienne qui accueille les savants grecs fuyant les musulmans et s'ouvre par là à l'Antiquité, en même temps que, sous les coups des Turcs, elle commence à perdre son hégémonie et se tourne vers l'Italie, la « terre ferme ». Parallèlement, et sans doute sous l'influence des revers de politique étrangère, le pouvoir populaire décline et le terme même de Commune vénitienne sera bientôt éliminé; mais la conscience d'une *unité* communautaire (économique et religieuse) persiste, dominée par les Doges dont le pouvoir, pour être symbolique, n'est pourtant pas sacralisé puisqu'il est éligible (fût-ce par une classe au nom de tous). Le culte de l'État devient la valeur éthique suprême et son autonomie vis-à-vis de l'Église s'accentue (par l'influence grandissante des tribunaux laïques, par exemple); mais la piété souvent réaliste et populaire, même au niveau du clergé, ne diminue pas pour autant dans ce peuple, comme le manifestent de nombreuses célébrations de reliques et toutes les festivités religieuses.

Crête entre Byzance et l'humanisme, entre la sérénité sacrée de la vieille religion et le bouleversement politique et culturel des temps modernes, Venise change d'éthique en même temps que d'esthétique, devant et sous le pinceau de Bellini.

Des mœurs nouvelles : le patriciat appauvri engendre des malfaiteurs, des coureurs de nonnes ou de jeunes gens, à tel point que les courtisanes se plaignent d'être négligées. Les patriciennes s'éveillent à leur tour et réclament au Pape le droit de porter des robes et de riches parures. Le Carnaval éclipse l'Assomption; la tauromachie et ce jeu fascinant de chats s'attaquant aux crânes des hommes chauves suscitent au moins autant d'intérêt et sans doute plus d'angoisse cathartique que la célébration de saint Marc, de l'Ascension ou de la Fête-Dieu.

Des idées nouvelles : Pietro Bembo, pétrarquiste et néo-platonicien, s'entremet entre Isabelle d'Este et Bellini pour que le peintre exécute des tableaux à sujets païens et répande la doctrine florentine selon laquelle ce n'est plus la maternité vierge, mais l'amour charnel qui est le véritable point de départ d'une ascension spirituelle vers Dieu. Mais l'apothéose de ce glissement du sacré vers la volupté est incontestablement *le Songe de Polyphile* (env. 1467) attribué au moine dominicain Francesco Colonna qui abandonne la Raison et la Volonté pour la gloire de la nudité féminine, d'un érotisme encore inouï. Un disciple des maîtres iconistes, devant ce déluge de nudité et d'éros, est comme un interprète moderne de Bach devant l'assaut de la pornographie. Le nouveau surprend, certes, mais ne choque pas; il n'est pas tout à fait antonymique à l'expérience antérieure, un pont existe, mais il faut le trouver. Ce sera le trajet de Bellini.

Après quelques premiers tableaux ressortissant au style des icônes et à la manière paternelle (cf. *la Crucifixion,* musée Correr), les Madones des années 1450 sont d'une distance plutôt froide et peu expressive : le contact de la mère à l'enfant se fait du bout des doigts, à peine sortis du canon byzantin (*Madone avec l'Enfant et saint Jérôme,* Detroit); le recueillement frise la tristesse comme si le bébé était déjà le crucifié (*Madone en adoration devant l'Enfant endormi,* Metropolitan Museum, New York). D'ailleurs, une série de crucifixions, avec le thème de la passion christique et la manière mantegnesque d'architecturer le paysage et la lumière (*le Christ mort dans le sépulcre,* Museo Poldi Pezzoli, Milan; *la Prière dans le jardin des Oliviers,* National Gallery, Londres; etc.) s'installe dans le thème de la maternité. Le thème de la mort christique apparaît d'ailleurs souvent en doublet de la Nativité : comme si la mort du fils était destinée à donner la réalisation humaine et nécessairement tragique de cet indécidable chatoiement de passion-angoisse-mélancolie-joie qui irise la sérénité du corps maternel. On les voit, ce tragique de la mort filiale et l'exaspération placide d'une mère, au mieux réunis dans le bleu s'effondrant en lumière des yeux de Jésus, du *Christ bénissant* (1460, musée du Louvre).

La maternité revient entre 1455 et 1460, l'accent étant mis, cette fois, sur les mains maternelles. Exécutées avec une précision austère et graphique due de toute évidence à l'influence de Mantegna, elles témoignent de l'appropriation de l'enfant par la mère : étreinte plutôt écrasante, corps à corps de l'enfant et d'une mère possessive dont il essaie en vain de desserrer l'étau (*la Madone et l'Enfant,* Amsterdam et Berlin). Frisson de l'angoisse, de la peur, dans cette main d'enfant qui, cette fois, s'agrippe au pouce maternel; pendant que se déplie, au fond, un paysage flamand. Souvenir archaïque d'une séduction maternelle — de cette main dont la caresse précoce, déjà sexuelle, est plus menaçante que sécurisante?

Dans les années suivantes, 1460-1464, les mains de la mère restent le centre du tableau et nouent son mini-drame. Toujours possessives, elles glissent maintenant aux fesses (*la Madone et l'Enfant,* New Haven; *la Madone et l'Enfant,* musée Correr) ou se posent au sexe (National Gallery, Washington; Brera). Clivage frappant du corps maternel : d'une part, ces mains cramponnées à l'objet (le fameux complexe d'agrippement ne serait-il pas aussi celui de la mère vis-à-vis de l'enfant?); de l'autre, ces visages de paysannes adoucies, rêveuses, sinon désemparées d'être passées à côté d'une expérience que rien n'incarne, comme si l'enfant n'en était qu'un témoin décalé. Point culminant de cette série, *la Madone avec l'Enfant* de Bergame : flash sur un récit dramatique. Les mains agressives touchent le ventre et le sexe du bébé effrayé qui, unique dans son genre, s'en dégage violemment, emportant les mains de sa mère sur son corps, tandis que la draperie de la cape virginale sépare ce petit théâtre dramatique du corps maternel qui ne livre qu'un visage illuminé. Étrange pudeur : regard sans identité, fuyant sous les paupières baissées; mais plaisir sûr, inébranlable dans son intimité, des joues éclairées de paix. Rarement le caractère clivé du corps maternel a été aussi nettement mis en scène : il fallait peut-être une brutale séparation biographique d'avec une connivence aussi marquante qu'étouffante, et le souvenir inaccessible qui continue à hanter derrière le rideau.

La Présentation au Temple (1450-1464), aujourd'hui considérée par certains comme le modèle du tableau analogue de Mantegna, plutôt que comme sa copie, figure avec moins de suggestions narratives (mais non moins nettement, à cause, précisément, de la disposition des corps) le thème de la séparation mère/enfant. La Vierge serre et érige son enfant emmailloté : il colle dans le creux de son corps, peau à peau, chair contre chair, branches d'un même tronc. A droite : la communauté des femmes. A gauche, à quelque distance : un vieillard entouré d'hommes tend les bras pour la réception du bébé qu'elle ne lui tend pas. La séparation aura évidemment lieu selon la loi. Mais, dans le fait pictural, la symbiose des deux (mère-enfant) paraît sans coupure possible. On rapprochera cette étreinte de celle qui attache le Christ mort au sein de sa mère : double corps, tandis que saint Jean attend, légèrement écarté (*le Christ mort soutenu par la Madone et saint Jean,* Brera).

Une longue et fructueuse période d'expérimentation spatiale, de triptyques, d'autels, de scènes collectives suivent cette séparation

Bellini, *Madone avec l'Enfant.*
(Musée de l'Art de San Paolo.)

forcée. Elle réalise plastiquement, pourrait-on dire, le décollement du peintre vis-à-vis d'une figure, de la Figure, qui était essentiellement maternelle. Les représentations de Vierges à l'Enfant accompagnent ces recherches spatiales, reprenant les particularités de toiles maternelles antérieures, avec peut-être ceci de particulier que la distance se creuse dans le tableau : l'air (*Vierge en adoration de l'Enfant*, National Gallery, Londres; Contini Bonacossi, Florence) et le paysage (*Madone avec l'Enfant bénissant*, Académie, Venise) affluent au fur et à mesure que se desserre l'étau de l'étreinte maternelle. Comme s'il fallait subir, mais surtout *dépasser* le traumatisme de la séduction maternelle pour faire entrer l'*espace* dans le placement des marques chromatiques et, par lui, approcher mieux la jouissance irreprésentable transcendant la mère. Nous sommes dans les années 1475-1480. L'intérêt du peintre s'oriente, d'une part, vers la représentation de figures autres que la mère et les sujets sacrés (cf. la série des portraits), d'autre part et surtout, vers le placement du corps minimisé en lui-même dans un paysage ou une construction qui sont toujours une architecture. *Saint François en extase* (1480, 1485, Frick Collection, New York) est probablement l'exemple le plus frappant de ce détachement de la figure vers une spatialisation pure de la couleur (nous y reviendrons).

Dans la série qui suit (1480-1490), le clivage entre mère et enfant s'accentue aussi bien thématiquement que plastiquement.

Au visage énigmatique épanoui de *la Madone* de Bergame que l'enfant fuit fait écho maintenant la Mère réticente de *la Madone des arbrisseaux* (1487, Académie, Venise) ou la Madone de Lugano, ou celle de San Paolo. Sévère, presque, déçue, probablement, méfiante ou blessée, c'est elle qui semble fuir. Pourtant, ce qui l'absorbe est moins une placidité inaccessible qu'une certaine raideur, sinon une hostilité du regard en biais qui coupe le calme toujours emmuré du visage : ainsi, *la Madone des arbrisseaux*. La « mère possessive » de la période antérieure glisse vers la mise en scène de la « mère hostile ». Et le sacré, mixte de retenue et de pulsion, change le mélange antérieur distance-plaisir en distance-angoisse. Comme si l'agressivité montait à la gorge de la mère, mais c'est le bébé qui le révèle brusquement, lorsque, échappant aux mains d'une mère désormais lasse, il lui saute au cou comme s'il essayait de l'étrangler : mère coupable (*la Madone avec l'Enfant*, 1487, San Paolo).

Ce changement de psychologie maternelle que traduisent les traits

427

des visages et les postures corporelles accompagne encore une fois un changement plastique. *D'une part* : afflux du paysage, présent déjà dans les deux arbres frontières de *la Madone des arbrisseaux,* se déployant en montagnes, campagnes et tourelles derrière la draperie de plus en plus tirées (à gauche, à droite ou des deux côtés, au sixième ou sur deux tiers du tableau). Dans la période antérieure, la draperie de la robe coupait le tableau en deux, laissant, d'un côté, les mains maternelles avec l'enfant et, de l'autre, la jouissance d'un visage énigmatique. Maintenant, tous les corps passent de ce côté-ci de la draperie qui n'est donc plus cape ni robe, mais rideau, pour laisser derrière cet écran qui dédouble le tableau, c'est-à-dire à la place du visage jouissant de la Vierge de Bergame, par exemple, les volumes colorés d'un espace gratuit. Comme si c'était là, dans les plis lumineux et nuancés de cette « nature » ou architecture, qu'était le fond secret de ce sacré que la peinture essaie de capter et par rapport auquel le mythe de la figure maternelle n'est qu'un écran, premier plan, panneau à percer. *D'autre part et en même temps* : afflux de figures multiples — les anges qui arrachent le bébé à sa solitude narcissique (*la Madone avec l'Enfant et les Chérubins,* Académie, Venise), les saints qui assaillent l'isolement du couple (*la Madone avec l'Enfant, saint Pierre et saint Sébastien,* musée du Louvre; etc.).

La couleur est l'agent central de cette mise en volume qui commence à primer sur la figuration. Le bleu épais sur la blancheur transparente de la cape de *la Vierge des arbrisseaux,* superposé au vert éclairé du panneau du fond, creuse un volume frontal et en dégage, en double fond, un autre où se loge, comme par un effet cinématographique, la dimension supplémentaire du paysage en perspective. Ainsi, par la couleur (superposition de teintes proches, mais contrastées dans leurs nuances) et par la perspective, deux volumes se creusent dans une même surface. Ou bien ce rouge des Chérubins (*la Madone aux chérubins rouges,* Académie, Venise) — trait d'union et de séparation entre le plan frontal de la Vierge (sa robe rouge) et le paysage vert du fond qui reprend et atténue les plis de sa cape : l'espace global du tableau se déploie ainsi en trois plans.

Pourtant, cette juxtaposition de masses colorées, génératrice d'effet spatial, cède à son tour devant la différenciation de la matière chromatique en elle-même. Devenant ainsi lumière, la couleur indique que même ce qui reste toujours figure colorée et compacte flotte immanquablement dans un espace vide. C'est précisément cette issue chromatique que trouve Bellini pour remplacer *de fait* la face radieuse ou angoissée d'une mère aux prises avec le refoulement originaire (et même si son image persiste) par une différenciation subtile de la vision, du figurable, de l'identifiable (cf. *la Madone avec l'Enfant Jésus, sainte Catherine et sainte Madeleine*, Académie, Venise; nous y reviendrons).

Les nombreux autels et le placement du trône maternel sous les voûtes architecturales, sculptées ou peintes par Bellini lui-même produisent la même échappée spatiale et relativisent l'importance de la figuration. Que ce soit dans *la Madone, l'Enfant, des saints et des anges musiciens* (1487, Académie, Venise) ou, mieux insérée dans un véritable ensemble architectural, dans le triptyque de l'église Santa-Maria-dei-Frari (1488), comme plus tard dans le triptyque de San-Zaccaria (1505), le peintre a pris ses distances. L'œil, en prenant du recul, regarde de bas en haut une mère qui surplombe, mais ne domine pas. Comme dans le Huitième Ciel du *Paradis* dantesque, la musique s'entend désormais, le cri a éclaté et il s'orchestre après l'éclosion maximale de l'espace lumineux : les anges musiciens sont là, et des figures de plus en plus nombreuses et réalistes multiplient la surface frontale de l'ensemble. Derrière, le fond se courbe, s'arrondit en haut, mais, illuminé d'un jaune sombre et transparent, semble s'ouvrir à l'infini vers une autre spatialité qui n'a plus besoin de traits ni de stratification, mais flotte, lumineuse, par la force de sa propre facture chromatique. Limite de la représentation, mais aussi de la charpente géométrique, atteinte par saturation d'objets et d'architecture; et envol au-delà de ce trop-plein parfaitement maîtrisé par une représentation réaliste.

Impossible, inutile, peut-être, de chercher les jalons biographiques de ce trajet qui conduit de la mère « iconique » à la mère-séductrice fascinante et, à travers la mère menaçante et fuie, jusqu'à l'espace de lumière où elle se délègue. Un détail, pourtant, n'est peut-être pas sans importance : le deuxième fait biographique intriguant, après la naissance « mystérieuse » du peintre. On trouve, dans ces mêmes années 1480-1490, qui marquent la transposition du mystère, de la figure et du récit mère-enfant en une recherche d'espace et de lumière qui les englobe et les domine, que Giovanni Bellini s'est marié et a eu un fils. 1485 : il confirme la dot de sa femme Ginevra Bocheta. 1489 : testament de Ginevra en faveur de leur fils Alvise — l'enfant est donc déjà né. Ginevra meurt-elle à ce moment-là? En tout cas, lorsque Alvise meurt dix ans plus tard, en 1499, il est déjà orphelin de Ginevra. De 1485 à 1499, en une quinzaine d'années, l'expérience de la famille et de la paternité aussi bien que celle de la mort de l'épouse et du fils accompagnent, si elles n'induisent pas, le bouleversement de la psychologie de la Maternité en même temps que de la manière de Bellini : rappelons que *la Madone des arbrisseaux,* celles de Lugano et de San Paolo, comme celle avec les deux saintes et celle de l'église des Frari, sont postérieures au mariage. Famille et paternité acquises et perdues, pour désidéaliser la mère byzantine et doucement séductrice des années 1450-1480 et pour remplacer, de 1480 à 1500, cette fascination par l'hostilité ou la déception retenues de *la Madone des arbrisseaux* ou par la vengeance séparatrice du petit étrangleur de San Paolo, avant d'arriver, et cette fois sans la médiation maternelle, à la jouissance de saint François adossé à un vert extatique. Comme s'il fallait nécessairement une *paternité* pour revivre l'impact archaïque du corps maternel sur l'homme; pour faire le tour de la jouissance maternelle qui ravit, mais aussi de son agression qui terrorise; pour avouer, en quelque sorte, la menace que le mâle ressent autant du corps maternel possessif que de la séparation d'avec lui, et qu'il lui renvoie d'ailleurs immédiatement; pour pouvoir, enfin, non pas démystifier la mère, mais lui trouver un langage de plus en plus adéquat, propre à saisir sa jouissance particulière imaginée, la jouissance aux confins du refoulement originaire, au-delà de l'imagerie, quoique toujours avec elle, des signes pleins, ressemblants, vrais.

Les dernières séries de maternités, 1500-1505, et jusqu'à *la Madone* de Detroit (1509) continuent et maîtrisent la manière établie dans les années 1480-1500. Le visage de la mère replonge dans une placidité-absence, rêve d'une expérience insignifiable; le corps du bébé, parallèle au sien et proche de lui, en est néanmoins plus aisément séparable; la lumière inonde, des figures s'amassent et des paysages se creusent, souvent en deux scènes, toujours coupées par un rideau central, ou aux deux tiers du tableau, ouvrant ainsi deux perspectives — de face et de fond. La figure maternelle apparaît de plus en plus comme le *module,* le procédé, qui ne fait que justifier cet espace clivé : ἐργαστήριον *(ergasterion)* — lieu privilégié, milieu vivant... D'ailleurs, la passion toute humaine, c'est-à-dire psychologique, entre un adulte et l'enfant, semble se déplacer de la femme vers un homme : n'est-ce pas à un saint que l'Enfant Jésus s'agrippe avec plus de confiance dramatique qu'à toute la série des Vierges, comme le montre déjà l'image de saint Vincent Ferreri (1464-1468, San Giovanni e Paolo, Venise), mais aussi le couple saint Christophe-Enfant Jésus dans *Saint Christophe, saint Jérôme* (ou Jean Chrysostome?) *et saint Augustin* de l'église Saint-Jean-Chrysostome (1513). La libido objectale n'est-elle pas toujours masculine?

Que faire de cette traversée de la jouissance maternelle, une fois arrivé à sa marque colorée lumineuse, vide d'objet, de spectacle, de figure? Que faire, avec cela, dans une Venise qui découvre l'Antiquité, l'humanisme, le corps féminin, la passion charnelle-grâce suprême, les théories de Bembo et le songe de Polyphile?

Bellini accepte les commandes laïques ou païennes (portraits, allégories, tableaux perdus du palais des Doges, etc.). Mais sa réticence vis-à-vis des nouveautés se manifeste lorsqu'il fait traîner la demande d'Isabelle d'Este malgré l'intervention de Bembo, et même si, par la suite, la mécène ne lui demande qu'un *presepio* — adoration des bergers qui se prête au mélange sacré-laïque. *Le Festin des dieux* (1514, Washington) cède pourtant à la mode et probablement à la commande des mécènes, mais avec une manière qui est déjà celle de Giorgione et non sans l'intervention flagrante de Titien; les convives n'en ont pas moins l'air emprunté d'invités à un carnaval.

La plus étonnante, dans cette fin de vie, est sans doute la *Vénus* de Vienne (1515). Même division de l'espace pictural que dans les derniers tableaux de Vierges : un tiers paysage, deux tiers panneau. Sauf qu'au premier plan le corps de la mère traditionnellement enrobé est remplacé par la nudité — abritée à l'ombre contre la luminosité du paysage de fond — d'une jeune femme aux formes pleines. Si la manière est toujours celle de Giorgione et que le corps ne dégage pas moins de sensualité que chez le jeune disciple, ce n'est pas tant l'irisation de la chair qui capte le regard. Mais plutôt encore cette lumière spécifiquement bellinienne qui ne vient pas de la juxtaposition des volumes ni de l'isolement des formes (style Léonard), mais de la facture lumineuse de la couleur elle-même, étincelante en sa matière et par son jeu avec sa contrepartie, la couleur complémentaire ombrée. La lumière colorée fait ainsi espace courbe et ouvert, et se distingue nettement des masses de lumière qui découperaient les corps et les volumes chez d'autres peintres de l'époque. Ce procédé, propre à Bellini et à cette toile en particulier, se dégage ici mieux encore par le jeu des miroirs qui entourent le corps de la Nue et montrent par ricochet son visage et sa nuque. Par les deux miroirs perpendiculaires, une fracture s'introduit en effet dans la partie frontale ombragée du tableau, faisant coude et amorçant un tiers espace — ni fond ni face, mais ouverture d'un angle du tableau vers le public : inversion de la perspective, retournement du point de vue regardant-regardé : de quoi faire rêver les cubistes. Regard réfléchi, regard circulaire, soucieux de fracturer l'espace au maximum en suivant la réfraction des rayons.

Le visage est celui de *la Madone avec l'Enfant bénissant* (1509, Detroit), de *la Madone avec les deux saintes* (1409, Académie, Venise), de *la Madone avec saint Jean-Baptiste et une sainte* (1500-1504, Académie, Venise). Or, le regard détourné, pudique, extatique, mélancolique ou réticent des Vierges émerge ici des paupières pour se voir : pour se rencontrer, mais non pas dans cet objet pour les autres qu'est l'enfant ni même dans le spectateur, comme le suggère l'angle des deux miroirs ouvert en avant, mais dans ce pseudo-objet qu'est le miroir lui-même. Et qui ne peut que le lui renvoyer. Face à face avec le narcissisme primaire, la retenue persiste et un certain constat d'une limite indépassable : « C'est comme ça. » La Vierge est descendue de son exil drapé dans cet ailleurs qui l'écartelait; mais la femme découverte ne reste pas moins clivée : d'une part, le corps nu et, si l'on veut, érotique, de l'autre, une captation fondamentale par l'image : la sienne propre, sans doute, mais dont ce ventre relâché de mère rappelle qu'elle n'est qu'un point de vue, jeu de lumière, irreprésentable, fuyante.

Par cette *Femme au miroir,* Bellini, à quatre-vingt-dix ans, entre avec aisance dans le sex-shop de son époque. Et, en deux ou trois tableaux (si l'on ajoute l'*Allégorie* de l'Académie, et le *Festin des dieux* de Washington), il le parcourt avec la même maîtrise de connaisseur que Giorgione et Titien. Mais il y ajoute surtout une découverte que la mode de l'époque ne le laissera pas étaler telle quelle : la couleur lumineuse qui prime la représentation du corps nu. Et par ce « sacré » qui avait longuement accompagné l'image du corps maternel, donc déduit, mais déjà détaché de la figuration virginale comme de toute représentation d'objets, il suit, comme un critique venu de l'avenir, le faste objectal de son époque qui a toutefois rencontré et donc révélé la préoccupation bellinienne (la jouissance), mais de manière encore trop thématique, essentiellement objectale et profondément fétichiste, en la fixant dans un corps ici féminin. Le sex-shop a finalement servi au vieux maître à expliciter au profane ce qui le travaillait à travers les voiles des madones. Mais sa lumière dépassait de loin ce thématisme et ne pouvait être véritablement vue qu'après Poussin, Cézanne et Rothko.

Espaces et lueurs

Saint François en extase (1480-1485, Frick Collection, New York). Adossé à une cascade de volumes vert d'eau, englouti presque dans leur lueur matinale qui vire vers la pénombre à droite en bas. Tandis qu'à gauche en haut, en diagonale de la chaire, du livre et du crâne de l'angle inférieur droit, apparaît un autre espace où un paysage, un âne et beaucoup de lumière suggèrent la présence divine. Typiquement belli-nien, ce dépli de la surface de la toile en deux plans, dont chacun construit son propre volume. Et chaque volume en soi se coude, tord, casse et fracture : tourmente des formes dessinées, homogénéisées néanmoins dans une même masse lumineuse par le coloris vert du plan frontal, orangé du fond. A ce dédoublement-feuilletage de la surface s'ajoute en outre le dessin des courbes et des fractures, qui s'enroule en escargot vert (colline) devant en bas à gauche; mais un autre escargot l'équi-libre en haut au centre qui est l'angle inférieur droit du plan-fond. De sorte que la surface dédoublée-feuilletée de la toile, tourmentée sous la couleur lumineuse dans chacune des parties, retrouve dans la moitié gauche de bas en haut du tableau un mouvement en spirale (les deux escargots) opposé à la verticalité des rochers à droite. Dessins gra-phiques qui découpent, recouverts de masses colorées irisées qui relient la surface multipliée : face/fond; diagonale gauche haut/droite bas; diagonale spiralée gauche bas/centre haut; moitié gauche ondu-lée/moitié droite verticale. L'extase est peut-être précisément cette alliance entre le découpage implacable par le dessin et la doublure douce qui englobe les fractures dans deux masses de nuances lumineuses : verte et orangée. Jeu des traces tranchantes jointes à la différenciation infinitésimale d'une couleur en elle-même, se cherchant dans sa propre gamme et jusqu'à la frontière de sa complémentaire : jusqu'à sa perte en lumière.

La Madone avec l'Enfant Jésus, sainte Catherine et sainte Made-leine (1490, Académie, Venise). Plus d'espace angulaire, coudé, frappé par la découpe graphique du dessin. Ici, la surface de la toile fait voûte, comme sous un autel du triptyque des Frari (1488). Mais, tandis que, dans l'église, la courbure est donnée par le fond incurvé du mur du fond et de la voûte, ici, sur la toile, l'effet coupole vient de la couleur sombre devenue lumineuse. Que le dessin de la toge couvrant la tête et les épaules arrondies de la Vierge la soutiennent, de même que le suggère le regard appuyé en haut de l'enfant — on le voit d'emblée. Mais la courbure s'obtient essentiellement par le virage au jaune-blanc des couleurs saturées qui remplissent les formes et les volumes. Des rouges brique ou pourpre couvrant les deux saintes, des verts bouteille sur la Vierge, l'orange soutenu des chairs, le roux-marron des cheveux, se foncent ou pâlissent selon les plis, parcourant dans leur propre gamme un spectre entre deux bords de l'invisible — du noir où la couleur s'éteint au jaune qui éblouit. Cette facture des couleurs en elles-mêmes est accentuée par le placement en ellipse des taches aveuglantes, chairs nues virant au jaune rosé : courbe supérieure des trois têtes des femmes, courbe inférieure de leurs mains et du bébé. Trouvaille fondamentale, enfin : le fond marron. Saturé de noir, de vert et de rouge, la compacité de ce brun se renverse en son contraire — la couleur imprécise, liquide, invisible, milieu étincelant qui engendre et fait flotter la clarté nue. La courbure de l'espace, calque des arrondis d'un corps nu, s'obtient d'une couleur sombre conduite, dans la limite de sa gamme, aux deux extrêmes du spectre. Comble de la sublimation à l'endroit même où pointe cette angoisse que la nudité aurait pu, sans cela, provoquer et qu'on appelle de l'érotisme.

Allégorie sacrée (1490-1500, Offices, Florence). Le graphisme tourmenté des formes, découpées par le dessin, reliées par la couleur, est là, au fond du tableau. Mais ce souvenir de l'espace graphique de *Saint François en extase* ici se géométrise — plus grec, plus rationnel dans la partie frontale du tableau où une balustrade ouvre en face du spectateur les trois parois d'un cube. Les carrés et les hexagones rouges et noirs se partagent le carrelage, tandis que l'arbre de vie découpe la surface aux trois quarts. Ici, la lumière ne s'engendre pas (comme dans *la Madone, l'Enfant Jésus, sainte Catherine et sainte Madeleine*) pour voûter l'espace ni ne fuse d'un coin pour spiraler, tordre et harmoniser à la fois (comme dans *Saint François en extase*). Elle est là, incandescente dans l'orange dominant qui embrase le marron, le rouge et le blanc, de droite à gauche, et se trouve en bleu ciel en haut au centre — fuite, foyer et ouverture azurée. Par cette dominance du jaune diversifié, l'ondulation ou la fracture des plans multipliés du fond, comme la régularité géométrique du front, s'ouvrent à l'infini. Ni surface coudée ni coupole. La luminosité baigne toute figuration, y compris celle qui fixerait des espaces découpés et laisse prédominer, par le jaune, l'éblouissement — limite de la représentation dans laquelle et pour laquelle se condensent, immanquablement et pour mieux s'en détacher, quelques objectités colorées (rouge, vert, noir, bleu : robe, arbre, ciel, montagne, figure humaine ou animale). Toute représentation figurale apparaît désormais comme un mirage dans le soleil jaune d'un désert. S'il est vrai que cette allégorie représente le commentaire de saint Bernard du verset 1-14 du Psaume LXXXIV, « Restauration d'Israël » (la Grâce, la Vérité, la Justice et la Paix discutent sur le salut de l'humanité par l'Incarnation, et Yahvé lui-même enfin non menaçant proclame l'arrivée de la justice et de la paix; les trois femmes incarnent trois aspects de cette *sacra converzatione* — à gauche, Maria Aeterna, Grâce et Paix, à droite, une condensation de la Vérité et de la Justice, sur le trône, Marie tenant la place du Père), nous sommes en face d'une représentation de l'harmonie à la fois thématique et chromatique. Loin de supprimer les différences (spatiales ou colorées), cette harmonie les dispose dans une infinité ouverte : intégration des limites qui découpent les figures, les dessins et les nuances de couleur, et leur enchaînement sans fin. Sublimation d'une puissance totalisante poussée aux extrêmes du représentable — forme *et* couleur.

Le jeu de miroir de la Vénus nue démontre, par Bellini, que le narcissisme primaire est le seuil auquel s'arrête et d'où opère l'expérience picturale. Si le refoulement originaire est un autre mot pour dire narcissisme primaire, le fait de les provoquer l'un et l'autre, de les travailler, de les analyser sans pouvoir jamais les lever : n'est-ce pas la *cause* de la *jouissance* et, plus particulièrement, de la jouissance dans et par la représentation ici picturale? Elle ne peut que conduire à l'éclatement de la figure et de la forme dans un espace fait de traces graphiques et de couleurs différenciées jusqu'à leur propre perte en lumière.

La maternité selon Bellini — et pour finir après un long trajet biographique et historique sacré et figural — n'est rien d'autre que cette spatialisation lumineuse : langage ultime d'une jouissance à l'extrême limite du refoulement d'où s'engendre un corps, une identité ou un signe.

Contraintes rythmiques
et langage poétique *

> Au commencement était l'émotion. Le verbe
> est venu ensuite pour remplacer l'émotion,
> comme le trot remplace le galop, alors que la loi
> naturelle du cheval est le galop : on lui fait avoir
> le trot. On a sorti l'homme de la poésie émotive
> pour le faire entrer dans la dialectique, c'est-
> à-dire dans le bafouillage, n'est-ce pas?
>
> Céline, *Entretien.*

DISCUSSION DE L'ÉTAT ACTUEL DE LA QUESTION

Héritière de la phénoménologie, la linguistique moderne, structurale ou générative, étudie le langage essentiellement comme une synthèse logico-grammaticale. Seules certaines marges, plus à l'aise dans les années trente et destinées à la psycholinguistique ou à la poétique, remontant à Wundt ou attentives à Freud, s'attachaient ou s'attachent à l'examen des processus pré- ou para-grammaticaux [1].

Tout récemment, semble s'esquisser une reprise d'intérêt pour l'intonation et le rythme comme phénomènes supra-segmentaux, donc relativement autonomes de la synthèse prédicative où se constitue le sens dénotatif [2]. En discutant l'attention que certains générativistes ont

---

* Première publication : *in* P. Léon et F. Miterrand (éds), *Analyse du discours*, Colloque de Toronto (1974), Montréal, 1976.

1. Parmi les travaux consacrés à l'apprentissage du langage, ceux de M.-M. Lewis et A. Grégoire en sont des exemples; cf. également D. Crystal, « Non-segmental Phonology in Language Acquisition : a Review of the Issues », *Lingua*, 32, 1973, p. 1-45.

2. Cf. D. Crystal, « Non-segmental Phonology... », *op. cit.*; D. Crystal, « Prosodic Systems and Language Acquisition », in P. Léon (éd.), *Prosodic Feature Analysis*, Montréal-Paris, Didier, 1970, p. 77-90; K. Pike, « The Role of the Nuclei of Feet in the Analysis of Tone in Tibet o-Burman Languages of Nepal », *in* P. Léon (éd.), *op. cit.*, p. 153-164.

accordée aux figures intonationnelles, des recherches ont dégagé, au contraire, l'existence d'une fonction présyntaxique de l'intonation et du rythme [1].

Il semble possible, à la suite de tels travaux et de nos propres observations et interprétations, de dégager une conception selon laquelle fonctionnent, dans l'exercice du discours, *deux modalités signifiantes* qui sont séparées diachroniquement (c'est-à-dire dans l'apprentissage du langage) et synchroniquement (c'est-à-dire dans la structure des énoncés) par l'apparition ou la présence de la syntaxe. Pareille conception modifie sensiblement la thèse de l'innéisme linguistique, car elle implique qu'avant (chronologiquement et logiquement) le surgissement des contraintes syntaxiques, le flux sonore du futur parlant est déjà organisé par certains modèles rythmiques et intonationnels. Innés ou développés dans le rapport à la mère et à la microsociété environnante, ces modèles servent en partie de base aux règles proprement syntaxiques qui se développeront ultérieurement, et en partie les dépassent et les excèdent pour constituer un registre supragrammatical du discours, propre à tout énoncé, mais qui s'actualise en particulier en discours pathologique ou, d'une autre façon, en langage poétique [2]. On souligne souvent deux particularités de cette modalité signifiante antérieure à la synthèse logico-prédicative :

1. elle est émotionnelle, expressive (cf. Bolinger, Léon, Fonagy);

2. elle est connotative, non digitale et donc ne constitue pas une signification univoque comme le font les traits distinctifs des phonèmes [3]. Mais même les chercheurs qui postulent la différence entre le registre supra-segmental connotatif et le registre digital dénotatif, finissent par réduire le premier au second lorsque, pour décrire le supra-segmental connotatif, ils l'insèrent dans des systèmes naïfs tributaires de la conception d'un ego parlant pourvu de perception, conscience, intention signifiante, etc., qui est déjà l'ego de la synthèse logico-prédicative; ainsi, les intonations ou les rythmes des petits enfants seraient des « expressions » d' « angoisse », de « plaisir », de

1. Cf. la discussion des thèses de Lieberman par D. Crystal, « Non-segmental phonology... », *op. cit.*, p. 85.
2. I. Fonagy, « Double Coding in Speech », *Semiotics*, 1971, III, 3, p. 189-222.
3. Cf. K. Pike, « General Characteristics of Intonation » (1945), *in* D. Bolinger (éd.), *Intonation*, Penguin Books, 1972, p. 53-82. Le point de vue contraire est défendu par E. Uldall, « Dimensions of Meaning in Intonation » (1964), *ibid.*, p. 250-260.

« crainte », d' « agressivité », etc. — autant de sèmes que l'ego adulte projette sur une phase génétique où il ne se trouve pas. Il n'en reste pas moins que certains chercheurs n'ont pas été dupes de cette projection et, essentiellement sous l'influence de Husserl, ont indiqué que l'ego avec son système perception-conscience concomitant à sa capacité de former une synthèse logico-prédicative, est une formation tardive dans la constitution du sujet parlant, et qu'il ne recouvre pas l'ensemble complexe d'opérations qui constituent le discours [1]. D'autres, enfin, ont attiré l'attention sur l'irréductibilité des contraintes rythmiques aux contraintes grammaticales, en remarquant que les premières viennent suppléer les manques ou les carences des secondes lors de l'apprentissage ou des pathologies du langage [2].

Pour marquer avec netteté la différence entre les deux modalités signifiantes en question dans le fonctionnement du discours, nous avons qualifié de fonctionnement *symbolique* la synthèse digitale dénotative soutenue par l'ego transcendental, en réservant le terme de *sémiotique* à l'économie supra-segmentale productrice d'effets connotatifs [3].

DESCRIPTION ET ANALYSE D'UN CORPUS
D'ÉNONCÉS PRÉPHONOLOGIQUES

1. Postulats et hypothèses de base.

Pour éviter la projection de critères psychologiques et sémantiques adultes sur cette phase archaïque de l'apprentissage du langage, nous ne proposerons pas d'interprétation sémantique ou psychologique des données sonores observées : nous ne leur accorderons pas de sens

---

1. On lira ces prises en considération des conceptions husserliennes pour une théorie moderne du langage chez I.-M. Schlesinger, « Learning Grammar : From Pivot to Realization Rule », *in* R. Huxley et E. Ingram (éds), *Language Acquisition : Models and Methods,* Londres et New York, Academic Press, 1971, p. 79-94; cf. également S.-Y. Kuroda, *Where Epistemology and Grammar Meet,* University San Diego, 1971 (miméographié).

2. R. Weir, « Some Questions of Child's Learning of Phonology », *in* Smith et Miller (éds.), *The Genesis of Language, a Psycholinguistic Approach,* Cambridge, Mass., MIT Press, 1966, p. 153-170; et U. Bellugi, « Simplification in Children's Language », R. Huxley et E. Ingram (éds), *Language Acquisition : Models and Methods, op. cit.,* p. 95-120.

3. Cf. J. Kristeva, *la Révolution du langage poétique,* Éd. du Seuil, 1974, 1re partie.

expressifs. Nous considérerons qu'avant la phase phonologique-syntaxique, les données sonores ne veulent rien dire, mais qu'elles sont des *marques* d'état bio-physiologiques ou de l'action de l'environnement (faim, nourriture, soins, sommeil, etc.) qui, par l'intermédiaire de l'adulte, affectent le continuum corporel et écologique. Ces marques que nous mesurerons, dans le flux sonore, en *intensités* et en *fréquences,* subissent un processus d'organisation à complexité croissante : c'est ce que nous appelons précisément du *sémiotique.* A partir d'une certaine complexité sémiotique (indicative d'une maturation psychomotrice), ce processus est stoppé pour reprendre ensuite sous la dominance d'un autre, désormais *symbolique,* lequel se caractérise par la constitution d'un *objet* (extérieur au continuum corporel-écologique), de l'*imitation* (possibilité de représenter cet objet en sa présence ou en son absence) et, enfin, d' « *items* » *linguistiques* qui peuvent être des mots isolés ou des chaînes signifiantes mais qui sont toujours susceptibles d'être interprétés comme des phrases et qui reposent sur des *stratégies cogni-tives* [1] radicalement distinctes des stratégies sémiotiques antérieures. En écho à Husserl, nous avons appelé *phase thétique* (parce que consti-tuant la *thèse prédicative : syntaxe* et *objet* signifiable) cette modalité secondaire du processus signifiant qui opère par constitution d'objet, imitation et stratégies cognitives que reflète la syntaxe [2]. Notre obser-vation a porté sur la modalité antérieure, *sémiotique,* du processus signifiant : antérieure à la phase thétique, donc antérieure aux stra-tégies cognitives, phonologiques et syntaxiques.

2. Constitution et traits généraux du corpus

Dix enfants, deux filles et huit garçons, de quatre à treize mois, ont été observés dans une crèche parisienne [3]. Nous n'avons pas constaté de

1. T. G. Bever, « The Nature of Cerebral Dominance in Speech Behaviour of Child and Adult », *in* R. Huxley et E. Ingram (éds), *Language Acquisition : Models and Methods, op. cit.,* p. 232-262; J. Melher, « Studies in Language and Thought Deve-lopment », *ibid.,* p. 201-230.
2. J. Kristeva, *la Révolution du langage poétique, op. cit.,* 1ʳᵉ partie.
3. Les observations qui suivent sont le résultat d'un travail en cours qui n'en est qu'à son stade initial (un an et demi). En outre, destinées essentiellement à servir de base à une interprétation psychanalytique de la fonction symbolique à partir des périodes les plus archaïques du sujet parlant, ces observations ont été laissées à leur état empirique ou bien n'ont été soumises qu'à des mensurations élémentaires : il s'agit

variations individuelles sensibles dans les structures des vocalisations (seules changent les périodes selon lesquelles s'accroît la complexité des structures) et ne donnerons, par conséquent, que des exemples pris aux vocalises d'un seul garçon. Quelques différences, encore difficiles à cerner, nous sont apparues entre les vocalises des filles et les vocalises des garçons : une recherche ultérieure y sera consacrée. La limite d'âge inférieure (quatre mois) a été en partie le fait du hasard (âge d'entrée à la crèche), mais se trouve justifiée par des hypothèses formulées au cours d'observations ultérieures selon lesquelles autour du quatrième mois, se situerait le seuil d'une période particulière de l'apprentissage linguistique, non encore imitative, mais très riche en productions sonores dont on connaît mal les structures internes et les dépendances vis-à-vis du corps propre comme de l'environnement, avant l'apparition de la véritable imitation concomitante à la production d'énoncés syntaxiques [1].

Les enregistrements des émissions sonores ont été effectués dans diverses circonstances : faim, satiété, avant le sommeil et après le sommeil, sans que des différences sensibles dans les structures des émissions aient pu être observées dans les diverses situations. Par contre, il apparaît nettement que les émissions sont plus abondantes lorsque le sujet sous observation subit un déséquilibre de son état homéostatique, c'est-à-dire lorsqu'il est affecté d'un « en moins » ou d'un « en trop » par rapport à ce qu'on suppose être son équilibre écologique. Tous les débuts d'émissions sonores nous ont paru déclenchés par une *privation* ou par une *rupture d'équilibre* : la voix répond au sein manquant, ou bien se déclenche au fur et à mesure que l'accès du sommeil semble remplir de vides la tension et l'attention de l'éveil. Les cordes vocales se tendent et vibrent pour remplir le vide de la bouche et du tube digestif (réponse à la faim) et les défaillances du système nerveux à l'approche du sommeil. La voix répond au manque de sein (de nourriture), c'est-à-dire à un déséquilibre du continuum entre le corps et

d'étayer des conclusions psychanalytico-linguistiques plutôt que d'aboutir à des calculs phono-acoustiques raffinés. Nous remercions le laboratoire de l'Institut de phonétique à Paris, et particulièrement Bernard Gautheron, de leur aide pour le déchiffrement de nos enregistrements. Nous remercions également la crèche PMI de Censier à Paris, qui a fourni les conditions nécessaires à nos enregistrements magnétiques.

1. M.-M. Lewis, *Infant Speech, a Study of the Beginnings of Language*, Londres, Kegan Paul, etc. Ltd, 1936, p. 21-101.

l'environnement qu'assure l'intermédiaire de la mère. Elle répond aussi au relâchement de la maîtrise nerveuse, c'est-à-dire aux temps de repos du fonctionnement cortical. L'émission sonore répondant à ces manques et à ces défaillances apparaît donc comme une tentative pour y remédier : la voix prendra la relève du vide (dans la bouche et le tube digestif) et de la maîtrise défaillante (du système nerveux et cortical), elle sera réponse et substitut au manque. Cette réponse se constitue sur le trajet de l'expiration : un autre des traits caractéristiques des émissions sonores primaires est précisément de relever de l'*expulsion* — du *rejet*. La contraction musculaire, gastrique et sphinctérienne rejette, parfois en même temps, l'air, la nourriture et les déchets. La voix jaillit de ce rejet d'air et de matière nutritive ou excrémentielle; les premières émissions sonores, pour être vocales, n'ont pas seulement leur origine dans la glotte, elles sont la marque audible d'un phénomène complexe de contraction musculaire et vagosympathique qui est un rejet impliquant l'ensemble du corps. Les cavités digestives et respiratoires participent nécessairement et de façon directement observable à ce rejet par lequel le sujet répond au manque et au déséquilibre. L'apprentissage du langage consistera, pour une part essentielle dans cette phase, à éliminer ou à réprimer cette participation des conduits digestif et respiratoire, pour n'isoler que les vibrations des cordes vocales seules : processus de sublimation dramatique, répression du plaisir, pénible apprentissage de la *différenciation corporelle*. L'apprentissage préphonologique du langage apparaît ainsi comme un apprentissage à différencier le corps, à le découper, à le morceler en systèmes et niveaux, avant qu'il ne soit unifié en tant que tel, mais cette fois symboliquement, grâce au langage comme système phonologique-syntaxique. Sur la voie du rejet expiratoire, les agents de l'émission sonore (air et organes) produisent les événements acoustiques qui seront les premières marques sémiotiques, à différencier et à organiser, pour une écholalie, d'abord, un énoncé, enfin : ce sont les *occlusions glottiques,* post-palatales uvulaires avec ou sans nasalisation, prépalatales-linguales ou labiales. Elles arrêtent l'accès de l'air aux poumons et provoquent l'*étouffement* — autre caractéristique essentielle de cet apprentissage initial, drame qui marque l'entrée du parlant dans le flux sonore avant qu'il ne soit signifiant. L'étouffement (asthmatique ou névrotique) comme la participation digestive et sphinctérienne au flux sonore seront réactualisés dans les troubles du langage qui accompagnent les régressions psycho-pathologiques. On les retrouvera dans certaines pratiques dites esthétiques du discours (le langage poétique) où, sous leur action, se défait l'utilisation normative du code linguistique, avant qu'un effort supplémentaire de sublimation ne reconstitue une nouvelle systématicité (rime, rythme, allitération) qui sera précisément l'« art ».

Pour autant qu'on puisse se prononcer, il semble que, dans cette période préphonologique des émissions sonores, tout *début d'émission* est provoqué ou s'accompagne de déplaisir. Manque, rejet, étouffement, sous-tendent le début d'une écholalie : doublure archaïque et, peut-être, ineffaçable pour la mémoire, de l'expérience vocalique et, par conséquent, de l'expérience linguistique. On a déjà insisté sur le déplaisir constitutif des premières émissions sonores, mais, en général, on place les vocalisations à déplaisir dans les tout premiers mois et on les fait suivre d'émissions de plaisir censées être dominantes [1]. Nos observations ne confirment pas ces constats. Jusqu'à l'âge d'un an, le début de toute vocalise nous est apparu comme un phénomène de déplaisir : drame du manque, du rejet et de l'étouffement. L'impression de détente que peut recueillir l'observateur et qu'il dénomme plaisir nous semble se produire dans un second temps de la vocalise de cette même période, lorsque le flux sonore — rejet répondant au manque et menacé d'étouffement — s'organise en une amorce de système. C'est la *répétition* qui saisit l'émission sonore de déplaisir et l'articule en une régularité, structure ou figure qui est la première et la seule inductrice de détente, ou de plaisir, chez le vocalisant. Ce n'est pas parce que le petit de l'homme a mangé, a dormi ou a été soigné par un autre, que ces vocalises initiales « expriment » le plaisir. Mais c'est uniquement lorsqu'il parvient à organiser son flux sonore en une sorte de régularité non expressive et grâce à la répétition, que l'épargne d'énergie pulsionnelle ainsi occasionnée induit en lui la baisse de tension musculaire et nerveuse.

3. La répétition

Les événements sonores qui nous sont apparus, en eux-mêmes, comme des marques du vide, de la privation et comme porteurs de contraction et de déplaisir, *répétés,* constituent une nouvelle unité, à la place de la continuité corps-environnement dont la rupture a provoqué l'émission sonore. Cette nouvelle unité produite par la répétition des événements

1. M.-M. Lewis, *Infant Speech, a Study of the Beginnings of Language, op. cit.*

sonores, ne nous paraît pas encore être symbolique : elle ne signifie pas un objet ou un état extérieur à elle-même, mais, au contraire, elle n'est qu'une tentative de structurer aussi bien l'émission sonore que la pulsion qui contracte le corps en état de manque ou de déséquilibre bio-physiologico-écologique. Quelles peuvent être les causes de cette prépondérance de la répétition dans la phase préphonologique de l'apprentissage du langage, comme opération dominante sinon exclusive pour la constitution d'une structure sonore et corporelle? Rappelons-en quelques-unes parmi beaucoup. — D'abord, la contrainte respiratoire commande, sans doute, la nécessité d'une émission vocalique à intervalles réguliers. A ce fait s'ajoute la dépendance innée de l'émission sonore et de l'audition : le son (propre ou d'autrui) entendu stimule une nouvelle vocalise. Enfin, l'unité duelle entre l'enfant et la mère (son substitut) instaure dès la naissance prématurée de l'homme une relation dialogique avec l'autre. Il est à noter que cette *relation dialogique* ne devient *imitative,* dans les cas que nous avons observés, que vers le dixième mois : avant, l'enfant ne reproduit pas la voix de l'adulte, il répond seulement par une émission vocale quelconque à son émission et, au mieux, suit son rythme; mais il ne répond pas à la voix d'un autre enfant. Ceci tendrait à démontrer que l'opération de répétition, pour autant qu'elle dépend d'une unité duelle, n'agit que lorsque l'autre de cette unité est un autre fonctionnel, c'est-à-dire quelqu'un dont la présence ou le manque affectent l'équilibre biologique, physiologique et écologique de l'enfant. Il s'agit essentiellement de la mère ou de son substitut. Lorsque, à partir du dixième mois environ, des imitations des sonorités adultes interviennent (reproduction des intonations, des rythmes de la parole, de la toux, du bruit accompagnant le travail, etc.), l'adulte imité est, dans les cas observés, le père ou le père de la mère. Aussi, pourrions-nous dire qu'on répète la mère, mais qu'on imite le père (en entendant par répétition des événements vocaliques qui répondent à la voix ou aux gestes des adultes, sans les reproduire; et par imitation la reproduction plus ou moins fidèle de l'émission sonore de l'adulte). Bien sûr, ultérieurement, c'est la mère qui sera la plus imitée étant plus constamment présente auprès de l'enfant et ainsi plus déterminante dans l'apprentissage du langage. Nous avons pu également constater que les deux filles du groupe observé étaient plus stimulées que les garçons par le rythme maternel de la voix ou des gestes de la berceuse.

4. Les éléments répétés

Les éléments répétés peuvent être décrits selon l'ouverture ou l'occlusion du canal phonatoire, selon l'intensité du ton fondamental et selon la fréquence du fondamental. Selon le premier critère, on distingue des pseudo-voyelles qui ressemblent à [a], [*a*] très postérieur et très fermé et [æ] et des pseudo-consonnes labiales sonores ou sourdes [p, b, m], dentales [d, t], nasales [n, η], et post-palatales sonores ou sourdes [g, k, x]; nous n'avons pas observé de sifflantes ni de chuintantes. Les intensités varient entre 30 et 36 dB, et sont « paradoxalement » plus élevées chez les deux filles observées. Les fréquences oscillent entre 300-350 Hz, en descendant au plus bas jusqu'à 140 Hz (sur *a* postérieur et fermé, cf. figure 1), mais en montant aussi, en voix de tête jusqu'à 1 600 Hz. Chez les filles, la fréquence est légèrement plus élevée : la courbe fréquentielle varie entre 350-400 Hz sur le tracé du *pitchmeter*.

Les pseudo-voyelles et les pseudo-consonnes *antérieures* sont émises sur la voie d'une contraction de la partie *supérieure* du corps et du tube digestif : nous dirons qu'elles sont la marque d'une pulsion orale. Les pseudo-voyelles et les pseudo-consonnes *postérieures* s'accompagnent nettement d'une contraction du ventre qui va jusqu'au relâchement du sphincter anal non contrôlé, aussi bien que d'agitation des membres inférieurs : nous dirons qu'elles sont la marque d'une pulsion anale [1]. Entre quatre et treize mois, ces deux pulsions nous paraissent se partager entièrement le corps de l'enfant, et constituer les éléments fondamentaux qui essaieront, par la répétition, de s'organiser en une structure, en vue de la constitution du corps propre. Nous avons remarqué que la poussée anale se marque par une basse fréquence dans la vocalise vers le huitième mois : avant, la séparation du haut et du bas ne semble pas assez nette, de sorte que des contractions du bas-ventre peuvent s'accompagner de fréquences relativement élevées.

---

1. Les covariations des contractions ventrales et de certaines localisations phonatoires comme de certains niveaux de fréquences nous sont apparues lors des observations empiriques. Des enregistrements magnétoscopiques et d'autres moyens de mensurations plus précises seront nécessaires ultérieurement pour confirmer ces observations.

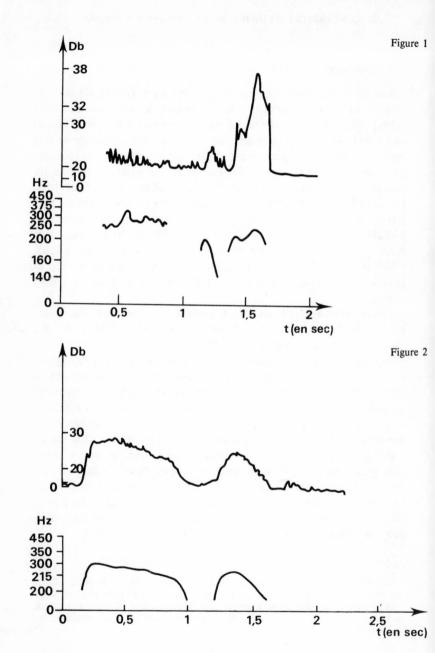

Figure 1

Figure 2

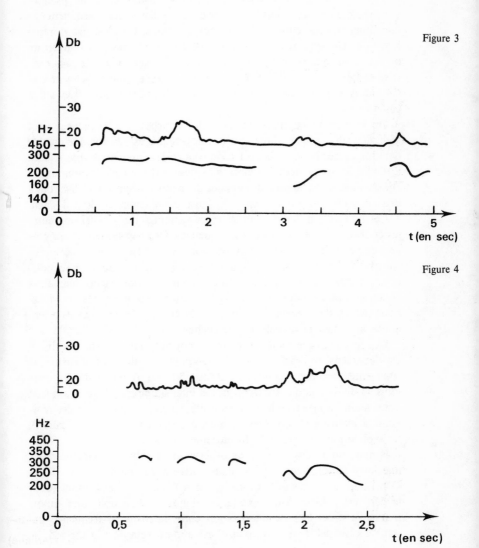

Figure 3

Figure 4

5. *Structures produites par la répétition*

S'il est vrai que des séries de pseudo-consonnes ou de pseudo-voyelles apparaissent dans la période étudiée, elles ne nous semblent pas constituer des structures intéressantes à cet âge. Ce n'est pas la répétition des éléments sonores dus au lieu de l'articulation, à l'ouverture ou à l'occlusion, qui présente alors le matériel sémiotique le plus maîtrisé et donc le plus utilisé. Les premières structurations peuvent être décrites essentiellement par les paramètres des *intensités,* des *fréquences* et du *temps.*

Du quatrième au huitième mois, les courbes des fréquences sont généralement parallèles aux courbes des intensités : la tonalité semble déterminée par la force de l'émission sonore, le sujet n'arrive pas encore à rendre les fréquences des vibrations des cordes vocales autonomes à l'égard de leur tension. La dominance de la pulsion sur la vocalisation, à cette période, est probablement la cause du phénomène dont il s'agit.

Les figures 3 à 7 montrent diverses variantes du parallélisme entre les courbes des intensités et des fréquences. Ces parallélismes sont plus nets en vocalise sur pseudo-voyelle (vocalise sur [a] du sixième mois), sur pseudo-labiale nasalisée (figure 2, vocalise sur [m] du sixième mois) et sur semi-consonne que sur pseudo-consonne postérieure, car alors l'occlusion post-palatale modifie la fréquence et les intensités des vibrations des cordes vocales, de sorte que la courbe des fréquences a tendance à se décaler de celle des intensités.

Dès le quatrième mois, on constate pourtant une tendance à dissocier les intensités des fréquences : malgré la variation des intensités, le sujet émet une note tenue, autour de 350 Hz. A partir du septième mois, la dissociation entre fréquence et intensité prend d'autres aspects; nous avons non seulement, à intensité variée, fréquence égale, mais aussi, à intensité plus ou moins égale, des fréquences variées (figure 3, du septième mois; figure 4, du onzième mois).

Notons qu'un des sujets sous observation a subi, au septième mois, une intervention dans l'oreille, consécutive à une inflammation. Dans la période de la maladie, avant et après l'opération de l'enfant (dont le père est médecin oto-rhino-laryngologue : détail non sans importance), le processus de dissociation entre intensité et fréquence qui semble essentiel dans cette phase, est apparu retardé : la mélodie ne s'isolait plus en tant que telle, elle continuait à suivre la courbe de la force pulsionnelle. D'une manière générale, *l'autonomisation de la mélodie à l'égard de l'intensité* nous paraît être la première marque de la « sublimation [1] », ou, si l'on veut, de la maîtrise : de la différenciation et de l'organisation primaire de la pulsion, légèrement antérieure à l'opération de *répétition* et l'accompagnant tout au long de son développement.

Dans ce cadre de rapport entre intensité et fréquence (parallélisme, d'abord, fréquence stable-intensité variée, ensuite, fréquence variée-intensité stable, enfin), diverses figures s'organisent, selon le découpage des deux courbes (des intensités et des fréquences) et de la répétition des fragments découpés (un fragment est constitué par des pauses, l'entourant, de trois secondes minimum). Ce découpage et cette répétition d'éléments sonores, sur l'axe du temps, c'est précisément le *rythme.* La première structure du flux sonore des sujets observés est rythmique. L'autonomisation des fréquences, donc les variations mélodiques qui sont également opérantes à cette période, restent néanmoins soumises à la structuration rythmique : les variations fréquentielles sont limitées, et les liaisons entre les différents fragments du flux sonore qui pourraient permettre qu'une véritable mélodie puisse se manifester dans cette période préphonologique et/ou présyntaxique manquent encore.

L'absence de liaisons entre les changements de fréquence se manifeste, dans certains cas, par des oscillations brusques de fréquences, qui vont de 300 à 1 200 Hz (figure 5, du neuvième mois; mais observable aussi avant, l'intensité étant peu variée lors de cette émission) et s'accompagnent d'une contraction de la cage thoracique, tension des muscles du cou et de la tête, et relâchement relatif du bas du corps.

Il semblerait, selon certains observateurs d'enfants apprenant le français, que la mélodie comme principe organisateur de l'émission

---

1. Le terme psychanalytique de « sublimation », que nous employons ici dans une acception non conforme à l'orthodoxie freudienne (il n'y a pas encore de « moi » ni de « surmoi » chez les enfants observés), est destiné à faire ressortir notre position selon laquelle, dès les phases préphonologiques, se déroulent des processus de structuration du flux sonore, sémiotique quoique non encore signifiant, qui introduit les fonctions bio-physiologiques du nouveau-né dans l'unité ultérieure du parlant. Mélanie Klein pense, quant à elle, que « les toutes premières identifications de l'enfant méritent déjà la désignation de surmoi », puisque « le conflit œdipien s'installe dès la seconde moitié de la première année » (*la Psychanalyse des enfants,* Payot, 1959, p. 19).

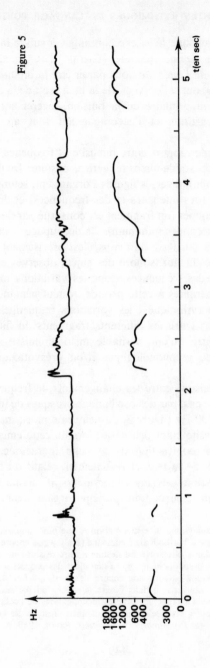

Figure 5

sonore n'apparaisse qu'avec l'apprentissage de la syntaxe, donc en tant qu'intonation phrastique. On pourrait s'attendre à une situation toute différente chez des enfants apprenant les langues à tons (le chinois, par exemple). Les observations de Chao[1] et de R. Weir[2] font état d'une aptitude des enfants chinois à reproduire les tons de leur langue maternelle vers le sixième mois : donc à entendre et à émettre des variations fréquentielles plus précises, constantes, structurant leurs propres vocalisations et même ayant une valeur distinctive quant au sens dans leur langue maternelle. (Serait-ce dire que les enfants dans les langues à tons entrent plus tôt que les autres dans le système signifiant de la langue à proprement parler, puisqu'ils ont des aptitudes aux différences fréquentielles avant d'avoir des aptitudes aux différences phonologiques?) Nos propres observations sur un enfant chinois (douze-seize mois) confirment les données de Chao et Weir : d'après une observation empirique, il semblerait que l'enfant possède plus de modulations tonales que ses congénères français. Mais ce cas n'autorise pour l'instant aucune conclusion parce qu'il est unique et que, de plus, il porte sur un enfant d'un milieu mixte (père français, mère chinoise).

Notons au passage que, s'il est vrai que les opérations suprasegmentales (non phonologiques, non syntaxiques, non symboliques) sont commandées par la partie *droite* du cerveau, tandis que le langage comme système logico-syntaxique est dominé par l'hémisphère *gauche,* il s'ensuivrait qu'aussi bien les langues à tons que les pratiques de discours à prépondérance sémiotique (la poésie, les textes modernes — Joyce, Artaud, Céline, pour ne citer que quelques-uns) opéreraient une redistribution non seulement de l'économie signifiante du sujet parlant, mais aussi de ces bases physio-biologiques[3].

Voici quelques particularités des structures rythmiques que nous avons pu observer.

Vers le sixième mois, sur fréquences égales (250 Hz) et intensités

1. Y. R. Chao, « The Cantian Idiolect », *Semitic and Oriental Studies Presented to W. Topper,* University of California in Semitic Philology, 1951, t. II, p. 24-44.
2. R. Weir, « Some questions of Child's learning of Phonology », *in* Smith et Miller (éds), *The Genesis of Language, op. cit.,* p. 153-170.
3. Cf., sur la latéralisation et le langage, F. G. Bever, « The Natural of Cerebral Dominance », *in* R. Huxley et E. Ingram, *Language Acquisition : Models and Methods, op. cit.,* p. 232-262; et M. S. Gazzaniga, *The Bissected Brain,* New York, Meredith Corporation, 1970.

stables (30 dB), une structure pentadique apparaît, à partir de la *durée* des éléments uniquement, l'intensité et les fréquences étant invariables : – – UUU (deux longs, trois courts), la durée des éléments longs étant d'une seconde, des courts 0,5 seconde, avec une pause de trois secondes entre chaque structure.

A la même époque, une autre structure rythmique est constituée par la variation de la durée mais aussi de l'intensité, à fréquences tenues : 1 2 3 4 5 6. La répétition n'opère qu'avec deux éléments : ce ne sont pas des éléments 1, 2, 3 qui font un ensemble à répéter, mais comme si 1 et 2 ne faisaient qu'une seule unité, la structure à répéter est 2-3 : plus courte et donc plus facile à mémoriser, et correspondant au rythme de la respiration.

Toujours à fréquences tenues, et constituée à partir de différences dans la durée et dans l'intensité, une structure rythmique intéressante est représentée par ce que nous appellerons le *rythme à rétroaction :* après une émission sonore, le sujet répète d'abord sa fin et ensuite seulement son début, comme si la première partie de la reprise (reprise de la fin) n'était qu'automatique et que la deuxième partie de la reprise (reprise du début de la première émission) était la reproduction ou l'imitation des temps forts (1, 2, 3, 4), enfin entendus, mais entendus, en retard. Cette structure rythmique à rétroaction se présente ainsi :

$$1 \ 2 \ 3 \ 4 \ 5 \ 6 \ x \ x \ 6 \ 5 \ 4 \ 3 \ 2 \ 1$$

Entre l'émission initiale et sa reprise se place un temps de césure marqué par deux émissions intermédiaires aux deux volets de la structure (figure 6, vocalise sur [d] du sixième mois).

Lorsque des séries à trois éléments se constituent, à fréquences tenues, le sujet en varie les intensités ou la durée des éléments U ⊥ U ou UUU ou encore avec reprise rétroactive ÙUU/UU ⊥

Des séries homogènes de trois éléments à durée et à fréquences égales peuvent être reprises sur la même durée et la même fréquence, mais sur de moindres intensités.

Des structures à quatre éléments apparaissent aussi, à partir du cinquième mois : fréquences tenues, variations des éléments selon la durée et l'intensité : série de quatre émissions de 0,5 seconde à 26 dB + série de quatre de 0,5 seconde à 36 dB + une série dédoublée (2 + 2) à rétroaction (brève faible et longue forte + longue et brève faible) ᴜᴜᴜᴜ/ʋ̀ʋ̀ʋ̀ʋ̀/ᴜʋ̀ʋ̀ᴜ (cf. figure 7, vocalise sur [m − b] du cinquième mois).

Vers le neuvième-dixième mois apparaissent des *rythmes impairs* plus complexes, à cinq, sept ou neuf éléments. Ainsi la structure 1 2 3 4̄ 5̄, où les éléments 4 et 5 se détachent de 1, 2, 3, non seulement par la baisse de l'intensité, mais surtout par la plus longue durée (+ 0,5 seconde) et le silence qui les sépare (1 seconde) (cf. figure 8, vocalise sur [da] du dixième mois). Le paramètre « temps » semble se détacher du paramètre « intensité ».

Autre structure impaire complexe, 1 2 3 4 5 6 7 8 9. On remarquera l'espacement entre 2 et 3, et encore plus entre 5, 6 et 7 (figure 9, vocalise sur [da] du dixième mois). Nous constatons, en même temps, une accélération du débit : deux vocalises en 0,5 seconde, sur les deux figures précédentes. Cette accélération comme l'autonomisation de la durée par rapport à l'intensité dans la structure rythmique témoignent d'une progression dans la sublimation de la pulsion : après avoir dissocié intensité et fréquence, après avoir répété des éléments constitués par l'identité de la force en même temps que de la durée, le sujet différencie le paramètre du temps comme principe autonome de structuration.

A peu près à la même époque, nous avons observé une autonomisation de la modulation des fréquences vis-à-vis de l'intensité pulsionnelle qui sous-tend la voix en même temps que l'ensemble du corps ou de ses parties.

Ainsi, vers le dixième ou onzième mois, aux variations rythmiques que nous venons de signaler faites de différences de durées et d'intensités, s'ajoutent des modulations de fréquences : le sujet module pendant la durée d'un élément de la structure rythmique, dont l'intensité reste relativement stable. Mais, là aussi, ces modulations tonales restent subordonnées à une structure rythmique faite de différences de temps et d'intensité pulsionnelle. Évidemment, cette recrudescence de la modulation fréquentielle est accompagnée d'une vocalise non plus de pseudo-consonnes ou de pseudo-voyelles isolées, mais de pseudo-syllabes, généralement ouvertes.

A partir de ce moment et jusqu'au treizième mois (avec des variations d'un mois pour les différents sujets) se place une période de tarissement des vocalises. La voix est bloquée, on n'observe pas d'émissions sonores, et l'enfant semble préoccupé par l'exploration motrice de son

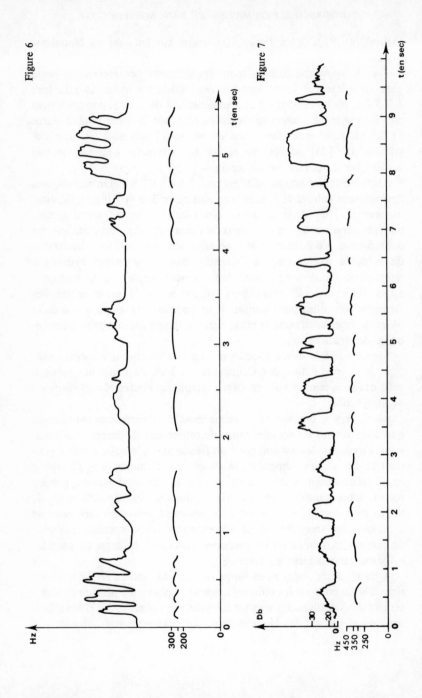

Figure 6

Figure 7

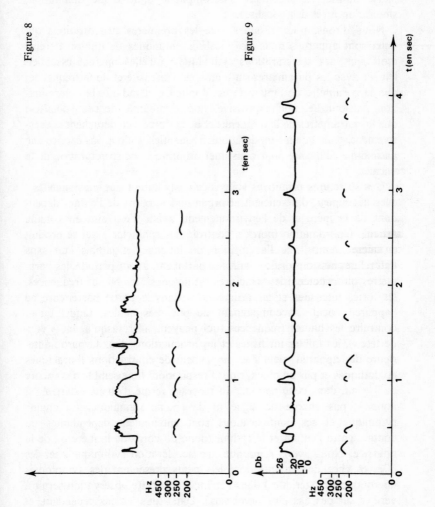

Figure 8

Figure 9

corps et par un intérêt soutenu, absent auparavant, pour les *objets* en face (jouets, adultes, autres enfants, image propre dans le miroir). Cette phase motrice et spéculaire s'accompagne donc d'une diminution, sinon d'un arrêt des vocalises.

Nous dirons, pour résumer, que les premières structurations qui nous sont apparues dans les vocalises enfantines de quatre à treize mois sont des structurations rythmiques; qu'elles opèrent essentiellement avec les paramètres du temps, de l'intensité et de la fréquence; que le paramètre de l'intensité est dominant et indique la détermination pulsionnelle, non expressive, non signifiante, de ces vocalises; que les paramètres de la fréquence et de la durée s'en détachent successivement, mais que les modulations fréquentielles n'ont pas encore une autonomie suffisante pour constituer un principe de structuration de la vocalise.

Ces structures primitives sont vocaliques autant que pulsionnelles : elles découpent, différencient et organisent le corps de l'enfant dépendant de la mère et de l'environnement, avant d'en faire un volume articulé (coordination motrice, contrôle des sphincters) qui se produit en même temps que l'acquisition du langage, et jamais l'un sans l'autre. Les pulsions orale et anale se partagent, à cette période, les paramètres qui articulent les structures rythmiques : les basses fréquences, les fortes intensités et les articulations dans la partie postérieure de l'appareil vocal, s'accompagnant de poussées anales, tandis qu'au contraire les hautes fréquences (qui peuvent aller jusqu'à une « voix de tête »), les faibles intensités et les articulations dans la partie antérieure de l'appareil vocal s'accompagnent de contractions thoraciques et glottiques et par un blocage de la respiration. Il ne semble pas encore qu'il y ait, dans cette période, un repérage ferme d'objets extérieurs à imiter : pas encore de signe ni de chaîne signifiante. La chaîne rythmique et ses configurations sont entièrement dépendantes du contact entre l'enfant et le rythme, donc du corps de la mère ou de la nourrice. Nous avons remarqué une accélération rythmique chez les filles et chez des enfants dont les mères présentent des symptômes névrotiques (hystériques) dans l'énonciation (cette observation serait à vérifier sur des cas plus nombreux). Dans tous les cas cependant, et quelles qu'en soient les variations, les premières structurations (présymboliques) de la vocalisation en même temps que du corps commencent par un dressage de la glotte qui devance celui de l'appareil buccal. Le parlant entre dans un code sémiotique qui n'est pas encore symbolique (phonologique-syntaxique-signifiant), en imprimant une structure à sa glotte où se marque la maîtrise des deux sphincters. Les premières « abstractions », « formes », « structures » sont rythmiques et s'imposent aux sphincters. Les figures qui relèvent de la représentation (image, imitation, visualisation) viendront plus tard, au fur et à mesure que l'enfant maîtrise son appareil buccal, donc sensiblement après la maîtrise glottique sphinctérienne. Les psychoses enfantines, mais aussi le folklore obscène des enfants, représentent une fixation à ces stades qui n'ont pas pu être réintégrés dans le processus d'apprentissage symbolique ultérieur (les psychoses) ou qui reviennent, commémorés, sous la forme des fantasmes [1].

Préalables à la syntaxe, ces rythmes en sont probablement une des conditions; il sera intéressant d'envisager la récursivité et la répétition internes aux règles proprement syntaxiques, en relation avec ces opérations antérieures. Plus encore, les structures rythmiques constitutives des premières séries numériques sont sans doute la structure la plus profonde de la numérotation antérieure à la *visualisation* et à l'*objet* : avant d'être une série de nombres arithmétiques, la « chiffration » est rythmique. On retrouve l'une et l'autre dans les comptines enfantines [2] mais aussi dans beaucoup de textes littéraires [3].

DEUX TEXTES LITTÉRAIRES LUS PAR LEURS AUTEURS

Un enregistrement du texte *Pour en finir avec le jugement de Dieu* lu par Antonin Artaud témoigne du rôle majeur que reprennent les rythmes et les modulations de fréquence dans la structuration d'un discours polémique qui casse la logique normative du raisonnement, le remplit de fantasmes et va jusqu'à dissoudre les unités lexicales pour

1. Cf. Cl. Gaignebet, *le Folklore obscène des enfants*, G.-P. Maisonneuve et Larrose, 1974.
2. Cf. L. Ferdière, « Intérêt psychologique et psychopathologique des comptines et formulettes de l'enfance », *l'Évolution psychiatrique*, Desclée de Brouwer, fasc. III, 1947, p. 44-60 (Rapport de conférence avec la participation des D[rs] Ey, Lacan, etc.).
3. Cf., sur l'énumération dans le roman, J. Kristeva, *le Texte du roman*, Paris-La Haye, Mouton, 1970.

les remplacer par des glossolalies dont les unités constitutives, asémantiques, supportent de fortes charges pulsionnelles et des connotations multiples. S'il était possible de résumer cet écrit, nous dirions qu'il s'agit d'une attaque de l'instance du *pouvoir* : étatique, universitaire, familiale, religieuse, et que cette attitude, appelée par la psychose et la déjouant, a la lucidité de s'attaquer explicitement au fondement logique et archéologique de cette instance de pouvoir : le *jugement* et, partant, le *langage* comme fonction symbolique fondamentale. Il est frappant de constater que la même fonction (attaque de l'unité : du pouvoir, du symbolique) se déploie avec rigueur sur *tous les niveaux du texte :* de son projet idéologique et de ses fantasmes à sa morphologie et jusqu'à cette strate que nous avons appelée sémiotique où se jouent des régularités rythmiques et intonationnelles. La syntaxe seule est épargnée, sauf évidemment dans les glossolalies : en effet, à l'exception de Mallarmé *(Un coup de dés),* de Faulkner *(le Bruit et la Fureur)* et des textes de l'avant-garde récente (Sollers, *H),* la régularité syntaxique est généralement maintenue dans les textes littéraires dont la phrase se caractérise par une condensation extrême, mais dont les ellipses sont toujours recouvrables (le style « télégraphique » de Céline). La structure syntaxique résiste donc, avec ténacité, à l'expansion rigoureuse de la négativité à tous les niveaux du discours. Mais, à cette contrainte, s'en est adjointe une autre, généralement refoulée dans le discours communicatif, et ceci dès l'apprentissage de la syntaxe : celle des structures rythmiques et intonationnelles. Elle apparaît dans l'énoncé oral à celui qui ne l'aurait pas reconstituée par lui-même à partir de l'économie sémantique et libidinale du texte écrit (elle saute donc aux oreilles du lecteur assourdi par l'usage de la métaphysique et de la métalangue), comme principe primordial de l'organisation du discours. La structure rythmique et mélodique prime le message idéologique ou fantasmatique; c'est en elle, avant tout (logiquement et chronologiquement), que s'inscrit l'expérience d'un corps en procès, sémiotisant et symbolisant, toutes ses autres manifestations n'en étant que des dérivations sémantiques, idéologiques et fantasmatiques. L'insistance qu'Artaud met à vocaliser ses textes, le décalage entre sa lecture et une lecture banale, et les nombreuses accélérations dans lesquelles il accentue le rôle de la voix et du rythme dans l'expérience de l'écriture (comme le font d'autres écrivains, et avec un acharnement particulier ceux des expériences limites du XXᵉ siècle) viennent à l'appui de notre hypothèse.

Si l'on n'examine que le premier paragraphe du texte lu : « J'ai appris hier (il faut croire que je retarde, ou peut-être n'est-ce qu'un faux bruit, l'un de ces sales ragots comme il s'en colporte entre évier et latrines à l'heure de la mise au baquet des repas une fois de plus ingurgités) », on constate douze groupes rythmiques, inégaux, mais rassemblés en couples et, chaque paire étant isolée de l'autre par une pause ou une autre structure rythmique suspendue sans réplique et assumant la fonction de césure.

Un groupe rythmique est constitué d'éléments sonores discrets (de 0,5 à 1 seconde chacun) en alternance avec des silences équivalents, ou bien d'éléments continus structurés par l'accent; une pause de 3 secondes environ sépare un groupe rythmique d'un autre, cet intervalle s'élargissant d'un couple rythmique à un autre. Malgré les pauses expiratoires à l'intérieur d'un groupe ou entre les groupes, l'expiration ne semble jamais complète et une tension sous-glottique est maintenue du début à la fin de la lecture; les cordes vocales vibrent surtendues. Tension et accent, plutôt qu'harmonie et mélodie, caractérisent en gros les structures supra-segmentales chez Artaud comparées à celles de Joyce que nous relèverons plus loin. Enfin, si un groupe rythmique peut être conçu comme un « contour global », il peut être entendu aussi comme composé de « précontours » (Pike) (par exemple, « mais il faut croire que je retarde » constitue un groupe rythmique de deux temps non accentués, en tant que contour global dans l'ensemble de l'énoncé; mais des pré-contours constitués de syllabes — 3 faibles + la 4e accentuée — sont sous-jacents aux contours globaux). Le débit rapide tend à soumettre les pré-contours et l'information lexicale qui lui est proche au mouvement global de l'énoncé qui est non seulement supra-segmental au sens de supra-syllabique ou supra-lexical aboutissant à la syntaxe, mais aussi supra-syntaxique aboutissant à cette « musicalité » qui s'adjoint à la dénotation pour marquer les drames du sujet de l'énonciation.

Le premier groupe rythmique : « j'ai appris [1] hier [2] » (figure 10) représente un intérêt particulier — la partie 1 est prononcée sur 1 200 Hz, la partie 2 baissant brusquement à 300 Hz environ (cf. pareil décalage chez les enfants, figure 5). Nous retrouvons la voix de tête en hautes fréquences, au troisième groupe rythmique : après « mais il faut croire que je retarde » (UU) prononcé sur basses fréquences, « ou peut-être » monte de nouveau à 1 200 Hz. Cette escalade non seule-

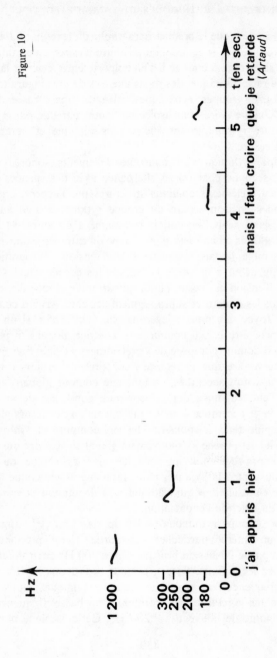

Figure 10

ment situe les deux limites extrêmes du registre vocal et, par conséquent, pulsionnel, du sujet, mais, en les rapprochant, produit une contradiction vocalique, sémantique et subjective aiguë où se signifie l'éclatement de l'identité du parlant. Dans les deux cas, les cordes vocales restent fortement tendues et, même dans les périodes de césure, ne se relâchent pas : la respiration est réduite au minimum, le sphincter glottique est contracté à l'extrême, à la limite de l'étouffement. Comme si c'était là, sur la maîtrise du sphincter, que le lecteur-l'écrivain trouvait l'appui le plus solide, la garantie la plus stable, lorsque son identité est menacée par l'afflux de la pulsion et des fantasmes agressifs. On notera les sèmes de « nourriture », de « dégoût » et de « saleté » qui recouvrent cette dramatique tentative de maîtrise, au bord de l'étouffement.

Le premier et le deuxième groupe rythmique (/U et UU) constituent un couple que sépare, du reste, la césure représentée par le troisième (/). Le quatrième : « l'un de ces sales ragots » (/UU/U) et le cinquième (/U/U/) « comme il s'en colporte », s'apparentent non seulement par leur proximité rythmique, mais aussi par leur paragrammatisme phonique (s'en colporte — sales ragots). Le sixième groupe « entre évier et latrines » (UU/UU/) et le septième : « à l'heure » (U/), forment un couple dont la structure est répétée par le huitième et le neuvième « de la mise au baquet » (UU/UU/) et « des repas » (U/). Le dernier couple est constitué par « une fois de plus » (UUU/) et « ingurgités » (UUU/). Enfin, douzième groupe, fin de cet ensemble ou début d'un autre : la reprise sur hautes fréquences du premier groupe, « j'ai appris hier ».

Nous relèverons, de ces particularités rythmiques, d'une part, la répétition (couplage) des groupes et, d'autre part, le fait que la structure rythmique est relativement autonome par rapport à la structure syllabique, donc lexicale. Un rythme non linguistique est imposé au discours, dont l'information, non expressive, mais pulsionnelle, soustend le message symbolique par un autre — par son double sémiotique. C'est sur ces deux strates que, pour ce qui est du discours, se marque le plus profondément le clivage du sujet.

Les modulations fréquentielles restent limitées : courbes descendant en fin de groupe rythmique; allongement de la modulation sur [a] — [r] : sauts brutaux, sans liaison, entre les hauts et les bas registres (1 200-300 Hz).

Ces particularités rappellent certains des phénomènes rythmiques que nous avons constatés dans les phases préphonologiques de l'apprentissage du langage. S'il est vrai, en conséquence, que des régressions orales-anales accompagnent l'économie du sujet parlant dans l'écriture (souvent thématisées chez Artaud, mais aussi chez Céline), les contraintes rythmiques et mélodiques qui s'y font jour ne peuvent pas être identifiées avec celles des phases prélinguistiques. Non seulement elles sont plus diversifiées, mais, s'ajoutant à un maniement complet du langage, elles sont immédiatement sémantisées. Les contraintes rythmiques, dans le langage poétique, sont sémantisées en ce sens que, tout en étant utilisées inconsciemment, elles s'insèrent dans un processus de *motivation complète et exhaustive du signe linguistique,* qui représente précisément la spécificité du langage poétique. Aucun paramètre vocalique n'est laissé à l'arbitraire : les fréquences, les intensités et les durées s'opposent et font structure, structurant ainsi la pulsion non symbolisée qui fait irruption pour trouer le lexique, la syntaxe ou la logique. En même temps, le signifié explicite, sous la forme du fantasme, l'économie du corps et du rapport aux autres qui occasionne et accompagne cet afflux rythmique. Cette stratégie d'exhaustion de la pulsion doit fonctionner à tous les niveaux du signe discursif et de ses articulations signifiantes. Si, ne serait-ce qu'un de ces niveaux (métrique, ou lexical, syntaxique ou idéologique) est raté, si la motivation et la structuration n'y fonctionnent pas, l'art est raté et la folie s'installe. Remarquons enfin qu'une telle stratégie de liaison de la pulsion, en utilisant des opérations sémiotiques *et* symboliques, se distingue radicalement de l'intellection propre aux rationalisations et, d'une autre façon, à la pratique psychanalytique, dans leur tentative de contrecarrer l'effondrement psychotique. La stratégie dite poétique est à la fois plus souple, plus englobante, plus fragile et remonte plus loin dans la mémoire de la psychose constitutive du parlant.

Un autre enregistrement, sur disque et de qualité inférieure, donc plus difficilement analysable, nous est laissé par James Joyce : un fragment de *Finnegans Wake*[1]. Quelque éclatée et pluralisée que soit la signification de ce texte comme de l'ensemble de *Finnegans Wake,* une ligne générale semble pouvoir être dégagée — interrompue, souvent énigmatique, orchestrée de nombreuses interprétations possibles, mais néanmoins présente. Nous la résumerons grossièrement en disant

---

1. Londres, Faber & Faber, p. 213-216, de « *Well you know or don't you* » jusqu'à la fin du chapitre I.

qu'à travers les renvois à divers corpus religieux s'esquisse le thème de la généalogie, de l'instance symbolique (divine, paternelle) et de la dialectique qu'elle entretient avec son autre — la mère, une femme. Cette dialectique (masculin/féminin) produit une pluralisation *(Anna was, Livia is, Plurabelle is to be);* le sujet-terrain de cette pluralisation est un héros post-christique *(HCE, « Hire Civis Eblanensis »).* Il est une structure dialogique qui peut prendre la forme d'un dialogue entre judaïsme et christianisme *(John and Shaun);* la métaphore du flux aquatique le représente; et, à la limite, il dialectise le verbe au point de s'en détacher et de passer au-delà du mur du discours pour s'énoncer dans la mélodie, le rythme, traversée de la vision de la représentation *(« Beside the rivering waters of, hiterandthithering waters of Night! »).*

Cette signification se construit à travers un maniement adéquat du discours dont nous ne relèverons ici que quelques aspects. L'identité des unités lexicales est très souvent détruite : des « mots-valises » se constituent qui rassemblent des morphèmes appartenant à l'anglais mais aussi à d'autres langues (latin, sanscrit). Pourtant, la présence de l'instance symbolique se manifeste en ce que les règles syntaxiques sont maintenues : d'une part, des morphèmes hétéroclites forment des lexèmes selon les règles de la formation lexicale en anglais (ce qui fait que les lexèmes joyciens sont sinon vrais, du moins vraisemblables); d'autre part, les phrases sont construites, avec de tels lexèmes vraisemblables, selon les règles de la syntaxe anglaise : les *items* sont ainsi grammaticalement catégorialisés, leur étrangeté est une deuxième fois rendue vraisemblable. Ce jeu dialectique — destruction de l'identité lexicale, maintien de l'identité syntaxique — permet qu'une signification s'exprime sans que les possibilités phonatoires soient censurées, mais sans qu'elles s'autonomisent en glossolalies non plus (comme chez Artaud).

Le mécanisme symbolique de structuration du discours s'accompagne d'une forte accentuation de l'autre que nous avons appelé sémiotique : rythmes, mélodies, répétitions, allitérations. Le sémiotique constitue une deuxième stratégie d'organisation discursive, et on dirait qu'il prime la syntaxe (le symbolique), ou bien qu'il favorise son opération. En écoutant Joyce lire, il nous semble possible de constater que le but premier du texte n'est pas de transmettre un message, si pluralisé soit-il, mais d'imposer une *mélodie.* En effet, des structures mélodiques prises aux berceuses *(nursery rimes)* organisent le discours : les frontières phrastiques (qu'on constate à la lecture du texte écrit) s'effacent et se subordonnent aux structures mélodiques dans le texte lu. Ces structures sont plus mélodiques que rythmiques parce que, tout en opérant avec les paramètres du temps et de l'intensité, elles jouent surtout sur la variation des fréquences. Pas de découpages brusques entre les éléments d'une structure sémiotique ni de sauts brutaux entre les hautes et les basses : les fréquences varient, souples, dans des structures rythmiques du type 5 : 3, ou 5 : 7, 4 : 4, ou 4 : 6, etc., de 500 Hz à 200 Hz. Contrairement à la tension des cordes vocales chez Artaud, la glotte est détendue et la voix, dans un registre assez élevé (connoté féminin), a peu d'intensité et à la fin va vers l'extinction : une économie vocalique isomorphe au message explicite. Le surplus de différences rythmiques et mélodiques aboutit à l'effacement des différences phrastiques dans le flux sonore. La *répétition,* procédé fondamental des opérations sémiotiques, opère non seulement entre les unités rythmiques et mélodiques, mais aussi entre les unités phonétiques et phonématiques : par exemple, « *she was the queer old* » est repris en « *skeowsha* ». Ce procédé multiplie les significations et conduit au même effet d'effacement de la signification. Le sonogramme de la dernière phrase témoigne d'une tendance à l'extinction du fondamental et à son indifférenciation, qui se traduisent aussi par la diminution ou le manque des harmoniques (mais la mauvaise qualité de l'enregistrement empêche de tirer des conclusions fermes).

Nous tirerons, pour ce qui nous intéresse ici, trois conclusions de cette vocalisation, par Joyce, de son texte. La première est que des opérations présymboliques, sémiotiques, s'y ajoutent de façon massive pour articuler un discours à forte dénormativisation lexicale et sémantique; la *répétition* et les *variations fréquentielles* sont les procédés fondamentaux de cette stratégie sémiotique. La deuxième est que cette dialectisation du sémiotique et du symbolique parvient chez Joyce à un degré jamais atteint dans l'histoire de la littérature occidentale; plus encore, Joyce est le premier à en tirer les conclusions sémiologiques [1] et idéologiques (notamment celles relatives aux théories sur le procès du sujet, c'est-à-dire aux religions).

---

1. Cf. ses remarques in *Finnegans Wake, op. cit.,* sur le « *semisign* », p. 56; la « *semiological agglutination* », p. 465; le geste, p. 468.

Enfin, dans la genèse des opérations sémiotiques, les variations fréquentielles sont plus tardives que les structures rythmiques : les mélodies joyciennes seraient donc moins archaïques, plus liées à l'instance logico-syntaxique du langage que ne le sont les rythmes et les sauts fréquentiels d'Artaud.

Nous voyons, dans la lecture des deux textes analysés ici, comment des processus sémiotiques propres à la phase préphonologique et présyntaxique de l'apprentissage du langage deviennent des opérations fondamentales de structuration d'un discours. Cette double stratégie (sémiotique et symbolique) peut être interprétée comme une lutte contre la psychose (contre la forclusion du symbolique) et comme un moyen efficace de l'éviter. En ce sens, elle représente une voie différente de celle proposée par Freud qui favorise l'intellection dans la relation de transfert.

MUTATION DU RÔLE DES CONTRAINTES SÉMIOTIQUES DANS L'HISTOIRE DE LA LITTÉRATURE

Toute littérature se constitue de la contradiction entre les contraintes rythmiques et les contraintes grammaticales et de sa résolution spécifique : la notion de *contrepoint* [1] et maintes positions des formalistes russes et de leurs retombées actuelles en ont suggéré la théorie. Mais la fonction des opérations que nous avons appelées sémiotiques et qui se marquent davantage dans le discours oral plus proche du corps pulsionnel est prépondérante surtout dans les périodes de constitutions des grandes épopées orales nationales. Des correspondances spécifiques et désormais codées s'élaborent alors entre les deux types de contraintes (sémiotique/symbolique) : on a pu les appeler *grammétriques* [2]. Ces correspondances se manifestent également dans le discours *formulaire* des épopées nationales : lexique, syntaxe ou syllogisme « tout faits » qui correspondent à cette rencontre, réalisée par un sujet pour un groupe humain, entre les deux stratégies signifiantes du discours. Dernier phénomène indicatif du fait que les épopées orales

1. Wellek et Waren, *Théorie de la littérature,* Éd. du Seuil, 1973.
2. P.-J. Wexler, « On the Grammetrics of Classical Alexandrine », *Cahiers de lexicologie,* IV, 1964, p. 61-72.

reposent sur une jonction spécifique et, il faut le croire, satisfaisante pour l'époque entre les deux stratégies : les mots nouveaux, néologismes ou emprunts, qui attestent l'évolution symbolique de la communauté et donc perturbent l'ancien cadre symbolique, sont précisément les mots sur lesquels portent les processus sémiotiques, notamment les allitérations et les répétitions; comme si les processus sémiotiques étaient l'opération la plus primitive d'appropriation et de structuration, pour le sujet parlant, d'un élément symbolique perturbateur [1].

Au contraire, dans le monde moderne, depuis la fin du XIXᵉ siècle et l'installation de la bourgeoisie au pouvoir, une tendance à l'éclatement des unités nationales se manifeste, y compris dans la pratique du langage [2]. L'harmonisation entre sémiotique et symbolique introduite par les épopées nationales, poursuivie par le classicisme, maintenue, malgré tout, par le romantisme, se brise et cède devant une expérience signifiante individuelle. Il s'agit pourtant d'un individu éclaté, passage à la limite du moi : à la limite de la synthèse logico-syntaxique. La psychose devient le bord auquel se mesure l'expérience en question, et qu'elle déjoue. Elle la déjoue en réactivant ce que la thèse logico-syntaxique refoule : le rythme, la mélodie, la répétition présymbolique, et en les disposant, par une nouvelle redistribution de la langue nationale, dans l'ordre même du langage ainsi seulement maintenu sans refoulement absolu. *La langue maternelle se détruit avec la communauté nationale qu'elle reflète, pour que le rapport à la mère, refoulé dans l'usage normatif du langage communicatif, se marque dans le discours.* Mais alors, tout en interpellant la communauté symbolique et en démystifiant sa fonction oppressive, le discours qui en résulte, contrairement à l'époque de l'épopée, appelle à une archéologie individuelle plutôt qu'à une cohérence communautaire. Cette archéologie conduit à la découverte et à l'expérience de la double stratégie qui constitue le parlant : la musique et les lettres.

---

1. Cf., sur le style oral et l'épopée, M. Parry, *l'Épithète traditionnelle dans Homère*, Paris, 1928; A.-B. Lord, *The Singer of Tales*, Harvard, 1960; R.-F. Lawrence, « The Formulaic Theory and its Application to English Alliterative Poetry », *in* R. Fowler (éd.), *Essays on Style and Language, Linguistic and Critical Approach to Literary Style*, Londres, Routledge & Kegan Paul, 1966, p. 166-183.
2. J. Kristeva, *la Révolution du langage poétique, op. cit.*, 3ᵉ partie.

Noms de lieu *

Langage enfantin, langage infantile

A deux reprises, ces derniers siècles, lorsque la raison occidentale s'est aperçue que sa condition de servante du Sens était une condition pénitentiaire et qu'elle a voulu s'en évader, elle s'est énoncée hantée par l'*enfance*. Rousseau et Freud. Deux crises de la rationalité, classique et positiviste; et l'annonce de deux révolutions, de l'économie politique (qui se cherchera chez Marx) et du sujet parlant (qui s'énonce aujourd'hui dans le bouleversement du Verbe chrétien par la littérature moderne). Avant Sade et Soljénitsyne qui écrivent la jouissance et l'horreur, le discours qui analyse se donne un repoussoir privilégié, nœud de la vie et du langage (de l'espèce et de la société) — l'enfant.

Comme si, à un moment donné de son parcours, la Raison ne se contentait pas d'éprouver les serrures qui la verrouillent en se confrontant aux textes, ni de forcer le sens en écrivant l'identité de l'être parlant comme une fiction; mais qu'elle était amenée à affronter la reproduction de l'espèce (frontière de la « nature » et de la « culture ») et les diverses attitudes à son égard. Excédée ainsi par un *hétérogène* (la biologie : la vie) et par un *tiers* (le déplacement de la communication *je/tu* par *lui* : l'enfant), l'interrogation dont il s'agit éveille le parlant au fait qu'il n'est pas total, mais tout autrement que la conscience malheureuse de l'obsessionnel signifiant sans cesse qu'il est sujet à la mort. Car, si la mort, c'est l'Autre, la vie est un tiers et, cette signification que l'enfant affirme n'étant d'aucun repos, ébranle peut-être la clôture paranoïaque du parlant. Sans cet avènement du réel (que l'enfant impose mais que le mythe de l'enfant obture), une croyance persiste toujours : soit que l'homme et la femme existent et sont faits pour la communication (romantique ou surréaliste) des idées ou des sexes, soit que la

* Première publication : *Tel Quel*, 68, hiver 1976.

sublimation peut se faire sans reste, la pulsion s'engageant (à l'existentialiste) totalement dans l'œuvre ou dans l'histoire, quand elle ne nourrit pas la perversion, en définitive garante de l'ordre.

L'Enfant Jésus est venu éviter, il y a deux mille ans, ces deux impasses; mais, devenu rite et comme tout rite, il s'est vite trouvé être le bouche-trou. Toute une histoire, celle du christianisme. En exhumant l'enfantement sous les structures de parenté dont la Bible trace les effets subjectifs et politiques, le christianisme a peut-être touché à la tentation d'enfermement obsessionnel et paranoïde du judaïsme. Il a, du même geste, fait place aux femmes, ce qui n'est pas forcément un progrès symbolique, mais assurément une nécessité biologique et sociale. Pourtant, en célébrant l'Homme dans l'enfant, c'est-à-dire en en faisant un universel fétiche, le christianisme s'est fermé la possibilité, néanmoins entrevue, de couper le cercle de la religion; il n'en est pas moins la dernière. Car c'est bien là où se nouent la vie et le discours qu'est commandé le destin des sujets dans la suite des civilisations. Aujourd'hui, la pilule et le pape le savent bien.

La découverte de l'inconscient freudien tranche l'ombilication toujours possible de l'Homme dans l'enfant et permet, par le biais de la « sexualité infantile », d'interroger moins celui qui ne parle pas *(in-fans)* que ce qui, dans le parlant, ne parle pas encore ou qui restera à jamais non dit, dans les failles de la parole, innommable. S'il est vrai que l'enfant vient soutenir les points fondamentaux de la pensée freudienne (théorie des pulsions, rejet-négativité, émergence du symbolisme, stades scandés par l'Œdipe, etc.), il fut, de l'aveu de Freud lui-même, le lieu d'une « erreur » que nous essaierons, dans ce qui suit, de lire de plus près. Erreur insoluble pour toute pensée qui, comme rarement celle de Freud, se laisse prendre par l'alternative inextricable de la « cause » et de l'« effet », mais face à laquelle les « erreurs » de Freud ont l'avantage de montrer qu'elle s'enracine dans l'éternel retour parent/enfant : « Suis-je parent ou enfant, cause ou effet, poule ou œuf? » Pour qu'on puisse constater, peut-être, que l'enfant est un mythe (d'Œdipe) raconté par des parents à leurs parents, sans quoi il n'y a que des enfants, c'est-à-dire des Œdipes qui s'ignorent. Les Grecs étaient-ils les plus lucides des parents dans l'histoire, qui se parlaient entre eux d'avoir été enfants, ce qui leur aurait permis de circonscrire l'agressivité (enfantine, dite désormais œdipienne) pour s'acheminer vers le *droit* dans la *cité?*

Rappelons quelques faits. Freud se marie en 1886 et a six enfants (trois filles et trois garçons) de 1887 à 1895. Pendant cette période, il met fin à ses travaux neurologiques, publie sa recherche sur l'aphasie et la paralysie enfantine (1891), commence ses travaux sur les hystériques qui, par l'hypnose au début, le mènent à la publication, en 1895, avec Breuer, des *Études sur l'hystérie*. La même année, qui est aussi celle de la naissance d'Anna (dont on connaîtra plus tard les travaux analytiques, sur l'enfance essentiellement) et marque la fin du cycle reproductif dans la famille, Freud se lie d'amitié avec Fliess et commence bientôt son auto-analyse dans cette relation dont il soulignera plus tard la teneur homosexuelle. Le mot « psychanalyse » est employé un an après, en 1896. Mais c'est seulement encore un an plus tard, après la mort de son père en 1897, que Freud écrit le livre inaugural de la psychanalyse, qui l'extrait du substantialisme, de la médecine et de la catharsis encore sensibles dans les *Études sur l'hystérie* pour le situer sur le terrain des articulations signifiantes : *l'Interprétation des rêves,* 1897 (publié en 1898).

C'est à ce moment aussi que Freud esquisse un changement de sa conception de ce qu'il croyait être la *cause* de l'hystérie : la *séduction parentale*[1]. PREMIÈRE SUPPOSITION : l'hystérie est déclenchée par une séduction parentale dans l'enfance. Freud soutient cette thèse jusqu'en 1897, année de la mort de son père, en suggérant que Jacob Freud aurait exercé cette séduction à son égard (*Lettre à Fliess,* 31 mai 1897), et en reconnaissant que sa propre fille aînée Mathilde a pu en être l'objet de sa part (*Lettre à Fliess,* 21 septembre 1897, un mois avant la mort de son père[2]). DEUXIÈME SUPPOSITION : cette séduction n'est qu'un fantasme d'hystérique rejoignant une position paranoïaque et qui sert d'écran à l'auto-érotisme enfantin. La conception d'une sexualité infantile émerge ainsi, essentiellement auto-érotique. TROISIÈME TEMPS : Freud admet aussi les désirs génitaux de l'enfant et s'achemine vers la conception de l'Œdipe. Nous sommes dans les dernières années du siècle, mais le témoignage écrit de cette position n'apparaît qu'en 1905 (« Étiologie sexuelle des névroses ») et en 1906 *(Trois Essais).*

1. Cf. E. Jones, *Sigmund Freud,* Biographie, t. I, PUF, 1970, p. 290 s.
2. La « séduction » est peut-être adressée à Fliess, par enfants interposés (le petit garçon, Sigmund, la petite fille, Mathilde); on remarquera qu'en route Freud change de position (de séduit il devient séducteur; de fils père) tandis que l'objet de la séduction change de sexe (de garçon en fille). A verser au dossier de l'analyse Freud-Fliess.

Entre la première supposition (le parent séduit l'enfant et l'induit à la névrose) et la seconde (le séducteur, c'est l'enfant auto-érotique et pervers polymorphe), se placent ainsi deux événements : Freud n'aura plus de nouveaux enfants et son père meurt. Le revirement de sa position sur le rapport parent-enfant (l'agent de la séduction devenant l'enfant), parallèle à ces événements donc, est évoqué de façon dramatique dans deux textes ultérieurs, *Histoire du mouvement psychanalytique* (1914) et *Étude biographique* (1925). La séduction parentale est qualifiée d'« idée erronée » qui aurait pu « être fatale à la nouvelle science [1] ». Le bouleversement provoqué par la découverte de cette fausse route a été tel qu'il a « failli renoncer à l'analyse comme Breuer ». Pourquoi continue-t-il néanmoins? L'explication est pour le moins sommaire : « J'ai persévéré peut-être parce que je n'avais pas le choix et je ne pouvais pas commencer à nouveau quelque chose d'autre. Enfin est venue la réflexion qu'on n'a pas le droit de désespérer quand on a été déçu dans son attente; on doit réviser son attente [2]. »

Constat de fin (« on ne peut pas recommencer » : à faire des enfants?), de désespoir (le père est mort : plus de séducteur?) et reprise de la maîtrise (« on n'a pas le droit » : d'abandonner le père, de ne plus être père, d'abdiquer la paternité?). Cette lecture nous paraît soutenue par le texte ultérieur de l'*Étude biographique* (1925) : « ... lorsque j'ai été obligé de reconnaître que ces scènes de séduction n'ont jamais eu lieu [...] j'ai été pendant quelque temps complètement perdu [de 1897 à 1900 environ] [...] Je me suis en fait heurté au complexe d'Œdipe [déguisé dans les fantasmes de séduction] [3]. » La découverte du complexe d'Œdipe, et avec lui de la sexualité infantile et donc le départ de la conception moderne de l'enfant, serait-elle produite dans un parcours œdipien inversé? « Le complexe d'Œdipe » serait-il le discours du deuil d'un père, le négatif de la culpabilité d'un fils que le signifiant oblige à prendre sa place (comme la névrose est le négatif de la perversion)? La conception freudienne de l'enfant serait alors le socle du discours de la Paternité, l'assise solide de la fonction paternelle et, par là même, la garantie ultime, actuelle, de la socialité. Vision paternelle de l'enfance, sans doute; limitée par là, peut-être; mais lucidement amenée

1. *Standard Edition,* t. XIV, p. 17.
2. *Ibid.*
3. *Ibid.*, t. XX, p. 33.

pour appuyer l'inéluctable du symbolique et/ou du code social; vision, donc, éthique, biblique.

Ainsi, après avoir fait six enfants en *huit ans,* les aimant en père attentif, selon les témoignages, après s'être reconnu séducteur possible de sa fille, mais aussi victime de la séduction de son père, « on ne peut plus recommencer ». A ce constat de clôture, de désillusion vis-à-vis du corps hystérique, de la libido comme substance, de l'« érotisme séduisant » — constat d'impasse sexuelle? — s'ajoutent la mort du père et le sentiment de culpabilité à son égard (non, le séducteur ne peut pas être mon père, le séducteur c'est moi, l'enfant de ce père; or, je suis aussi père [de Mathilde]; donc, le séducteur ne peut être que l'enfant) accompagné immédiatement du désir de prendre sa place, d'assumer la fonction paternelle morale (« on n'a pas le droit de désespérer quand on a été déçu », écrit Freud). Le père est mort, vive le père que Je suis : *Là où c'était, Je dois advenir.* L'« enfant » est ce qui *reste* de cet advenir, résultat d'une soustraction entre l'énoncé de maîtrise et l'énoncé de culpabilité. « La séduction dans l'enfance a une place, quoique modeste, dans l'étiologie des névroses. Mais il apparaît comme règle générale que les séducteurs sont les enfants plus âgés [1]. » On arrive ainsi à la construction de cette figure de l'enfant-parent, de l'enfant séducteur, enfant toujours déjà âgé, venu au monde avec ses pulsions composées, ses zones érogènes et même ses désirs génitaux. La clôture du cycle reproductif et la mort du père aidant, l'auto-analyse de Freud le conduit à ce télescopage du père et de l'enfant qui donne... Œdipe : « Je me suis en fait heurté au complexe d'Œdipe [2]. »

L'enfant-parent ou le parent-enfant ainsi donné à la pratique analytique boucle la cause et l'effet, l'origine et le devenir, l'espace et le temps, pour produire cette torsion spécifique du discours de la psychanalyse qui rappelle l'$\alpha\iota\dot{\omega}\nu$ *(aiôn)* héraclitéen : temps cyclique et espace à la fois, où le penseur grec voyait jouer... le poète qui, seul, a le discours d'un enfant qui enchante (d'un père?) [3]. Simultanément, la pulsionnalité est

1. *Standard Edition,* t. XX, p. 33.
2. *Ibid.*
3. *Héraclite, 52* : $A\iota\dot{\omega}\nu$ $\pi\alpha\tilde{\iota}\varsigma$ $\dot{\epsilon}\sigma\tau\iota$ $\pi\alpha\dot{\iota}\zeta\omega\nu$, $\pi\epsilon\sigma\sigma\epsilon\dot{\nu}\omega\nu$ *(Aiôn pais esti paizôn, pesseuôn),* « La vie est un enfant qui enfante, qui joue » (selon la traduction de Wissmann-Bollack, *Héraclite ou la Séparation,* Éd. de Minuit, 1972). $\pi\alpha\dot{\iota}\zeta\omega\nu$ participe présent de *jouer* ne serait que redondant de $\pi\epsilon\sigma\sigma\epsilon\dot{\nu}\omega\nu$: « poussant les pions », comme en témoigne la traduction consacrée; les auteurs s'autorisent de la différenciation des signifiants pour casser cette redondance et désenfouir un sens étymologique de $\pi\alpha\dot{\iota}\zeta\omega\nu$: « faisant l'enfant, engendrant, enfantant ».

mise à jour comme innée et héréditaire, mais elle est déjà protégée, dans la conception freudienne, d'une interprétation substantialiste. Car, si l'enfant vient au monde avec ses pulsions polymorphes, elles entrent en contradiction avec le refoulement et celui-ci produit les diverses variantes des fixations de la libido (les « structures subjectives »). Il s'ensuivra que la névrose − ou le sujet parlant − ne sera jamais accessible au ras de la pulsion, ou à partir d'un enfant degré zéro du symbolisme, mais toujours à travers une « texture » faite du récit, c'est-à-dire de langage et de fantasme. « C'est seulement après l'introduction [dans l'expérience pulsionnelle enfantine] de ces éléments de fantasmes hystériques [il s'agit du fantasme de séduction parentale] que la *texture* de la névrose et ses relations avec la vie des patients devient intelligible [1]. »

Pourtant, ce démontage du mythe chrétien-rousseauiste de l'enfance s'accompagne d'une homologation problématique : on y trouve, projetés au lieu supposé de l'enfance et par là même universalisés, les traits propres au discours adulte; l'enfant est doté de ce que la mémoire toujours déjà faussée de l'adulte en dit; le mythe de la continuité humaine (de l'enfant au parent, c'est le Même) persiste. Parallèlement, la fonction du contexte familial sur le modelage *précoce* de l'enfant, avant la puberté, avant l'Œdipe, mais aussi avant le « stade du miroir », se prête à être minimisée. On ne le voit que trop dans les courants moïques de la psychanalyse d'enfants, mais aussi là où l'on date le sujet à partir du « stade du miroir ». Les débats et les innovations les plus marquantes en psychanalyse sont dès lors nécessairement intervenus autour de ce nœud. Il s'agit en effet, d'une part, de marquer l'hétérogénéité entre l'organisation signifiante-libidinale (disons « sémiotique ») de la première enfance et le fonctionnement « symbolique» du parlant consécutif à l'apprentissage du langage et aux identifications parentales qui s'ensuivent. D'autre part et en même temps, l'organisation précoce présymbolique n'apparaît accessible à l'adulte que comme régression − jouissance ou psychose schizophrénique. Difficulté, impossiblité de cet effort d'accès à l'enfance : le véritable enjeu du discours à propos de l'enfant dans la pensée occidentale est une confrontation de la pensée avec ce qu'elle n'est pas, errance aux limites du pensable. Mise à part la pratique poé-

---

1. « Étiologie sexuelle des névroses », *Standard Edition,* t. VII, p. 274. Nous soulignons.

tique (pensée d'un langage dépensé, horizon héraclitéen, réinvention du matérialisme), les solutions analytiques de l'affaire (de l'« *erreur* » freudienne) ne cessent de paraître problématiques : l'impasse de Jung avec ses configurations archétypales de la substance libidinale extraite de la sexualité et subjuguée par la mère archaïque; la précision empiriste des « objets partiels » de Mélanie Klein et, par la suite, l'effort de Winnicott et ses proches de penser, dans l'« espace potentiel » entre mère et nourrisson, une libido non pulsionnelle, donc sans objet, ni but, ni temps, qui restent les caractéristiques propres à la libido de l'adulte parlant; les machines désirantes des schizos sans signifiant; ou, de manière radicalement neuve, mais toujours totalisante dans le Nom-du-Père, comme le fait Lacan, l'extraction de l'innommable de l'enfance et sa position dans le *réel* impossible et toujours immanquablement persistant dans la triade réel-imaginaire-symbolique.

Face à la spéculation, le *transfert* semble pourtant indiquer que cette modalité de la signifiance que Winnicott appelle « libido préobjectale [1] » (donc, pas de « libido » au sens freudien du terme), observable chez l'enfant non parlant, persistant sous le refoulement secondaire imposé dès l'apprentissage du langage, aussi bien que, à travers l'Œdipe, dans tout être parlant comme son sol psychotique ou comme sa capacité de jouissance dite, entre autres, esthétique, est disposée, articulée, dès ses débuts qui n'arrêtent pas de nous suivre, espace devenu temps permanent, par les *solutions que les parents ont naguère trouvées de l'inanité sexuelle que leur signifie l'enfant.* L'hystérique paranoïse, sans doute, lorsqu'il attribue sa névrose à la séduction parentale. Mais, à travers le mythe de la séduction, il se dit ombiliqué par sa pulsion (avant même le désir) à cet objet d'amour exalté par ses parents dans leur dénégation du dé-rapport sexuel que l'enfant était venu ponctuer.

L' « erreur » de Freud n'a pourtant toujours pas effleuré la linguistique, universaliste et cartésienne, lorsqu'elle étudie la « langue »,

---

1. « Libido » sans objet ni but, état paradoxal du frayage antérieur, donc, à la constitution du sujet, de l'objet et du signe. On notera l'anthropomorphisation, idéologique et féminisante, du raisonnement de Winnicott : l'existence de l'objet présuppose « séparation » et « faire » et se définit comme « versant masculin » de la sexualité; l'incertitude de l'objet (dit « objet transitionnel », nous y reviendrons) où l' « identité n'exige qu'une structure mentale minime » relèverait de l' « être » qui serait donné dès la naissance et qui, contrairement au versant masculin programmé par la frustration, est susceptible d'une mutilation et se définit comme « versant féminin » (Winnicott, *Jeu et Réalité,* Gallimard, 1975, p. 113).

phénoménologique lorsqu'elle s'intéresse au « discours ». Le « langage enfantin » — mirage théorique — est devenu pour la psycho-linguistique le terrain privilégié où se démontrent les contradictions et les impasses de la rationalité linguistique. Les uns veulent trouver dans le « langage enfantin » la démonstration empirique de la pertinence de la grammaire générative (la structure profonde existerait, parce qu'elle fonctionnerait telle quelle chez l'enfant). Les autres posent une différence entre le langage et la logique enfantins, d'une part, adultes, de l'autre; mais, en essayant de décrire les premiers, on se sert des catégories et même du modèle pur et simple (toujours plus ou moins issu de la grammaire générative) tributaires des seconds. Cela conduit, dans le premier cas, à utiliser le langage enfantin comme une illustration (sans doute amputée, mais destinée à se compléter par la maturation) de la théorie; et, dans le second, à nager dans l'empirisme, car aucune conception autre que celle du sujet cartésien et de sa logique ne vient étayer les différences qu'on croit percevoir dans la logique ou la syntaxe de l'enfant. Restent exclues, de cette investigation, les phases présyntaxiques de la *sémiosis* enfantine, mais aussi toutes les latences sémantiques dues aux différences sexuelles et familiales, qui s'intègrent ou bien se court-circuitent, de manière chaque fois spécifique, dans le refoulement syntaxique constituant la grille de la langue comme système universel, et qui se montrent dans les libertés syntaxiques ou les variantes lexicales du discours enfantin [1].

Peut-être serait-il possible, par contre, de se donner comme « objet » d'analyse non pas un « langage enfantin », mais le « langage infantile », au sens où Freud parle de la sexualité infantile — télescopage du parent et de l'enfant. Il s'agirait alors de l'écoute que l'adulte, à travers sa sexualité toujours infantile, peut repérer dans le discours d'un enfant (garçon ou fille), mais qui le renvoie en ce lieu où son « propre » langage ne se rationalise jamais totalement, ne se normativise jamais par une linguistique cartésienne, mais reste à jamais un « langage infantile ». Écoute, donc, analytique du langage, dans la relation duelle du

---

1. Cf. « Psycholinguistique et grammaire générative », *Langages,* nº 16, décembre 1969 et « Apprentissage de la syntaxe chez l'enfant », *Langue française,* nº 27, septembre 1975, dans lequel on lira pourtant l'intéressante étude de Christine Leroy sur l'intonation présyntaxique. Pour un parcours historique des principaux travaux linguistiques sur le langage enfantin, Aaron Bar-Adon et Werner F. Leopold (éds), *Child Language, a Book of Readings,* New York, Prenctice Hall, 1971.

transfert entre l'adulte et l'enfant, l'analyse portant, à travers les contenus fantasmatiques ou mythiques (qui restent jusqu'à présent le seul
objet de la psychanalyse et de la psychanalyse d'enfants), sur les
composantes « minimales » de la langue (opérations phoniques, lexicales, syntaxiques; catégories logico-syntaxiques). L'enfant devient
alors ce réel à partir duquel nous essayons d'analyser, en ses composantes minimales, en quoi notre (le) langage est *infantile.*

Il est possible que l'écoute, invoquée ici, des conditions psychanalytiques constituent les structures de la langue, sollicite une attitude
sans doute *transférentielle,* mais plus précisément *maternelle* à l'égard
de l'enfant. L'histoire post-freudienne de la psychanalyse d'enfants,
jusqu'à ces sommets que sont les œuvres de Spitz et de Winnicott,
ne peut-elle pas, déjà, se résumer comme un passage de l'écoute freudienne paternelle à une attention maternelle? Avec toutes les avancées
et toutes les butées que cette fantasmatique induit chez les hommes
et les femmes analystes?

Pour une femme, l'arrivée de l'enfant coupe le cercle auto-érotique
de l'enceinte (dont la jouissance rappelle celle de la sainte qui fusionne
avec son Dieu inaccessible et néanmoins consubstantiel à sa pulsion
dans la passion) et entame la difficile (pour une femme) histoire de la
relation à un autre : à l' « objet » et à l'amour. N'est-il pas vrai qu'une
femme est un étant pour qui l'Un, donc l'Autre, ne va pas de soi? Et
que pour accéder à cet Un toujours altéré, à l'instance symbolique-
thétique qui exige castration et objet, elle doit s'arracher à la symbiose
fille-mère, renoncer à la communauté indifférenciée des femmes et
reconnaître, en même temps que le symbolique, le père? C'est précisément l'enfant qui, pour une *mère* (à différencier de la *génitrice*), constitue un *trait* (un « très », « en plus ») vers l'Autre. Il est un prélèvement de
ce qui n'a été qu'une greffe pendant la grossesse : un *alter ego* susceptible (ou non) d'être la relève du narcissisme maternel intégré désormais
dans un « être pour lui ». Ni pour soi ni en soi, mais : pour lui. La
mère d'un fils (désormais, il n'y aura plus d' « enfant » générique) est un
étant confronté avec un *être-pour-lui.* La mère d'une fille refait à
rebours le face-à-face avec sa mère : différenciation ou nivellement des
étants, aperçu de l'unité ou homologation paranoïde fantasmée comme
substance primordiale. Dans les deux cas, le fameux rapport à l'objet
— qui n'existe que comme objet d'amour — ne s'instaure que comme
rapport à la troisième personne : ni *je* ni *tu* dans un rapport d'identifica-

tion ou de convoitise, mais *il (elle)*. L'amour est une relève du narcissisme dans la troisième personne externe à l'acte de la communication discursive. D'où « Dieu est amour » : c'est pour cela même qu'il n'existe pas, sauf à être imaginé enfant pour une femme. Là encore, génie du christianisme.

A partir de là et pour la mère — pas pour la génitrice —, l'enfant est un *analyseur*. Il déclenche l'angoisse de l'hystérique souvent occultée, déniée ou reportée, dans ses allées paranoïdes, sur les autres ou sur la panoplie des objets de consommation. Une angoisse qui met la mère aux prises avec la castration (fameuse castration que des « femmes » ou des génitrices dénient : car, pour elles, l'enfant est le bouchon qui comble, suture la communauté de l'espèce et permet d'usurper, en la déniant, la place du père) et désenfouit la pulsion de mort, dans toute sa gamme dramatique qui va de la fureur de Lady Macbeth au sacrifice de soi, toujours pour le même objet d'amour, la troisième personne, l'enfant. Dans ces méandres où l'analyseur induit sa mère, la reconnaissance de la castration préserve du meurtre, en est l'opposé, s'y oppose. C'est pour cela même que la mère analyse là où la génitrice échoue (en se bouchant, grâce au « bébé », l'accès au symbolique par le fantasme d'une fusion substantialiste dans une matière génitrice où les mères incorporent leurs enfants) et où la sainte réussit (lorsque, dans sa passion du symbolique, son propre corps en devient le signe homologué exalté de dénégation) : elle maintient ouvertes les enceintes où les paranoïaques s'ancrent. La maternité noue et dénoue la paranoïa-sol de l'hystérique.

Il est évident que la « maturation neuro-psychologique » et l'apprentissage du langage ne vont pas d'eux-mêmes dans ces conditions. Les structures de la langue portent sans doute immanquablement les empreintes du rapport entre une mère et son analyseur. De quoi déconcerter toute linguistique.

L'espace fait rire

Quelque séduisantes que puissent paraître les tentatives actuelles de briser la subjectivation humaine, pour autant que celle-ci soit une sujétion au sens, en proposant à la place des *espaces* (nœud borroméen, rhizome, morphologie des catastrophes) dont le parlant ne serait qu'une

De Kooning, *Femme, 1952*.
(Coll. Mr et Mrs S. H. Starr, Lexington, Mass.)

actualisation phénoménale, on ne saurait oublier que ces *formants* (même si leurs raffinements n'appellent qu'à la catharsis des destinataires plutôt qu'ils ne fonctionnent comme « modèles » d'un objet-référent) trouvent leur source spécifique dans l'activité « logique spécifiquement liée au langage » [1]. Les considérations husserliennes à propos des intuitions spatiales des Grecs menant à Euclide [2] n'ont rien perdu de leur force épistémologique : l'histoire du *former* humain s'enracine dans le langage en tant que système de propositions. Tout former ne saurait dépasser son origine — le *sens* tel qu'il se pose dans la prédication propre au langage. Si la solidarité métaphysique du « sens », de l' « origine » et du « former » est ainsi posée comme horizon de toute tentative d'éclaircissement (donc aussi de la linguistique), mais peut-être aussi de toute analyse (et peut-être de la psychanalyse), il n'en est pas moins indiqué que toute représentation spatiale donnée dans un langage universel est nécessairement tributaire de la raison téléologique, contrairement à ce que soutiennent les « esprits romantiques » attirés par le « mythico-magique » [3].

Enchaînée à l'espace du fait même qu'il parle, l'histoire de l'être parlant n'est rien d'autre qu'une variation d'espaces [4] qui ne brisent jamais l'horizon du parler/du former mais le reconduisent par une *praxis* ou une *technè*. Il est clair, dès lors, que la clôture du sens ne saurait être mise en difficulté par un autre *espace,* mais par un autre *parler :* autre énonciation, autre « littérature ». Par contre, si l'on reste

1. « Nous devons prendre en considération dans son originalité l'activité logique spécifiquement liée au langage, de même que les formations idéales de la connaissance qui ont, dans cette activité, leur source spécifique » (Husserl, *Origine de la géométrie,* PUF, 1962, p. 190).
2. « La méthode de production des idéalités originaires à partir des données pré-scientifiques du monde de la culture doit avoir été notée et fixée en propositions stables avant l'existence de la géométrie » (*ibid.,* p. 194). Et plus loin : « Chaque explication et chaque passage de l'élucidation à la mise en évidence (même s'il peut lui arriver de s'immobiliser trop tôt) n'est rien d'autre qu'un dévoilement historique; c'est là en soi-même et essentiellement un acte historique *(ein Historiches)* et, en tant que tel, par une nécessité d'essence, il porte en lui l'horizon de son histoire *(Historie)* » (*ibid.,* p. 202). Tandis que « l'histoire n'est d'entrée de jeu rien d'autre que le mouvement vivant de la solidarité et de l'implication mutuelle de la formation du sens et de la sédimentation du sens originaire » (*ibid.,* p. 203).
3. *Ibid.,* p. 214.
4. N'est-il pas vrai que les seuls événements (historiques) aujourd'hui, en dehors des meurtres (c'est-à-dire : des guerres), sont des événements scientifiques : les inventions d'espaces, des mathématiques à l'astronomie?

dans la passion épistémologique d'élucidation (qui n'est pas, comme le postule Husserl, le « destin » de l'être parlant, mais *une* de ses pratiques, *une* variante de la signifiance qui — la folie et la littérature en témoignent — ne se limite pas à l' « universellement intelligible »), deux voies semblent s'ouvrir : tracer l'histoire des espaces (faire de l'épistémologie) ou interroger ce que Husserl appelle le « former humain ». Le deuxième terme de cette alternative rejoint immanquablement les préoccupations freudiennes et l'analyse des « origines » du former/du parler recoupe les voies de l' « erreur » freudienne évoquée plus haut.

Toute écoute du « langage infantile » (au sens défini plus haut) nous semble se situer au point ambigu où la psychanalyse déplie l'horizon du sens phénoménologique en lui désignant ses conditions de production et où la phénoménologie ceinture la dissolution transférentielle du sens dès lors que celle-ci s'énonce en propositions démonstratives ou simplement « universellement intelligibles ».

Reposons maintenant la question que l'enfant-analyseur pose à une écoute maternelle, avant qu'aucun miroir ne lui renvoie aucune représentation et qu'aucun langage ne vienne coder ses « idéalités » : qu'en est-il de la *sémiosis* paradoxale du corps nouveau-né, de cette « *chora* sémiotique [1] », de cet « espace » avant le signe, agencement archaïque du narcissisme primaire que le poète exhume pour défier la clôture du sens (« rien n'aura eu lieu que le lieu », certes, sinon « à l'altitude peut-être aussi loin qu'un endroit fusionne avec au-delà [...] le heurt successif sidéralement d'un compte total en formation [...] » Mallarmé).

Ni demande ni désir, c'est une invocation, une *anaclyse* [2] : rappel par le souffle d'un retour au contact, à la chaleur, à la nourriture, que le corps nouveau-né adresse à un support, à un complément de maintien qu'on a justement appelé une « mère diatrophique [3] ». La contraction vocable et musculaire, spasme de la glotte et du système moteur, répond au manque des composantes de la vie intra-utérine. Que la voix soit le vecteur de cet appel au secours à une mémoire frustrée pour assurer, par le souffle et la chaleur, d'abord, la survie de l'humain toujours prématuré, n'est sans doute pas indifférent pour le langage qui va s'y arti-

1. Cf. « La *chora* sémiotique », *la Révolution du langage poétique,* Éd. du Seuil, 1974, chap. A, I, 2, p. 22-30.
2. R. Spitz, « Autoerotism re-examined », *Psychoanalytical Study of Child,* New York, 1962, vol. 17, p. 292.
3. *Ibid.*

culer. Tout cri est, psychologiquement et projectivement, décrit comme cri de détresse, jusqu'aux premières vocalisations y compris qui semblent être des appels de détresse : des anaclyses. Trois mois du corps nouveau-né s'écoulent dans ces frayages anaclytiques sans qu'aucune stabilité n'apparaisse.

Face aux anaclyses, l'adulte — et essentiellement la mère — offre un accueil troublé, réceptacle mobile qui épouse l'invocation, en suit les ondulations, les accentuent éventuellement par le surgissement d'angoisse que le nouveau corps analyseur produit chez l'analysant. Il faut compter, dès maintenant, avec le désir difficilement dépassable de la mère de maintenir son nouveau-né dans l'invocation : supplément du sein, capital à soi, analyseur, peut-être, mais analyste privé d'interprétation qui les enferme (mère et enfant) dans la régression du masochisme primaire. C'est ici, précisément, qu'intervient l'énigmatique « frustration optimale » que Spitz exige de la mère vis-à-vis de l'enfant ou la mystérieuse « suffisamment bonne mère » de Winnicott : elles sont appelées à briser le narcissisme primaire où mère et enfant s'enroulent, d'*anaclyse* à *diatrophè,* pour que, l'auto-érotisme succédant, une relation à l'objet s'engage enfin, contemporaine de la représentation et du langage.

Pourtant, avant que cette acquisition ne soit effective et dans ce glissement subtil du narcissisme primaire à l'auto-érotisme, la « suffisamment bonne mère » avec sa « frustration optimale » marque un point : le rire.

Il suffit peut-être que la mère sache *répondre* à l'anaclyse, mais aussi l'*arrêter,* pour qu'elle s'y pose, s'y dépose, s'y fixe. Cette donation d'axe, de surface de projection, de limite, de butée pour l'invocation, est peut-être ce qui, de la fonction maternelle, relève de la paternelle que caractérisent sans doute au mieux l'*absence* ou le *refus* codés dans la présence même. La maturation du système nerveux s'ajoute sans doute et peut-être prime dans certains cas ce rôle de support mobile offert par la mère/le père (tout en étant influencée par lui dans d'autres cas).

Oralité, audition, vision : modalités archaïques sur lesquelles se produira la discrétion la plus précoce. Le sein donné et retiré; la lumière de la lampe captant le regard; le son intermittent de la voix ou de la musique, accueillent l'anaclyse (selon un ordre temporel probablement programmé aussi par les dispositions spécifiques de chacun), la retiennent, donc l'inhibent et l'absorbent de sorte qu'elle se décharge et se calme en eux : premières « défenses » contre l'agressivité d'une (pseudo-) pulsion (sans but). Alors, le sein, la lumière, le son deviennent un *là* : lieu, point, repère. L'effet, spectaculaire, n'est plus de calme, mais de rire. La marque d'un point archaïque, l'amorce de l' « espace », la *« chora »,* comme stabilité primitive absorbant le frayage ana- clytique, fait rire. Il n'y a pas encore de dehors et ces points qui font rire le nouveau-né (après le rire halluciné des premières semaines, dû à la satisfaction des besoins immédiats) vers deux mois et demi sont seulement des repères de ce qui est en train de devenir une stabilité. Mais ni externes ni internes, ni dehors ni dedans, ces repères retiennent seulement au point de décharger l'anaclyse, sans l'arrêter. On pour- rait y voir l'amorce, en même temps que de la spatialité, de la *subli- mation.*

Mais c'est lorsque ces points épars et drôles se projettent — syn- thèse archaïque — sur ce support stable qu'est le visage de la mère, destinataire privilégiée du rire vers trois mois, que le narcissisme de la symbiose initiale mère-enfant glisse vers l'auto-érotisme et que l'émer- gence d'un corps morcelé en « objets » érotisables (essentiellement oraux) s'observe. L'érotisme oral, le sourire à la mère et les premières vocalisations sont contemporains : le fameux « premier point d'orga- nisation psychique » de Spitz [1] est déjà un phénomène sémiotique complexe annoncé par d'autres.

Cette sublimation originaire, qui est dans la majorité des cas visuelle, nous mène non seulement aux fondements du narcissisme (gratifica- tion spéculaire), mais aussi aux sources rieuses de l'imaginaire. L'ima- ginaire prend la relève du rire enfantin : joie sans paroles. Bien avant (chronologiquement et logiquement) le stade du miroir où le Même se voit altéré à travers la fameuse béance qui le constitue comme repré- sentation, signe et mort [2], le sémiotique s'amorce comme spatialité rieuse. Dans l'indistinction du *« même »* et de l' *« autre »,* de l'enfant et de la mère aussi bien que du « sujet » et de l' « objet », sans qu'aucun espace ne soit encore dessiné (il le sera avec et à partir du miroir :

---

1. R. Spitz, *la Première Année de la vie de l'enfant,* PUF, 1958. Des développe- ments intéressants en pédiatrie et psychanalyse d'enfants en sont proposés par L. Kreisler, M. Fain, M. Soulé, *l'Enfant et son corps,* PUF, 1974; et S. Lebovici, M. Soulé, *la Connaissance de l'enfant par la psychanalyse,* PUF, 1970.

2. Cf. J. Lacan, « Le stade du miroir comme formation de la fonction du Je », *Écrits,* Éd. du Seuil, 1966, p. 93-100.

du signe), la *chora* sémiotique qui fixe et absorbe la motilité des frayages anaclyctiques décharge et fait rire.

Que l'oralité joue un rôle essentiel dans cette fixation-sublimation primaire (appropriation du sein, assurance dite « paranoïde » du nourrisson de l'avoir possédé, capacité de le perdre après en avoir pris sa part) ne saurait faire oublier l'importance de la « pulsion » anale dès cette période : décharge anale en sécurité, pendant que — en contrepartie de cette perte — le sein est incorporé. La perte anale avec la dépense considérable de motilité musculaire qui l'accompagne, croisée avec la satisfaction de l'incorporation du sein, favorise probablement la projection du frayage dans ce point visible ou audible qui esquisse l'espace et fait rire.

On a depuis longtemps remarqué la simultanéité du rire et des premières vocalisations [1]. Plus encore, l'articulation motilité/fixation visuelle comme substrat de la spatialité sémiotique archaïque en même temps que du rire semble démontrée par le rire enfantin plus tardif. On connaît le manque du sens d'humour de l'enfant (l'humour suppose le surmoi et sa sidération). Mais les enfants rient facilement lorsque la tension motrice se lie à la vision (la caricature est une visualisation de la distorsion corporelle, d'un mouvement extrême, exagéré — du mouvement immaîtrisé); lorsqu'un mouvement trop rapide est conféré par l'adulte au corps de l'enfant (retour à une motilité défiant sa fixation, son espace, sa case); lorsqu'un arrêt brusque succède au mouvement (quelqu'un trébuche, tombe). La vitesse-continuité du mouvement, et ses arrêts — ponctuation du discontinu : topos archaïque qui fait rire et étaye probablement la psychologie du rire de Bergson comme les mots d'esprit de Freud. « Espace » étrange, cette *chora :* la rapidité, la violence du frayage se localise en un point qui l'absorbe et revient en boomerang au corps invoquant, mais sans, pour autant, le signifier comme séparé, s'y limite, y dépose la secousse : le rire. C'est d'avoir été

1. Darwin signale qu'après les premiers cris de souffrance on observe, vers trois mois, le rire accompagné d'imitation de son, avant que n'apparaissent vers un an les gestes exprimant les vœux et enfin les intonations, tous des modalités archaïques préverbales (Ch. Darwin, « A Biological Sketch of an Infant », *Mind*, 2.285, 1877, p. 292-294). W. Wundt observe, de sa part, la dépendance que nous avons signalée entre vocalisation et vision : l'articulation imitative est déterminée par des sons entendus aussi bien que par des sons vus articulés, mais il y aurait une prédominance de la perception visuelle sur l'acoustique dans les phases initiales, ce qui expliquerait la précocité des labiales et des dentales (*Volkerpsychologie* [1900], 1911, t. I, p. 314-319).

limitée — mais non bloquée — que la vitesse du frayage y abandonne la frayeur et éclate en secousse de rire. Instabilité, « heurt sidéral », « compte total en formation ». Limite perméable, rieuse; ou barrière bloquant en morosité sérieuse — c'est à sa mère que l'enfant les doit. La mère hystérique défiant sa propre mère par identification paternelle, ou celle qui, inféodée à la sienne, quête indéfiniment la reconnaissance symbolique, déterminent dès ce « premier point d'organisation psychique » deux attitudes dont l'apogée se retrouve dans l'aisance imaginative, d'une part, dans le ritualisme obsessionnel, de l'autre.

Même les modalités plus tardives du rire [1] semblent commémorer, de cet espace-rire archaïque, l'ambivalence du frayage (effroi/paix, invocation/décharge, motilité/arrêt) aussi bien que la perméabilité de la limite ou du point de fixation. Le sens de l'humour semble s'édifier, à partir de ces étayages sémiotiques, à la fois sur l'inhibition de l'auto-érotisme, imposée par les parents, et sur sa levée dans une situation enfantine où les parents ou leurs équivalents se trouvent affaiblis : le surmoi reconnaît le moi défaillant par rapport à l'inhibition, mais, par un saut — mouvement brisé, espace — le reconstitue invulnérable et donc rieur. Le *propre* (moi, corps) dépend ou se constitue d'une butée (le point de projection : la lampe, la mère, les parents) qui l'excède et le domine, mais qui, sans être définitivement séparé, ni barrière ni blocage du frayage, par sa distance permissive même, permet au corps de se re-trouver détendu, privé d'angoisse, l'ayant délogée ailleurs pour n'en garder que la drôlerie agile. Une inhibition se constitue ainsi, pour le rire, mais comme *existant ailleurs :* point fixe, toujours là, mais séparé du corps qui pourra à cette condition seulement se constituer en tant que « propre » et jouir, à distance. Nous sommes ici devant la condition nécessaire qui, évitant l'inhibition par le rire, constitue le sémiotique et assure sa relève dans le symbolique. Les préconditions de l'acquisition du langage sont données en ce point; leurs modulations entraînent toute la gamme névrotique des inhibitions et des angoisses qui suivent le destin du parlant.

Le point distant absorbant et différant [2], donc sublimant l'angoisse, sera le prototype de l'*objet* au même titre que du « propre » : le corps

---

1. Cf. E. Jacobsen, « The Child's Laughter », *The Psychoanalytic Study of the Child*, vol. 2, 1947.
2. Ce frayage différant de la « pulsion » avant la lettre a été écrit, pour ce qui est de son approche philosophique, par J. Derrida, *De la grammatologie*, Éd. de Minuit, 1967.

qui déloge la frayeur dans un point constant (la mère) et distant, pourra transposer ces points sur ce qui, d'une masse amorphe, deviendra désormais un territoire de repères, de points de fixations et de décharges : corps auto-érotique, corps propre.

Mais, pour que ce point de décharge existe ailleurs, comme différent et, pour cela même, formant espace, il doit se répéter. Le rythme, instants enchaînés, est immanent à la *chora* avant toute spatialité signifiée et, dès lors, ils coexistent : *chora* et rythme, espace et temps. Le rire témoigne qu'un point *a eu lieu :* l'espace qui l'étaye marque du temps. Ailleurs, distant, permissif, toujours déjà au passé : telle est la *chora* que la mère est appelée à produire avec son enfant pour que du sémiotique existe. De même, plus tard, après l'acquisition du langage, le rire de l'enfant est un rire d'un événement passé : c'est d'avoir eu lieu qu'une interdiction est surmontée, reléguée au passé, de sorte qu'un calque affaibli et maîtrisable la représente désormais.

Nominations infantiles de l'espace

L' « espace potentiel » de Winnicott [1] construit par un « objet transitionnel [2] » poursuit plus loin les conditions nécessaires à un fonctionnement sémiotique et son passage à l'acquisition du langage.

On pourrait dire, avec M. A. K. Halliday [3], qu'avant l'apparition du langage articulé proprement dit, des vocalisations sont utilisées avec des « fonctions linguistiques » — fonctions de « sens » selon Halliday, mais qu'il serait plus juste d'appeler des « fonctions de sens potentiel » en réactualisant, pour ce qui est du langage, les positions de Winnicott. Sens potentiel, donc, étayé dans ses conditions analytiques par des objets transitionnels et qui, entre neuf et seize mois environ, se dif-

1. « Une aire hypothétique qui existe (mais peut ne pas exister) entre le bébé et l'objet (la mère ou une partie de la mère) pendant la période de répudiation de l'objet en tant que non-moi, c'est-à-dire à la fin de l'état où le bébé est confondu avec l'objet » (*Jeu et Réalité, op. cit.*, p. 148).

2. Il « représente la capacité de la mère de présenter le monde de telle manière que le petit enfant n'est pas tenu de savoir immédiatement que l'objet n'est pas créé pour lui » (*ibid.*, p. 113).

3. M. A. K. Halliday, *Learning how to Mean, Explorations in the Development of Language*, Londres, Edward Arnold Publ., 1975.

férencie en une panoplie de fonctions que l'adulte décrirait comme instrumentale, régulatrice, interactive, personnelle, heuristique et imaginative[1]. Phoniquement, ce « sens potentiel » se manifeste en des vocalisations variées (à des degrés différents et spécifiques selon les enfants[2]) qui finissent par s'appauvrir et se réduire à une intonation montante-descendante s'approchant de celle de la phrase adulte.

Qu'avant la deuxième année apparaissent deux nouvelles fonctions selon Halliday : la *pragmatique* (fusion de l'instrumentale et de la régulatrice) et la *mathétique* (fusion de la personnelle et de l'heuristique), implique déjà un processus complexe d'idéation et la transformation de l' « espace potentiel », après le « stade du miroir », en un espace de représentation, signifiable. *Intervenant* selon l'une de ces fonctions, *observateur* selon l'autre, l'enfant les code par ses intonations (montante dans le premier cas, descendante dans le second), mais, mieux encore, par une sémiotique gestuelle complexe et difficile à décrire.

S'il est vrai que des pseudo-morphèmes et même des pseudosyntagmes apparaissent à cette époque, ils restent holophrastiques : ils les vocalisent, désignent le lieu ou l'objet de l'énonciation (le *« topic »*) tandis que le geste moteur ou vocal (l'intonation) tient lieu de prédicat (de *« comment »*).

Remarquons que, depuis le « premier point d'organisation psychique », le repère lumineux ou le visage de la mère qui faisait éclater le rire parallèle aux premières vocalisations, un parcours a amené le futur parlant à détacher ces points en *objets* (d'abord « transitionnels », puis objets tout court) et à leur adjoindre *non plus le rire, mais une phonation* — archétype du morphème, condensation de la phrase. Comme si *le rire constitutif de l'espace devenait — la maturation et le refoulement aidant — un « nom de lieu »*.

Adverbe de lieu, très souvent, anaphorique démonstratif *(ceci, cela)* ou plus généralement *« topic »* se référant à un objet externe ou interne au corps propre et à l'environnement pratique immédiat, cette nomination primitive observable dans les premières verbalisations enfantines est toujours relative à un « espace » — *point* devenu désormais *objet* ou *référent*.

Une enquête en cours portant sur le langage d'enfant entre deux et

1. *Learning how to Mean, op. cit.*, p. 18 s.
2. Cf. « Contraintes rythmiques et langage poétique », *supra*, p. 437-466.

trois ans[1] nous a fait apparaître que 50 % des énoncés des enfants de deux ans sont du type *Ça s'est* + *SN,* le pourcentage tombant à 15 % à l'âge de trois ans-trois et demi. L'apparition archaïque des anaphoriques démonstratifs s'accompagne d'autres phénomènes archaïques qui remontent, dans leur genèse, aux premières vocalises et aux écholalies accompagnant la constitution de la *chora* sémiotique : coups de glotte, accentuation (en jouant sur l'intensité comme sur les fréquences vocaliques).

Les psycho-linguistes savent bien qu'avant toute syntaxe plus ou moins régulière l'enfant produit des énoncés qui se prêtent davantage au modèle *topic-comment* plutôt que *sujet-prédicat*[2]. Nous verrons dans ce phénomène (tout en admettant qu'on peut discuter indéfiniment la pertinence des deux modèles syntaxiques) la récurrence du repère

1. L'enquête concerne deux groupes d'enfants : cinq enfants suivis depuis l'âge de trois mois à trois ans, et cinq enfants de deux à trois ans. Les résultats, statistiquement modestes et qui n'ont une fonction que d'hypothèses de travail, sont à tester par des analyses portant sur un plus grand nombre de cas. Les discours sont recueillis dans des jeux collectifs où une relation individualisée essaie de se construire entre l'adulte analysant et chacun des enfants. L'analyse porte également sur la régression que ce jeu-écoute induit, chez les chercheurs et étudiants, comme condition nécessaire au déchiffrement et à l'interprétation du discours enfantin-infantile.

2. On lira, sur l'interprétation *topic-comment* de la syntaxe enfantine, Jeffrey S. Gruber, « Topicalization in Child Language », *Foundations of Language,* vol. 3, 1967, p. 37-65; de même que Martin Braine, « The Ontogeny of English Phrase Structure », *Language,* vol. 39, 1961, p. 1-13, qui remarque que les premiers énoncés enfantins sont déterminés par des relations d'ordre comportant deux classes : *mots pivots* + X, où l'on trouve pronoms, prépositions et auxiliaires, et que les enfants apprennent d'abord la *localisation* des unités avant de pouvoir les associer, par un processus dit « *contextual generalisation* », en paires de morphèmes et en syntaxe normative pour finir. Thomas G. Bever, Jerry A. Fodor et William Wexsel (« Theoretical Notes on the Acquisition of Syntax. Critic of " Contextual Generalisation " », *Psychol. Review,* vol. 72, 1965, p. 476-482) critiquent cette position et soutiennent que la positionnalité n'est que le résultat des classes grammaticales innées : au commencement seraient les classes, pas le lieu. Quel que puisse être l'intérêt méthodologique et psychologique de cette discussion sur son terrain propre, nous remarquerons, sur un autre plan, que la spatialité étayant la fonction sémiotique (que nous avons observée plus haut) se retrouve, lors du fonctionnement symbolique, linguistique, du sujet, dans le fait que la positionnalité détermine l'organisation de la chaîne signifiante elle-même. La *chora* sémiotique ou l'espace potentiel qui, dans l'indécidable du narcissisme primaire, jouaient entre des « termes » flous (je/autre, dedans/dehors), sont remplacés désormais par des termes à position précise qui tirent leur valeur logique et syntaxique de cette position même. La genèse de la positionnalité des termes (dont nous esquissons ici certains aspects psychanalytiques) comme donatrice de leur valeur serait-elle un argument supplémentaire en faveur de cette théorie, au détriment de celle (largement débattue actuellement) de l'universalité des catégories grammaticales?

spatial qui non seulement amorce le sémiotique, mais aussi étaye les premières acquisitions syntaxiques.

Il n'est peut-être pas inutile de rappeler les fonctions sémantiques des anaphoriques démonstratifs en français, qu'on retrouve en position de *topic* dans la moitié des énoncés des jeunes enfants. Comme le signalent Damourette et Pichon, les démonstratifs *(ce, cet, cette, celui, celui-ci, celui-là, eux :* du latin *ecce)* confèrent une détermination qui ressort d'un état de *présence* et de *proximité;* mais ils ont, en outre, une valeur *incitative,* s'adressant donc au sujet de l'énonciation par-delà le signifié énoncé (actuelle dans *ça :* « Ça, donnez-moy que j'aille acheter votre esclave », Molière, *l'Étourdi,* II, 6); la fonction spatiale peut devenir temporelle (« d'ici demain », « en deçà », « en ça »); ils ont enfin une fonction qu'on pourrait appeler « métalinguistique » car ils renvoient à d'autres signes dans l'énoncé ou le contexte (« il faut faire ci, il faut faire ça »; « un secret aussi gardé que celui gardé dans ce message »; « accepter, dans des circonstances comme celles actuelles, un pouvoir écrasant par son poids »; ou le tour pléonastique : « c'est le prendre qu'elle veut »). Rappelons enfin la position de Benveniste pour qui le déictique est la marque du *discours* dans le système de la *langue :* c'est dire qu'il se définit essentiellement par son emploi par les sujets de l'énonciation. Ainsi, le démonstratif désigne, dans le français moderne, l'énonciation plutôt que l'énoncé (appel au sujet; renvoi à un lieu hors discours/référent), un signe (il découpe la chaîne signifiante et s'y réfère métalinguistiquement), soi-même (il peut être auto-référentiel). Toutes ces fonctions prises ensemble font de l'anaphorique démonstratif un « embrayeur » complexe, à cheval sur plusieurs fonctions du langage, effectuant une série de prises de distances de l'énonciation : à l'égard du sujet, du référent, des signes, de soi-même. Une véritable « catastrophe », au sens des théories morphologiques des catastrophes[1] : passage d'un espace énonciatif dans un autre. S'il est vrai que les énoncés enfantins recueillis ne manifestent pas toutes ces latences sémantiques des démonstratifs, on peut admettre qu'ils les contiennent inconsciemment : l'enfant se loge dans une langue, le français, qui a ramassé ces modalités de spatialisation en une catégorie — « catastrophe » —, mais ces modalités restent immanentes à tout usage de

---

1. Cf. J. Petitot, « Identité et catastrophe », exposé au séminaire de Cl. Lévi-Strauss sur *l'Identité,* janvier 1975.

démonstratifs et dans quelque langue que ce soit, s'il est vrai que (comme nous l'avons noté du début de ce travail) l'archéologie de la *nomination spatiale* accompagne le devenir-autonome de l'*unité subjective.*

Le discours d'une petite fille de deux ans nous a fait entrevoir ce que nous croyons être l'étayage psychanalytique de la nomination archaïque de l'espace référentiel par un démonstratif. A chaque fois qu'elle organisait l'espace de la pièce où nous jouions, par des démonstratifs ou des déictiques *(c'est, ici, là, haut, bas, ceci, cela),* elle se sentait astreinte à « analyser » ce(s) lieu(x) ainsi découpé(s) en leur donnant un nom de personne : « maman » ou le prénom de celle-ci. Précocement éveillée, très avancée dans l'acquisition du langage, extrêmement attachée à son père et sans doute impressionnée par la nouvelle grossesse de sa mère, la petite fille — pour toutes ces « raisons », sans doute et pour s'opposer à son interlocutrice qui ne pouvait pas ne pas lui évoquer l'image de sa mère — installait sa « maman » dans tous les coins nommés par des termes spatiaux récemment acquis.

Ce discours nous conduit à l'hypothèse (que d'autres transferts confirmeront ou infirmeront) que la nomination spatiale, y compris dans des formes déjà syntaxiquement élaborées comme le sont les apparitions des démonstratifs et des adverbes de lieu, porte la mémoire de l'impact maternel déjà évoqué dans la constitution des rudiments sémiotiques. Étant donné la fréquence d'énoncés à *topic* démonstratif lors des premières phrases grammaticalement construites, on pourrait avancer que *l'entrée dans la syntaxe constitue une première victoire sur la mère,* une prise de distance encore incertaine vis-à-vis d'elle, et ceci par le simple fait de la nomination (par l'apparition du *topic* et, plus particulièrement, de *c'est).* Distance incertaine, sans doute, car précisément pendant la période où l'enfant prend plaisir à répéter des énoncés de ce type, des comportements de soumission, d'humiliation, de victimisation apparaissent aussi bien à l'égard des adultes que des congénères. Comme si un certain masochisme se manifestait, parallèle à l'introjection d'une mère archaïque, que l'enfant n'arrivait pas encore à désigner, à nommer, à localiser de manière satisfaisante.

Il est frappant de constater qu'ultérieurement, vers trois ans, la composition des énoncés les plus fréquents change en même temps que la dominante de comportement. Le *topic* est moins, désormais, le démonstratif anaphorique *c'est* qu'un déictique *pronom personnel,* essentiellement *Moi je* : tandis que 17 % des énoncés des enfants de deux ans ressortissent à cette structure, on en retrouve 36 % chez les enfants de trois ans. En même temps, on constate l'apparition de la possibilité de *nier* le démonstratif : *pas ça, c'est pas,* jeu auquel les enfants s'adonnent avec un plaisir qui conduit à des glossolalies fréquentes (« pas ça; c'est cassé, c'est à papa, pas cassé, c'est pas ça, c'est à papa », etc.). En même temps que l'évocation du père se manifeste la *négation* et la désignation des *protagonistes de l'énonciation* (pronoms personnels). Cette négativité explicite, qui connote que l'indépendance dans le symbolique et la capacité d'une auto-désignation (« je »-objet de discours) ont augmenté, s'étaye d'une agressivité. Au « masochisme » précédent succède un « sadisme » souvent marqué et qui pourrait s'interpréter comme une dévoration de la mère archaïque. Significative, la démonstration générique *(ça c'est)* baisse dans les énoncés de cet âge : 15 % seulement de *ça c'est* + SN, contre 50 % à deux ans. L'investissement psychique de l'enfant se dégage du *lieu* et raffine la spatialisation de l'énonciation comme de la chaîne signifiante elle-même. Le fameux « jeu de la bobine », avec son *Fort-Da* observé autour de l'âge de dix-huit mois, trouve, mais étalée dans le temps, sa réalisation linguistique par des énoncés démonstratifs ou localisant, d'abord, personnels et négatifs, enfin.

On attachera à cette archéologie de la nomination (repère spatial, démonstratifs, *« topic »,* nom de personne) et à l'indécidable de la relation sujet-objet qui l'accompagne sur le plan psychanalytique (« espace potentiel », narcissisme primaire, auto-érotisme, sado-masochisme), les considérations embarrassées des logiciens sur la sémantique des noms propres. Selon certains (Stuart Mill) les noms propres n'ont pas de signification (dénotent, mais ne connotent pas) : ne signifient pas, mais désignent un référent. Pour d'autres (Russell), ils sont des abréviations de descriptions pour une série, classe ou système de particuliers (voire même pour un *« cluster »* de définitions) et équivalent à un démonstratif *(ceci, cela).* Pour Frege, enfin, le déictique, au contraire, ne désigne pas encore un « objet ». Nous verrons, pour notre part, dans le nom propre un nom à référence certaine (donc semblable au démonstratif), mais à signification (« cognitive » aussi bien qu'« émotive ») incertaine, qui relèvent d'une position imprécise de l'identité du sujet parlant et renvoient à l'état préobjectal de la nomination. L'émergence de la désignation personnelle et du nom propre à proximité des déictiques et les latences sémantiques (d'« espace potentiel ») de cette période étayent (et en ce sens expliquent) la dynamique et l'ambiguïté sémantique des noms propres, leur imprécision par rapport à la notion d'identité et leur impact dans les constructions inconscientes et imaginaires.

Comme l'écrit la *Logique* de Port-Royal, *ceci* marque l'« idée confuse de la chose présente », tout en permettant que l'esprit y ajoute des idées « excitées par les circonstances »[1]. Présence, donc, posée, mais confuse, et excitation de multiplicités incertaines expliqueraient alors pourquoi *ceci*, dans l'usage évangélique célèbre, est à la fois le Pain et le Corps du Christ : *Ceci est mon corps.* Mais les adeptes du « sujet cartésien » que sont les logiciens de Port-Royal ne peuvent rationaliser le passage de l'un à l'autre sous le même déictique *ceci* qu'en recourant au *temps :* avant ceci était un pain, maintenant ceci est mon corps. La raison n'est sauve qu'au prix d'un enchaînement obsédant au temps et d'une rature, par là même, du « mystère » comme mutation des corps et/ou des noms sous un même signifiant (quelles que soient les précautions de la *Logique* à l'égard de la théologie).

La transsubstantiation (car c'est d'elle qu'il s'agit et l'enfant ne peut que nous y induire tous, hommes et femmes, tant elle est le fantasme clé de nos désirs de reproduction) serait-elle une thématisation indélébile de ce même pli entre l'« espace » de besoin (de nourriture, de survie) et un espace symbolique de désignation (de corps propre)? Pli que l'archéologie des déictiques résume et qui se produit dans toute désignation archaïque de la mère, aussi bien que dans toute expérience aux limites de l'identité corporelle, c'est-à-dire de l'identité de sens et de présence?

Langage enfantin, si l'on veut se donner un « objet » d'étude; langage infantile, sûrement : c'est dans nos discours « adultes » que travaillent ces sens potentiels, ces latences topologiques. Que la nomination, qui s'amorce toujours d'un lieu (*chora*, espace, « *topic* », sujet-prédicat), soit une *relève* de ce que le parlant aperçoit comme une mère archaïque — un face-à-face plus ou moins victorieux, jamais fini avec elle — c'est ce que nous voudrions suggérer. En indiquant, le plus précisément pos-

---

1. A. Arnauld et P. Nicole, *Logique,* PUF, 1965, p. 101.

sible, comment les unités et opérations minimales de la *langue* (mais à plus forte raison aussi du *discours*) reprennent, modèlent, transforment et reconduisent cette prégnance qui reste l'horizon ultime du sens, où, faute d'analyse, s'enracine la transcendance.

ERRANCES

D'Ithaca à New York *

Autour d'Ithaca, presque tous les noms sont grecs : mais il n'y a pas de mer, seules des collines boisées rougies par le gel; et aucune Pénélope n'attend les Ulysses qui passent. En plus, dans cette ère de la femme, Ulysse a l'air d'une femme. C'est dire que, malgré les opinions reçues, la voyageuse ne quête aucun foyer natal, aucune terre propre, aucun abri familial. Pas de retour, chaque arrivée est un départ, une errance recommencée sur les territoires de la terre, de la mer, de l'air. Qui garantit la reprise, le départ à neuf ? Un saut qui ramasse brusquement, en un geste de maîtrise, le morcellement déçu et muet du corps, et qui, voulant savoir, le déplace pour le dire dans un nouveau lieu où le « je », de nouveau, recommence. Savoir infini, impossible, toujours à refaire, et qui apporte peut-être une exploration sinon des lieux des autres, parcourus, au moins de ce trajet de départs innombrables qui n'auraient pas eu lieu si n'existait pas le lieu du saut, de la rupture, de l'unité recomposée pour être mise à l'épreuve. Il faut sans doute être une femme — ou en assumer la posture — pour ne pas s'identifier à la rupture qui garantit le recommencement du voyage, ni se vivre comme le surplomb du parcours, ni y jouer le patron toujours chez soi ou l'acteur en appel permanent de reconnaissance. La ruse de la voyageuse, contrairement à la ruse hellénique, consiste à ne pas avoir de « chez-soi », à considérer tout « chez-soi » comme un lieu, on l'a dit, de l'Autre, et, exaspérée de sa fixité, à le refuser, à s'en échapper pour le mettre à l'épreuve avant de le refaire ailleurs, c'est-à-dire en elle-même, et, sans tarder, tenter à nouveau de le dissoudre.

* Première publication : *Promesse*, nos 36-37, printemps 1974.

Dans cette alternance entre la limite (reconnue nécessaire à la continuité du trajet) et le désir infini de la dépenser dans l'errance où se perdent la langue, le corps, le temps — un seul discours se tient qui en rende compte : le discours fragmenté comme l'est le « je » de la voyageuse. Cela n'a rien à voir avec le discours hystérisé du philosophe qui en a marre de la métalangue et qui, pour jouir dans le langage à la place de sa mère, invente des mots, joue avec des syllabes insensées et bouleverse la pagination quand il ne peut pas bouleverser la syntaxe, tout ceci un siècle après que cette expérimentation a eu lieu et, donc, avec l'inévitable préciosité ou le baroquisme signalant qu'il s'agit là d'un *symptôme* (comme on dit d'une grossesse nerveuse qu'elle est un symptôme).

Au contraire, lorsque vous arrivez dans un lieu dont la langue ne vous est pas familière; lorsque vous volez quatre fois par semaine en voyant glisser les horaires, les visages, les paysages, sans solitude, parlant-écoutant, changeant de destinataire sans cesse; adressant une langue et un discours de Paris à ceux de New York, Ithaca, Buffalo, Boston, New Haven, San Francisco, ce qui réveille tous ceux que vous avez cru avoir réussi à refouler, de Moscou, Leningrad, Varsovie, Prague, Sofia, Athènes, Damas, Bagdad...; alors, le tourbillon qui en résulte commence par vous casser non seulement la langue, la syntaxe, le lexique et les syllabes, mais jusqu'au corps lui-même. L'étendue se brise, soulevée par des vagues violentes, haut-bas-oblique, oppositions aiguës, qui résonnent comme dans la musique de Webern. Le rêve est le premier à signaler, en la représentant, que la maladie est en train de s'emparer du corps disloqué. Alors, « je » interviens : « je » constitue une nappe de discours qui retrouve et unifie la partition corporelle, vocale, linguistique; je rencontre la maladie, je la préviens et je repars. Pacte éphémère avec la loi (symbolique, sociale) qui permet à la partition de se nommer pour interroger la loi, avant de se perdre de nouveau dans les accents d'un corps strié, musiqué, mais insignifiable. Qu'est-ce qui reste, des accents toniques, dans le voyage qui reprend pour interroger la loi? Reste leur frayage qui précipite ou alourdit la syntaxe et les syllogismes, qui condense les concepts, qui rassemble les conclusions de différents espaces, de différentes époques, qui court-circuite les descriptions et qui saute les jeux de mots en connaissance de cause.

Avec un tel programme, Manhattan est un lieu idéal de transfert. D'abord, je constate que le dos de la statue de la Liberté est laid; ces maisons en briques défraîchies, enfumées; ces façades qui rebutent, faites pour isoler le foyer de la rue, pour éliminer la rue, pour en faire un lieu menaçant, à fuir; ces bâtisses délaissées, devenues dépôts ou destinées à la démolition; ces terrains vagues, ces maisons abandonnées, ces débris; ces gens qui ont l'air de porter les vêtements, fussent-ils coûteux, de quelqu'un d'autre. Le nouveau monde n'a pas connu la cité méditerranéenne et visiblement veut ignorer Palladio. Seul Greenwich Village apparaît comme la relève du vieux continent, vers un monde de l'avenir probablement utopique, mais sans doute trans- ou post-capitaliste. D'ailleurs, les quartiers italiens et chinois, réussites de la civilisation la plus archaïque, celle de la cuisine, cernent le Village comme pour souligner la mise entre parenthèses de la société indus- trielle que le rythme villageois écarte doucement et obstinément.

J'y habite, au vingt-septième étage d'un de ses rares buildings.

Mais, plus haut, dans la partie supérieure de la ville, comme en bas, dans le quartier de Wall Street où s'érigent, devant ma fenêtre, les deux tours géantes du Centre mondial du commerce, les plus hautes de Manhattan, le « Nouveau Monde » trouve un style. Ce sont encore les cubes fermés et sans bienveillance d'il y a cinquante ou cent ans. A cette différence près — l'invention est minimale, mais essentielle — qu'ils ont changé de dimension et de matériau : un cube sans ornement, mais gigantesque et en verre-acier-néon, est plus qu'un dé, c'est un véritable coup de dés. Il faut les voir, sur l'avenue des Amériques et autour du Rockefeller Center abritant la patinoire — touche viennoise; ou après le Panam Building, sur Park Avenue, dans la lumière nacrée de l'après- midi ou à la tombée de la nuit; ou, vers East River, tels des châteaux en papier couleur d'eau, dissymétriques, légèrement « froissés » — méta- phores toutes récentes d'une fragilité qui ne s'oublie pas sous l'acier. Ou enfin, cette « Notre-Dame » de l'argent, les deux tours du *World Trade Center,* qui étendent dans le ciel une « histoire mondiale de la monnaie » et donnent ainsi le commun dénominateur, peut-être le seul avec la famille, de cette ville — de ce pays — archipel d'histoires et d'ethnies. Pen- dant que, dominant du sommet une énorme étendue (Manhattan et la plaine, la mer, à perte de vue), vous perdez vos échelles d'appréciation (beau ou laid, grand ou énorme, près ou loin?), pour réaliser que tous nos critères d'esthétique, et peut-être aussi d'éthique, ne concernent qu'un homme inséré dans *sa* nature, mais qu'à partir d'une certaine grandeur, au-delà d'une certaine hauteur, les mots, les noms se pulvérisent... Terriens, trop terriens.

La puissance de l'industrie et de l'argent a réalisé là-bas son blason : croyance gothique dans une instance supérieure et inébranlable (qui s'avère être le capital, la juridiction et le savoir) et maîtrise à la Mondrian de l'espace (géométrisable à merveille, mais à jamais coupé du discours). Le choc inconscient, c'est-à-dire l'effet de beauté, est certain : vous pouvez tracer des carrés, découper, chiffrer, amonceler des cubes, les ériger dans le ciel, allumer des feux comme vous voulez, *c'est libre;* mais *il est impossible* de faire autre chose que cette liberté autorise, parce que c'est la loi. N'ayez pas peur du coup de dés, le coup de dés n'est pas là pour vous écraser, le coup de dés est votre rêve, vous êtes le coup de dés, vous êtes la loi, défendez la loi. L'inconscient demande du sublime pour se réconcilier avec le surmoi : au cœur de Manhattan, c'est fait; désormais, tout est libre, mais rien n'est possible. Ce message architectural de Manhattan m'apparaîtra, par la suite, dans chaque parcelle du survol américain.

Quand l'Europe manque d'énergie, quand l'atome seul peut nous aider, mais dans dix ans et à condition que nous recevions de l'uranium des USA, quand la Méditerranée risque de s'embraser, ce n'est pas une conscience nationaliste, au-dessus des classes, qui s'éveille. L'interrogation s'amorce plutôt sur un cycle d'histoire (économie, religion, types de discours) qui s'est bâti sur le vieux continent et dont on mesure maintenant, mieux que jamais, les limites en même temps que la pertinence, la radicalité, l'acuité incontournable, et que le combat pour le socialisme ne peut se permettre d'ignorer sans se condamner à la régression et à l'obscurantisme.

J'ai sans doute tendance à exagérer le tranchant de ce cycle historique, parce que je me trouvais aux USA quand le scandale du Watergate nous réveillait chaque matin avec de nouvelles révélations, que j'ai vu dans une université américaine un meeting de... sept personnes sur le putsch du Chili et que je me trouvais dans l'avion de San Francisco à New York pendant l'alerte générale de toutes les troupes américaines à travers le monde. Le capitalisme mondial, auquel s'ajoutent les intérêts des régimes de l'Est européen, constitue, bien sûr et avant tout, une unité soudée par les nécessités du développement économique. Mais, à travers et malgré cette complicité, des divergences apparaissent de plus en plus, qui ne sont pas seulement de l'ordre de la compétition économique. Elles touchent peut-être surtout ce qu'on a pu appeler l'idéologie ou la superstructure et, à travers elles, le rapport des sujets au discours. Je veux parler du rôle de l'idéologie dans nos deux mondes, USA et Europe. C'est à cela que j'ai été le plus sensible, le plus motivée ou le plus préparée à réagir. Ce mois mouvementé, à travers la crise politique américaine et mondiale, dans les tentatives de contacts avec les intellectuels de là-bas, dans les rencontres avec les militants, les femmes, les professeurs, les étudiants, les businessmen, complété ensuite par un semestre d'enseignement à Columbia, fait apparaître d'abord combien nos préoccupations européennes (celles des États, celles de la gauche, celles des intellectuels et ainsi de suite) sont restreintes aux dimensions d'une province perdue on ne sait où dans un univers géré par les super-puissances. Pour ne parler que de ce qui me concerne, que peuvent nos tracts, nos brochures, nos manifs ou nos subtilités philosophiques ou esthétiques face à un pays et à son *average man* sûrs d'eux-mêmes, ignorant-refoulant l'angoisse et si loin de se douter que le retrait du Vietnam est le début d'une catastrophe ou que la baisse du dollar est une crise? Cela ne les regarde pas; ils croient au dollar, à la juridiction ou au Maharaji qui doit les réunir bientôt à Houston avec la participation de l'ex-militant gauchiste R. Davis; ou bien ils poursuivent leur *trip* à travers la marijuana ou la pornographie, tristes ou rieurs, mais désabusés et insurprenables.

Vieille Europe avec son utopie qui n'a pas cessé depuis la Révolution française et que l'installation du capital n'a pas calmée... Nos théories modernes nées des crises du Verbe et de l'Homme, ils ne les entendent que rarement, exceptionnellement; mais quelle adhésion lorsqu'ils croient reconnaître, sous la trame des discours, les lieux fragiles de leurs propres malaises sur lesquels les spiritualismes orientaux ou la rationalité classique dominants ici ne donnent plus prise.

Allez aux spectacles nocturnes dans les *lofts,* jetez un coup d'œil dans les ateliers des peintres de Soho, accordez quelques heures de patience aux films des jeunes cinéastes de Wooster Street Film Archives, essayez de suivre les gestes des corps qui vivent sur les scènes de Broadway ou ailleurs... C'est innommé, innommable et fascinant. Une culture entière, neuve, vivante, qui se produit sans se parler. Dans la pénombre, face aux traces d'Artaud ou du surréalisme, mais inventées à neuf, j'imaginais les catacombes des premiers chrétiens : sauf qu'à ce commencement-ci, s'il en est un, le Verbe n'est pas. Lorsqu'ils se disent, il « ne se trouvent pas » (au sens de saint Augustin), mais restent naïfs dans le vieux discours sentimental de tous les jours, positivistes et rigides dans les formes consacrées de la culture officielle, ou traditionnellement romanesques. — Il n'y a pas, à proprement parler, de littérature américaine contemporaine, au sens d'une « expérience des limites » : leurs romanciers d'avant-garde sont Cage et Bob Wilson, musique et théâtre; quand ce n'est pas Wolfson : le schizo et les langues... De quoi attirer les désirs de parole que déclenche en Europe le renouveau de la psychanalyse ou la pratique moderne de la fiction...

Il y a bien sûr aussi les inquiets, ceux qui, malgré tout, veulent savoir sans forcément viser la *tenureship,* qui ne croient pas à la loi, qui ne s'atomisent pas dans la drogue dont ils se servent, qui distribuent des tracts à Berkeley, qui vont à une usine de Detroit parce que les ouvriers y veulent autre chose qu'une augmentation de salaire (cas unique, mais quand même...), qui lisent, qui demandent, qui veulent savoir à quoi ça rime d'être une « avant-garde ». Je pense à cet étudiant qui, après m'avoir longuement interrogée pour comprendre ce que c'est que le « sujet parlant », a levé le poing : « J'ai compris, c'est Mao », avant de disparaître dans un ascenseur devant les yeux ahuris de ses profs. Je pense à ce spécialiste de Poincaré à Columbia qui avait dit qu'eux ils ne voyaient pas d'où je parlais, mais moi j'entendais ce qu'ils disaient... Comme si, dans cette province du capitalisme que devient la France, et l'Europe avec elle, le maintien de la tension intellectuelle et son investissement dans le système idéologique et étatique, pour autant que le permettent les courroies des partis, d'abord, ou des interventions plus radicales, ensuite, restait la seule chance non seulement pour nous, aujourd'hui et demain, mais aussi pour eux, déjà aujourd'hui et demain encore plus. Une chance contre quoi?

Contre l'encastrement de toute initiative, liberté, transgression, subversion dans une enclave spécialisée, étiquetée « drogue », « pornographie », « culture », « Université » et tout ce que vous voulez, la règle du jeu étant que ces domaines ne se touchent pas, ne se connaissent pas, ne s'interrogent pas.

Contre l'abîme qui sépare, d'un côté, la *substance,* de l'autre, la *Loi,* sans dialectisation des deux, ce qui veut dire *sans levée du refoulement dans le langage.* J'entends par substance un corps opaque qui peut s'adonner à toutes les variantes de la perversion, voire à certaines absences produites par la drogue, sans parler des petits plaisirs qu'octroie la société de consommation; mais qui, dès qu'il parle, croit à l'ordre social et à l'intégrité subjective qui peuvent prendre, selon les cas, l'aspect de la fidélité à Nixon ou de la confiance dans les juges du Watergate.

Cette séparation (substance/Loi) me semble être le mécanisme qui permet la constitution des petits domaines réservés à la transgression. Moyen efficace qui neutralise l'effet de toutes les pratiques dans l'ensemble social : la négativité est réservée au domaine dont le discours (à supposer qu'il existe) n'a pas de prise sur l'ensemble social comme ensemble représenté, parlé, symbolisé. Car l'ensemble social et, par conséquent, son discours — sa superstructure, si vous voulez — se ferment précisément dans l'ignorance ou la censure de la négativité. C'est sans doute une loi générale de toute société et, à plus forte raison, de toute société capitaliste; mais les États-Unis l'appliquent avec une pureté absolue. Car, dans les pays européens, une « caste » spécifique, héritière de la Révolution bourgeoise et, peut-être au-delà, de ce qu'il y a de plus corrosif dans l'esprit du monothéisme (judaïsme, christianisme), se fait l'agent qui véhicule, avec plus ou moins de succès, la transgression ou la négativité de la substance par rapport à la Loi et vice versa (jamais l'une sans l'autre). Je veux parler, pour ce qui est du moment présent, des « intellectuels » qui, par leur activité spécifique, la conception qu'ils se font de leur fonction sociale et leur rapport plus ou moins direct avec les partis politiques, introduisent l'inquiétude, quand ce n'est pas la contestation, à tous les échelons de l'édifice social.

Aux États-Unis, de tels « intellectuels » n'existent pas. Résultat d'une bourgeoisie installée sans Révolution? Conséquence du protestantisme dont Max Weber a indiqué la complicité avec ce que le capitalisme exige comme comportement parfait : méthodisme, concentration de l'intérêt (et de la libido?) dans le travail, le métier comme vocation? Ou bien, plus profondément, héritage non analysé d'une attitude transcendantale à l'égard de la Loi symbolique et sociale qui exige du sujet qu'il se fasse Un avec elle, qu'il s'asservisse à elle, même sans l'atteindre, mais en aspirant incessamment à cette union sacrée : éthique monastique médiévale qui sert la solidité du capitalisme?

Le capital, d'une part, l'Université, de l'autre, assurent la perpétuité de la Loi qui garantit l'ordre. La crise du dollar n'est pas assez sérieuse pour mettre en danger le premier. Quant à l'Université, elle paraît intouchable : les agitations de Berkeley ou d'ailleurs sont oubliées, le savoir n'est pas interrogé dans sa raison d'être et même la fameuse interdisciplinarité, dont s'honore tout universitaire français moyen, est une chose impure et suspecte.

Dans la vie courante, quotidienne, concrète, c'est la *juridiction* qui représente cette fonction stabilisatrice et rassurante de la Loi. Dans ce pays qui ignore les deux grandes révolutions épistémologiques des temps modernes, le marxisme (qui ne l'a pas atteint) et le freudisme (qu'il croit avoir assimilé, et c'est en effet le cas de le dire), la légalité est la seule garantie contre le fascisme, en même temps que contre toute transformation institutionnelle. L'employé ou l'ouvrier moyen ne contestera pas la différence de classe entre lui-même et le président Nixon ou le vice-président Agnew, mais il s'indignera si les bourgeois yankees de l'Est lui démontrent que les bourgeois cow-boys de l'Ouest ont péché contre la légalité. On ne s'interrogera même pas sur la nature de cette légalité : la Loi est ce qu'elle est, elle est même ce qui *est* le plus. Plus inébranlable encore que la croyance à la légalité est la croyance en la *normalité :* Nixon a été définitivement discrédité du jour où, après avoir hésité maintes fois, annulé, puis changé la forme de son intervention devant la télévision, la rumeur s'est propagée que le président était fou : des sénateurs ont demandé une enquête sur la santé du président. Plus que la désobéissance à la loi, le soupçon de non-maîtrise mentale est la défaillance la plus grave.

Pourtant, la valeur de ce type de réactions apparaît lorsqu'on s'aperçoit que, dans la situation actuelle, elles empêchent la gangstérisation du régime. N'a-t-on pas révélé qu'outre l'écoute des conversations téléphoniques, Watergate est le scandale de la corruption, de l'abus de pouvoir (Nixon et Kissinger décident le bombardement du Cambodge sans demander l'avis du Congrès), voire même du banditisme le plus sombre (les pistes des amis du président vont jusqu'au procès autour de l'assassinat de Kennedy auquel le gang dirigeant ne semble pas étranger [1]).

Une position « radicale » qui démystifie l'illusion légaliste, même si elle n'en cherche pas les causes : celle de Noam Chomsky. Ce patron de la linguistique générative, qui aligne des formules et ressuscite le classicisme de Descartes ou l'empirisme de Locke, pour nous expliquer que le langage est un *computer* hautement organisé qui réalise la normativité de la communication sociale, adopte — comme pour faire contrepoids à sa science positiviste — une attitude politique qu'il qualifie d'anarchiste et qui, dans le contexte de la société américaine, frappe par son courage et son unicité. Il faut voir ce *big boss* du scientisme (dont il ne met pas une seconde en cause les fondements) perdu dans son petit bureau au fond d'un couloir obscur d'un des immeubles les plus sinistres du MIT, à l'affût de l'actualité politique, critiquant le panarabisme sans épargner l'État d'Israël, et essayant par tous les moyens du journalisme de faire comprendre à ses compatriotes qu'ils sont coupables.

Coupables d'avoir fait la guerre au Vietnam, d'avoir cru au mythe de la férocité et de la barbarie de l'ennemi communiste, coupables de s'aveugler à nouveau sur la continuation de la guerre au Cambodge. Coupables de penser que Watergate est un cas isolé dans un système raisonnable, juste, honnête. Car My Lai n'est qu'une expression particulièrement horrible de la stratégie globale des USA au Vietnam, de même que Watergate n'est que l'émanation de la stratégie gouvernementale ordinaire.

Chomsky dit des choses simples : le « bain de sang » accompli par l'ennemi vietnamien est un mythe; et l'attitude américaine n'a pas été une attitude humanitaire. « Nous essayons d'établir ici, d'abord, que les " bains de sang " ne sont pas nécessairement considérés comme mauvais dans la perspective du leadership américain; ils ont pu ne pas être remarqués, considérés comme bénins ou comme positivement méritoires. Une grande proportion des " bains de sang " réellement importants des deux dernières décades ont été, en effet, vus ainsi par Washington (certains ayant été accomplis sous son autorité directe ou sous sa maîtrise technique indirecte). Il nous semble que c'est une

1. Peter Dale Scott, « From Dallas to Watergate : The Longest Cover-Up », *Rampards,* nov. 1973, p. 12-20, 53-54.

vérité élémentaire et évidente que de constater que le leadership des USA, résultat de leur position dominante et de leurs larges efforts contre-révolutionnaires, a été le seul et le plus important instigateur, administrateur et soutien moral et matériel d'une série de " bains de sang " dans les années qui suivent la Deuxième Guerre [1]. » Viennent de multiples exemples de crimes de guerre au Vietnam et des explications sur la stratégie de l'armée populaire vietnamienne et son incompatibilité avec le génocide.

Ou bien ce point de vue sceptique sur Watergate : « Supposez qu'il n'y ait pas eu de Thomas Watson, de James Reston, ou de McGeorge Bundy sur la liste noire de la Maison Blanche. Supposez que cette liste ait été limitée aux dissidents politiques, aux activistes contre la guerre, aux *radicals*. Alors, on peut être sûr qu'il n'y aurait pas eu de récits en première page dans le *New York Times* et que les commentateurs politiques responsables auraient accordé peu d'attention à l'événement. » L'incident au quartier général du parti démocrate est « insignifiant en comparaison des attaques menées par les deux partis contre le parti communiste après la guerre ou, pour prendre un cas plus familier, en regard de la campagne contre le parti socialiste ouvrier *(Socialist Workers Party)* [...] Watergate est, en effet, une déviation par rapport à la pratique passée, mais moins dans les principes que dans le choix des cibles visées qui incluent maintenant des gens riches et respectables, des porte-parole de l'idéologie officielle, des hommes qui espéraient partager le pouvoir, modeler la politique sociale et façonner l'opinion publique [...] Il est clair que ceux qui ont le pouvoir d'imposer leur interprétation de la légitimité vont aussi construire et construisent leur système légal de sorte qu'il leur permette d'éliminer leurs ennemis. [...] La persécution judiciaire peut très bien servir à paralyser les gens réputés nuisibles à l'État et à détruire les organisations aux ressources limitées, ou à les condamner à l'inefficacité ». Rappelant que l'autorité personnelle de Nixon a souffert de Watergate, Chomsky signale qu'il ne peut en résulter que le retour au pouvoir d'hommes susceptibles de mieux comprendre et de servir plus efficacement la politique agressive des États-Unis : « Mais il est vraisemblable qu'à long terme la conséquence majeure de la confrontation présente entre le Congrès et le président sera l'établissement d'un pouvoir exécutif encore plus fort. » Ce qui est

1. Noam Chomsky, Edward Herman, *Counter-Revolutionary Violence : Bloodbath in Fact and Propaganda,* A Warner Modular Publication, module 57, 1973.

un excellent mécanisme pour étouffer le mécontentement, la conscience de classe et même la pensée critique. Ce renforcement du pouvoir central s'accorde avec la situation internationale, avec « la croissante internationalisation de la production et de l'économie et avec la diplomatie de Nixon-Kissinger qui accepte l'URSS comme un partenaire mineur pour la gestion *(managing)* de ce que Kissinger aime appeler la " trame générale de l'ordre " *(the over-all frame-work of order* [1]*)* [...] ce que Staline, d'ailleurs, semble avoir souhaité dans les années qui ont suivi la guerre. Il apparaît de plusieurs façons que le collège électoral le plus loyal à Nixon doit satisfaire à la fois les prisonniers de guerre et le Politburo ». Il n'en reste pas moins que Watergate et les révélations que ce scandale a permis ne sont pas sans signification. « Nous voyons une fois de plus, continue Chomsky, combien sont fragiles les barrières qui nous séparent de certaines formes de fascisme dans un système étatique capitaliste en crise. Une réaction significative aux révélations de Watergate est peu probable si l'on tient compte du conservatisme étroit de l'idéologie politique américaine, de l'absence de tout parti politique de masse ou d'organisation qui puissent offrir une alternative à la centralisation du pouvoir économique et politique dans les plus grandes sociétés; si l'on tient compte des officines légalistes qui ne pourvoient qu'à leurs intérêts, et de l'intelligentsia technique qui exécute leurs ordres dans le secteur privé ou dans les institutions d'État. Sans alternative réelle, l'opposition est paralysée, et l'opposition libérale elle-même redoute que le pouvoir du président soit entamé et que le navire de l'État, privé de direction, chavire. Le résultat vraisemblable sera, par conséquent, le renforcement du pouvoir exécutif, qui continuera à recruter son personnel parmi les représentants de ceux qui dirigent l'économie [...] » Et enfin cette image désabusée de ce qui apparaît aujourd'hui comme une garantie légale contre la corruption et l'abus du pouvoir : « Plus cynique encore est l'enthousiasme courant que suscite la santé du système politique américain, capable de mettre un frein à Nixon et à ses subordonnés ou de réaliser ce compromis civilisé autorisant Nixon et Kissinger à tuer des Cambodgiens et à détruire leur terre, mais seulement jusqu'au 15 août, véritable modèle de démocratie fonctionnant sans désordre ni affreuse dislocation. »

La position minimale du linguiste apparaîtra, aux yeux de plusieurs,

---

1. Cf. *American Foreign Policy,* Norton, 1969, p. 97 s.

naïvement critique et sans proposition d'alternative. Il lui manque sans doute une analyse des causes — économiques et idéologiques — qui conduisent à ce renforcement de l'étatisme capitaliste. On pourra enfin mettre en question une pratique qui, dans l'université, se donne pour objet une langue-contrat social, à sujet forclos, sans négativité et sans altérité, donc assise solide du pouvoir symbolique, tout en critiquant « en dehors », dans la politique, l'instance du pouvoir exécutif.

Toujours est-il que, face aux difficultés du libéralisme européen et surtout à l'égard des deux écueils qu'il engendre en permanence — le fascisme, le stalinisme —, les États-Unis ont trouvé une façon, la plus efficace jusqu'à présent, de contrecarrer le totalitarisme. Toujours selon la même logique de clivages, ils multiplient, au lieu de centraliser; comme ils multiplient au lieu de critiquer frontalement. Que les dogmatismes se désamorcent non pas lorsqu'on les prend de front, mais en créant une multiplicité de lieux où *des* pouvoirs, *des* discours, *des* ordres captent, à tour de rôle, et dévident les désirs de meurtre et de domination, pour y faire vivre l'Un sous des visages différents et transformer chaque être parlant en une fédération — c'est peut-être la leçon actuelle de l'*american way of life* que l'Europe avec ses désastres politiques du XXe siècle pourrait entendre. Récupération, cette polytopie? Mais surtout la seule façon, non déprimée et enthousiaste sans pathétisme, d'aménager un espace antitotalitaire de survie réelle sur la planète.

La logique du système capitaliste se protège des deux grandes révolutions de la pensée moderne — Marx et Freud — en n'interrogeant pas (si ce n'est dans les marges très réduites de la gauche radicale) la *causalité économique ou signifiante* sous-jacente aux structures actuelles.

Dans ce contexte, et après Watergate, la *New Left* ne peut que s'effondrer. « Il est trop tôt pour le dire, mais Watergate pourrait avoir un effet modérateur sur les libéraux qui pensaient que l'ennemi principal est à gauche : maintenant, avec Watergate et avec l'effondrement de la *New Left,* ils auront à inventer une nouvelle droite comme une nouvelle *New Left* », note l'éditorial de *Partisan Review* [1]. Si elle évite un virage à

____

1. Vol. 40, n° 2, p. 179.

droite que le conservatisme croissant des dernières années ne permet pas
d'exclure, l'Amérique plus ou moins désengagée des points chauds des
conflits mondiaux s'oriente-t-elle vers la « modération » en *politique* aussi
bien que dans la *culture?* L'éditorialiste le suppose, mais ne suggère pas
moins qu'en matière de culture la voie moyenne signifie une sorte de
médiocrité, « ce qui va faire des excès des années soixante un thème
naturel de nostalgie ».

Je lis la nostalgie sur les visages et dans les gestes des quatre-vingt
mille *teen-agers* réunis dans un stade du New Jersey, avec de la marijuana et de l'herbe, pour écouter *Alman's Brothers Band*. Peut-être, en
Californie, dans les années soixante, donnaient-ils l'impression d'être
le germe d'un « nouveau monde amoureux »? Aujourd'hui, je vois
chaque corps comme un atome, impénétrable, parti dans un vertige
solitaire, très, très loin, où? nulle part? Muets, à peine rythmés, lourds,
ensommeillés, patients, passifs : ils attendent la musique pour s'y pro-
jeter et, quand elle arrive, avec deux heures de retard, c'est à peine
s'ils s'en aperçoivent. Pour dire : « Je suis enchaîné », le Prométhée
d'Eschyle disait : « Je suis rythmé. » Ils demandent — nous demandons — au rock, un rythme, une chaîne pour continuer le voyage, sans
parole et sans autres, vers un feu invisible dont les voitures, sur l'auto-
route, en dehors du stade, ne veulent rien savoir.

Les tabous puritains sont sans doute ébranlés ici plus qu'ailleurs. Un
haut fonctionnaire de l'administration Lindsay demande qu'on ouvre
aux homosexuels la fonction publique, sans discrimination sournoise.
Travestis, homosexuels, lesbiennes, *Club 82, Continental Bath :* les
enclaves, les clubs, les abris sont là, plus nombreux, plus luxueux, plus
sûrs et plus revendicatifs qu'ailleurs. Mais qu'en dire? Qui le dit? Comment? Que devient celui ou celle qui y vivent, qui en vivent? De *Pink
Flamingos* et de *The Devils of Miss Jones* à Andy Warhol, l'imaginaire
raffine la perversion, l'oralité convoite le sein et l'excrément, tandis que
la toute-puissance d'une mère énorme, quand ce n'est pas tout simplement celle de l'argent, domine les « excès ». Limites de l'imaginaire,

butées intraversables d'une économie symbolique — celle de l'Occident — que le capitalisme à son apogée peut exhiber dans ces salles. Séances d'analyse à pic. Le rire accueille, dans la pénombre des salles de cinéma, cette lucidité qui se limite en se projetant : un rire strident dont l'angoisse ne perce pas, mais qui, au contraire, rassure. Qu'il ronge la famille : aucun doute. N'empêche que dehors, dans le restaurant, un écriteau vous rappelle : *Come back and bring the family*. Et qu'on fait comme si. On fait semblant. C'est précisément cela qui maintient l'ordre. D'où : tout est libre mais rien n'est possible. Chacun chez soi.

Au sommet de la pyramide, le « semblant-en-chef » — l'intouchable l'inaltérable, l'inquestionnable savoir universitaire. On dit que le limogeage du procureur général Archibald Cox et le rayonnement de Henry Kissinger n'auraient pas provoqué autant de remous, dans le premier cas, et d'adhésion, dans l'autre, si Cox et Kissinger n'avaient pas été, l'un et l'autre, universitaires. Face à la corruption et aux risques de fascisation, la vérité du savoir universitaire apparaît comme une garantie pour la bonne marche de la superstructure et, donc, de l'économie : les yankees, capitalistes dits libéraux, s'en aperçoivent. L'un d'eux me prédit, lors d'un dîner chez un puissant universitaire new-yorkais, que le pouvoir de l'Université dans la gestion de l'État ne fait que commencer. Et d'ajouter, à ma constatation que Watergate réduit à zéro l'action de l'extrême gauche : « C'est dommage, parce qu'elle nous pousse. » Entendez : l'extrême gauche nous pousse dans l'Université, laquelle nous protège. On ne saurait en douter quand on entend les vieux professeurs, et pas si vieux que ça, redouter... l'« interdisciplinaire », cette tarte à la crème des universités parisiennes; quand on lit sur les chaises, les tables, les napperons et les visages des *Faculty Clubs*, en lettres d'or : *veritas*, que personne n'interroge... Bien sûr, il y a les jeunes qui viennent nombreux (quelle surprise pour les organisateurs plus ou moins réticents et pour moi-même, d'ailleurs) écouter comment les recherches sur le langage, le corps, le sexe, peuvent avoir un sens politique... Bien sûr, il y a Chomsky, et quelques autres. Bien sûr, il y a les *Radical Economists*, d'une part, la *Monthly Review*, d'autre part, qui analysent la situation : économie, position internationale, conséquence du retrait d'Indochine. La revue constate qu'il y a peu à espérer d'une renaissance de la *New Left,* que beaucoup ont abandonné les activités politiques, que d'autres ont rejoint les partis et les sectes de gauche, croyant, dans leur isolement, acquérir un jour la confiance des masses. Mais elle conclut avec une note d'optimisme : « Le calme est de surface. En profondeur, des tendances grosses de crises et de contradictions non seulement continuent à exister, mais aussi se multiplient et vont sûrement faire irruption dans un proche avenir historique [...]. La *New Left* est finie, le mouvement noir de libération est relativement tranquille; mais les impulsions qui les ont provoqués sont toujours là, plus fortes que jamais [...] Est-il trop confiant d'espérer que ces facteurs différents vont se joindre dans un avenir pas trop lointain pour produire une nouvelle " nouvelle gauche " avec moins d'illusions et plus de compréhension, qui va commencer la tâche longue et hardie consistant à gagner les ouvriers des USA, les cols bleus comme les cols blancs, à la perspective socialiste [1]? » Il est vrai que cela a été écrit en décembre 72, et qu'ils ont l'air de vieux bolcheviks d'avant 17, perdus dans un treizième étage d'un quartier populaire de New York, fatigués d'attendre la révolution et n'y croyant d'ailleurs pas beaucoup... On aura constaté qu'en cours de route ces adeptes du socialisme ont abandonné l'exigence de « changement qualitatif » que les jeunes, les Noirs, les femmes, les drogués portaient, à l'extrême gauche, pendant les années soixante.

Et si, en attendant les cols bleus et les cols blancs, les puritains de l'Est, la Loi et l'Université étaient la seule garantie — très ambiguë, je vous l'accorde — contre le virage à droite? Mais, alors, une conception du possible — ou de l'impossible — historique mènerait à approuver leur jeu? Minimalisme prudent face auquel la critique, la démystification, la désillusion, sont élitistes, enfantins, irresponsables? Ou bien « ce qui nous pousse », comme disait le milliardaire libéral?

La société américaine serait-elle la parfaite clôture? La finalité sociale atteinte? Pas de rupture possible? Marx avait proposé un levier : « Transformez l'économie, le système s'en ressentira. » Pour l'Europe du XIXᵉ siècle, qui n'avait pas touché à ses valeurs symboliques (jeunes,

---

1. *Monthly Review,* vol. 24, nᵒ 28, janvier 1973, p. 11.

familles, femmes...), le levier économique a mal fonctionné : exemple, les pays de l'Est. Pourtant, ici où la superstructure est une apparence solide, mais creuse, peut-être le levier économique... Quoi qu'il en soit, nous n'en sommes pas là. Il n'y a qu'à creuser les apparences : les valeurs symboliques, les discours, les rapports des sujets à la loi.

Une communauté d'hystériques. Il y a autant de raisons de s'en réjouir que de s'en plaindre. Mais ça parle. Si quelqu'un vous attaque lors d'une conférence, des voix de femmes vous soutiennent. Et il y en a toujours au moins une qui vient après votre *exhibition* pour se féliciter qu'une femme ait pu obliger tant d'hommes à l'écouter pendant trois heures. C'est touchant, mais c'est comme ça.

De la ménagère à l'enseignante à l'université, toutes sont sensibilisées à la « libération », et les lois en tiennent de plus en plus compte, toujours dans la même logique qui vise à sauver la face. Une importante subvention a été refusée à l'université de Columbia parce qu'elle n'avait pas nommé un nombre suffisant de femmes.

Une autre différence fondamentale par rapport à la situation française est le nombre des publications féministes. De l'histoire du féminisme, à la littérature féminine, aux mères lesbiennes et à la connaissance du corps... On trouve tout dans la librairie féminine *Lyberis,* Barrow Street. La « nouvelle vague » : politisation, passage des *consciousness raising groups* à des actions et des publications plus larges, découverte du corps (soins, hygiène, contraception, mais aussi intervention minichirurgicales sans l'aide de spécialistes qu'on se fait sur soi-même, seule ou avec l'aide d'une amie, et qui vont jusqu'à supprimer les règles par extraction du liquide sanguin au début du cycle). La découverte corporelle, partie de Boston, gagne le pays et provoque, on s'en doute, des fanatiques, des réticentes, des hostiles : le mystère n'est-il pas aboli au profit du risque, d'abord, de la dénégation de la différence sexuelle, ensuite?

Chez les hystériques, comme dans chaque parcelle de ce système qui permet et absorbe la transgression : d'un côté la *substance,* de l'autre la *Loi.* Est-ce cette logique commune qui fait des USA le pays le plus favorable aux mouvements de femmes? La substance hystérique : le corps, la pulsion, une jouissance qui s'imagine sans verbe, s'insurge contre la Loi; mais dès qu'elle se parle — pour l'instant au moins —, elle se case dans un des discours (pas forcément le plus fort) prévus par la Loi, en ressuscitant des formes archaïques (paganisme, matriarcat) et en provoquant (au mieux) des réformes sociales. Pour l'instant, c'est tout et ce n'est pas mal. Y aura-t-il une suite? Un autre rapport du sujet au discours, au pouvoir? La frustration éternelle de l'hystérique par rapport au discours obligera-t-elle le discours à se refaire? Suscitera-t-elle l'inquiétude chez chacun : homme ou femme? Ou bien restera-t-elle un cri hors temps qui s'apparente aux grands élans de masse, cassant les anciens systèmes, mais pouvant facilement se plier aux exigences d'un ordre, pourvu qu'il soit un ordre nouveau? D'où une autre tendance, encore en germe dans les universités, à Cornell, ou dans la revue *Signs* par exemple : ne pas se contenter des informations et des revendications de *Ms,* le magazine féministe populaire, mais, tournées vers ce que la psychanalyse a pu dire de nouveau, en France notamment, poser la question, plus profonde que celle du cycle menstruel, du pouvoir et de la jouissance des femmes (complicité et divergence); qu'est-ce qu'une organisation de femmes? un discours de femmes? Une des sociologues et écrivains les plus brillants des USA n'avait-elle pas écrit que le but du mouvement des femmes, dans une première phase, était de supprimer l'Autre? Il y en a qui commencent à se douter que cela ne va pas tout seul. Et la manif des femmes contre Allende?

Ce n'est peut-être qu'un début... Mais!

J'ai ramené un tas de revues, de tracts, de feuilles volantes féministes : aveux, critiques, exigences, poèmes, dessins, utérus, organes sexuels, photos, enfants, ventres, schémas des cycles, de la grossesse... On trouve ça faible, naïf et laid. Ça l'est. Et ça ne parle pas pour dire quelque chose qu'on ne savait pas. Mais ça se montre. Ça montre le dessous des gratte-ciel, du Rockefeller Center, de Watergate. Lisez-les : *The Second Wave* de Berkeley, *Our Bodies, Ourselves* de Boston Woman's Health Collective, *Majority Report* de New York, *Sister* de Los Angeles, *Whole Woman* de Madison, *Notes from The Third Year : Women's Liberation...* Je ne peux pas les citer : rien n'y est écrit, ça parle simplement, sans souci de formule. Ce sont des symptômes : leur vérité est ailleurs. Où? Qui le sait? Et si leur fonction était de ne pas le savoir, mais tout simplement de montrer ça; ce qui ne passe pas dans le discours (d'homme ou de femme)?

Leur rage, quelque substantifiée, quelque sentimentalisée qu'elle soit, pose des questions à l'entente sociale : casse la famille, mais continue, imperturbable, la chaîne de la reproduction, autrement, consciemment, en temps voulu. Garantie ultime de la socialité? Elles sont, nous sommes, le chaînon sensible où la socialité peut changer de fonction, mais s'obstine à se reproduire.

Un « nous » de femmes n'existe pas? Peut-être. En y aspirant, elles incitent à penser l'impossible de tout groupe. Et les limites de sa nécessité.

Nos codes d'amour sont de pâles pastiches des troubadours ou bien n'importe quoi : du narcissisme, surtout. La « révolution » féministe s'insurge contre la tradition médiévale. Inutile de compter les perdants de part et d'autre de la différence sexuelle. Ce qui frappe, c'est que la femme — la mère — reste toujours au centre, mais maintenant elle le réclame. Le serviteur doit apporter plaisir et enfants : elle ne lui demande pas de paroles ni de chant. Sinon, elle le demandera à un autre, à une autre. Nulle part ailleurs les hommes ne m'ont paru aussi prêts à cette servitude, aussi habiles à la réaliser. Des troubadours muets qui participent ainsi au renversement du code amoureux, bon gré mal gré. USA, pays dont la mutation est dans les mains de femmes, qui va dans le sens de leur désir? Mais que peut être un amour sans paroles, sans chant? Pourront-elles les inventer, devenant ainsi objet et sujet d'un non-culte? Où, au contraire, est-ce l'amour même qui est mis en péril? D'ailleurs, pourquoi pas?

Il faudrait saluer tout discours construit par une femme. Je dis « saluer » en pensant à l'effort nécessaire pour s'arracher à une jouissance aphasique, réceptacle maternel, mais aussi pour s'extraire du sillage si facile de la répétition des sermons paternels.

Pourtant, quand ce n'est pas l'hostilité pure et simple (arme, il est vrai, légèrement démodée), c'est la galanterie niaise ou le paternalisme libidineux qui nous sont réservés. Ces regards d'hommes qui s'éteignent (signal : il n'écoute plus) brusquement, au cours d'une discussion, lorsqu'ils tombent sur votre bouche, entre autres. Ces jeux de mots (si possible sur le nom propre) de papas gâteux, destinés à séduire la salle en faisant le serviteur hystérique de la fausse déesse que, dans leur présentation, vous êtes censée être : avez-vous remarqué ces tics de mecs qui se servent de leur auditoire universitaire pour prendre quelque distance à l'égard de leur sacrée mère, en faisant rire d'une femme dont ils font l'« éloge »? Ces dissertations sur la « beauté » destinées à censurer le travail : « Elle est si intelligente et pourtant si belle », ce qui veut dire : « Quand je vois un corps, je ne peux rien entendre. » Sans parler du mec qui vous prend pour un pseudo-mec et qui, dans une passion puriste homosexuelle, veut tout simplement débarrasser le champ théorique de votre présence.

Ils sont partout ainsi. Peut-être un peu moins aux USA que chez nous. La voyageuse, c'est aussi, sinon avant tout, ça : parole impossible, parole inaudible, étranglée dans la libido et/ou le refoulement, à laquelle elle essaie, tout de même, de frayer le passage.

Un voyage? Sortir de l'enclos plus ou moins familier où j'ai pris le pli de réfléchir en écrivant, pour rencontrer les autres. Entendre les discours des autres, c'est exposer le langage « propre » à la violence la plus violente. Les autres empêchent que mon discours devienne un « code absolu », et provoquent la langue à produire un autre dispositif, une autre « forme » (conceptuelle, discursive). En ce deuxième temps, les autres sont de nouveau expulsés et je dois être seule avec le langage. La forme (tout discours) expulse l'autre qui la cause. Une forme — un discours — qui expulse le maximum d'autres entendus, s'appelle : « beauté ». A chaque sujet son maximum.

Un tableau de Giovanni di Paolo, vu au Metropolitan Museum, présente le « Paradis » : treize couples (homme-homme, homme-femme, femme-femme) et un trio (deux femmes-un homme) qui se parlent. S'ils s'entendent, c'est l'enfer; le paradis est pour Giovanni di Paolo qui, en les ayant entendus, les dispose en haut, en bas, à droite, à gauche et en couleurs.

L'Orfeo de Monteverdi, paroles d'Allessandro Striggio, chante Eurydice qui, morte, ne peut pas être dans l'enfer, si elle a tant de beauté en soi *(« A l'inferno non già, ch'ovunque stassi/Tanta belezza, il paradiso ha seco »);* mais la beauté est pour Orphée, puisqu'il la chante, à la place d'Eurydice.

Il faut sans doute être femme pour jouir de la violence qu'est l'écoute des discours des autres. Pour maintenir le rythme maternel sous la langue, cette base précœdipienne qui nous porte, pendant que le voyage (les autres) met notre « je » à mort et nous pousse toujours plus en deçà de la langue. Mais, pour que ce paradis ne reste pas muet, pour qu'il existe, il faut laisser les autres et se faire un avec la langue, le concept, la forme, désormais pourtant refaits, redisposés, rénovés.

D'une part, la comédie fêtant une substance qui ne se connaît qu'en soi. D'autre part, la conscience malheureuse d'un stoïcisme aliéné de la substance et qui, du même geste, constate la mort de Dieu et fonde l'étude des signes, des signifiants et des systèmes. Entre eux, faisant pont et les sous-tendant : l'État du droit, le culte de la personne singulière, mais vide (ni substance rieuse ni souffrance sceptique).

C'est ainsi que Hegel voyait la constellation finale du monde grec, avant qu'il ne cède devant la « religion révélée » accomplissant enfin, selon le philosophe, la dialectique effective des trois termes séparés. Ithaca/New York.

Substance. Science (plus ou moins) sceptique. Droit.

Sauf que l'appel au spiritualisme, s'il n'est pas inexistant, ne porte, aujourd'hui, aucune révélation réelle à qui que ce soit en Occident.

Le changement administratif, le retour des Démocrates et l'imprévisible Carter dont on n'attend, tout compte fait, que de faire jouer à plein les possibilités légalistes du système américain — d'affaiblir l'exécutif, de pluraliser encore plus les pouvoirs, de faire revivre les villes, les minorités, les Noirs et peut-être même de donner plus de confiance aux individus par cette fidélité à la tradition symbolique américaine qu'il appelle « religion » ou « intérêt pour la santé mentale » —, vont-ils pousser à sa réalisation efficace la logique du système américain, comme lieu d'accueil des pluralités, antidote au totalitarisme?

Alors, le capitalisme achevé ouvre-t-il un autre cycle historique, dont les États-Unis nous fournissent les éléments, les dés, plus nettement que partout ailleurs? Mais sans synthèse possible, sans unité à reconstituer. Pour dépasser les clivages, multiplier les unités, les faire éclater l'une par rapport à l'autre (substance-science-droit). De sorte que le sujet qui effectue ce voyage s'infinitise sans se perdre, et, hétérogène, recommence sans arrêt.

Ou bien, suis-je en train de formuler une vision européenne, tandis qu'eux, de New York à San Francisco, maintiennent les bornes quand ils ne sollicitent par une quelconque *Super Star,* répétition sous forme de farce de la passion dialectique? Et pourtant, si les problèmes économiques déterminent en dernière instance tout autre développement, ici, l'histoire du capitalisme a rassemblé incomparablement plus de chances de solution, de dissolution...

Ne pas perdre de vue cette Amérique, se débattant, coincée dans le parfait fonctionnement d'une logique faite pour éliminer la surprise. Interroger ce lieu fascinant : le reconnaître d'abord différent de l'Europe (New York est aussi loin de Paris que Paris de Moscou), le retrouver ensuite dans ce qui, ici, partout, nous permet de tourner en rond. Reprendre le voyage, sans arrêt, dès que possible. Le refaire sur place, sans place.

1973-1976

La femme, ce n'est jamais ça *

I. Dans *la Révolution du langage poétique,* tu analyses la logique interne et la fonction historique d'un certain nombre de textes : Lautréamont, Mallarmé, Bataille... Tous ces textes peuvent être décrits comme « textes dominés », comme c'est le cas d'Artaud plus particulièrement. D'autre part, tu fais subir à l'appareil conceptuel critique traditionnel, et même plus « avant », une sorte d'épreuve irréversible, par la refonte des notions et en forgeant de nouveaux concepts. Comment se fait pour toi l'articulation entre le travail sur ces textes dominés, en rupture, et la production dynamique de ce nouvel appareil d'analyse?

JULIA KRISTEVA : Les textes dont tu parles, les textes de ce qu'on appelle l' « avant-garde littéraire », éclatent dans la culture occidentale depuis la fin du XIXe siècle, en même temps qu'éclate la crise de l'État, de la famille et de la religion. Ils m'apparaissent comme le symptôme d'un grand bouleversement de la société occidentale, dans lequel s'inscrit aussi la lutte des femmes et qu'on peut comparer à celui de la Renaissance. Sauf qu'au XVIe siècle la crise concernait Dieu et non pas le *principe* de l'*unité* ou, si tu veux, de la *cohésion* sociale, familiale ou linguistique; à l'époque de Rabelais ou de Michel-Ange, on pouvait encore y croire — à l'Homme, à l'État, à la Famille, à la Beauté, aux Belles Œuvres; la croyance ressuscitait sous la forme de la laïcité dans le meilleur des cas, mais ressuscitait. Quelque chose de nouveau se passe depuis l'installation de la bourgeoisie au pouvoir, avec la libre circulation des marchandises, avec l'inflation du capital qui envahit les rapports de production et de reproduction et qui les domine, avec la crise de la famille patriarcale qui avait éclaté dans la Rome antique, mais que

* Entretien avec des femmes du groupe « Psychanalyse et politique » du MLF, destiné au journal *le Torchon brûle.* Première publication : *Tel Quel,* 59, automne 1974.

le christianisme avait consolidée. Il est vrai que le capitalisme a un pouvoir extraordinaire de restructurer cet éclatement dont il se nourrit : il refait l'État, la famille, invente des appareils idéologiques pour encadrer les forces les plus violentes. Mais il reste un lieu névralgique où ce replâtrage permanent est le plus difficile, peut-être impossible. Je veux parler du *sujet parlant,* de son rapport à l'unité sociale contraignante et à la jouissance qui en dépend, mais à condition de l'excéder. Avant, c'était la religion qui s'était arrogé le privilège de l'exprimer. Mais, avec le capitalisme moderne, la destructuration prime la structure, l'excès l'emporte sur la contrainte. Résultat : la religion est impuissante à en rendre compte. Et, lorsque des classes ou des groupes sociaux utilisent ces forces pulsionnelles que des contraintes traditionnelles morales ne retiennent plus, elles les encadrent immédiatement dans des totalitarismes : le capitalisme engendre les diverses formes de fascisme. Or, entre la faillite des codes moraux anciens et les appareils paranoïdes nouveaux, une voie apparaît qui essaie de penser et de débloquer le drame non seulement de notre société capitaliste monothéiste, mais de la socialité même et de l'animal symbolique en général. Je pense à la percée freudienne cherchant la logique de l'inconscient et son rapport à la contrainte sociale. Je pense aussi, et en conséquence, à des pratiques qui, avant Freud ou parfois en l'ignorant, s'attachent à formuler un nouveau rapport entre la contrainte sociale et le procès de la pulsion et donc de la jouissance en elle. Il s'agit précisément de ces pratiques dominées dites d'avant-garde que nous lisons comme des textes, mais qui n'ont rien à voir avec une formalité littéraire exténuée puisqu'elles impliquent la complexité du corps parlant dans son rapport à la société. Chez Lautréamont, Mallarmé, Bataille, Artaud, la critique de l'État, de la famille, de la religion est souvent explicite et violente. Mais elle est aussi dans l'économie même de leur langage qu'on considère souvent comme ésotérique, illisible, élitiste. En fait, la révolte va jusqu'à perturber les règles de la communication ordinaire assoupissante et, par conséquent, casse la structure même du langage. Le cri, le geste, chiffrent le système de la langue, y inscrivent ce que la société refoule ou tue pour se constituer. Rien d'étonnant que la même société ne veuille rien entendre de ce cri, de ce geste, de ce chiffrage. Une des découvertes de notre siècle est précisément que la socialité, et en même temps et au même titre le langage, imposent une contrainte. En la cassant, le langage poétique l'élargit en même temps, puisqu'il reconstitue un nouveau dispositif. Le discours théorique, tel que je le comprends dans ce livre, se donne pour tâche d'indiquer et de comprendre cette fonction du langage poétique de casser et de reconstituer la contrainte sociale. Évidemment, une telle tâche exige qu'on transforme tout l'appareillage critique et conceptuel traditionnel, puisque les méthodes de pensée classique privilégient dans les pratiques signifiantes le moment de stabilité, et non de crise.

II. Dans notre pratique s'annonce un rapport différent au texte, rapport auquel tu participes. Peux-tu préciser en quoi ton travail est « celui d'une femme », ou encore : où s'implique le fait d'être femme dans ce type de travail? En quoi la lutte des femmes, où il semble que tu veuilles t'impliquer toujours davantage, transforme-t-elle quelque chose de ton rapport à l'écriture, au texte, à la production théorique ou textuelle?

J. K. : Se croire « être une femme », c'est presque aussi absurde et obscurantiste que de se croire « être un homme ». Je dis presque parce qu'il y a encore des choses à obtenir pour les femmes : liberté de l'avortement et de la contraception, crèches pour les enfants, reconnaissance du travail, etc. Donc, « nous sommes des femmes » est encore à maintenir comme publicité ou slogan de revendication. Mais, plus profondément, une femme, cela ne peut pas *être* : c'est même ce qui ne va pas dans l'*être*. A partir de là, une pratique de femme ne peut être que négative, à l'encontre de ce qui existe, pour dire que « ce n'est pas ça » et que « ce n'est pas encore ». J'entends donc par « femme » ce qui ne se représente pas, ce qui ne se dit pas, ce qui reste en dehors des nominations et des idéologies. Certains « hommes » en savent quelque chose aussi, c'est même ce que les textes modernes dont nous parlions tout à l'heure n'arrêtent pas de signifier : d'éprouver les deux bords du langage et de la socialité — la loi et sa transgression, la maîtrise et la jouissance —, sans que l'une soit pour les mâles et l'autre pour les femelles pourvu qu'on n'en parle pas. De ce point de vue, certaines revendications féministes paraissent ressusciter le romantisme naïf, une croyance à l'identité (envers du phallocratisme), si on les compare à l'expérience de l'un *et* l'autre bord de la différence sexuelle qu'on trouve dans l'économie du discours chez Joyce, Artaud, ou dans la musique moderne — Cage, Stockhausen. Prêter attention à cet aspect du travail de l'avant-garde qui dissout les identités, y compris les identités sexuelles, et essayer, dans ma formulation théorique, d'aller à l'encontre des théories métaphysiques qui censurent ce que je viens d'appeler une « femme », c'est ce qui fait, je pense, que ma recherche est celle d'une femme. Il faut peut-être ajouter ceci (mais ce n'est pas une contradiction) : à cause de la place, en dernière instance décisive, des femmes dans la reproduction de l'espèce, et à cause du rapport privilégié de la fille au père, une femme prend davantage au sérieux la contrainte sociale, elle est moins portée vers l'anarchisme, elle est plus attentive à une éthique. Ceci explique peut-être pourquoi notre négativité n'est pas une rage nietzschéenne. Si mon travail vise à faire entendre à la société ce que cette société refuse dans la pratique de l'avant-garde, je pense qu'il obéit à une telle exigence éthique. Tout le problème est de savoir si ce penchant éthique ne va pas rester, dans la lutte des femmes, séparé de la négativité; auquel cas l'un va dégénérer dans le conformisme, l'autre dans la perversion ésotérique. Le problème est à l'ordre du jour dans le mouvement. Mais, sans le mouvement, aucun travail de femme ne serait aujourd'hui réellement possible.

III. Tu reviens d'un voyage en Chine. Nous avons très envie d'aller en Chine, mais il nous semble que notre vraie Chine est ici, là où nous transformons la réalité. La question serait : où est ta Chine, ici? Le travail que nous faisons ici, avec des femmes, entre femmes, recoupe souvent dans ses résultats des informations que nous recevons sur ce que font les femmes et les hommes en Chine; entre autres, un bouleversement, ou peut-être la disparition, ou peut-être encore la nonexistence d'une dominance phallique dans la lutte comme dans la fête. Qu'as-tu ressenti lors de ton séjour en Chine de cette « différence »?
J. K. : Je rentre de Chine, après trois semaines de voyage et j'y ai rencontré beaucoup de femmes et d'hommes : ouvriers, paysans, élèves, professeurs, artistes... Mais, avec tout cela et malgré mes études du chinois, rien de moins sûr que d'avoir été en Chine en son lieu et temps. Aller en Chine, c'est s'interroger sur le nouveau qui se produit sur la planète et qui est un bouleversement sexuel et un bouleversement poli-

tique. Aux yeux d'une Occidentale, la Chine les réunit tous les deux : lutte pour l'émancipation des femmes, tendance à abolir les inégalités sociales, avec l'entrée dans la scène politique mondiale d'une culture refoulée immense. Mais tout cela m'intéresse aussi, et peut-être surtout, par rapport à cet impossible qui essaie de sortir de notre propre société et dont les avant-gardes, les luttes de femmes, le combat pour le socialisme ne sont que des symptômes à divers niveaux : comment l'Occident rencontrera-t-il l'éveil du « troisième monde », comme disent les Chinois? Pourrons-nous participer lucides et actifs à cette rencontre, lorsque le centre de la planète est en train de bouger vers l'Est?

Si on ne s'intéresse pas aux femmes, si on ne les aime pas, ce n'est pas la peine d'aller en Chine : on n'y entendra rien, on s'y ennuiera, on risque même d'y tomber malade d'incompréhension ou d'impression de tout comprendre. D'abord, la Chine antique a été sinon une société matriarcale, comme le disent actuellement les historiens chinois après Engels, au moins la société matrilinéaire connue la plus développée. Ensuite, même pendant le confucianisme qui considérait la femme comme « esclave » et « petit homme », les épouses jouaient un rôle essentiel dans la vie familiale et jusque dans la représentation sacrée de rapports de reproduction. Mais surtout, aujourd'hui, un immense effort est fait pour donner aux femmes un rôle de premier plan non seulement dans la vie familiale, mais à tous les niveaux de la vie politique et sociale : tel est un des enjeux principaux de l'actuel campagne de critique de Lin Piao et de Confucius. Liberté de l'avortement et de la contraception; égalité des salaires; encouragement de l'activité esthétique, politique, scientifique et de toute éducation; soins parfaits des mères et des jeunes enfants; crèches et jardins d'enfants assurés — ce ne sont que quelques éléments de ce que j'ai pu voir dans chacune des unités de production que nous avons visitées en Chine. Plus encore, de tous les spectacles que nous avons vus (films, pièces de théâtre, opéras), pas un seul n'avait pour personnage principal un homme : c'était toujours une héroïne. Il est très difficile de dire brièvement quel est le rapport de ce courant d'émancipation au principe « phallique » ou disons au « pouvoir » : j'en parlerai plus longuement dans le livre que je publie aux éditions Des femmes sur les *Chinoises.* Ce qui est sûr, c'est que les problèmes des femmes chinoises qui sortent d'une société féodale et confucéenne n'ont rien à voir avec les problèmes des femmes occidentales qui essaient de sortir du capitalisme et du monothéisme.

Il est donc absurde de leur reprocher le manque de « libération sexuelle », comme il est absurde de voir dans leur mode de vie et de combat la réalisation d'un soi-disant idéal révolutionnaire universel. Quelques observations empiriques. Malgré la valorisation des femmes dans l'actuelle campagne, malgré la dominance des hommes dans la famille patriarcale confucéenne, je n'ai pas eu l'impression que les rapports de reproduction et les rapports symboliques en Chine étaient réglés par ce que nous appelons ici le « phallique ». D'abord, la différence entre les deux sexes n'est pas un abîme, ce ne sont pas deux races en guerre : l' « homme » est dans la « femme », la « femme » dans l' « homme ». Les rapports dits sexuels ne semblent pas centrés sur la transgression : quête d'objets partiels, perversion, etc. Une génitalité, c'est-à-dire une traversée de l'Œdipe, si l'on peut employer les notions psychanalytiques, mais avec combien de prudence, semble régler cette scène et donne à la rue, aux lieux de travail et même à une fête comme le *Premier Mai* une allure détendue, calme, « maternelle », sûre sans romantisme, ferme sans violence. L'écriture chinoise est ce qui correspond le mieux à ce rythme.

En tout cas, parler du socialisme chinois sans voir qu'il essaie de se bâtir avec une autre distribution de la différence sexuelle et donc des rôles des femmes en lui, c'est ne pas parler de la Chine. Bien sûr, rien n'est joué et rien ne garantit que les efforts actuels ne seront pas engloutis sous la marée du révisionnisme encore présent ou par un retour au système bourgeois. Sur ce plan, comme sur celui de l'économie et de la politique, la « lutte entre les deux lignes » n'est pas un slogan mais une vérité quotidienne.

IV. De même que le féminin est l'envers du masculin, le féminisme pourrait être l'envers de l'humanisme. Nous luttons contre cette idéologie qui ne produit que de l'inversion, sans pour autant ignorer ce que chacune doit connaître comme son féminisme minimal, comme arène temporaire. A cet égard, la lutte des femmes ne nous paraît pas pouvoir être coupée des luttes révolutionnaires, lutte des classes, luttes anti-impérialistes. Les points forts qui nous paraissent très importants dans ta pratique sont l'interrogation de la notion de sujet, de son éclatement, l'inscription de l'hétérogénéité, de la différence... Autant de questions que le féminisme ignore, en postulant que les femmes sont des « individus à part entière », à « identité propre », ou en demandant comme revendication « des noms pour des femmes », etc. Comment penser une lutte révolutionnaire qui ne soit pas aussi une révolution du discours (pas de bouleversement du langage même, mais aussi de la théorie sur ces bouleversements)? Il y aurait peut-être, dans le féminisme, une idéologie enclose du côté du dominant? Et des impasses des « revendications » si elles restent uniquement au « niveau social »?

J. K. : Le féminisme peut n'être qu'une exigence de rationalisation plus poussée du capitalisme : Giscard, voulant liquider les archaïsmes gaullistes, invente le secrétariat à la condition féminine. C'est mieux que rien, mais ce n'est pas ça. Au XXe siècle, après le fascisme, après le révisionnisme, on aura compris qu'il n'y a pas de transformation sociopolitique possible si elle n'est pas une transformation des sujets : c'est-à-dire de leur rapport à la contrainte sociale, à la jouissance et, plus profondément, au langage. Les phénomènes politiquement nouveaux aujourd'hui passent aussi par la nouvelle musique, la bande dessinée, les communautés des jeunes, à condition qu'ils ne s'isolent pas dans le marginalisme, mais participent aussi aux contradictions de classes, politiques. Le mouvement des femmes, s'il a une raison d'être, me semble appartenir à ce courant, il en est même une des composantes les plus radicales. A tous les appareils, de droite, mais aussi de gauche, le mouvement, par sa négativité, indique ce qu'ils refoulent : que la « conscience de classe » par exemple ne va pas sans l'inconscient du parlant sexué. Le piège, pour cette force démystifiante que peut être le mouvement des femmes, c'est l'identification avec le principe de pouvoir qu'on croit combattre : la sainte hystérique joue sa jouissance contre l'ordre social, mais au nom de Dieu. Question : qui fait Dieu pour le féminisme actuel? L'Homme? ou la Femme, son substitut? Tant qu'il n'a pas analysé le rapport à l'instance du pouvoir, ni renoncé à croire à sa propre identité, tout mouvement libertaire (et le féminisme aussi) est récupérable par le pouvoir et par le spiritualisme ouvertement religieux ou laïque : c'est même la dernière chance du spiritualisme. La solution? Infinie, car l'enjeu est le passage de la société patriarcale, de classe et à religion, c'est-à-dire de la préhistoire, vers... Qui le sait? Ça passe en tout cas par ce qui est refoulé dans le discours, dans les rapports de reproduction et dans les rapports de production. Appelez ça « femme » ou « couches sociales opprimées » : c'est la même lutte, et jamais l'une sans l'autre. Faire entendre cette complicité aux appareils idéologiques et politiques me semble être le but immédiat du mouvement. Mais cela implique qu'on change de style, qu'on sorte un peu de l' « entre-femmes » et qu'on s'attaque, chacune, en son lieu de travail, aux archaïsmes sociaux et culturels.

Les Chinoises à « contre-courant »[*]

Deux mythes, dans notre Occident monothéiste, résument la condition des femmes : celui de l'« inimitié entre ta race et sa race : elle t'écrasera la tête et toi tu la viseras au talon » (selon la *Genèse* biblique), et celui de l'Immaculée Conception de la Vierge par le Verbe (selon la tradition chrétienne). On peut penser que l'un établit une vérité de l'érotisme, et l'autre la subordination du corps féminin au principe de la communauté symbolique d'une société homologuée. Mais, d'une femme, ni l'un ni l'autre ne disent rien : ça reste du chinois.

Après quelques années d'étude de la langue et de l'écriture chinoises, après un voyage en Chine (Pékin, Shanghai, Nankin, Luoyang, Xian, Pékin), après des conversations rapides, mais tenaces (les femmes? la famille?) avec les hommes et les femmes de ce pays, j'ai l'impression que, là-bas, notre refoulé fait retour.

D'abord, les anthropologues sont d'accord pour reconnaître que la Chine archaïque est la société matrilinéaire la plus développée : j'ai vu, près de l'ancienne capitale, Xian, les fouilles de Panpo — village à commune primitive que les historiens chinois actuels appellent, à la suite d'Engels, matriarcale, c'est-à-dire antérieure à l'apparition du patriarcat, de la propriété privée et donc de la société de classes. Ensuite, sous le confucianisme qui domine la société chinoise dès un peu avant l'ère chrétienne, les femmes, considérées par le grand maître comme des « esclaves » et des « petits hommes », continuent néanmoins de jouer un rôle à l'écart, mais non négligeable, dans la gestion des rapports de production et de reproduction de cette unité économique et de parenté qu'est la famille chinoise; elles ont même des fonctions sacerdotales : ce sont elles qui accomplissent le culte sur les autels à tablettes portant l'écriture des noms des ancêtres, tablettes censées transmettre l'in-

* Première publication : *la Quinzaine littéraire*, nº 592, août 1974.

fluence maléfique de la mort que seule l'action féminine peut conjurer [1].
Ajoutons à ceci l'économie très spécifique de la langue chinoise : le
parlé inséparable d'un écrit qui obéit pourtant à des règles différentes;
greffes, sur la structure logique de l'énoncé, de gestualité et de tonalité;
le symbolique immanent à toute pratique et jamais isolé en face, à part
ou en soi (pas de « Verbe ») — autant de faits qui signalent que la maîtrise alterne avec le jeu, dans une pratique signifiante en chinois. On a
peut-être, ainsi, quelques-unes des déterminations qui produisent, en
Chine, ce spectacle difficilement perceptible et encore plus difficilement
compréhensible pour un Occidental : pas d'abîme entre un corps
d'homme et un corps de femme, mais l'un faisant constamment écho à
l'autre dans sa constitution et son économie symbolique même; pas
d'objets exhibés en quête d'un désir de transgression; rotation paisible
des rapports de reproduction autour d'une mère qui ne semble susciter
ni envie ni gratitude, mais qui, entourée d'une micro-société enfantine,
translate la mort dans la vie, la famille dans la production et donne même
à la Fête du travail (le 1er mai) le cachet d'une détente.

On commence à se rappeler que toute l'histoire du parti communiste
chinois n'a été qu'une lutte perpétuelle avec Staline et la IIIe Internationale (même si les autorités chinoises ne le disent que plus ou moins,
selon la conjoncture). Mais on oublie de signaler un fait qui me paraît
aussi important que la constatation précédente : cette histoire du com-
munisme chinois est aussi une histoire de libération des femmes. Le courant libertaire marque la Révolution bourgeoise de Sun Yat-sen et ses
disciples. Mais, dès le Soviet de Jiangxi, au début des années trente,
Mao promulgue un décret qui détruit le mariage féodal et proclame la
liberté du choix sexuel et du divorce [2]. Dès l'installation du pouvoir
populaire, une Loi du Mariage est votée (1950) qui donne des droits
considérables aux femmes, protège les enfants et institue la liberté du

1. Cf. Maurice Freeman (éd.), *Family and Kinship in Chinese Society,* Stanford
Univ. Press, 1970.
2. Un texte de Mao de 1919 prend position pour les femmes et s'identifie même à
l'exploitation sexuelle à laquelle elles sont soumises : « Les hommes éhontés, les hommes
méchants nous transforment en jouets et nous obligent à nous prostituer indéfiniment
à leur profit. [...] A longueur de journée les hommes parlent de " mères méritoires et
d'épouses fidèles ". Cela signifie quoi, si ce n'est qu'on nous enseigne à nous prostituer indéfiniment au même homme? » (« La grande union des masses populaires »,
Xiangjiang Pinglum, juillet-août 1919), cité par Chi-hsi Hu, « Mao Tse-tung, la révolution et la question sexuelle », *Revue française de sciences politiques,* février 1973.

divorce. On constate qu'il ne s'agit pas d'une Loi de la *Famille* (comme l'ont été les documents correspondants les plus libertaires en URSS des années 1926-1929), mais du *Mariage* comme institution transitoire permettant aux individus de sortir du féodalisme, d'apprendre une relation égalitaire entre les sexes, sous-entendant l'éventuelle disparition de la famille [1].

Si une politique de conservation de la famille dictée par les nécessités du développement économique se fait sentir, pourtant, dès 1953, et dure, avec des mutations, jusqu'à aujourd'hui, la tendance à accorder un rôle de premier plan aux femmes dans la vie politique et économique semble permanente. Mais cette tendance n'a jamais été aussi forte que depuis le lancement de l'actuelle campagne contre Lin Piao et Confucius. On sait que, depuis le début de la Révolution culturelle, Mao n'a mis en circulation que deux de ses calligraphies (calligraphier un texte en chinois, c'est lui donner une valeur idéologique incontestable) : « Université de Pékin » et « Femmes de Chine ». La première phase de la Révolution culturelle, autour de 1966, a vu surgir les étudiants, les jeunes. Maintenant, il semble que les femmes entrent massivement dans l'arène politique. Ceci correspondrait à l'approfondissement de la Révolution culturelle s'attaquant désormais à des fondements encore non touchés de la société (la reproduction, la famille, les rapports entre les sexes), qui, dans leur état classique confucéen, sont des générateurs permanents de conformisme, de stagnation, de révisionnisme; mais qui, bouleversés, ouvrent le processus d'un changement qualitatif du socialisme chinois. Le pari, on le voit, est énorme : il veut dire que le socialisme n'est pas seulement une transformation des rapports de production, mais, en même temps et sans attendre, des rapports de reproduction. A entendre la sourde religiosité du socialisme occidental, il n'est pas sûr que même ses partis les plus avancés aient compris la nécessité de cette conjonction que la révolution chinoise essaie de promouvoir.

Jusqu'à présent, la campagne *« Pi Lin, Pi Kong »*, y compris sur le plan de la famille et des femmes, ne semble pas avoir atteint, en *pratique,* les buts qu'on lui assigne ou les résultats qu'on peut attendre d'elle en théorie. Il est vrai que la contraception est non seulement libre et gratuite, mais conseillée. Il est vrai que beaucoup de femmes, professeurs notam-

1. Cf. M. J. Meijer, *Mariage Law and Policy in the Chinese People's Republic,* Hong Kong University Press, 1971.

ment, participent activement au changement du style de l'enseignement et de la culture; comme beaucoup d'ouvrières deviennent présidentes des Comités révolutionnaires dans les usines. Il est vrai aussi que, dans la transformation actuelle du statut de l'artiste (pas d'élite esthétique, pas de vedettes, mais un art populaire constant et non permanent), les productions des femmes sont des plus novatrices, des plus originalement antiréalisme socialiste. Je pense à cette femme peintre d'une Commune populaire près de Xian, qui cultive le coton, peint ses rêves en couleurs après le travail, dans des tableaux qui évoquent l'ancienne peinture chinoise et Van Gogh, et qui, lorsque je lui demande si ses enfants portent son nom à elle comme l'autorise la loi, répond :« Non, mais je le regrette, je me suis laissé faire par la tradition et la bureaucratie. »

Il reste que le mouvement n'en est qu'à ses débuts. Paternalisme des chefs, surtout à la campagne. Création de cadres-femmes-petits-chefs locaux. Utilisation de l'enthousiasme des femmes, émancipées des rapports féodaux, pour les objectifs du rendement économique. Ou bien le confucianisme à l'envers : virilisation des femmes au détriment, souvent, des hommes, qui font pâle figure à côté des nouvelles promues (je pense à la militante active contre Lin et Kong, que toute la Chine connaît actuellement, Bai Qixian, professeur qui a décidé de s'installer à la campagne et d'épouser un paysan chez lequel elle apprécie surtout la capacité de travail et le « peu de parole peu de discours » — qualité pour le moins ambiguë, prônée en plus par les confucianistes comme une des suprêmes vertus!). Ici, comme ailleurs, la « lutte entre les deux lignes » n'est pas un mot creux, mais une réalité brûlante. Qui l'emportera, des forces conservatrices et révisionnistes ou du « contre-courant » dont l'exemple le plus cité est, d'ailleurs, une petite fille de douze ans qui s'est révoltée contre la discipline scolaire?

Dans tous les spectacles que j'ai vus en Chine, il n'y a pas un seul héros : ce sont des héroïnes qui s'insurgent, mais aussi dramatisent tout, car, laissée à elles, la situation rate et il faut l'intervention du Parti pour que ça aille bien. Les Chinoises — des révoltées, une « moitié du ciel », mais à « contre-courant » du ciel, et *sans arrêt,* force probablement essentielle de la Révolution culturelle qui s'engage maintenant.

Impossible de prendre leurs problèmes pour les nôtres. Impossible, aussi, d'attendre d'elles, sortant du féodalisme et du confucianisme, la solution de nos difficultés coincées dans le monothéisme et le capitalisme. Mais à partir d'elles, *aussi,* s'interroger sur le poids d'une tradition métaphysique et d'un mode de production qui ont pu fonctionner ici à partir de notre parole complice ou de notre silence mort. Donner une dimension politique à nos protestations : l'importance de l'éveil des femmes pour les structures de la société socialiste, son rôle essentiellement internationaliste parce que sapant les bases de l'occidentalisme. Essayer d'écrire, de faire cette interrogation « à la chinoise » : contre ce qui existe, et avec tout ce qui, aujourd'hui, ici, est « à contre-courant ».

Index

Cet index des *interventions théoriques principales* est destiné à proposer un réseau de lecture qui, parcourant les articles, les extrait de leur temporalité et objet spécifiques pour en dégager un projet global, différemment poursuivi, mais néanmoins permanent. Il conduira, d'autre part, le lecteur aussi bien à des thèmes ou concepts travaillés par d'autres auteurs qu'au stade antérieur de cette recherche (Σημειωτική, Recherches pour une sémanalyse, Éd. du Seuil, 1968), dont le présent ouvrage est la suite.

A. CRISE DU SUJET PARLANT : CRISE DE LA SOCIALITÉ

I. LA DIFFÉRENCE SEXUELLE, 77-79, 140, 142, 145, 178-180, 210-211, 378, 413, 444, 510-512, 519, 525-527 — une femme dans la « commune mesure » — l'ironie, 76-77 — le masque, 78— l'image, 432— le diabolique, 77 — le dionysiaque et le maternel, 206— l'écriture et l'hystérique, 77-78, 209-210, 212, 270 — l'art comme inceste maternel, 139, 144-145, 162, 169, 205, 263, 364, 416, 420, 466 — narcissisme féminin, 178, 432, 480 — phallicisme, 178, 204, 205, 410, 413 — mère phallique et imaginaire, 205, 414 — castration, 178, 179, 269, 476 — paranoïa féminine et pratique esthétique, 206 — féminité et théorie, 171, 172, 178-180, 269, 373, 495-496, 513-514.

a. Maternité dans le christianisme, 144, 146, 409, 421 s., 466, 468 — reproduction et érotisme, 112, 211 — la grossesse comme psychose instituée, 207-208, 409-412 — l'art comme langage de la jouissance maternelle, 145, 205-208, 399, 411, 414, 419, 424 s., 430 — fonction maternelle (mère *vs* génitrice), 418, 420, 475, 480 — maternité et paranoïa, 411, 476 — inceste fille-père, 410-411 — homosexualité féminine, 411 — l'enfant comme contrepartie de l'obsession masculine de la mort, 141, 145, 467 — l'enfant objet d'amour, 144, 417, 424-432, 444, 475-476 — comme analyseur, 476, 483 — l'enfant et l'Autre, 411, 468, 472, 476, 490.

b. Fonction paternelle, 140, 143-144, 171, 212, 378, 416, 419-420, 469-471 — le père mort, 138 — l'objet d'amour, 138-139, 144, 168, 210 — le sens et la mort, 138 — l'interrogation et la jouissance du sens, 143, 144 — homosexualité, 70, 76, 86, 89, 212, 416 — fonction paternelle et écriture (art), 138, 163 s., 177, 213 s., 363, 430.

531

B. SÉMIOTIQUE/SYMBOLIQUE

I. APPRENTISSAGE DU LANGAGE, langage enfantin/langage infantile, 467 s., 474-475.

1. *Phases préphonologiques,* intonations, rythmes, 437 s. — vocalisation du manque, 441-443, 479-480 — le rejet, 442 s. — la spécularisation, condition du signe (le stade du miroir), 208, 211-212, 354, 378-379, 480-481 — anaclyse, 480 — genèse de l'objet signifiable, espace potentiel, 473, 479, 483-485 (cf. ci-dessous *La* chora *sémiotique, le sémiotique dans l'acquisition du langage*).

2. *Entrée dans la syntaxe,* imitation, 444 — holophrase, 354, 485 — mélodie et syntaxe, 451 — sens potentiel présyntaxique, 484-485 — *topic-comment,* 486 — anaphoriques, 245-247, 485-488, 490 — syntaxe et négation, 489 — noms propres, 489 — l'entrée dans la syntaxe, victoire sur la mère, 488 — folklore obscène des enfants, 169 — soliloque enfantin et langage poétique, 364.

II. PRATIQUES SIGNIFIANTES

1. *Le sujet en procès*

a. Le sujet du texte comme sujet en procès, 28, 31, 68, 116, 132, 150, 161, 175, 193-194, 198-201, 204, 247, 348, 409-414, 420, 452, 463, 513 — par opposition au sujet de la névrose et de la psychose, 28, 142, 150, 165, 196, 209, 279, 285, 391, 462, 465 — au fétichisme, 108, 165 — comme sujet historique, 28, 104, 174, 216 — sa contemporanéité avec la recherche scientifique, 31 — sujet « unaire » ou sujet de la filiation *vs* sujet en procès, 55, 56, 58, 59, 61, 62, 110, 113, 205, 213 — un sujet impersonnel (la troisième personne), 83, 137, 142, 476 — singulier, 101 — le « moi », 103, 124, 134, 279, 362 — une « identité » impossible, 18, 126-127, 149, 172, 199 s., 203 — sujet et objet « catastrophe », 126 — nom propre et pseudonyme, 203-204 — suppression du sujet lors de la représentation, 281-282, 344.

b. Le rejet, 64, 67, 73, 75, 79, 92, 96, 442 — la pulsion, 69, 83, 168, 176, 192, 472-473 — pulsion de mort, 70-71, 168, 176-178, 201, 218, 341, 349, 395 — pulsion orale, 73-75, 364, 445, 480-481 — son rapport au rythme, à la musique, 73, 92, 190 s., 205 — pulsion anale, 70-72, 378, 445, 482 — sadisme/masochisme, 71 — rapport à la glossalie, au paragrammatisme, 73, 190, 457 — le sémiotique comme réseau pulsionnel, 57, 348, 374.

c. L'hétérogène, 13, 76, 81, 91, 111, 158, 177, 198, 203, 227, 266, 280, 281, 288, 350, 358 — la solution médiévale, 233 — grammaticale, 257 — l'hétérogène et le néant, 82, 102 — l'hétérogène et l'infini, 82 — l'hétérogène et la

C. LANGUE, MÉTALANGUE ET PROCÈS DE LA SIGNIFIANCE

I. ÉPISTÉMOLOGIE DE LA LINGUISTIQUE

225, 257-261, 249 s., 272 — sujet de l'énonciation et acte de jugement, 245, 248, 253 — « la forclusion du sujet et de l'énonciation représente la forclusion de la matière », 252 — signe, sujet et syntaxe selon Port-Royal, 152, 225, 228, 236, 253 — syntaxe et complémentation selon l'Encyclopédie, 331 s. — suppression de la philosophie dans la grammaire, 229 — le rôle de la pédagogie, 228 241 — la philologie comme discours de l'identité (renversant la théologie en histoire), 150 s. — sens et transcendance, 233 — « être », 234, 250, 252, 329-340.

2. Problèmes de linguistique contemporaine

a. La langue comme système de signes, 152 — comme synthèse prédicative, 325 — langue et discours, 321, 324-335 — signe et système chez Saussure, 298 s. — similarité et contiguïté, 300-301 — la valeur, 302-303 — inconscient et conscient chez Saussure, 301-303 — la vacance syntaxique comme vacance du sujet, 304 — structuralisme linguistique, 153, 157.

b. Syntaxe relationnelle et applicative, 259-260 — créativité syntaxique, 310-311 — récursivité, 313, 340 — le sujet cartésien de la grammaire générative, 153, 313 s. — son mentalisme, 315 — intuition du locuteur, 295, 308-309, 314 — mise en cause de la catégorialité, 326 — particuliers et universaux, 327-331 — innéisme, 438 — phonologie et intonation, 437-438 — psycholinguistique, 474 — pragmatique, 290, 294-295.

c. La linguistique comme théorie descriptive et explicative, 288 s., 318 s. — T_1 et T_2, 289, 292 — statut théorique de la grammaire générative, 289-290 — décompactification sémantique de la grammaire générative 290, 293, 320 — niveaux et environnements, 291, 293 — la théorie linguistique comme ensemble d'articulations, 291, 320 — conscience opérante et objet « langage », 156 — intention husserlienne en linguistique, 295 s., 297-298 — « intension » en linguistique, 294, 302 — analyser l'« intension » (une topologie du sujet de la théorie), 296 s. — vérité linguistique et psychanalyse, 319, 322.

d. Du sujet de la métalangue, 305-306 — métalangue et refoulement, 356, 358 — immanence de la métalangue et de l'objet « langage » en linguistique, 299, 316-317 — forclusion métalinguistique et syntaxique, 314 — savoir et psychose, 305-306 — sciences humaines et religion, 149, 156-157 — le discours théorique, 268-269 — la suppression du discours philosophique, 278.

II. LA FONCTION PRÉDICATIVE

a. La phrase omniprésente, 225 — toute nomination est prédication, 156, 159 — la prédication comme opération thétique, 155, 157, 181-182, 349 — la contradiction hégélienne sujet/prédicat dans le jugement, 247, 250-251, 260, 274, 342-347 — apprentissage de la syntaxe, 311-312, 316 — résistance de la prédication, 350.

b. Les deux fonctions prédicatives de Benveniste : assertive (référentielle) et cohésive, 326 s. — autres propriétés de la prédication : métalinguistique (sui-référentielle), 33 — conférant au sujet une position transcendantale à l'égard de l'énonciation, 333 — altérante, 341, 344 — infinitisante, 341 — prédication et anaphore, 326, 339 — syntagme et prédication, 334-335 — « être » comme archi-prédicat, 329 s. — « être » en arabe, 332 — « être » en russe, 320 — « être » en chinois (syntagme, proposition verbale et proposition déterminative), 334-337 — la récursivité comme manifestation de la propriété métalinguistique de la prédication, 340.

III. SÉMANALYSE

1. Le sujet de l'énonciation, 153, 183-184 — énonciation phrasée et narrative, 187 — énonciation phrastique et transfinie, 185 s. — interrogative, 141, 185 — en ellipse d'objet, 141, 167 — de la troisième personne, 142-143, 146, 182-183 — le sujet de l'énonciation comme ego transcendental (le retour de la phénoménologie dans la linguistique de l'énonciation), 149, 154-156, 197, 267, 329, 343, 439, 478-479 — le mouvement de la conscience de soi hégélienne, départ pour une autre subjectivité de l'énonciation (altérée et infinitisée), 341-344 — énonciation et inconscient freudien, 468-475 — psychanalyse et analyse du langage, 458 s., 474 — le texte, une pratique de la langue comme ensemble flou, 161 (cf. ci-dessus *Langue : Texte*).

2. Sémiologie de la littérature : statut d'une science de la littérature, 25-30, 51, 54 — le non-lieu de la littérature comme objet des sciences sociales, 27, 29 — la négativité sémiologique (une sémioclastie), 33 — dissolution des entités phénoménologiques, signifiantes et mythiques, 33, 34, 38 — crises de la structure, 150 — éthique de la science littéraire, 38, 49, 268.

a. Critique et métalangage, 47, 49, 53, 55, 76 — rationalisation du procès signifiant, 38 — écriture et critique : affirmation et ironie, 41, 360 — séduction rhétorique *vs* style, 164.

b. Sémiologie littéraire et psychanalyse, 51, 55-56, 359-360, 479 — le transfert du critique, un texte désiré, 50, 174 — le discours critique noue le désir où s'implique le sujet (corps et histoire) à l'ordre symbolique, 175-179 — singularité du texte, 172.

c. Signe et procès de la signifiance, 56 s., 72 s., 84-86, 89, 91, 96, 99 (cf. ci-dessus *Langue : Texte*).

Table

IMPRIMERIE FLOCH À MAYENNE
D. L. 2e TRIM. 1977 No 4631 (14935)

COLLECTION « TEL QUEL »